AFGESCHREVEN

Het geluk

Wilt u op de hoogte gehouden worden van de literaire romans en thrillers van uitgeverij Signature? Meldt u zich dan aan voor de literaire nieuwsbrief via onze website www.uitgeverijsignature.nl.

Lluís-Anton Baulenas

Het geluk

Vertaald door Pieter Lamberts en Joan Garrit

2007
uitgeverij Signature / Utrecht

Oorspronkelijke titel: La felicitat
Vertaling: Pieter Lamberts en Joan Garrit

Omslagontwerp: Wil Immink Design
Omslagfoto: Amadeu Mariné–Arxiu Fotogràfic
Typografie: Pre Press B.V., Zeist
Druk- en bindwerk: Koninklijke Wöhrmann, Zutphen

ISBN 978 90 5672 250 0
NUR 302

Deze vertaling kwam tot stand met steun van het IRL.

Dit boek is gedrukt op papier dat het keurmerk van de Forest Stewardship Council (FSC) mag dragen. Bij dit papier is het zeker dat de productie niet tot bosvernietiging heeft geleid. Een flink deel van de grondstof is afkomstig uit bossen en plantages die worden beheerd volgens de regels van FSC. Van het andere deel van de grondstof is vastgesteld dat hiervoor geen houtkap in de laatste resten waardevol bos heeft plaatsgevonden. Daarom mag dit papier het FSC Mixed Sources label dragen. Voor dit boek is het FSC-gecertificeerde Munkenprint gebruikt. Dit papier is 100% chloor- en zwavelvrij gebleekt en wordt geleverd door Arctic Paper Munkedals AB, Zweden.

EERSTE DEEL

1

Een vrouw en een zeehond. Elke dag, 's avonds vroeg en 's avonds laat, een jonge vrouw die er mag zijn en een dikke, oude zeehond met snotterige ogen.

Belle en het Beest die in een groot aquarium midden op een podium onder water dansen.

Met energieke akkoorden accentueerde een pianist gelijkvloers de hoogtepunten van de voorstelling, net zoals hij deed op dagen dat er een film te zien was.

Het meisje omhelsde de zeehond alsof ze een stelletje waren. Ze spreidde haar benen en omstrengelde het dier met haar dijen, klampte zich aan hem vast. Nu eens haalde ze hem aan, dan weer stootte ze hem van zich af, nu eens was het net of ze een potje met hem wilde vrijen, dan weer alsof ze ruzie met hem wilde maken. Ze pakte zijn vin en ze speelden handjeklap.

Dan liet de pianist zich zien en alsof het zo afgesproken was begon het publiek, voornamelijk mannen, te klappen en te stampen, te fluiten en te schreeuwen. En het schreeuwde zich helemaal schor als de vrouw en het dier opdoken om adem te halen en gracieus met hun kin op de rand van het aquarium bleven leunen.

Het was ongetwijfeld een goede attractie, een van de beste van de Paralelo. En het publiek van Barcelona, dat er verstand van had, vulde het theater van de gebroeders Soriano elke avond tot barstens toe omdat het die attractie wist te waarderen. Vooral als er een mooie, bijna naakte hoofdrolspeelster te zien was in dat badpak vol opsmuk en pailletten, dat als een tweede huid aan haar lichaam plakte.

Onder het publiek, dat het als altijd behoorlijk naar zijn zin had, bevond zich die ijzige vrijdag, de eerste januari van 1909, een jongeman met een schuwe, katachtige blik, als van een tamme kater, groot, goedgebouwd, met de uitstraling van iemand die anderen de wet voorschrijft. Hij klapte zachtjes, maar op het verkeerde moment. Hij had niet eens zijn groene geitenleren handschoenen uitgetrokken. Het was Deogràcies-Miquel Gambús, vierde generatie dief, dief uit roeping, dief van top tot teen, dief met schone handen en dure kleren. Een dief die lekker rook, maar hoe dan ook een dief die zijn stiel met hart en ziel was toegewijd, net als zijn moeder, de vader van zijn moeder en de vader van de vader van zijn moeder voor hem.

Bovendien was hij advocaat. Daarom wist hij dat zijn familie uit dieven bestond in de klassieke (en strikte) betekenis van het woord. En zonder ironisch of grappig te willen zijn, legde hij zijn intimi uit dat Latijnse volkeren dieven *fur* of *latro* noemden. En dat *fur* verwant was aan het werkwoord *fero*, dat in een van zijn tien of twaalf hoofdbetekenissen zoveel betekende als 'ik neem mee', 'ik ontfutsel', 'ik pers af' en zelfs 'ik plunder'. En hij voegde eraan toe: "En zo is het wel degelijk; de familie Gambús neemt sinds onheuglijke tijden de spullen van anderen mee. *Latro* is verwant met *lateo*, dat 'ik verstop me' betekent. Het is zo klaar als een klontje: ik neem de dingen mee en ik verstop me; ik pak, ik verduister spullen (materieel en immaterieel, met *animus dolendi,* al dan niet willens en wetens) die niet van mij zijn en daarna smeer ik hem of doe of mijn neus bloedt."

De kreten van het publiek in theater Soriano klonken luider dan gewoonlijk en Deogràcies-Miquel keek weer vluchtig naar de voorstelling. Hij was vanaf het begin, vijf jaar geleden, vaste klant van het etablissement, toen de huidige eigenaren het vorige lokaal hadden overgenomen: het beroemde Trianon, artistieke wieg en roemrijke springplank van de onsterfelijke Bella Chelito. Toen hoefde hij niet half in het geniep te komen, zoals nu. Hij had minder kopzorgen, was jonger, pleegde met meer plezier ontucht en studeerde rechten. Zijn moeder had hem gedwongen te studeren: "Hoe beter je de wetten kent, des te beter kan je ze ontduiken. Je krijgt het niet altijd cadeau, dat is waar, maar zoals bij alles in het leven moet je voors en tegens afwegen. Een advocaat kan meer liegen en bedriegen met een wet, dan een horde proleten met een pistool. Dat zal je snel inzien." En ze voegde er uitgelaten aan toe: "Afzetten doe je van nature, dat zit in je bloed. De dag na je geboorte, toen je één dag oud was, hadden ze je al preventief moeten opsluiten. Dat hebben ze niet gedaan en nu zijn ze te laat ..."

Eigenlijk vond ze het maar niks dat Deogràcies-Miquel naar de Paralelo ging. Niet omdat ze morele bezwaren had, helemaal niet. Als de doorgewinterde beroepsmisdadigster die ze was, hechtte ze gewoon heel erg aan veiligheid. Ze had twee kinderen gekregen en alleen Deogràcies-Miquel was blijven leven. Ze wilde niet dat hem iets overkwam. En ze was bang dat hij om een kleinigheid (een vrouw, een plotselinge klopjacht van de politie, een anarchistische bom ...) de toekomst van de familie in gevaar zou brengen.

Maar hij trok er zich niets van aan en legde haar uit dat hij op de Paralelo onmisbare lessen kreeg om zijn opleiding af te ronden: "Ziet u, moeder, er is een artieste, een heel slank meisje dat een liedje zingt over een vlo. Deze bouwt zijn nestje op de meest vreemde plekken in de kleren van het arme kind. Vooral in haar ondergoed. De vlo bijt haar. Het is een ware kwelling. En het meisje begint zich als een gek te krabben en hem te zoeken. Om dat klusje te kunnen klaren, moet ze natuurlijk haar kleren uittrekken. En uit medelijden helpt het publiek haar. Dan ..."

Paf! De oorvijg liet de afdruk van vijf moederlijke vingers van haar rechterhand op zijn gezicht achter.

"Ze is niets anders dan een vulgaire *deshabillé*. En haal het niet nog eens in je hoofd mij van die vuiligheden te vertellen. Of ben je soms ook het podium opgegaan om de vlo te zoeken?" voegde de vrouw er droogjes aan toe.

En ze maakte aanstalten om naar haar kamers te gaan. Over zijn wang wrijvend antwoordde hij zachtjes, terwijl hij glimlachte: "Ik zeg niet van niet."

De vrouw bleef staan en draaide zich om. Bijna minachtend liet ze zich ontvallen: "Is ze soms je bedvriendin, deze vlooien ... madam?"

"Nee, moeder", zei de jongeman, onder de indruk van die nooit eerder geziene uiting van gebrek aan humor. "Maar ik heb rechtbankpresidenten achter de fameuze vlo aan zien gaan, aristocraten, provinciebestuurders, luitenant-kolonels, grootindustriëlen, grootgrondbezitters, zelfs bisschoppen, allen min of meer incognito, min of meer dronken ... Heel belangrijke mensen, die ...”

“Ik heb je door, mannetje. En laat ik je dit vertellen: bij ons is chantage nooit een doel geweest, alleen maar een eenvoudig middel. Chantageplegers worden nooit oud. Ze krijgen uiteindelijk allemaal aderverkalking. En ze sterven aan een beroerte (als ze al niet vóór die tijd vermoord zijn).”

En daar stond Deogràcies-Miquel Gambús, verbouwereerd en naar adem happend als een vis op het droge, opnieuw ten prooi aan de verwarring die zijn moeders repliek had veroorzaakt.

De zeehond had net de toeschouwers op de eerste rij nat gespat, die daarop bijna als één man waren weggevlucht, in een golfbeweging. Het dier deed op een grappige manier of het niesbuien had en de vrouw probeerde hem met een lakentje zijn neus te laten snuiten. De mensen lachten zich een deuk. De pianist, die optrad als ceremoniemeester, liep naar de zitplaatsen en koos lukraak een toeschouwer (die het lachen meteen verging). Uit een mandje moest de uitverkorene een verse sardine pakken. En zo liet de pianist het slachtoffer, dat bang was en de sardine in zijn hand hield, op een krukje stappen dat tegen het aquarium aan stond en liet hem zijn arm heel hoog optillen. Zeehond en vrouw zwommen dan als een speer vanaf de bodem weg om de vis te pakken. Als het dier erin slaagde, probeerde de vrouw hem de sardine met haar tanden te ontfutselen en zo leek het net alsof ze elkaar kusten. Als zij als eerste bij de sardine kwam, was het de zeehond die háár aanviel. Er hing een opgewonden sfeer.

In het aquarium begonnen ze weer te vechten. Het meisje kwam even boven om adem te halen, ze dook, ging op de rug van de zeehond zitten en klemde een arm om zijn nek alsof ze hem wilde wurgen. Het beest sloeg hard op het water en spatte weer iedereen op de voorste rijen nat, deze keer ook Deogràcies-Miquel, die plotseling opschrok, merkte dat zijn geitenleren handschoenen nat waren en boos werd. Op dat moment had de zeehond het meisje in een van de hoeken van het aquarium gedreven om te verhinderen dat ze weer naar het wateroppervlak zou gaan.

De toeschouwers bleven maar fluiten en ze stampvoetten op de plankenvloer. Sommigen slingerden de zeehond zelfs onmogelijke verwensingen als ‘vuile zeehond’ naar zijn hoofd. Een zeehond kan nooit vuil zijn, dacht Deogràcies-Miquel Gambús. Een hond wel, zo wil de *vox populi*, maar een zeehond, dat bestaat niet.

De piano leek op het punt te staan om uit elkaar te knallen. Het meisje bewoog haar armen als een krankzinnige, opende en sloot haar mond, blies luchtbellen, sperde haar ogen wagenwijd open ... Haar gezicht werd paars, ze stikte ... De mensen zwegen, de een na de ander, tot het stil werd. Plotseling bevrijdde ze zich uit de dodelijke omarming van het dier en kwam triomfantelijk boven om adem te halen, onder krankzinnig geschreeuw vanuit de zaal, dat zelfs buiten op straat te horen was.

Elke dag, 's avonds vroeg en 's avonds laat, een jonge vrouw die er mag zijn en een dikke, oude zeehond met snotterige ogen.

De jonge Deogràcies-Miquel bestudeerde haar even, keek opnieuw naar haar lange, loshangende, mahoniekleurige haar, dat onder water in duizend slierten deinde, alsof het door een luchtballon ondersteund werd. Hij vond het mooi. Hij vond haar mooi. Waar had hij haar eerder gezien? Het was een vrouw uit duizenden. En met die haren ... Hem schoot een vage herinnering te binnen, maar hij wist haar niet helder voor de geest te halen. Hij liet het voor wat het was, het mocht wat, hij had genoeg aan zijn hoofd.

Want het was zo dat de jonge Deogràcies-Miquel Gambús, algemeen bekend onder de afkorting Demi, moest bedenken met welk waagstuk hij zijn entree zou maken in de zakenwereld van zijn familie. Zijn moeder, de matriarch, bazin Miquela, ging met pensioen. Een heel leven gewijd aan het dievenpad kwam tot een waardig eind, het beste: niet alleen hadden ze haar nooit betrapt op de talloze delicten die ze in de loop van haar meer dan veertigjarige loopbaan had gepleegd, maar ze had ook op een ontstellende, grandioze en spectaculaire manier het vermogen van de familie vergroot: ze waren rijker dan de vorige generatie en vooral veel respectabeler.

Een moeilijk te breken record, zei de jonge Deogràcies-Miquel Gambús tegen zichzelf, terwijl hij bleef zitten toen iedereen weer opstond om te klappen ...

Hier volgt de beschrijving van de voornaamste activiteiten van de familie Gambús in de afgelopen honderd jaar. De familie Gambús was begin negentiende eeuw naar Catalonië gekomen, in het gevolg van koning Ferdinand VII, toen deze uit Frankrijk terugkeerde. Een duistere affaire dwong overgrootvader Miquel Gambús I om zich als een soort banneling te vestigen in een dorpje aan de oever van de rivier de Ebro dat El Cagaire heette, tussen Móra en Tortosa. Met meer dan genoeg geld, maar bijna stiekem. Omgeven door johannesbrood- en amandelbomen en met de spotnaam 'de Fransoos', schiep hij vanuit de anonimiteit een machtig netwerk dat in luttele jaren spectaculair groeide. Hij muntte uit in de praktijk van de omkoperij en het gebruik van stromannen. En hij was een van de eersten die begrepen dat informatie stelen voordeliger was dan goud stelen.

Hij was al burgemeester van zijn dorp toen hij een crisis meemaakte die een ander de nekslag zou hebben gegeven. Omdat hij trouw was gebleven aan ex-koning Ferdinand, werd hij tijdens het Liberale Triënnium veroordeeld en gevangengezet. Maar Miquel Gambús I, de Fransoos, kwam deze crisis te boven. Lange tijd werd er met bewondering teruggedacht aan één feit in het bijzonder: toen hij opgesloten zat in de gevangenis van Lleida hadden de cipiers niet alleen de uitdrukkelijke opdracht hem te beschermen en niet lastig te vallen, maar ze zorgden er ook voor dat het hem aan niets ontbrak. Vanuit zijn cel bleef meneer Miquel het leven in zijn dorp bestieren en zijn zakelijke belangen behartigen.

Toen koning Ferdinand dankzij de geallieerde Europese troepen weer op zijn troon zat, bereikten het prestige en de macht van de oude Gambús onvoorstelbare hoogten. Onder luid gejuich verliet hij de gevangenis als een stierenvechter op de schouders van zijn gevangenbewaarders. Een hele dag lang deelde hij speciale gratificaties uit onder het gevangenispersoneel en schonk bruidsschatten aan de dochters van andere gevangenen. Hij stichtte een tbc-sanatorium in de districtshoofdstad en gaf een genereuze aalmoes aan de plaatselijke pastoor. Zelfs de burgemeesters van andere plaatsen in de streek begonnen hem om raad te vragen. Hij veranderde van Miquel Gambús I, de Fransoos, in Miquel Gambús I, 'Die van de koning'. Toen hij zich opnieuw in zijn dorp had geïnstalleerd, liet hij als eerste de naïeveling aanhouden die het had gewaagd hem als burgemeester te vervangen in de anderhalf jaar dat hij in de gevangenis had gezeten. Hij liet hem piemelnaakt vastbinden op een tafel die midden op het dorpsplein was neergezet. In alle rust trok hij zijn witte linnen handschoenen aan, de ene vinger na de andere, en knipte 's mans testikels af met een naaischaartje, zodat de foltering langer zou duren. Toen hij klaar was, gaf hij ze als maaltijd aan de honden. Hij deed het in het openbaar en in aanwezigheid van de gezinshoofden van het dorp. Van de arme castraat is nooit meer iets vernomen; onder de bevolking ging het gerucht dat hij als eunuch was verkocht aan een koninkje aan de verre Slavenkust. Overbodig te zeggen dat kennis van dit voorval niet verder kwam dan de gemeentegrenzen.

Hij werd opgevolgd door zijn zoon Miquel Gambús II, die vanwege zijn neiging tot grootheidswaan 'de Rijke Stinkerd' werd genoemd. Net als zijn vader was hij burgemeester voor het leven van El Cagaire; hij leefde tot 1899 en koesterde zich in het respect van zijn mededorpelingen. Dankzij hem veranderde het dorp ingrijpend. Zelfs de naam veranderde. De enige, traditionele en officiële naamgeving van de plek was om voor de hand liggende redenen altijd El Cagaire geweest: afgesneden door de berg maakte de rivier een behoorlijk scherpe kronkel, zodat hij vanuit vogelperspectief op de kont leek van iemand die op zijn hurken aan het poepen was. Zoals een *caganer*: het poepende kerstfiguurtje. De tweede Gambús, die zijn mandaat met een symbolische en meteen ook spectaculaire daad wilde beginnen, liet meneer pastoor komen en vroeg hem naar de naam van het dorp. De man legde uit dat het dorp sinds de eerste documenten die het vermeldden, in de verre negende eeuw, altijd zo was genoemd. Het laat-Latijnse *Ille Caccariu* was in alle rust geëvolueerd tot het Catalaanse El Cagaire. In alle rust, tot de komst van de tweede telg van de familie Gambús, die, dat mag duidelijk zijn, niet bereid was te leven op een plek met zo'n naam. Miquel Gambús II, de Rijke Stinkerd, liet er een beetje zijn fantasie op los. Bestonden ook niet Alguaire, Albaida, Alfara, Alfàbia et cetera? Door een middeleeuwse tekst een klein beetje te vervalsen en door een provinciebestuurder om te kopen wist hij de plaats die duizend jaar lang bekend had gestaan als El Cagaire officieel om te dopen in Alcagaire de la Roca. En de bewoners ervan, die *cagarrins* heetten, waren voortaan *alcagairons*.

Hij was driest en tegelijk kil, scherpzinnig, indien nodig gewelddadig, lag altijd op de loer en onder hem verging het het dorp steeds beter; maar iedereen wist dat hij had geplunderd, gestolen en gemoord, zoveel als hij wilde en nodig had gevonden. Probleemloos, zonder het te verbergen. Hij was bloeddorstiger dan zijn vader en als hij ergens zijn zinnen op had gezet, was het beter dat niemand hem ook maar een strobreed in de weg legde, omdat hij die persoon wegveegde als iemand die een broodkruimel van zijn mouw klopt. Zonder zich druk te maken over de manier waarop of het moment.

Geen enkel gerechtshof kon ooit iets tegen Miquel Gambús, de Rijke Stinkerd, bewijzen. Het was de gouden tijd van het *caciquisme* en het netwerk aan economische en vooral politieke belangen had de familie bijna onkwetsbaar gemaakt. De enige keer dat hij zich verkeek, was aan het eind van zijn leven. Hij onderschatte de tijdelijke macht van de Kerk, waarmee hij het vanwege een formele kwestie aan de stok kreeg, en hij moest in ongewijde grond worden begraven.

En nu liep het tijdperk van zijn dochter af, dat van bazin Miquela, die bijna de kwadratuur van de cirkel had bereikt: net zo doeltreffend opereren als haar twee illustere voorouders, maar zonder dat erover werd gepraat, zonder veel te moorden en met de toegevoegde waarde van een bepaald fantasierijke laatste hand. Er zouden al boeken over zijn geschreven als haar bezigheid geen criminele trekjes had gehad. Ze was de grote Miquela, internationaal vermaard. Ze baande voor haar familie een nieuwe weg om inkomsten te verwerven, een weg die zelfs artistiek en creatief genoemd mocht worden en die al volop functioneerde terwijl haar vader nog leefde, tussen 1880 en 1890: de vervalsing van verkiezingsuitslagen. In een tijd dat verkiezingsfraude veel voorkwam, was alleen zij in staat die op een hoger plan te tillen, als aangeraakt door de hand van God onze Vader: onaantoonbaar, perfect. In Alcagaire had ze een laboratorium waar ze de meest uiteenlopende en verfijnde methodes bedacht en ermee experimenteerde: van de fabricage van onnaspeurbare, valse stembussen tot het scheppen van honderden niet-bestaande personen, die alleen tot leven kwamen om te gaan stemmen. Ze vroeg astronomische bedragen om de verkiezingszege te garanderen en kwam mondeling overeen dat ze niets betaald kreeg, als het mislukte. Het werkte altijd. En ook nu nog, nadat ze zich had teruggetrokken, betwistten enkele van de voornaamste persoonlijkheden van het Koninkrijk elkaar de eer bij haar aan tafel te mogen aanschuiven, als teken van erkentelijkheid.

Maar ze was al 63 en haar hart had haar ingegeven dat dit het geschikte moment was om zich uit het openbare leven terug te trekken. Het uur was gekomen om de macht aan haar zoon over te dragen, zoals haar vader bij haar had gedaan. Ze bereidde hem al negen jaar zorgvuldig op dat moment voor, sinds hun verhuizing naar Barcelona. Terwijl ze ook het burgemeestersambt van Alcagaire bleef bekleden, had ze zich gedurende deze tijd aan twee kerndoelen gewijd: zich wreken op diegenen die het bij de dood van haar vader hadden gewaagd de familie te vernederen én haar enige zoon, haar erfgenaam, zorgvuldig opleiden.

Zoals gezegd was Deogràcies-Miquel een jongeman die genetisch bepaald geen scrupules kende, een karaktertrek die de stam van de Gambús groot had gemaakt. Mevrouw Miquela had dat al vroeg in de gaten. Toen hij nog klein was, probeerde ze hem dat op een dag in de balzaal van het voorvaderlijk huis in Alcagaire uit te leggen, terwijl ze Franse cognac in haar glas liet rondwalsen. "Een dief is een dief omdat hij steelt, niet? Nou, onze geliefde Catalaanse taal, gemoedelijk en eenvoudig, stelt de woorden 'snaaien' en 'naaien' naast alle bekende en gelijkende synoniemen die andere buur- en zustertalen voor het werkwoord 'stelen' hebben. Iemand zegt: 'Ik ben genaaid, want mijn horloge is gesnaaid.' Ik zeg: 'Ik heb het onder zijn neus gesnaaid en hij heeft niet eens gemerkt dat hij is genaaid.' Vanwege de oorspronkelijke betekenis van de woorden spreekt de pijnlijke component van het gebruik van 'gesnaaid' en 'genaaid' in het eerste geval voor zich. Het betreft niet alleen een morele pijn, maar bijna een fysieke: ze hebben iets van mij gesnaaid en dus ben ik flink genaaid. Als ik daarentegen iets snaai en zo iemand naai, is de betekenis tegenovergesteld, drukt ze een bijna sensueel plezier uit: ik heb iets van je gesnaaid en je flink genaaid. Begrijp je?"

"Ja, moeder."

"Wat weet jij ervan ... Maar dat komt nog wel, verdorie, je bent nog maar een snotneus. Let op wat je moeder je vertelt: wantrouw degene die 'stelen' zegt als hij veelzijdige en tegelijk zo overtuigende werkwoorden als 'snaaien' en 'naaien' kan gebruiken. Het is kleurloos: vergeleken bij 'snaaien' en 'naaien' is 'stelen' zoiets als een gehaat familielid, een krenterige zwager, een ziekelijke meter, een soort rachitisch neefje ... Als zich het geval mocht voordoen dat een of andere zeurpiet in plaats van 'stelen' woorden gebruikt als 'jatten', aarzel dan geen moment en dood hem. Dood hem, Demi. Liquideer hem zonder pardon, want als hij je al niet bedonderd heeft, zal hij het doen. Prent je dat in. De geschiedenis van de familie Gambús is een geschiedenis van dieven, dat verbergen we niet. Maar wel: Catalaanse dieven. En daarom: op het moment dat we stelen, snaaien we en naaien we."

Hij was het nooit vergeten.

Hij maakte zijn studie af, opende een kantoor dat vaak dienstdeed als legale dekmantel voor de andere activiteiten van zijn familie en liet zich door zijn moeder adviseren, die zich had voorgenomen van haar zoon een meesterdief te maken.

Zo was de tijd tot nu voorbijgegaan. En zonder dat het resultaat slecht was, beviel het in feite uiteindelijk noch moeder, noch zoon. Hem niet omdat hij intuïtief aanvoelde dat de genen niet voor de volle honderd procent hadden gewerkt en hij er niet zeker van was of hij dit tekort enkel met toewijding kon compenseren. Haar niet omdat ze aanvoelde dat ze zich misschien had vergist en de mogelijkheden van haar zoon had overschat ...

Voor ze met pensioen ging, eiste de matriarch daarom een spectaculaire actie van hem. Zijn voorouders hadden er in de loop van hun leven een aantal op hun naam gezet. Nu eiste ze dat hij zou laten zien wat hij in zijn mars had, terwijl hij eigenlijk nog maar net was begonnen. Ze had hem duidelijk laten weten dat alle middelen van de familie zouden worden ingezet voor het doel dat hij zou aanwijzen. Maar eerst wilde ze er zeker van zijn: "Als jij je er met hart en ziel aan wijdt, zal ik tijdens mijn afscheidsfeest plechtig jouw benoeming tot hoofd van het hele netwerk van familiezaken bekendmaken. In het tegengestelde geval ... Afijn, als ik het schip van de familie tot mijn dood moet blijven besturen, zal ik het niet laten", benadrukte de oude vrouw. "Maar ik wil het wel graag snel weten."

De voorstelling was afgelopen en de mensen verlieten de zaal. Het dier rustte uit in het aquarium; het had zijn dagloon verdiend. De vrouw was er niet meer. De pianist wiste met een lap de waterdruppels op de vernislaag van zijn piano af. Elke dag, 's avonds vroeg en 's avonds laat, een jonge vrouw die er mag zijn en een dikke, oude zeehond met snotterige ogen. Nauwelijks geïnteresseerd keek Deogràcies-Miquel Gambús een laatste keer naar het toneel. Meestal ging hij naar de gelegenheden aan de Paralelo om in alle rust na te denken; de voorstelling interesseerde hem nauwelijks. Er waren ook dagen dat hij er aanwipte om lol te maken. Hij huurde een vrouw uit het leven, verleidde een variétéartieste of nam een van zijn gelegenheidsminnaressen mee en ging met haar door de buurt paraderen. Deze minnaressen, die niet veel gewend waren, klampten zich als een mossel aan hem vast en hij liet ze tussen de menigte lopen, zodat ze veel bekijks trokken. En ze klampten zich nog steviger aan hem vast, angstig en opgewonden tegelijk. De Paralelo als zodanig bestond gewoon niet voor een fatsoenlijke Barcelonese familie. Hij was terra incognita: vrouwen zoveel als je wilde, dames geen enkele, tenzij noodgedwongen. De nieuwe bourgeoisie van Barcelona vreesde en verachtte de Paralelo vanwege zijn permanente karakter van niemandsland, van grensplaats, open en divers, vierentwintig uur per dag. En Deogràcies-Miquel Gambús profiteerde ervan om zijn minnaressen 'week te maken': hij gaf ze niet eerder aan de beschaving terug dan wanneer hun kleren roken naar de walm van anijslikeur vermengd met die van rum, van petroleumlampen vermengd met die van tabaksrook. Omdat hij vond dat je een vrouw, net als klipvis, in de week moest leggen. Daarna, en alleen maar omdat hij ze weer thuisbracht, smolten ze tussen tule en zijde als een gesuikerd anijszaadje en lieten alles met zich doen wat hij van hen verlangde (wat vaak meer met zaken dan met liefde te maken had).

Deogràcies-Miquel Gambús voelde zich thuis op de Paralelo omdat hij ondanks zijn tegenstrijdigheden vóór alles een dief was. Zoals een kapelaan zich nergens ter wereld ontheemd voelt zolang er maar een kerk is om te bezoeken, om te schuilen, voelde hij zich juist als een vis in het water in milieus met mensen van de meest diverse pluimage. Op de Paralelo liep van alles rond: buitenlandse zeelui die vanaf de haven de stad in kwamen, boeren op zijn zondags, slecht volk, charlatans, hoeren, werklozen, arbeiders ... Bovendien liet er zich nu en dan een belangrijk personage van de Barcelonese beau monde zien (op doorreis of om iets te vieren, rigoureus incognito of niet). Dit waren de interessantste slachtoffers, hoewel je soms bijna achter in de rij moest aansluiten op het moment dat je wilde proberen ze op te lichten.

Hier waren een paar van de beste zaken tot stand gekomen die Deogràcies-Miquel de laatste jaren had gedaan, altijd bij wijze van praktijkstage en terwijl hij zijn moeder op de hoogte hield. Hoewel er chantage aan te pas moest komen, ging het er soms alleen om een contact te leggen dat belangrijk kon worden. Op andere momenten was hij er zich van bewust dat hij meteen ter zake moest komen. In dat geval liet hij de gelegenheid niet voorbijgaan en sloeg hij ineens, hard en meedogenloos toe. Dat was het handelsmerk van de Gambús.

Eenmaal op straat trok hij zijn pet diep over zijn ogen en sloeg de revers van zijn jasje op. Hij haalde zijn tabaksbuil uit zijn zak en begon een shagje te draaien. Bij de deur van het theater stonden twee arbeiders verhit te discussiëren en meer lui dan geïnteresseerd bleef hij staan om naar ze te luisteren. Ze moesten er bij een van de cafés in de buurt zijn uitgegooid. De jongste had een rebelse pony die over zijn ogen viel. Als hij het beu was hem met zijn hand opzij te schuiven, blies hij hem omhoog. Het was een flinke knaap, robuust, met een volle baard, geen snor, wel bakkebaarden en hij droeg een broek van grijsachtig ribfluweel. Hij was ongeveer twintig jaar en oreerde met een passie die niet paste bij het late uur van de dag. Zijn metgezel, de vijftig al gepasseerd, luisterde half in slaap en haalde zijn neus op. Het was bar koud. Afgezien van hun pet en touwschoenen droegen beiden hetzelfde blauwe hemd dat het bedrijf hun verstrekt moest hebben.

"Het bestaat gewoon niet dat je geen lid bent van een partij of van een vakbond!" zei de jongste. "Iedereen sluit zich ergens bij aan. Wat zeg je van de Solidaritat Obrera? Word net als ik lid van de Partit Radical!"

De ander keek hem kalmpjes aan en antwoordde: "Dat is aan mij niet besteed. En zeker niet midden in de nacht. Ik smelt al glas sinds mijn elfde. Met of zonder stakingen is het spul waar altijd vraag naar is. Glas smelten is fatsoenlijk werk, het enige wat ik heel mijn leven heb gehad. Ik kan niks anders. En die don Alejandro Lerroux van jou zou mij werk geven? Kom, tot morgen, het is al laat."

En hij ging weg.

De jongen bleef stilletjes in gedachten achter en blies in zijn handen. Deogràcies-Miquel wilde hem net bij wijze van troost een beetje tabak aanbieden, toen er een oude vrouw op hem afkwam die probeerde hem een bos verwelkte rozen aan te smeren en een zigeunerin die hem knoflook wilde verkopen. Kalmpjes haalde hij zijn horloge uit zijn vestzak om te zien hoe laat het was. Het was bijna twee uur 's nachts. Alleen in Barcelona, op de Paralelo, kon je op dat tijdstip twee arbeiders vinden die over politiek discussieerden en kon je zo'n stelletje vogelverschrikkers tegen het lijf lopen. Hij kocht de rozen en schonk ze aan de zigeunerin. Hij kocht de knoflook en deed ze cadeau aan de oude vrouw. Die dingen bliezen hem nieuw leven in. Zijn moeder had helaas gelijk: hij was al negen jaar in Barcelona en hij was helemaal weg van de stad. De Paralelo beviel hem. En zakendoen. En een boer laten onder het baccarat spelen in de Cercle del Liceu. En twee geuren: die van Barcelonese dames na een neukpartij en die van de *brochette de foies de volaille* die ze bij Suís serveerden. Hem beviel alles.

Hij haalde het zilveren doosje met strychninepillen uit zijn broekzak. Hij nam er eentje in. Het was heel raar dat hetzelfde spul, al naargelang de dosis, pepmiddel of vergif was. In Barcelona gebruikten ze het om ratten te doden, in het oude dorpje Alcagaire om honden en vossen te doden. Dankzij een arts met weinig scrupules, die er een tijdlang zijn stiel had uitgeoefend, had hij daar al heel jong die aantrekkelijke en interessante effecten leren kennen.

Hij woonde nu negen jaar in Barcelona en elke dag weer vroeg hij zich af hoe hij zonder had gekund.

2

Ze had de indruk dat ze voor het blok was gezet en ze wist niet hoe, wanneer of waar dat gebeurd was.

Elke avond (en vaker dan één middag) in de week in een reusachtig aquarium een zeehond opvrijen.

Eind van de voorstelling. Een nat hoofd. Een weke, gerimpelde huid. Vaak migraine, van te lang met ingehouden adem onder water blijven. Blauwe plekken op armen en benen, omdat de zeehond de kracht van zijn klappen niet altijd goed inschatte.

Naar huis, verkouden, verkleumd tot op het bot en uitgeput. 's Morgens stond ze net zo moe op als ze 's nachts naar bed was gegaan. Ze had een heel jaar in Paviljoen Soriano gewerkt en nog geen stuiver gespaard.

Nonnita Serrallac was er werk gaan vragen omdat de programmering van die zaal, in tegenstelling tot wat aan de Paralelo gebruikelijk was, meer leek op die van een musichall dan die van een circus. De reden lag voor de hand: het was de specialiteit die de eigenaren het beste kenden. De gebroeders Soriano, Castilliananen uit Salamanca, waren van huis uit standwerkers en marktkramers. Pal naast hun gloednieuwe theater hielden ze zelfs hun kraam aan, waar ze elke zondagochtend allerlei spullen te koop aanboden, van braadpannen tot wekkers.

Nonnita Serrallac was er bijna een jaar eerder opgedoken met de resten van haar circus. De laatste tournee was desastreus verlopen. Ze kwamen geruïneerd terug van het Castilliaanse platteland. In de steek gelaten door de eigenaren in Madrid probeerden ze naar Barcelona terug te gaan, zonder geld, vrijwel zonder eten en met de winter voor de deur. Het circus telde drie wagens voor de mensen en een kar voor de dieren (een tandeloze leeuw, een slang die al niet meer vervelde, een zeehond met snotterige ogen en de papegaai Trinitat), getrokken door vier muilezels en een merrie. De circustroep bestond uit Tomàs Capdebrau, ex-kleermaker en ex-administrateur, Nonnita Serrallac, twee koorddansers, een gitarist – die, al naargelang het uitkwam, Napolitaanse of Andalusische liedjes zong – twee clowns en een ballerina. Ter hoogte van Alcalá de Henares bedachten de koorddansers zich en sloten zich bij een stel acrobaten aan dat hun weg kruiste en naar Galicië ging. Bij Almunia de Doña Godina kregen de clowns een openbaring: omdat ze er genoeg van hadden dat ze anderen aan het lachen moesten maken terwijl ze zelf vanbinnen huilden, besloten ze hun leven een andere wending te geven en opnieuw te beginnen, deze keer als serieuze, fatsoenlijke mensen. De gitarist werd aangehouden door de gemeentepolitie van Zaragoza en daar bleef hij zonder dat hij ook maar wist waarom. Daarna was er het voorval van de trap van de muilezel, waardoor Tomàs Capdebrau zo'n beetje zijn verstand verloor. En een paar dagen later, toen hij nog niet helemaal hersteld was, de dood van de ballerina, de stakker, door koortsaanvallen. Het was erg sneu. Ze stierf in een gehucht met de poëtische naam Nuez de Ebro. De kompressen van haringkoppen, fijngestampt met vreemde poedertjes, hadden niets geholpen. En na een hele week koorts en hoestbuien ging het meisje, dat Elisabet Cors heette en dun en fijnbesnaard was, tierend het hoekje om. En dat deed ze, terwijl ze God vervloekte omdat Hij haar zo'n kort leven en zo'n hondsberoerde dood had bezorgd. Bij wijze van laatste wilsbeschikking vroeg ze Nonnita Serrallac of deze haar wilde begraven met haar tutu en balletschoentjes aan. En zo geschiedde. Ze waren arm als kerkratten en hadden zelfs geen fatsoenlijke doodskist. Van een van de wagens rukten ze een paar dikke planken los en legden er de dode tussen, als een sandwich. Het geheel werd bij elkaar gebonden met een goudkleurig koord dat eindigde in een kwast van rood velours dat van een gordijn getrokken was. Nonnita Serrallac vergezelde haar tot aan het massagraf. "Je mag niet klagen", zei ze tegen de ballerina. "Je hebt meer geluk dan de meesten van ons: echt begraven, geen grafnis ..." De doodgravers trokken een zeil weg dat een pas gegraven kuil had afgedekt. En in haar geest wiste Nonnita Serrallac uit wat ze net had gezegd: het gat was smaller dan normaal en onderin stond een plas water. Het zou er wel vochtig zijn. Een en al trots verklaarde de man: "Ons dorp is klein en heel betrouwbaar. Dankzij uw vriendin kunnen we het massagraf inwijden. Maakt u zich geen zorgen, we schuiven haar er op haar zij in ..."

Ze verkochten telkens spullen om het tot aan Barcelona uit te zingen. Al naargelang de kar en de wagens stukgingen, werden ze gesloopt en tot brandhout gehakt, waarmee ze kookten en zichzelf warm hielden. De dieren verkochten ze bij opbod op jaarmarkten of ze aten ze op (ook de slang). Onderweg werden ze bedrogen, overvallen en afgerost. In Cervera ontmoetten ze een karavaan Franse hoeren op weg naar Madrid en ze werden met hen verward, hoewel ze zelf in de richting van Barcelona gingen. Toen het misverstand was opgelost, werden ze toch uitgewezen, want hoeren en kermisklanten, dat was één pot nat. Ze legden geforceerde marsen af en schoten er, net als Napoleon in Rusland, bijna hun hachje bij in, zowel mensen als dieren.

Behalve Nonnita Serrallac slaagden de zeehond (die in een geblutste badkuip had overleefd), een koningspapegaai (met de naam Trinitat), een langwerpige paarse kar met vier wielen en een opstaande rand, getrokken door een zwakke en ziekelijke muilezel, en die arme donder van Tomàs Capdebrau (vanwege dat ongeluk geestelijk mindervalide) erin het beloofde land Barcelona te bereiken.

Het was een verslagen leger dat politiek asiel vroeg aan de grootmoedige deur van Paviljoen Soriano.

Nadat de eigenaren de jonge vrouw een paar nummers hadden zien opvoeren, aarzelden ze geen moment en engageerden haar. En toen ze liet doorschemeren dat ze de troep redeloze dieren (Tomàs incluis) die buiten op haar stond te wachten niet in de steek kon laten, namen ze hen allemaal op. Ze namen zelfs de zorg op zich voor genoemde Tomàs Capdebrau die, zonder waarschuwing vooraf, zijn kop erbij hield of zijn hoofd verloor. Als hij bij zinnen was, deed hij van alles: bewaken, klanten lokken, kaartjes scheuren ... Hij voerde de dieren en veegde de grond ... Hij laadde en loste ... Maar dan ineens verloor hij zijn vitaliteit. Zodat hij er wel leek te zijn, maar in werkelijkheid was hij al aan het wegzakken. Tot hij stilstond alsof zijn levensdraad was afgewonden en hij met open ogen naar één punt staarde. Dan zetten ze hem een tijdje op een krukje neer tot hij weer bijkwam, moe en zonder zich iets te herinneren. Het meisje maakte zich zorgen over hem. Ze was bang dat hij wegliep en de weg kwijtraakte. Barcelona zat op dat moment vol arme drommels. Op elke hoek trof je gekken, verminkten, ouderen die aan hun lot waren overgelaten ... Het karretje van een liefdadigheidsinstelling trok om de dag door de straten en haalde diegenen op die het dood aantrof, vooral in de winter. Zonder Nonnita zou Tomàs Capdebrau nog niet één week in leven zijn gebleven. De gebroeders Soriano lieten hem met de zeehond, de papegaai en de muilezel in een kleine loods achter het theater wonen, naast de wasplaats. In ruil voor al die gunsten trad Nonnita Serrallac tegen een schappelijke gage op en veranderde, als het zo uitkwam, van persoonlijkheid. In één jaar tijd was ze geweest: 'Mooie Tere, danseres en transformatieartieste', de beroemde 'Miss Waloby, bijzonder vanwege haar gedresseerde duiven en de papegaai Trinitat', de vermaarde 'Mademoiselle Antoinette, wonderbaarlijk vogelimitator'. Nu was ze 'De onverschrokken Frida, amazone van de zee' of 'Belle en de wilde zeehond'.

Elke avond (en vaker dan één middag) in de week in een reusachtig aquarium een zeehond opvrijen.

Ze had zin om thuis te komen. Ze gaf Tomàs een kusje op zijn wang en liep de straat op. Ze had zich er al bij neergelegd om met een nat hoofd naar huis te gaan. Dat vond ze het vervelendste van het zeehondennummer: 's nachts terug naar huis gaan met haren die niet helemaal droog waren. Midden in de winter was het beroerd. Daarom was ze altijd verkouden. En moe. En boos dat ze zo was, zette ze het de eerste de beste betaald die haar voor de voeten liep. Ze schikte de katoenen schouderdoek, trok haar hoofddoek recht, deed de wollen sjaal voor haar gezicht en begon met levendige pas de Paralelo af te lopen in de richting van de douane. Ze vond het niet prettig om alleen naar huis terug te gaan, maar als er niets anders op zat, deed ze het.

Vanaf de eerste dag had ze categorisch geweigerd om, net als haar vriend, zomaar in het theater te wonen. Daarom had ze een woning gehuurd in haar oude buurt, die nu volop aan het veranderen was. De huur was een lachertje omdat het gebouw al leegstond en binnenkort tegen de vlakte ging. De hele zone werd afgebroken. De gemeente had besloten een nieuwe boulevard aan te leggen vanaf de haven tot aan de Eixample-wijk. De boulevard was zo nieuw dat hij nog niet eens een naam had. Hij werd aangeduid met de letter 'A'. Ze noemden hem voorlopig de Gran Via A. Een gemeentelijke commissie had voorgesteld hem uiteindelijk de Via Laietana te noemen, wat Nonnita volkomen koud liet.

Terwijl ze de tramrails volgde, liep ze om het Columbusmonument heen. Het was een problematische plek omdat de rails er een heel scherpe bocht maakten. De trams minderden vaart en toch knarsten de wielen. Om dat tegen te gaan smeerde de trammaatschappij de rails in met vet dat een uur in de wind stonk. Ze wachtte tot de tram eraan kwam en week pas op het laatste moment uit en bleef dan staan luisteren naar de verwensingen van de trambestuurders die haar uitscholden.

Ze liep stil verder, de zee almaar rechts van haar, gehaast, maar ze zorgde ervoor dat ze niet uitgleed: de bestrating zat onder het vochtige, verraderlijke mos. De klinkers leken wel groen omkaderd. Hoewel het niet de meest directe weg was, trok deze route haar bijzonder. Op die uren van de nacht, rustig en donker, proefde ze graag het zilte nat dat de wind aandroeg, keek ze graag naar de lantaarns op de kade met licht dat door de laaghangende mist leek weg te sterven, te vertroebelen, te vervagen.

Ze bereikte de kop van de toekomstige, nieuwe boulevard. Deze was als een bijlslag midden in de stad.

Het maanlicht brak door het pikkedonker heen. En zo kon ze de gebouwen bekijken die nog overeind stonden. Dat waren er niet veel. En 's nachts en bij dat licht leken de skeletten van de huizen theaterdecors. Het merendeel van de gebouwen in die buurt was al gesloopt en het panorama dat zich ontvouwde, omhooggaand vanaf de zeekant, was somber, pure vernietiging, alsof er een aardbeving was geweest. Of alsof Espartero terug was om Barcelona vanaf de berg Montjuïc te bombarderen: Nonnita Serrallac had de ondergang van haar circus overleefd door aan thuis te denken, aan de straten en steegjes van haar oude buurt. En het was erop uitgedraaid dat er niets meer over was: geen buurt, geen straat, geen huis, geen familie: haar vader was gestorven toen ze weg was en haar jongere broer was spoorloos verdwenen. Nadat ze een aantal jaren haar gezicht niet had laten zien, moest hij wel gedacht hebben dat zijn zus nooit meer zou terugkomen. Waar eens een wijk was geweest, waren nu slechts geraamten, een opeenvolging van immense bouwterreinen en geëgaliseerde percelen, gescheiden door sleuven, bergen puin, funderingsputten zo diep als loopgraven of simpelweg houten omheiningen ... En bovendien die immense, zwarte gaten, waarvan werd gezegd dat er in de toekomst onder de grond treinen zouden rijden.

Op weg naar huis bleef Nonnita bij de dwergpalm staan. Deze stond midden op een schoon, geëffend, leeg en immens terrein. De dwergpalm was de laatste rest van een binnenplaats waar ook een citroenboom en drie pruimenbomen hadden gestaan. Dat wist ze omdat ze er als klein meisje had gewoond: op een lange, smalle benedenverdieping. Een gang met kamers aan één kant en aan het eind de binnenplaats met de palm, de wasplaats en het gemak.

Er komt een vrouw van achter de palmboom vandaan. Ze steekt net haar hand uit om een citroen te plukken van de onzichtbare citroenboom. Ze kent haar; het is haar moeder, die twintig jaar geleden is gestorven. Haar moeder neemt hapjes van de citroen, met schil en al, want ze zegt dat dat vanbinnen reinigt. En haar vader, nog niet eens tien maanden geleden gestorven, zit op zijn krukje met drie poten onder de palmboom bedachtzaam als altijd een sigaartje te roken. Nonnita vraagt hem met roken te stoppen, omdat zijn witte snor er geel van wordt. Maar de man antwoordt dat dat gele door de dood komt, niet door het roken. En dat ze hem zelfs dood niet met rust kunnen laten. En met de citroen in haar hand ziet de moeder bij haar dochter iets van wanhoop en vastbeslotenheid die ze niet kan verklaren. En ze houdt haar mond, want ze was al niet zo snugger toen ze nog leefde en hoeft het nu ze dood is zeker niet te zijn.

Op die benedenverdieping, die met de palmboom op de binnenplaats, heeft Nonnita heel wat jaren gewoond. En nu komen de doden er terug. Of misschien zijn ze wel nooit weggegaan. En ze bekijken haar nieuwsgierig, terwijl ze de straat afloopt, naar huis. Welopgevoed en vriendelijk glimlachen ze hun dodenlach. Als ze weggaat, ziet ze dat haar vader nog geconcentreerd bezig is om met zijn pinknagel het tabaksdraadje los te peuteren dat tussen zijn tanden is blijven zitten. Vanuit haar ooghoeken gezien is het net of hij haar roept. Toen hij nog leefde, hebben ze nooit meer dan vijf minuten achtereen met elkaar gesproken en nu hij het hoekje is omgegaan, wil hij een praatje maken. Het loodje leggen moet wel heel saai zijn.

Ze sloot haar ogen. Ze wilde onder geen beding dat de doden uit de buurt haar gezelschap begonnen te zoeken. Zelfs haar ouders niet. Maar ze kon het niet voorkomen. Ze waren overal, alsof de werkzaamheden niet alleen grond en stenen hadden omgewoeld, maar ook graven, en hen zo hadden gedwongen om rond te dolen. Bovendien kon ze de oude doden nog wel herkennen, maar de nieuwe niet, omdat ze enkele jaren was weg geweest, zwervend van hot naar her. En ze was bang dat ze degenen die pas waren gestorven niet zou herkennen en hen met de levenden zou verwarren en dat ze voor gek zou worden versleten.

Toen ze haar ogen weer opendeed, was ze de palmboom al gepasseerd. Als klein meisje klom ze erin om te spelen. Ze maakte een palmpasen en palmtakken. Misschien zou hij er morgen niet meer zijn. De zigeuners zouden hem meenemen. Ze waren heel professioneel, op en top doelmatig, in staat om alle puin van de straat te zeven om te kijken of ze er mogelijk een interessant restje in vonden.

En nu herhaalde Nonnita Serrallac de woorden 'palmpasen' en 'palmtakken', waar ze blij van werd, om het woord 'puin' kwijt te raken dat ze vervelend en duister vond. Maar het ging niet weg.

Alles om haar heen lag dan ook in puin. En ze fantaseerde dat de sociale positie van mensen zelfs aan de resten van hun huizen viel af te lezen. Er lagen bergen puin van oude stadspaleisjes, bakermat van oude geslachten. Deze paleisjes hadden voortreffelijke mannen en vrouwen geboren zien worden, zien opgroeien en sterven, mensen die er in Barcelona toe deden. De stenen van deze huizen leken eerherstel te eisen. Het waren goed gehakte, witte, adellijke stenen, die nauwelijks in hun lot berustten. Wie had na zoveel eeuwen kunnen zeggen ...

Maar het meeste puin bestond uit resten van volkswoningen. Dit metselwerk haalde je er zo uit, omdat de houwelen het bijna meteen verpulverden. En dat na telkens hetzelfde schouwspel.

Nonnita had het met eigen ogen gezien: er kwam een sloopploeg die ontdekte dat er nog een familie woonde in het gebouw dat gesloopt moest worden! De ploeg waarschuwde de mensen dat ze eruit moesten, dat het geen grap was. Maar ze weigerden uit eigenbelang, omdat ze nergens heen konden. De politie moest eraan te pas komen en zette hen er hardhandig uit. En uiteindelijk bleven die mensen staan en keken toe hoe de houwelen in actie kwamen en ze wisten niet wat te doen, met op een stapel aan de kant koffers, bundels, manden en zelfs matrassen.

Zo ging dat.

Alles moest tegen de vlakte omdat Barcelona, naar verluidt, het Parijs aan de Middellandse Zee moest worden.

Die desolaatheid leek haar een soort dodenfabriek. De eerste dag was ze bijna in een reusachtige bouwput gevallen. Ze gleed uit en had zich gelukkig aan een gestalde wagen kunnen vastgrijpen. Toen ze van de schrik was bekomen en om zich heen keek, zag ze zo veel gaten dat het leek of ze zich op een kerkhof bevond.

Het was laat en er was niemand op pad. En bij elke stap die het meisje zette, leken overal vonken van zieltjes te schitteren.

Ze stak de Plaça de l'Àngel over en liep de Carrer de la Tapineria in, die doodstil was, maar nog vol echo's van dagelijkse bedrijvigheid. Overdag was het een mierenhoop van drukte en winkeltjes. Binnenkort zou er niets van overblijven. De straat werd een beetje breder ter hoogte van een grafstenenwinkel. Ze keek in de etalage: de tweelingweesjes Tarrida waren er niet. Ze kwam hen de laatste tijd telkens tegen, terwijl ze haar hangerig leunend opwachtten, zo dood als een pier en vormelijk. Jarenlang had ze niet aan hen gedacht en ze had zelfs niet meer geweten hoe ze eruitzagen.

Haar huis stond er pal naast, in de Riera de Sant Joan. Ze bewoonde de bovenste flat en hield van het trappenhuis omdat dat midden op de binnenplaats een waterput had. Helemaal bovenin hing een katrol en jarenlang hadden de mensen via het trappengat water geput. Het huis stond op de nominatie om te worden afgebroken: over zes tot tien maanden. Misschien eerder omdat het werk aan de zogeheten Reforma veel sneller vorderde dan voorzien.

De wind bewoog het povere vlammetje van een van de straatlantaarns. Vlak bij haar portiek kwam ze de nachtwacht tegen. In zijn uniform en met die enorme, ouderwetse bakkebaarden leek hij een generaal en als hij Nonnita ontmoette, haastte hij zich altijd om haar te vergezellen. Dat hele stuk lopen was 's nachts geen pretje, zelfs niet voor een vrouw uit één stuk als Nonnita. De buurt met zijn gaten en ruïnes telde eenzame, behoorlijk onherbergzame stukken, die verlaten en gevaarlijk waren als het donker werd. Uitzichtloos arme mensen die uit de gesloopte woningen waren gezet, hele families, overleefden onder smerige omstandigheden in geïmproviseerde krotten tussen het puin. De nachtwaker liep met haar mee tot het portiek, maakte de deur voor haar open en ze babbelden een beetje. En als hij er een had, bood hij haar een brandende lucifer aan, zo'n lange van was, zodat ze zonder te struikelen de trap kon oplopen. Hij zou zijn baan kwijtraken. Als er geen straat is, is er ook geen nachtwaker nodig die de boel bewaakt of een sleutelbos die alle deuren van de buurtbewoners kan openen.

Ze liep de trap op. In het gebouw woonde niemand meer. De afgelopen maanden waren de twee laatste families vertrokken. Het huis was in zo'n slechte staat dat een mogelijke instorting meer onrust had veroorzaakt dan het dreigement van het gemeentebestuur. Tegen de tijd dat de houwelen van de Reforma het huis zouden bereiken, zou het waarschijnlijk zelf al van ellende zijn ingestort. Nonnita was de laatste bewoonster.

Ze had het naar haar zin in die flat. De voornaamste, tamelijk grote kamer was een nogal rommelig soort werkplaats met een gietijzeren kachel die verwarmde en tegelijk als fornuis dienstdeed. In dezelfde straat waren er nog een paar van die flats, waar kunstenaars en schilders woonden. Deze ateliers keken uit op de klokkentorens en de koepel van de kathedraal en waren omringd door dakterrassen met duivenhokken. Ze had er ook een kamer voor Tomàs Capdebrau, met een beschadigd nachtkastje dat uit een van de lege woningen afkomstig was, een kamerpo en een strozak die was gestopt met vulsel dat op zich al háár levensverhaal vertelde: maïskolven, stro, wol, manen en veren. Het probleem was dat haar vriend er niet vaak de nacht doorbracht, omdat hij bang was dat het gebouw uit zichzelf zou instorten en hem in zijn slaap zou bedelven. Als hij niet bij haar thuis wilde slapen of in het theater bij de dieren ging Tomàs naar de gemeentelijke nachtopvang voor mannen in de Carrer del Cid.

Nonnita Serrallac echter was maar voor weinig dingen bang. Eenmaal in haar flat bedacht ze opnieuw dat de buurt één reusachtig kerkhof was. Buiten was de stilte compleet.

Ze ging op bed liggen, blies de vlam van haar petroleumlamp uit en stopte zichzelf goed in.

Ze was zo moe dat ze dacht dat ze nooit meer helemaal op krachten zou kunnen komen.

3

Het zou gauw licht worden. Deogràcies-Miquel Gambús stond midden in zijn kantoor en bekeek de zalmkleurige zijden gordijnen die hem van de straat scheidden. De wandklok tikte. Verder was het volkomen stil en dankzij de droge warmte die de kachel afgaf was het behaaglijk.

Uren eerder was hij met een vreemd voorgevoel naar de badkamer gegaan, had de gaslamp aangestoken en had zichzelf in de spiegel nauwkeurig bekeken. Het kostte hem weinig moeite om te ontdekken waarom hij onrustig was: hij had haren op zijn oren gekregen. Of misschien waren ze er al, maar pas die fatale ochtend had hij ze ontdekt. Hij haalde een paar keer diep adem en ging, opgepept door het stevig inhaleren, opnieuw de confrontatie met de spiegel aan. Inderdaad, er was geen twijfel mogelijk: het waren er in totaal acht of tien. En erger nog, de haren waren op beide oren te zien, op elk oor de helft, met die hatelijke neiging tot symmetrie die het lichaam eigen is. Hij troostte zich met de gedachte dat ze dun en kastanjebruin waren en niet van het dikke, zwarte soort. Maar het resultaat was hetzelfde. Ze kwamen uit zijn oor en verspreidden zich over de hele oorschelp. Sommige stonden zelfs helemaal apart en vielen alleen al daardoor op, trots als een weelderige boom midden in de woestijn. In een eerste opwelling wilde hij zijn privékapper laten halen, maar praktisch en logisch als hij was, zag hij ervan af omdat het te vroeg was. Waarom zou hij die hondsbrutale haren afknippen als ze over een dag of vier toch weer in al hun onbeschaamdheid de kop opstaken. Hij moest het er eens uitvoerig met zijn kapper over hebben. Maar in alle rust. Toen hij nog klein was, in het dorp, had de tuinman van de familie hem in niet mis te verstane bewoordingen zijn gevoel van machteloosheid tegenover de woekerende klavertjes ingeplant: als je de grond niet voortdurend omwoelt en ze met wortel en tak uitrukt, beginnen ze vroeg of laat weer te groeien. Met die ergernis ging hij aan tafel zitten. Het was een imposante tafel van licht mahonie, rechttoe rechtaan. Zijn moeder noemde deze om voor de hand liggende redenen de 'ministertafel'. Vóór hem lag een stapel papier, vol aantekeningen in potlood. Her en der lagen boeken en opiniebladen. En tegen een muur stond een schoolbord op een driepoot, vol schema's in kleurkrijt. Hij liep erheen en terwijl hij ze bekeek, opende hij het ruitje van de wandklok. Hij pakte de grote sleutel, die aan een lint hing, en begon de klok op te winden. Terwijl hij dit deed, merkte hij dat hij al twee dagen over zijn toekomst aan het piekeren was. Twijfel bekroop hem. En alleen al door het simpele feit dat hij twijfelde, leek hij zijn familie onwaardig. Hij sloot het ruitje van de klok en keek naar het schoolbord: zonder ook maar ironisch te willen zijn, eerder het tegendeel, had hij zich aan het onderzoek van verschillende takken van misdaad gewijd. Precies zoals hij was: georganiseerd en methodisch. Daarom stelde hij een lange, ingewikkelde lijst van de verschillende varianten van de kunst van het stelen op. Hij stuitte op een enigszins onaangename verrassing: zijn voorouders hadden al bijna alle mogelijkheden uitgeprobeerd en met succes. En uit eergevoel wilde hij niet in herhaling vallen.

Hij had hoe dan ook een paar eenvoudige, maar niet te weerleggen conclusies getrokken: de mogelijkheden om te stelen en te bedriegen waren onuitputtelijk, maar de combinatie van methodes was de allerbeste. Een voorbeeld: iemand bestelen, hem ruïneren en hem in die geruïneerde staat een lening tegen woekerrente aanbieden. Een andere conclusie luidde dat eenzelfde feit je, afhankelijk van het tijdperk, niet eens als misdrijf werd aangerekend, maar je zelfs tot eer kon strekken.

Hij ging weer zitten. Vandaar dat hij grondig moest onderzoeken in wat voor tijd hij leefde, om te kunnen stelen en tegelijkertijd een verdienstelijk persoon te zijn.

Je hoefde niet erg slim te zijn om te weten dat de samenleving zware geweldsmisdrijven het meest verwerpelijk vond. Misschien omdat die het meest in het oog sprongen en de plegers in hun hemd zetten. Het ging om varianten die te eenvoudig waren, maar vooral ouderwets.

Hij keek opnieuw op naar het schoolbord: hij had er 'Oplichterij door vertrouwensmisbruik' op geschreven. Dat beviel hem beter. Het was subtieler. Bovendien had hij er een beetje ervaring mee: twee jaar geleden om precies te zijn had hij iemand met succes opgelicht. Hij was er erg trots op. Het ging om de voorzitter van de Catalaanse Vereniging van Meelfabrikanten. Het was een dikke, gedrongen man met een brilletje dat op het puntje van zijn neus stond en hij was in zijn nopjes omdat hij uit Madrid terugkwam met een contract van het ministerie van Buitenlandse Zaken op zak. Hij had het Eerste Congres van Afrikanisten bijgewoond en had zich ter plekke verplicht om het Afrika Leger een grote vracht eersteklas meel te leveren. De overeenkomst was geheim om de prijzen stabiel te houden. Hij trof de jonge Gambús toevallig op een van de braspartijen aan de Paralelo. Na een paar rondjes en een bezoek aan een luxebordeel in de Carrer del Carme had hij hem alles al verklapt. De man had zijn laatste druppeltje sperma nog niet verschoten of de misdaadmachinerie van de Gambús was in gang gezet, met alle gevolgen van dien. Op de afgesproken dag werd het meel in de haven van Barcelona verscheept met bestemming Melilla. Een paar uur later, midden in de nacht, werd het schip op volle zee door een ander vaartuig onderschept. De bemanning was tevoren omgekocht. Een legertje mannen verwisselde in ongelooflijk korte tijd de zakken eersteklas meel voor andere zakken, die er precies hetzelfde uitzagen, maar meel bevatten dat ranzig, wormstekig, bedorven of van slechte kwaliteit was. Met een kleine vertraging (die de kapitein toeschreef aan een probleem in de machinekamer), kwam de koopwaar behouden in Melilla aan. De militairen ontdekten het bedrog en beschuldigden de industrieel van oplichterij. Die ontkende de beschuldiging (hij had met eigen ogen gezien hoe het goede meel in het ruim van het schip was geladen). Maar wilde hij niet wegens zwendel worden aangeklaagd of, wat erger was, een zo belangrijke potentiële klant verliezen, dan moest hij het leger wel aanbieden een nieuwe vracht eersteklas meel te leveren. Zodat hij zich uiteindelijk verplichtte het nieuwe meel tegen de helft van de prijs te leveren. Toen verscheen Deogràcies-Miquel Gambús ten tonele. Toevallig was hij in staat hem bijna van de ene op de andere dag de exacte hoeveelheid eersteklas meel te leveren die hij nodig had. Let wel, tegen dubbele prijs en bij wijze van gunst, aangezien hij dat meel al zo goed als zeker aan iemand had beloofd en de kwalijke gevolgen die het verbreken van die overeenkomst met zich meebracht, konden niet alleen in geld worden uitgedrukt. Betaling handje contantje, dat spreekt vanzelf. Het was een vlekkeloze, afgeronde zaak.

Nadat ze de uitleg van haar zoon had aangehoord en de eindafrekening van de operatie had nageplozen, gaf de oude Miquela toe: "Niet slecht, je bent inventief, snel en niet bang om beslissingen te nemen. Maar je hebt een paar vergissingen begaan die de familie onwaardig zijn: de tijdsinvestering, de energie en het risico staan niet in verhouding tot de behaalde winst. Voor alle duidelijkheid, het zou de moeite waard zijn geweest als de zakken goudstof in plaats van meel hadden bevat. En in de tweede plaats was het onnodig en heel gewaagd om aan het slachtoffer zijn eigen meel door te verkopen. Het gaat niet goed, Demi. Te veel risico, je hebt je te veel moeten blootgeven. En discretie komt op de eerste plaats. Je bent er niet klaar voor ..."

Die woorden echoden in zijn hoofd; terwijl hij het schoolbord schoonveegde, merkte hij dat hij rood werd van schaamte.

Hij dacht: je moet de zaak flessen, maar vanuit een solide positie. En welke positie is meer solide dan de legaliteit? Dat was de oplossing! In de beschaafde wereld bestaat geen wet die verrijking bestraft die de vrucht is van winst (zelfs buitensporige) uit bepaalde transacties. Niemand noemt iets voor vijf kopen dat tien waard is en dat meteen voor duizend verkopen oplichterij ... Hij kreeg het benauwd: die hypothese aanvaarden kwam neer op het aanvaarden van de bestaansreden van die hele vergiftigende anarchistische zooi ... Bovendien kon ze al naargelang het product gevaarlijk zijn: 1. Het volk eet brood. 2. Een stokbrood fabriceren kost me één cent, maar ik verkoop het voor negentig cent. 3. Het volk eet geen brood meer. Resultaat? 4.1. Het volk heeft honger en daar komen revoluties en stront van. Ofwel 4.2. De overheid grijpt in, wat erger is. Een slechte zaak ... Conclusie: je moet volk en overheid in je macht houden. En de een noch de ander mag het merken.

Hij ging bij de kachel staan om zijn handen te warmen. Intussen bleef hij maar nadenken. Hij was tevreden. Het was een zware klus die slechts langzaam vorderde, maar hij vorderde.

Hij begon moe te worden. De oude Miquela zou nooit te weten komen welke inspanning hij leverde om zich een waardig opvolger te mogen noemen. Hij stond op en liep naar zijn likeurkeldertje. Terwijl hij in één teug een vingerhoedje belegen wijn leegdronk, opende hij de krant van de vorige dag. In grote letters stond daar: HONDERDDUIZEND DODEN BIJ AARDBEVINGEN OP SICILIË EN IN CALABRIË. Wat een ramp ... Staande bladerde hij zonder te kijken de krant door; wrevelig: waarom blijven mensen in godsnaam koppig juist daar wonen waar aardbevingen en overstromingen voorkomen.

Van het woord 'overstroming' kreeg hij zin om een bad te nemen, ook al was het vroeg in de ochtend. Hij wekte een van de bedienden om het te laten vollopen en toen hij eenmaal in het lauwe water zat, nam hij de laatste map door. In zijn handschrift stond er: 'Ik kan ook stelen door woeker.'

Het wond hem op zich voor te stellen hoe hij zich op zo'n duister en glibberig terrein waagde, altijd op het randje van de legaliteit. Bovendien zorgde woeker voor een verleidelijke, bijna tegennatuurlijke koppeling tussen wetten en moraal ...

In een badhanddoek gewikkeld stapte hij uit het water. De kamer was aangenaam warm. Het was bijna licht. Hij ging half op bed liggen om verder na te denken. Gapend verbond hij de idee van woeker met het bankwezen en vroeg zich af: wil ik bankier zijn? Hij antwoordde: nee. En toen hij dat had gezegd, viel hij als een blok in slaap.

Hij werd tegen twaalf uur wakker, opende alle ramen zodat de zon binnenscheen en merkte dat hij flink honger had. Hij ging naar beneden om te ontbijten en in de eetkamer trof hij zijn moeder aan, die al aan het middageten zat. Ze zag er tevreden uit en hij maakte van de gelegenheid gebruik om haar te vragen: "Wanneer is het feest, moeder?"

"Ik weet het nog niet zeker. Begin zomer. De officiële uitnodigingen gaan op het laatste moment de deur uit en worden persoonlijk overhandigd. Strikte geheimhouding. De kortst mogelijke tijd tussen aankondiging en gebeurtenis. Bedenk dat als alles goed gaat enkele genodigden uit Madrid hier in onze eetkamer hun ministerraad en zo zouden kunnen houden ... Ik reken op je, het feest zal niet hetzelfde zijn als je me niet tevoren hebt laten weten wat ik verwacht ..."

"Natuurlijk, moeder. Ik werk er heel hard aan."

"Ik heb alle vertrouwen in je. En scheer je."

Ze verliet de eetkamer, terwijl haar peignoir over de grond sleepte en riep intussen om het dienstmeisje, zoals ze altijd deed als ze tevreden was. Een paar maanden. Demi Gambús had een paar maanden om zijn lot te bezegelen en, indirect, dat van zijn familie. Het leek veel tijd, maar dat was niet zo.

Hij kreeg zin om de straat op te gaan. Liet hij zijn kapper komen of niet? Zonder het te beseffen was hij op zijn leren scheerriem zijn scheermes aan het wetten, dus hij zou zichzelf scheren. Hij maakte de scheerzeep aan en smeerde het schuim langzaam over zijn wangen uit. Hij zorgde ervoor dat de zeep zijn neusgaten toedekte en in zijn oren kroop. Hij blies door zijn neus en maakte luchtbelletjes. Intussen dacht hij na. Hij kon het idee van woeker niet uit zijn hoofd zetten. Hem schoot zojuist een beroemde familiegebeurtenis te binnen, toegeschreven aan de eerste Gambús. Miquel Gambús I was rond 1850 in staat een vloot van vijftien schepen van verschillende tonnage te organiseren, die in het diepste geheim een paar honderd paarden transporteerden langs de Afrikaanse kust. Natuurlijk allemaal gestolen. Ze waren bestemd voor de mythische koning N'Geco van Dahomey, die met Frankrijk oorlog voerde om de controle over de Golf van Guinea. Deze was van plan de Fransen te verrassen met een regiment bereden, krijgshaftige vrouwen.

Zonder een ander incident dan een kleine aanvaring met berberpiraten die niet wisten met wie ze van doen hadden, voer dat smaldeel, vaandeldrager van de georganiseerde misdaad, naar de haven van Cotonou.

Miquel Gambús I was de speciale gast van koning N'Geco, die hem met attenties overlaadde en hem het transport betaalde in goudklompen (waarvan de kleinste honderd gram woog) en als extraatje twee meisjes. Het schijnt dat de man verklaarde dat de hoogmoedige Fransen hem een handelsverdrag wilden opdringen dat neerkwam op woeker en daarom voerde hij oorlog tegen hen. Ja, woeker ...

Een van die legendarische goudklompen werd altijd in het zicht bewaard in de vitrine van de eetkamer van het voorouderlijk huis in Alcagaire. Van de twee meisjes was er een voor aankomst gestorven. De ander leefde nog enkele jaren; lang genoeg om de genen van een paar families in Alcagaire in lichte mate donker te kleuren.

Het waren andere tijden, romantische tijden, waarin je dief kon zijn en tegelijkertijd held.

Met open mond om de huid van zijn wangen meer te spannen, maakte Demi Gambús zijn scheerbeurt af, veegde de schuimresten die nog op zijn gezicht zaten weg en gaf zichzelf met een speciale lotion een kleine massage. Hij voelde zich beter. Hij bekeek zich aandachtig in de spiegel. Hij was bijna dertig, maar zag er nog best goed uit. Hij had geen rimpels, zijn ogen glinsterden nog en ... die afschuwelijke rotharen op zijn oren. Hij had er niet meer aan gedacht! Woedend trok hij dwangmatig aan het koord van het belletje. Een minuut later verscheen een verschrikte bediende, ongeveer vijftien jaar oud, die Joan heette. Deogràcies-Miquel Gambús keek niet eens naar hem, schreeuwde alleen maar: "De kapper moet nú komen!"

"Maar u hebt zich net geschoren."

"Als die verdomde kapper niet binnen het halfuur door deze klotedeur komt, zweer ik je dat ik je bij je kloten aan de straatlantaarn op het plein zal ophangen tot ..."

Hij hoefde zijn zin niet af te maken, de jongen vloog de straat al op.

Bovendien moest Demi die middag naar het Liceu. Hij zou er met zijn moeder heen gaan. Enkele jaren geleden had hij een uitgesproken voorliefde opgevat voor dit operahuis. Het was heel erg geschikt om transacties te doen, dan wel te ontbinden en om liefdesaffaires te bekronen. In dit opzicht was de loge een soort onneembaar fort ten dienste van de belangen van de familie Gambús. *Tannhäuser* werd opgevoerd en hij had in de krant gelezen dat tenor Viñas een deel van zijn optreden in het Catalaans zou uitvoeren als hommage aan de wagnerianen van Barcelona. Dat liet hem volkomen koud, maar hij wist dat dit niet gold voor de weduwe Roca. Hij zou van de gelegenheid gebruikmaken om haar een briefje voor een afspraak te geven. Ze hadden een appartement ingericht voor hun ontmoetingen. Maar als ze er geen zin in hadden elkaar daar te ontmoeten, troffen ze elkaar vaak in een van de chambres séparées van het Grand Restaurant de France, aan de Plaça Reial, zodat niemand hen samen kon zien. De weduwe Roca liet nooit verstek gaan. Ze was praktisch, grappig en erkentelijk. Gewend als ze was aan de bejegening door haar overleden echtgenoot, beurshandelaar, zakenman en gedeputeerde, was ze verrukt over het gebrek aan scrupules dat ze vermoedde bij Deogràcies-Miquel Gambús. En ook over het tafellinnen, het Limogesservies en het zilveren bestek van het Grand Restaurant de France.

Hij bekeek zichzelf weer in de spiegel. Alleen iemand die niet goed bij zijn hoofd was, zou zich met haren op zijn oren in het Liceu vertonen.

4

Nonnita Serrallac opent haar voordeur en op de overloop staat Jaume, de kapper uit de Carrer Tarongeta, met een door pokken geschonden gezicht. Een winterse, fletse zonnestraal raakt hem van opzij en maakt zijn oor doorschijnend rood. Jaume is beroemd vanwege de charme waarmee hij zijn klanten met twee vingers van zijn linkerhand, als met een pincet, bij hun neus pakt. Meteen trekt hij hun hoofd achterover en scheert hen met zijn rechterhand. Als zijn klanten geen tanden hebben, stopt hij een houten ei in hun mond. Hij heeft het speciaal laten maken. Het is een beetje kleiner dan het exemplaar dat vrouwen gebruiken als ze kousen stoppen. Na elke beurt wast hij het zorgvuldig met water en zeep en droogt het met een schone handdoek, een brandschone. Meteen erna stopt hij het in een leren zakje. En dat weet, bewondert en waardeert zijn klandizie en ze maakt er opmerkingen over: het ei van Jaume is schoner dan de meeste buurtbewoners. In het begin plaagde iedereen hem ermee: 'Jaume, stop je ei in mijn mond!' of 'Jaume, de man met de drie eieren!' Later gaat het als met alles, de mensen wennen eraan en letten er niet meer op. Hij zegt: "Er zijn nu veel mensen zonder tanden en zonder ei kun je hun wangen onmogelijk in de juiste vorm krijgen om ze een goede scheerbeurt te geven." Maar Nonnita herinnert zich heel goed het verschil in omgang en wrijft hem dat onder zijn neus: "Ja, Jaume, maar als de klant een heer is, geef je het ei met alle welgemanierdheid en zegt tegen hem: 'Alstublieft, het ei' ... Als de klant zomaar iemand is of een bekende, kijk je hem aan en snauw je: 'Ei!' En de betreffende persoon opent zijn mond en je stopt het ei er zonder meer in." En Jaume, de kapper uit de Carrer

Tarongeta, lacht omdat hij zich betrapt weet. En Nonnita weet dat het grappig is, want hij ligt al jaren onder de groene zoden. En doden lachen of huilen niet. En Jaume geeft toe dat hij doden schoor toen hij nog leefde, dat hij ze met twee vingers bij hun neus pakte en hun hoofd optilde. Maar hij stopte niet zijn ei in hun mond. En de kapper uit de Carrer Tarongeta lacht weer omdat hij zich opnieuw betrapt weet. En hij erkent dat hij zijn ei niet in de mond van de doden stopte, omdat hij bang was dat de rigor mortis hem een kwade streek zou leveren en hij het kwijt zou zijn. Want je moet het beestje bij zijn naam noemen en ook al ben je dood, dat wil niet zeggen dat de waarheid de waarheid is. En hij zegt: "Toen ik doodging, stopten ze mijn ei in mijn mond, zodat ik het mee zou nemen naar de andere wereld, maar ze zijn vergeten me te scheren en dat vind ik erg." En plotseling kijkt hij haar strak aan, spert zijn ogen wagenwijd open, maakt zijn wangen, die van een dode, bol en rispt het ei op dat halverwege tussen zijn lippen blijft steken. "Genoeg!" schreeuwt Nonnita. En ze duwt hem opzij, alsof je de doden opzij zou kunnen duwen. En ze begint met twee treden tegelijk de trap af te lopen, terwijl Jaume, de kapper uit de Carrer Tarongeta, er hartelijk om lacht en het ei in zijn mond houdt. En voor ze de straat op loopt, vraagt ze: "En wat vind je ervan dat het Reformaplan jouw straat precies doormidden snijdt en dat hij dan een L- in plaats van een U-vorm krijgt?" En hij: "Ik vind er niks van. Ik hoef het immers niet te zien ..." Het typische egoïsme van de doden, denkt ze. Eenmaal beneden kijkt ze door het trapgat naar boven. Vanaf de bovenste verdieping kijkt Jaume omlaag met een zeer rustige uitdrukking op zijn lijkengezicht. En het meisje zegt: "Ik ben zwanger, Jaume, wat moet ik doen?" Hij slokt het ei op en maakt een ondubbelzinnig gebaar: hij haalt zijn rechterwijsvinger over zijn hals, alsof hij snijdt. "Val dood, ellendeling, stomme dode!"

Ze opende de portiekdeur en ging naar buiten. Het was er helemaal vol geüniformeerde meisjes die hollend en schreeuwend de straat afliepen. Ze zouden wel van de nonnenschool Sagrada Família zijn, een beetje verderop. Die zou ook tegen de vlakte gaan. Ze liet hen passeren en bijna had ze zich bij hen aangesloten. Ze moest zich haasten om op tijd te komen voor de middagvoorstelling. Ze had gemerkt dat Jaume de eerste dode was die het trappenhuis in ging. Tot dan toe hadden ze het niet gedurfd. En ze wist niet wat ze daarvan moest denken.

Ze was zwanger en misschien was ze wel gek aan het worden. Ze zei tegen zichzelf: "Ik ben jong, sterk en heel gezond." En ze herhaalde het, terwijl ze de hoofddoek optrok die ze had omgedaan. En door dit gebaar was het net of ze haast had. En ze zei tegen zichzelf: "Ik ben ook knap. En ik zie niet in waarom ik me zorgen moet maken."

Maar ze maakte zich zorgen. Heel veel. Want het was overduidelijk dat ze zwanger was.

Ze begon na te denken over het kind dat op komst was, een jongen of een meisje. Een paar dagen eerder, toen ze er niet meer aan hoefde te twijfelen of ze wel zwanger was, vond ze zichzelf een stomkop. Moeder worden was wel het laatste wat haar kon overkomen, dacht ze. Ze vond het zo ondenkbaar dat ze nog nooit van haar leven voorzorgen had genomen. En nu zwanger. Dat ontbrak er nog maar aan. Misschien was ze daarom zo moe. Waarom kan het leven niet gewoon leuk zijn? Als de dingen een tijdje redelijk goed gaan, gebeurt er altijd plotseling iets ergs.

Ze stak de Plaça de l'Àngel over, waar iets verderop het kabaal van werkzaamheden klonk: alles ging helemaal tegen de vlakte. Opschieten, ze was bang nog meer doden tegen te komen.

En het vreemdste was nog wel dat ze besloten had dat kind te houden. Wat maakte het uit, alles welbeschouwd? De wereld zit erop te wachten, had ze tegen zichzelf gezegd. Dezelfde wereld van eerst, dezelfde mensen ... Ze zei tegen zichzelf: "Ik zal ervan houden; zijn vader misschien (als ik hem tenminste vind). Tomàs zeker. Het leven is hetzelfde, alleen de weg die ik moet gaan verandert. We zijn nu met zijn tweeën in plaats van ik alleen."

Tomàs was de enige die het wist. Op een middag dat hij niet helemaal bij kennis leek te zijn, had ze het hem zonder het te willen opgebiecht. Dat deed ze af en toe: tegen Tomàs praten alsof ze tegen een muur praatte. Dat hielp haar om hardop na te denken. Maar nee, op dat moment was hij wakker en hij begreep het perfect. Ze vertelde het hem en vroeg om raad. Ze had hem nog nooit zo verbijsterd gezien.

"En van wie is het, als ik vragen mag?" vroeg hij.

"Van Jordi."

"Welke Jordi?"
"Die met ons optrad bij Soriano, met de Russen, van het nummer met de komische fietsers."
"Je bedoelt de Italiaanse acrobaat?"
"Ja."
En Tomàs stortte plotseling in. Het meisje gaf hem een paar oorvijgen, maar hij reageerde niet. Met open ogen keek hij strak naar het plafond. Ze schrok er niet van, ze was het gewend. Soms gaf ze hem een paar oorvijgen; als ze dat niet deed, dan kon het zeker een kwartier tot zelfs twee uur lang duren. Maar hij kwam altijd weer bij.

Ze liep verder naar de tramhalte. Ze kwam langs peilloos diepe geulen in de straat. Overal stonden wagens vol afval, puin en gebroken dakpannen, die te midden van stofwolken langzaam en met grote moeite omhoogreden. Midden op een van de bouwpercelen stond een houten kistje met een open boek erop, waar de wind in bladerde. Ze liep erop af: het was een Nieuw Testament. Ze raakte het niet aan. Het zou haar zeker ongeluk brengen, met die pagina's die zo vergeeld waren. Bij daglicht zag alles er anders uit. Anders, niet beter. Er stonden resten van gebouwen die als met een mes doormidden waren gesneden. Je zag muren, helemaal alleen, zonder deuren of ramen, vol aanplakbiljetten die iets aanprezen. Of deuren zonder muur of huis, met een opschrift dat er met een kwast op was geverfd: TOEGANG ALLEEN VOOR KLANTEN.

Vlug, vlug, ze baande zich een weg dwars door weer een groep Barcelonezen die vrij hadden en 'naar de Reforma gingen kijken' en kwam uit op de Passeig de Colom. Gered.

Het begon een nachtmerrie te worden om via deze route naar het theater te gaan. Waarom liep ze zo? Dit was niet eens de meest logische weg. Als ze via de Ferran zou doorsteken en dan de Carrer Nou nam, bespaarde haar dat zeker tien minuten lopen en, nog belangrijker, op deze manier ontliep ze die groep vervelende doden. Tenminste, de meesten van hen.

Met de Italiaan ging het zoals het ging. Zelfs zij wist niet hoe of wat. Of jawel, ze wist het wel degelijk: ze was stapelverliefd op hem geworden. Ze zag hem elke dag met zijn Russische maten in Soriano, zo stoer in zijn maillot, terwijl hij acrobatische toeren uithaalde. Ze begonnen samen uit te gaan, bedreven de liefde ...

En ineens was hij ervandoor. Pas later merkte ze dat ze zwanger was.

Ze stapte in de tram die het traject van de Passeig de Colom deed en vervolgens de Paralelo helemaal afreed. Dezelfde dag dat ze Tomàs had verteld dat ze zwanger was, of misschien was het de dag erna, had hij eruit geflapt: "Maar vind je niet dat je er goed aan zou doen om die man te zoeken?" En ze was heel kwaad geworden en had tegen hem geschreeuwd: "En hoe? Hè, bijdehandje? Zeg eens! Waar moet ik hem verdomme zoeken?" Hij boog zijn hoofd en ging de ezel wortels voeren. Na een paar tellen stilte ging ze naar hem toe. Ze was onuitstaanbaar als ze woedend werd. Ze bood haar excuus aan. Ze vroeg hem: "Maar hoe wil je dat ik de vader van mijn kind ga zoeken? We hebben allebei gezien dat hij met zijn Russische vrienden naar het station ging ..."

Als altijd nam de tram de bocht bij het Columbusmonument te snel en de wielen krasten over de rails als onverwachts een krijtje over een schoolbord. Alle passagiers zeiden 'oei', behalve zij, want ze had het niet gemerkt omdat ze aan de vader van haar kind dacht. Haar vriend heette Emidio. Hij vond het vervelend dat hij altijd maar weer moest uitleggen dat hij niet Emilio heette maar Emidio. Op een dag vroeg hij wat in Catalonië de meest gangbare voornaam was. Ze zeiden hem: "Nou, Joans, Joseps en luizen heb je in alle huizen, maar er zijn ook veel Jordi's ..." En zo gezegd, zo gedaan, hij veranderde zijn naam in Jordi. Hij had een heldere, krachtige stem. En een oogopslag met een warme, aanstekelijke glimlach die moeilijk te duiden viel, maar je in vervoering bracht en je niet losliet, zelfs niet als hij al voorbij was. En daardoor voelde Nonnita zich goed, rustig, zoals ze zich maar zelden had gevoeld. Ze werd verliefd op een heftige, wilde en tegelijk kalme manier. Ze had hem leren kennen als acrobaat bij de Russen, maar eigenlijk was hij zeeman ter koopvaardij. Ze wandelden over de Paralelo en hij verhaalde over fantastische zaakjes, die uiteindelijk op niets uitliepen, over projecten die hem zeker uit de armoede zouden halen, of hij zei haar dat hij gerust was omdat hij de oplossing voor al zijn ellende in zijn broekzak droeg. En ze geloofde er niks van, maar liet hem praten en omarmde hem en kuste hem in zijn nek ... Op een dag doorzocht ze zijn kleding, terwijl hij sliep. Ze vond er geen enkele schat, alleen een stuk pruimtabak in de ene broekzak, zijn paspoort in de andere en in de binnenzak van zijn jasje een geblutste bronzen medaillon met een afbeelding van Christus aan het kruis en een Italiaans opschrift. Hij was een onbeschaamde vlegel. Zo'n beetje als zij. En ineens ging hij zonder iets te zeggen weg, bijna stiekem. En ze bleef verbijsterd achter. Toen had ze het niet begrepen. Er moest een duidelijke reden zijn. Hij had haar vaak gezegd dat hij van haar hield. En nu was ze zwanger. Ze was een paar dagen verkouden geweest en toen ze weer naar het theater ging, waren de Russen en de Italiaan er al niet meer.

In het begin had ze zich nog afgevraagd: en als ze uiteindelijk niet zijn weggegaan? Als in een spel gaf en ontnam ze zichzelf hoop: "Misschien heeft een of ander theater hem op het laatste moment gecontracteerd ... Dat doen ze niet zo vaak ... Ze moest natrekken of er op dit moment een of andere zaal in Barcelona een attractie met komische fietsers bood ... Maar misschien is het geen fietsnummer ... Ze zongen en dansten ook heel goed, ze bespeelden de balalaika ... Een troep Russen moet niet zo moeilijk te vinden zijn ..." En ten slotte werd ze boos en zei: "Laat hij míj maar zoeken!"

Ze moest zich erbij neerleggen. Wat ze in haar buik droeg, zou geen vader hebben. "Nou, dan niet!" schreeuwde ze luid.

Daar piekerde ze over toen ze merkte dat ze al ter hoogte van de Saló Arnau was. Ze liet de tram stoppen en stapte uit. Een hele menigte kwam er naar de middagvoorstelling. Allemaal mannen, met pet of hoed, die op weg waren naar de kassa van dat theater. Maar volgens de gebroeders Soriano was dat niets om je zorgen over te maken; op de Paralelo was er genoeg publiek voor iedereen. Des te beter.

In theater Soriano probeerde Tomàs Capdebrau op zijn knieën de papegaai Trinitat zover te krijgen zonnebloemzaadjes uit zijn mond te pikken. Het was een prachtig dier, een koningspapegaai, bijna een halve meter groot, groen, met een gele kop en blauwe vleugelpunten. En over zijn hele lijf rode, blauwe en zwarte penseelstreken. Tomàs had Trinitat helemaal in zijn eentje achter in zijn kooi gevonden, toen hij net uit het ei was gekropen. Er zaten nog restjes eierschaal op zijn kop. Een paar uur later ontdekte hij dat de aap veren van allerlei kleur door zijn kooi liet vliegen. Hij begreep dat het buikspreeknummer met de papegaaien voorgoed verleden tijd was en dat het kuiken net wees was geworden. Hij adopteerde het dier, doopte hem naar de dag op de heiligenkalender Trinitat en wist hem in leven te houden. Mettertijd bleek Trinitat praatziek, maar werd ook duidelijk dat hij uitgesproken lui was. Het was een even intelligente als luie papegaai. En dankbaar, want hij was zelfs in staat om Tomàs een wederdienst te bewijzen. Een jaar eerder trapte een van de muilezels Tomàs vol tegen het hoofd. Er klonk een droge krak en hij belandde met weggedraaide ogen languit op de vloer en uit zijn rechteroor liep een gelatineachtig straaltje. De papegaai draaide helemaal door en vloog naar Nonnita Serrallac, die zich echt lam schrok: tot dan toe had ze hem alleen maar zien lopen. Binnen twee minuten stond iedereen om het roerloze lichaam van Tomàs en gaf commentaar op het vocht dat uit zijn oor liep. "Misschien is het een straaltje hersenen", waagde iemand te zeggen. "Onmogelijk, waar niets is, kan niets uit lopen", zei iemand anders nogal smakeloos. Een dorpsdokter stopte een propje was in zijn oor, voor het geval dat ("ik kan niet beweren dat het hersenen zijn, maar ook niet het tegendeel", verzekerde hij) en pakte het hoofd helemaal in. Tomàs Capdebrau ijlde acht dagen en acht nachten en bleef tegen elke verwachting in niet alleen leven, maar herstelde ook. Al werkte zijn bovenkamer sinds zijn ongeluk niet meer zoals het moest. Hij werd traag van begrip, verward. En het gebeurde vaak dat je hem plotseling roerloos aantrof met wijd open, starende ogen. Hij moest er natuurlijk het kleermaken aan geven. Hoe dan ook, als je ze samen zag, leek de papagaai meer verstand te hebben dan hij.

Hij zag zijn vriendin uit de tram stappen en stak bij wijze van groet een hand op. Toen ze bij hem was, zei hij dat de papegaai koorts had. Ze keek hem aan en antwoordde: "Hij kan de pot op."

En hij begon te lachen met de lach van de simpele ziel die weet dat er iemand in zijn leven is.

Nonnita Serrallac ging naar binnen om de zeehond en de ezel te begroeten, in die volgorde. Voorlopig was dit haar hele familie. Als Jordi niet met de Russen was weggegaan, had ze er met hem over kunnen praten, hem kunnen vertellen dat hij gauw vader zou worden. Misschien was ook hij haar familie.

En nog iets om aan te denken: ze moest maar opschieten, omdat binnenkort haar buik te zien zou zijn en ze het nummer met de zeehond niet meer kon doen. Dit nummer niet of welk nummer dan ook. En ze dacht weer: er zijn dagen geweest dat ik het zo fijn heb gehad met Jordi ...

"Tomàs, krijg je hoofdpijn als je te veel denkt?"

"Heel erge."

"Dat dacht ik al."

Nonnita geloofde dat al hun kwaaltjes en moedeloosheid zonder uitzondering op haar kind zouden overgaan. Ze moest bedenken wat ze voor dit ellendige, menselijke wezentje dat ze onder haar hart droeg kon doen. Maar ze kon het niet.

Maar nu moest ze eerst de vestibule van theater Soriano met water en bleekmiddel schrobben voor de volgende voorstelling.

Voorafgaand aan de voorstelling begon halverwege de middag in de vestibule de herrie. Doorgaans beconcurreerden de theaters en bioscopen van de Paralelo elkaar door te zien wie er meer lawaai kon schoppen. Het was mode geworden dat de cinema's bij elke voorstelling schellen lieten klinken die door merg en been gingen, veertig, vijftig keer achter elkaar ... Maar als het op aandacht trekken aankwam, overtrof niets Soriano met de snerpende klanken van zijn grote mechanische orgel met felle kleuren en overdreven krullerige sierlijsten, met kartonnen poppen van natuurlijke grootte die een sprekend gezicht hadden en die ronddraaiden en flink met cimbalen sloegen. Het loonde de moeite om naar Soriano te komen: de herrie die het theater maakte, hoorde je op honderd meter afstand, in beide richtingen van de Paralelo.

Nonnita Serrallac ging onder de grote feestverlichting voor de ingang staan om de allernieuwste attracties aan te kondigen. Ze vond er maar weinig aan. Soms deed Tomàs het, maar de laatste tijd was hij er steeds minder vaak toe in staat. Ze pakte de luidspreker en begon als altijd vol overgave te roepen: "Nieuwigheid in Soriano! Nieuwigheid in Soriano! Een programma van internationale allure. Met opmerkelijke zaken die net zo bijzonder zijn als die van de theaters Olympia en Folies Bergère in Parijs, de Wintergarten in Berlijn of de Empire en de Hippodrome in Londen ... Komt u binnen, dames en heren, en zie het wonder der wonderen: een, twee, drie, vier, vijf, zes, zeven en zelfs acht keer moet op verzoek van het publiek het doek op om te applaudisseren voor de buitengewone amazone uit de oceaan in dodelijk gevecht met de wilde zeehond uit Antarctica! Jazeker, u hebt het goed gehoord! Woon een wrede foltering bij met een heus watergevecht. Een drama tussen beest en mens, op de bodem van de zee, met in de hoofdrol de onvergelijkbare en wondermooie Marina, amazone van de oceanen ..."

Plotseling verslikte ze zich en begon te hoesten. Ze moest wel stoppen. Verbouwereerd hield ze haar mond: Ze had net Deogràcies-Miquel Gambús gezien, die een kaartje kocht zonder te merken dat hij de voorstelling al een paar dagen eerder had gezien.

De voorstelling begon en het meisje zag hem onmiddellijk zitten, niet geïnteresseerd in wat er zich in het reusachtige aquarium afspeelde. Ze bleef maar naar hem kijken, maar de jongeman besteedde geen aandacht aan de voorstelling tot aan het hoogtepunt, toen de pauk sloeg en de piano het dramatische van de situatie beklemtoonde. Het was het moment dat een toeschouwer met een sardine in zijn hand op een krukje moest gaan staan, zijn arm moest optillen en de zeehond en de vrouw als een pijl uit het water schoten om hem de sardine met bek en mond afhandig te maken.

Ineens vulde geloei het lokaal en meteen daarna was het doodstil. Door de opwinding had de toeschouwer zijn evenwicht verloren en was voorover in het aquarium gevallen. Er was even sprake van besluiteloosheid: kon hij zwemmen? Het aquarium, dat op een paar artistieke houten poten in rococostijl rustte, bevatte genoeg water om niet één, maar een paar of zelfs drie toeschouwers te laten verdrinken. Want ook al ligt de oude stad Barcelona dan aan zee, ze brengt vooral kinderen voort die niet kunnen zwemmen en is op deze manier trouw aan de tegendraadse en rebelse geest die haar beroemd heeft gemaakt. Zodat een Barcelonees, of hij er nou geboren is of er is komen wonen, zeer waarschijnlijk verdrinkt als hij in een gigantisch aquarium vol water valt.

De man hijgde, spartelde en klampte zich aan het meisje vast in een wanhopige poging haar tot op het laatste moment te betasten. De zeehond, rustig en tevreden omdat het werk er eerder op zat, bekeek het zonder nieuwsgierigheid, ongeïnteresseerd, terwijl hij van zijn sardine genoot. Het personeel van de zaal gooide een reddingsgordel met het mooie randschrift KONINGIN VAN DE ZEEËN, 1896 in het aquarium, maar het slachtoffer weigerde hem te pakken, aangezien het lichaam van het meisje hem veiliger leek (en aantrekkelijker). En op hun plaats gingen de mensen dood van het lachen omdat die sukkel van de zenuwen, of omdat hij het meisje beetpakte, een enorme erectie had, die hij onmogelijk kon verbergen. Een paar seconden later kwam de pianist met een trapladder, en met het meisje van onder- en twee mannen van bovenaf lukte het om de drenkeling en pechvogel uit het water te halen.

Toen hij weer vaste grond onder zijn voeten had, begon de ongelukkige, die tot op de draad nat was, te groeten. Het publiek deed het in zijn broek van het lachen, aangezien de man zich nog altijd niet bewust was van de fiere staat van zijn roede. Zoals in zijn beroep de gewoonte is, had de pianist overal oog voor. Daarom pakte hij de stofdoek van zijn piano en gaf die aan de man, zodat die er zijn edele delen mee kon bedekken. Toen pas merkte de persoon in kwestie het en werd die vlammende vuurpijl in één seconde een rotje dat ketste. En de mensen lachten natuurlijk nog harder: de toeschouwers bleven maar klappen en fluiten, gelukkig en tevreden. Dat allemaal voor tien cent.

Door het kabaal keek Demi Gambús naar het aquarium. En hij kreeg dezelfde indruk: dat hij de jonge vrouw met het mahoniekleurige haar kende, maar hij wist niet waarvan. Toen de voorstelling was afgelopen, liep hij haar bij de uitgang tegen het lijf. Ze versperde hem met haar lichaam de weg en dwong hem tot stoppen. Hij struikelde bijna over haar, omdat hij in gedachten was verzonken. Ze hield hem staande. Ze droeg een badjas en slippers en haar mahoniekleurige haar, dat nog nat was, had ze helemaal naar achteren gekamd.

"Goedenavond."

"Goedenavond", antwoordde de jongeman.

En zonder haar aan te kijken, liep hij door. Ze volgde hem en trok aan zijn mouw: "Hé!"

"Ja? Wie ben je?"

"Die van het aquarium. Dat weet u heel goed."

Nadat hij er zich van had verzekerd dat zijn achtervolgster alleen was, kalmeerde de jongeman en bekeek haar met een enigszins spottende glimlach. Hij pakte zijn tabaksbuil en begon een shagje te draaien, terwijl hij verstrooid tegen haar zei: "Proficiat, juffrouw, jullie doen het heel goed."

"Jij hebt ook flink je best gedaan, negen jaar geleden."

Het plotselinge jijen en jouwen had tot gevolg dat de stukken voor Deogràcies-Miquel Gambús ineens op hun plaats vielen. Hij merkte dat het rood hem naar de wangen steeg. Eén seconde slechts. Hij mopperde: "Ik zie dat je een goed geheugen hebt. En dat gekke nummer, doe je dat nog?"

"Nee." En ze voegde er met trillende stem aan toe: "Met de zeehond werken geeft meer voldoening dan met een willekeurig iemand."

Deogràcies-Miquel Gambús bukte een beetje, zodat de wrok van de jonge vrouw vlug aan hem voorbijging, over zijn hoofd heen, ver genoeg weg om er zich geen zorgen over te hoeven maken, dichtbij genoeg om op zijn hoede te zijn.

"Ik snap je rancune wel", zei hij. "Maar helaas: het kan me niet schelen. Wat wil je van me?"

"Niets. Alleen met je praten", zei ze al zekerder van zichzelf.

"Praten? Waarover?"

"Wees maar niet bang, niet over iets wat voor jou nadelig zou kunnen uitpakken."

Hij bekeek haar van top tot teen en begon weer te glimlachen. Hoe kon zo'n hongerlijdster hem schade berokkenen? De badjas viel half open en hij keek naar haar borsten: ze had nog een mooi lijf. Het was echt een mooie meid. Misschien viel er iets te regelen. Ze merkte het en bedekte zich. Demi Gambús haalde zijn portefeuille uit zijn broekzak, maar ze hield hem tegen.

"Ik wil geen geld."

"Dat wilde ik je ook niet geven." Hij gaf haar een visitekaartje.

"Kom me binnenkort eens opzoeken. We praten over wat je maar wilt, behalve over dat vervelende voorval. Dat is voltooid verleden tijd."

"Je leek het anders niet vervelend te vinden ..."

"Ik wil geen ruzie."

"Oude koek, niet?"

"Je zegt het. Tot ziens."

Hij drukte zijn pet op zijn hoofd, sloeg zijn revers op en ging met snelle tred weg, de handen in zijn zakken. En met een zekere onrust. Hij was niet bepaald trots op het voorval waaraan het meisje hem weer had doen denken.

Op haar beurt keek ze Deogràcies-Miquel Gambús na tot ze hem niet meer kon zien. Toen ze weer naar binnen ging, was ze nog bloednerveus van de opwinding over de ontmoeting.

Nu er een toeschouwer in het aquarium was gevallen, moesten ze voor de avondvoorstelling controleren of de glazen wanden geen scheur hadden opgelopen: de man droeg laarzen en iedereen had gezien dat hij tegen het glas had geschopt toen hij dacht dat hij ging verdrinken. Nonnita Serrallac echter was tot niets in staat, ze bewoog werktuiglijk.

Toen bleek dat het aquarium geen druppel verloor, moesten ze het leegmaken: van schrik was de zeehond almaar blijven braken; dun braaksel, dat het water bruin had gekleurd. Het was met geen mogelijkheid te gebruiken. Het schouwspel van het aquarium dat naar de stoeprand werd gesleept om daar ter plekke met een slang te worden leeggemaakt, deed net zoveel publiek samenstromen als een uur eerder de voorstelling. Ondanks de kou kwamen de mensen de cafés uit om te kijken en te klappen. Een paar leeghoofden begonnen te roepen: “De zeehond moet naar buiten komen! De zeehond moet naar buiten komen!”

En de pianist bracht het dier naar buiten om te groeten, omdat de man eigenlijk wel van een grapje hield en dacht dat het de roem van theater Soriano ten goede zou komen. En omdat het dier goed was afgericht en van kleins af klapte, schraapte het in zijn ouderdom en ondanks dat het zich beroerd voelde weer een minuut roem bijeen om mee te nemen naar het paradijs voor dode zeehonden, als dat al bestaat.

“Nonnita, als het aquarium leeg is, zouden we het grondig kunnen schoonmaken ...” suggereerde een van haar bazen.

Ze wilde geen toestanden. Dat kon ze niet gebruiken. Kop houden en soppen dus. Wat een gedoe.

Tomàs Capdebrau stond met een emmer, zeep en een dweil in het reusachtige, lege aquarium. Nonnita ging op het krukje staan en vanuit de hoogte keek ze even naar hem om te zien of hij bij was of niet. Ze moest almaar denken aan de ontmoeting met Deogràcies-Miquel Gambús. Ze bekende: “Ik denk weleens dat ik het helemaal niet erg zou vinden als ik op dit moment zou doodgaan.”

En hij, gewend als hij was aan die verzuchtingen van Nonnita, antwoordde haar net zo droog als goedaardig: "Maak dat de kat wijs ... Dat moet je zelfs niet voor de grap zeggen."

En zij, hangend over de rand van het aquarium alsof het een leuning was: "Heus, ik zou het helemaal niet erg vinden. Ik weet niet wat we eraan hebben om zo te leven. Iedereen heeft recht op een droom. En was het niet voor ..."

Tomàs zag dat ze niet wist hoe ze haar zin moest afmaken. En hem schoot niets te binnen, zodat hij stilletjes doorging met soppen. Het meisje gooide de dweil op de grond en zei: "Wat is er met ons gebeurd? Wat mankeert ons verdomme dat we zo'n armzalig leven leiden. Het is belachelijk. Zie je het niet? Wij twee, hier, in een aquarium ..."

Maar sinds de muilezel zijn hersenpan als een granaatappel had opengespleten, was Tomàs soms een simpele ziel. En hij wist alleen maar dat hij op die plek en op dat precieze moment met een dweil een reusachtig aquarium moest afboenen en niet moest nadenken over de ideeën van Nonnita. Dat wist hij en niets meer. Het meisje vroeg hem plotseling: "Geloof je niet dat we ons leven kunnen veranderen?"

Ze zweeg en even later liet ze zich, eerder verveeld dan bedroefd en zonder te verwachten dat hij haar zou antwoorden, ontvallen: "Ik weet niet waar ons leven uiteindelijk toe dient."

En Tomàs luisterde weer naar haar en probeerde te denken, maar zoals de laatste tijd gebruikelijk schoot hem niets te binnen. Nonnita begreep hem maar al te goed. Háár beste momenten beleefde ze als ze nergens aan dacht, niet zoals in een droom, maar alsof je aan het dobberen bent, midden op zee, niets willen, alleen maar drijven en je laten gaan, als een plant met drie zenuwuiteinden in plaats van driehonderd miljoen.

De avondvoorstelling was maar povertjes en er werd zelfs gefloten. Er was weinig water en het dier kon bijna niet zwemmen. Bovendien was Nonnita er niet met haar hoofd bij. Het had weinig gescheeld of ze was echt verdronken. Zelfs de zeehond merkte het. Ze wilde alleen maar klaar zijn en naar huis gaan.

"Nonnita, zullen we het aquarium vullen?"

"Nee! Sorry, Tomàs, maar ik ben doodop. We doen het morgen wel, goed?"

Binnen tien minuten was ze omgekleed en ze ging weg, alsof ze haast had.

Op dat late uur was er nog veel te doen. De Paralelo stond boordevol theaters en theatertjes, café chantants, restaurants ... De meeste wisten wanneer ze konden openen, maar niet wanneer ze moesten sluiten. En zeker niet met die kou. De mensen hadden behoefte om te schuilen ...

Tomàs wachtte met zijn koffertje in zijn hand bij de deur. Hij had het altijd bij zich. Het was van leer en leek op een dokterskoffertje. Het was waarschijnlijk het meest glimmende koffertje van Catalonië sinds een boer hem tijdens een tournee had gezegd dat hij het altijd smetteloos kon houden door het telkens weer met een papje van as en bier in te wrijven.

Nonnita keek hem aan. 's Avonds kostte het meer moeite om erachter te komen of hij traag van begrip was of niet. En ze had helemaal geen zin om daarachter te komen. Ze wilde alleen maar weg. Ze liep aan hem voorbij en begon zonder iets te zeggen de Paralelo af te lopen. Ze stapte flink door en Tomás liep als een hondje achter haar aan. Nonnita hoorde zijn stem achter zich: "Heb je zo'n rothumeur gekregen van die vent die in het aquarium is gevallen?"

Ze bracht de moed op om met vaste stem te antwoorden: "Een rothumeur, Tomàs, heb ik altijd bij de hand om er wat van uit te delen. Heb ik je nooit verteld dat mijn vader me toen ik klein was en als ik me slecht gedroeg aan mijn voeten aan de palmboom ophing tot ik zei 'het spijt me'? En dat ik daarom bijna vanaf mijn geboorte een lastpak ben?"

En ze liepen een tijdje stil door. Tomàs vroeg haar: "Wie was dat met wie je gepraat hebt toen de voorstelling was afgelopen?"

Het meisje bleef abrupt staan en draaide zich om. De ander, die als een haas liep, struikelde bijna over haar.

"Hou je me soms in de gaten?"

"Nee, ik was aan het schoonmaken en toen heb ik je gezien."

Ze keek hem recht aan en haar woede zakte helemaal weg. Hij kon er ook niks aan doen.

"Maak je geen zorgen, het was een van die hongerlijders die denken dat ze met geld alles kunnen kopen."

"En is dat niet zo?"

Nonnita Serrallac probeerde erachter te komen of Tomàs wist wat hij net had gezegd of dat het simpelweg een vraag was van een idioot, (lief, maar idioot). Ze kwam er niet achter en barstte in lachen uit: "Je bent een oude smeerlap en eigenlijk weet ik niet waarom ik je mag."

"Ik loop met je mee. En ik ben niet oud."

In werkelijkheid bleef ze maar aan het voorval denken; ze herinnerde zich zelfs de naam van die jongeman niet. Ze pakte het visitekaartje en las: Deogràcies-Miquel Gambús. Woede borrelde van haar maag op naar haar mond.

Tomàs was er die oudejaarsavond ook bij geweest, net als alle andere circusartiesten. Het was tijdens een verblijf in een dorp van niks aan de Ebro.

"Hoe heet dat dorp van die beroemde speciale voorstelling van de eeuwwisseling ook alweer?"

"Dat is lang geleden."

"Negen jaar. Dat is lang of kort, net hoe je het bekijkt. Ik zal het me mijn leven lang herinneren."

Ze stond op het punt te bekennen dat de jongeman met wie ze na de avondvoorstelling had staan praten in werkelijkheid de klootzak was die met haar de hoofdrol in dat optreden had gespeeld. Maar ze deed het niet.

"Zeg je het of niet?"

"Wat?"

"De naam van het dorp, verdomme!"

"Alcagaire. Alcagaire de la Roca."

Wat een belachelijke naam ... En dan de situatie: het was vreselijk koud. De mist sloeg 's nachts op de beesten neer en de volgende dag lagen ze dood in hun kooi, wit als ijspoppetjes. De artiesten werden ziek. Ze konden onmogelijk verder. Die machtige familie had hun gastvrijheid geboden en het circus had zijn wagens mogen opstellen op een terrein midden in het dorp, naast een geheel nieuwe, elektrisch verlichte promenade. Die familie gaf brandhout en eten en in ruil daarvoor eiste ze een paar publieksvoorstellingen, op eerste en tweede kerstdag. De jongeman, zijn familie mocht het niet weten, vroeg ook om een heel bijzondere privévoorstelling voor de nacht van 31 december 1899 op 1 januari 1900. Hoe hadden ze kunnen weigeren?

De kou had Tomàs en Nonnita ten slotte samengebracht en ze wandelden gearmd verder. Het meisje keek hem stilletjes aan. Ze had zich nooit afgevraagd hoe oud hij was. Ze vond andere dingen leuk aan Tomàs, bijvoorbeeld de aandacht die hij altijd had besteed aan de manier waarop hij zijn baard droeg, dicht en vol, door een soort scheiding in tweeën gedeeld. Haar beviel ook zijn grote hoofd en hoewel hij het gebogen hield, mocht dat er wezen. En dat hij met brede en waardige gebaren bleef praten en met zoveel gezag de grijze stofjas van zijn oude stiel van kleermaker bleef dragen, hoewel hij door de schuld van een stomme ezel een beetje hersenen had verloren. Zelfs nu hij vele uren van de dag niets begreep en zijn handen trilden, was zijn stofjas altijd schoon en gesteven, klaar voor inspectie. Als hij niet sprak, merkte je niet eens dat hij aan één kant een gebarsten en geplet hoofd had.

De eerste puinhopen waarschuwden hen al dat ze in het Reformagebied kwamen. Een zigeunerfamilie belaadde een kar met enkele stukken hout, wankele meubels en oude spullen die bij de afbraak van een pand waren blijven liggen. Ze laadden op een ordelijke manier, met verstand van zaken, georganiseerd: de vrouwen en de kinderen hielden de lantaarns op en de mannen sjouwden. Ze hielden een gebied bezet en verdedigden het indirect, bakenden hun territorium af. Ze namen alles mee: het hout van wormstekige kozijnen, stukken ijzer, verwrongen ijzerdraad. Ze namen zelfs een heel stuk muur mee, waarop een schildering voor een dolle hond waarschuwde.

Een opgeschoten knul die maar wat staat te lummelen op de voormalige hoek van de straten Pom d'Or en Isern, eet met een dikdoenerig air pinda's uit een zakje. Hij is mollig, scheel en pronkt met een snor. Hij leunt tegen een van de weinige gaslantaarns in de buurt die het nog doen. Door het werk van de zigeuners wervelen vlak voor hem stofwolkjes op. De jongen ziet er behoorlijk schoon en opgedoft uit: een glimmende, zwarte ribfluwelen broek, witte dichte touwschoenen, een blauw overhemd, een kiel en een nieuwe pet. Werktuiglijk dopt hij nog een pinda en stopt hem in zijn mond. Ineens verfrommelt hij het zakje en steekt het in zijn broekzak, alsof hij denkt: ik kan er maar beter een paar voor morgen bewaren. Hij gaat voor hen staan. Nonnita kent hem niet.

“Wie is dit?” vraagt ze aan Tomàs.

En ze wijst de jongeling aan. Tomàs zegt niets, aangezien hij er op dat moment is, maar niet is. Gelukkig maar, want Nonnita merkt dat het weer zo laat is: de jongen is dood. Er is geen houden aan. Bovendien kent ze hem niet. Dat ontbrak er nog maar aan, dat haar onbekende doden verschijnen.

Nonnita vraagt de jongen wat hij wil en deze antwoordt in het Spaans dat hij van háár niets wil, dat hij Tomàs zoekt omdat hem is verzekerd dat die ook kleren voor doden maakt. En hij vertelt dat hij metselaarsknecht is en bij de bouwwerkzaamheden van de Reforma werkt, in die sectie. Dat hij twee dagen geleden 's morgens vroeg is gestorven, nadat hij naar beneden was gevallen in een pand dat half was afgebroken. En hij heeft een maatpak nodig omdat de voorman een telegram heeft gestuurd naar zijn familie in Murcia om hem te komen ophalen. En als ze komen, wil hij er goed uitzien. “Ik wil dat ze zien dat ik het in Catalonië heb gemaakt”, zegt hij. “Daarom heb ik zolang mijn schone kleren aangetrokken.” Nonnita antwoordt dat hij erg jong is en dat hij geen pak nodig heeft, dat je aan schone kleren genoeg hebt om in vol ornaat naar de andere wereld te gaan. Maar met dat dikdoenerige air dat hij de hele tijd over zich heeft, flapt hij eruit: “De jeugd van tegenwoordig is van nature ijdel en bovendien wil ik dat mijn familie zich vergaapt.” En ze bedenkt dat dat er nog maar aan ontbrak: dode boertjes van buten die arrogant zijn; en ze zegt dat hij moet ophoepelen en voegt eraan toe dat Tomàs kleren maakt voor lijken, maar niet met schimmen omgaat. En het jongetje blijft wachten tot zijn familie uit Murcia komt om hem hier te begraven, want hem meenemen is heel duur. Ze laat hem weten dat vanuit Murcia overkomen in feite ook heel duur is. Ze wil niet dat de jongen valse hoop koestert. Maar hij is een nieuwbakken dode en hij komt uit Murcia, hij weet dat niet. En hij houdt vol dat hij als een meneer naar de hemel wil gaan. Nonnita zwaait hem gedag en nadat hij op een fictieve stenen bank van een niet-bestaand huis is gaan zitten, maakt hij duidelijk dat ze de pot op kan. En hij trekt een boos gezicht, omdat hij een paar pinda's op de grond heeft laten vallen, die op het moment dat ze het plaveisel raken verdwijnen alsof het heel fijne regendruppels zijn.

Ze liepen verder. Nonnita Serrallac was zenuwachtig, omdat ze verwachtte elk moment meer doden tegen te komen en die nacht, juist die nacht, had ze daar helemaal geen zin in. Ze moest over een hele hoop dingen nadenken en wilde zo snel mogelijk naar huis. En zonder oponthoud. Bovendien vergiste ze zich soms. Een paar dagen geleden had ze vlak voor de Plaça de l'Àngel het houtvuur van de bewaker van een van de bouwputten gezien. Een commissie had besloten één gebouw in het bijzonder te redden, alsof het een Ninot was: de pop die elk jaar tijdens de Falles-feesten in Valencia als enige gratie krijgt en niet in brand wordt gestoken, maar een plaatsje in het museum vindt. Het zou steen voor steen worden afgebroken en elders in de stad worden herbouwd. Daarom moest het worden bewaakt. De bewaker had een hond die bijna even groot was als zij. De man en het dier warmden zich aan het vuur en waakten. De eerste keer dat ze hem tegen het lijf liep, had ze niets gezegd omdat ze dacht dat hij een van de doden uit de buurt was. Later echter bleek dat hij nog leefde.

Ze bogen af naar het straatje van de Sant Christ de la Tapineria. Op het balkon van de eerste verdieping van het huis waar de straat begon stond een kapelletje met de afbeelding van Christus aan het kruis, vandaar de naam van de straat. De eigenaar van het pand verhuurde de verdieping alleen als de huurder de verplichting op zich nam de gekruisigde Christus altijd met een olielampje te verlichten. Noch God, noch Christus of de Heilige Geest verrichtte het wonder: binnenkort zou ook dit pand worden gesloopt. En ook de gekruisigde Christus. Maar telkens als ze er langskwam, keek Nonnita ernaar. Als het lampje niet meer brandde, kon ze haar boeltje bij elkaar gaan pakken.

Ze kwamen bij haar portiek aan. Ze ging naar binnen en Tomàs bleef naar haar staan kijken.

"Wat doe je, kom je vandaag mee naar boven of niet?" vroeg ze.

"En als het gebouw vannacht instort en ik eronder bedolven word?"

"Zoals je wilt", zei ze.

En ze begon de trap op te lopen, wetend dat hij achter haar aan zou komen. Ze stapten de woning binnen en gingen ieder naar hun eigen kamer.

Nonnita Serrallac sloeg een deken om haar schouders en ging naar Tomàs om nog even bij hem te zijn. Hij sliep al en ze ging naast hem op zijn veldbed liggen. Het was breed genoeg. Het was niet zozeer een veldbed als wel een grote strozak die op de grond lag. Dekens hadden ze genoeg, het waren de resten van de schipbreuk van het circus. Ineens voelde Nonnita zich heel alleen. Misschien was het omdat zich die avond maar één dode had laten zien. Misschien was ze zo aan hen gewend geraakt, aan haar doden, dat ze hen miste als ze zich niet lieten zien.

Ze wilde niet alleen slapen, ze wilde een beetje warmte voelen.

Ze kroop tegen Tomàs aan met die smakeloze, nietszeggende vertrouwelijkheid die het resultaat is van kameraadschap en de gewoonte om lang samen door de wereld te trekken en om opgesloten in kleine ruimtes intimiteit en geuren te moeten delen. In de huifkar, die door twee muilezels werd getrokken, altijd in beweging en intussen de hemel in de gaten houdend: als het regende als ze moesten optreden, was dat een ramp; als de regen ze onderweg verraste of als ze hun kamp hadden opgeslagen, waren het dagen vol dode uurtjes in gesloten, vochtige ruimten. Ze dacht: hij heeft gezien hoe ik vrouw geworden ben en ik heb hem oud zien worden.

Ze zou al haar energie nodig hebben om Deogràcies-Miquel Gambús te vinden, die haar weer had doen denken aan het ergste moment in haar leven. Daarna was ze abrupt opgehouden met het excentrieke nummer dat haar beroemd had gemaakt. Ze had zichzelf beloofd om het nooit meer op te voeren en tot nu toe had ze die belofte gestand gedaan.

En nu was ze zwanger. Weer een Barcelonees erbij, het mocht wat. Ze kon de slaap maar niet vatten. De herinnering maakte haar overstuur. In het duister van de kamer was Nonnita slechts een schaduw. Ze liet haar kin op haar borst zakken, trok haar knieën op en rolde zich helemaal op. Ze dacht aan de herfstavonden, toen ze tussen voorstelling en voorstelling met Emidio de liefde had bedreven in zijn schuilplaats op de Montjuïc. Ze hadden hem toevallig gevonden. Het was een soort natuurlijke ruimte onder een rots, bijna niet te zien vanaf de weg die erlangs liep. Het was net een afdak. Ze haalden het onkruid eronder weg en legden er een deken neer.

Het was een overweldigende kracht die zich plotseling van hen meester maakte: ze verloren zich in de stilte van de berg, alsof ze vluchtten. Omdat het militair terrein was, kwam er nooit iemand. En uitgestrekt in hun schuilplaats richtten ze hun hoofd op en zagen daarboven het silhouet van het kasteel. En als ze hun oren spitsten, konden ze daar beneden duidelijk het stadsrumoer horen.

Dat liefdesnestje was goed voor een aantal ontmoetingen, tot de wachtpost hen ontdekte. Ze schrok zo dat ze haar nagels in de rug van haar vriend plantte tot hij ervan bloedde. De soldaat was op maar vier passen afstand geweest en ze hadden het niet gemerkt. Ze moesten bergaf rennen, elkaar bij de hand houdend, lachend, tot de eerste huizen in de wijk Poble Sec. Zijn maten schrokken, toen ze hem zagen aankomen met zijn rug vol bloed. Niet om hem, maar omdat ze het nummer met de komische fietsen deden met een soort maillots aan die de rug bloot lieten. Die dag moest Emidio Forlì, alias Jordi, optreden met een hemelsblauwe, glimmende cape, die tot halverwege zijn middel reikte. Zijn maten deden het in hun broek van het lachen en maakten hem voor mietje uit. Maar aangezien ze dat in het Russisch deden, lachten hij en Nonnita Serrallac ook.

Terwijl ze daaraan dacht, viel ze in slaap.

Midden in de nacht werd Tomàs wakker en trof haar naast zich aan. Hij sloeg een seconde de deken weg om haar mahoniekleurige haar, haar zuivere halslijn, haar kleine, pronte borsten te bekijken ... Het mooiste aan Nonnita vond Tomàs haar gezicht met de markante trekken, met hoge jukbeenderen, alsof ze Slavische was. Alleen op momenten als dit, als ze sliep, verscheen er af en toe een kleine glimlach op haar gezicht, alsof in haar droomwereld dat beetje geluk achternarennen tenminste een minimale kans op succes had.

Hij zag dat ze door de zwangerschap nog niet dikker was geworden.

Tot nu toe wordt ze er alleen maar chagrijnig van, dacht hij.

5

Van Tarragona naar Barcelona, via Cádiz. De onmiskenbare geur van zout water bereikte Eustaqui Guillaumet. Hij had het erg koud en hoorde de wind door het touwwant fluiten. Hij keek naar de haven door de patrijspoort van de officierskamer, waar ze hem uit voorzorg hadden opgesloten. Hij zag een grijze, bewolkte hemel en een nevelige atmosfeer die de omtrekken van de gebouwen van de stad deed vervagen. En meteen onder zich een groep van drie boten die aan elkaar waren gebonden en zachtjes schommelden. Hij was een boer met harde, gekloofde handen, afkomstig uit het ijverige, onopvallende dorpje Vila-rodona. Al vele dagen geleden was hij naar Barcelona vertrokken om zijn fortuin te zoeken. Hij was negentien jaar en wilde de wereld veroveren.

Hij was echter eerst naar Tarragona gegaan om er een toekomstige medeavonturier op te pikken met wie hij had afgesproken. Nadat hij drie dagen in een derderangs pension vergeefs op hem had gewacht, had hij terneergeslagen en verveeld op het punt gestaan om alles te laten voor wat het was en weer naar huis te gaan. Gelukkig was het anders gelopen en had hij toch besloten helemaal in zijn eentje naar de Catalaanse hoofdstad te gaan. Oorzaak was een zeeman die hem paaide met het aanbod hem aan boord van het stoomschip *Játiva* naar Barcelona te brengen, bijna voor niks, voor de helft van de prijs van een treinkaartje. Tevreden ging hij op het voorstel in, maar in werkelijkheid voer die boot, met een lading textiel, machines, nepsieraden, worsten, kazen, schoeisel en zangvogels, naar Cádiz. Dezelfde zeeman die hem had bedrogen, verklikte hem als verstekeling en Eustaqui werd gedwongen te werken om zijn overtocht naar de Andalusische stad (waar hij niet heen wilde) te betalen, met het dreigement in zee te worden gegooid als hij niet aanpootte. Het eind van het liedje was dat Eustaqui Guillaumet meer afzag dan de ratten die 's nachts rustig onder de maneschijn van de Middellandse Zee aan dek passagierden. Eenmaal in Cádiz liet de kapitein hem doodleuk weten dat hij niet van boord mocht, omdat hij officieel niet bestond. Maar als hij 48 uur wachtte, koos de Játiva het ruime sop naar Barcelona en nam hij hem mee. Let wel, hij zou nog harder moeten werken dan op de heenweg. Eustaqui nam het aanbod aan en zodoende bracht hij de laatste dagen van 1908 rillend van de kou door en schrok hij 's nachts wakker, omdat hij droomde dat ze hem weer bedrogen en deze keer in de Afrikaanse kolonie Fernando Poo achterlieten.

Het zeeverkeer in de haven van Barcelona noteerde die eerste januaridag van 1909 onder andere de komst van het stoomschip *Eugenia*, onder de vlag van Oostenrijk-Hongarije, afkomstig uit het Amerikaanse Savannah, dat logischerwijs katoen vervoerde (2850 balen). Binnen voer ook de feloek *Pepito* uit Palamós, met verschillende pakketten en logischerwijs een kist garnalen. Halverwege de ochtend meerde het stoomschip *Játiva*, afkomstig uit Cádiz, aan de kade af, beladen met 532 stuks goed, waaronder: wijn, meel, gezouten sardines, zemelen, kekererwten, verpakkingen, olijven, rozijnen en diverse persoonlijke voorwerpen. Behalve de bemanning vervoerde het schip ook een gezin uit Sabadell, dat na een commercieel avontuur van twintig jaar in Andalusië naar huis terugkeerde, en Eustaqui Guillaumet.

De jongen stevende dus op de kade af naast het gezin uit Sabadell dat met energiek gewapper van zakdoeken en handschoenen stond te wuiven. Naar wie zouden ze wuiven? vroeg hij zich af. Ze waren nog best ver weg. Bovendien zag je niet dat er iemand op hen stond te wachten ... Zijn gepeins werd onderbroken door de kapitein die hem, nu ze de haven binnenvoeren, wilde overhalen om voor hem te blijven werken. Hij had zich geschoren en geparfumeerd en zijn schone, gestreken uniform aangetrokken om aan wal te gaan. Het was lang geleden dat hij iemand als Eustaqui had ontmoet: iemand die zo hard werkte voor zo weinig geld. De jongen, die nog geen kans had gezien om van de *Játiva* af te komen, bedankte hem hartelijk, maar nee, hij monsterde af. En hij maakte van de gelegenheid gebruik om hem te vragen waarom het gezin van Sabadell stond te wuiven.

"Dat doen veel mensen", antwoordde de kapitein. "Ze wuiven naar niemand in het bijzonder. Het is een manier om te laten zien dat ze gezond en wel zijn aangekomen. De zee jaagt angst aan. Soms zijn er passagiers die zich naar ons toe draaien en beginnen te klappen. Weet je zeker dat je niet wilt blijven? Als het een centenkwestie is, daar valt over te praten ..."

Er viel niet over te praten en de man zei boos dat hij letterlijk naar de pomp kon lopen en gaf hem nogmaals te verstaan dat hij, als ze hadden aangemeerd, vijf minuten kreeg om op te sodemieteren. Hij had er niet eens drie nodig. Met zijn knapzak en zijn paar centen liep hij de loopplank af. Aangezien hij geen broekzakken had of er gaten in zaten, bewaarde hij zijn geld in een knoop die hij in de zoom van zijn hemd had gelegd. Hij nam zijn pet af en krabde zich op zijn hoofd. Een paar meeuwen wiekten boven zijn hoofd en hij was bang dat ze hem aanzagen voor een van de stronthopen die op dat deel van de kade lagen. Van bovenaf, dacht hij, moet alles er wel hetzelfde uitzien, mensen en dingen. En meeuwen hebben nou niet bepaald het buskruit uitgevonden ...

Beweging van kranen, katrollen, sjouwers die af en aan renden om te lossen (met of zonder kruiwagen), rammelende kettingen, karretjes die aankwamen, huifkarren die weggingen, schreeuwende mensen, stapels vaten van duizend liter, wachthuisjes met bewakers die in stilte rookten, vijftig telegraafpalen die een voor een waren opgestapeld, verroeste smalspoorrails en -wagonnetjes, zwart stof in de lucht, en een immense wagon boordevol kolen die stilstond. En in de grond verankerde borden met de namen van de rederijen, elk op haar deel van de kade: Societat Anònima de Navegació Transatlàntica, die op Zuid-Amerika voer. Agent in Barcelona: Gallart & cia. Rambla Sta. Mònica, 21; Línia de Vapors van Mr. Sloman, Jr. Van Barcelona naar Stettin, Danzig, Königsberg en Riga. Agent Sr. Torrevedella. Rera Palau, 4; Companyia Transatlàntica, New York, Fernando Poo, Tampico. Agent Ripoll & cia. Dormitori de Sant Francesc, 25 ... Al die namen hypnotiseerden hem en dansten voor zijn ogen, net zo waardevol als waren het zwarte pareltjes uit een schat: hij was eindelijk in Barcelona.

Hij liep tussen twee heel lange rijen kleding- en katoenbalen door die groter waren dan hijzelf. Aan het eind sloot een hek het kadegebied af. Zonder zich twee keer te bedenken nam hij een aanloop en sprong.

Hij kon wel juichen: meer karren, meer mensen, auto's, trams, een boulevard vol palmen en links, aan het eind, het ontzettend hoge standbeeld van die Columbus die met zijn uitgestrekte arm naar zee wees. Het beviel hem en hij liep die kant uit. Het was niet te geloven. "Eustaqui", zei hij tegen zichzelf, "je bent van Tarragona helemaal via Cádiz naar Barcelona gegaan, maar het is de moeite waard geweest."

Hij kocht een zakje lupinezaadjes bij een oude kastanjeverkoopster met een hoofddoek om en een schort aan die met kant was afgezet. Ze zei hem dat dát de Rambla was.

Zonder het te merken liep hij de hele dag van hot naar her, tussen die mensenmassa waar maar geen eind aan kwam: veel mannen met een pet op en een hemd aan dat tot de hals toe was dichtgeknoopt, ook een stel kinderen. Vrouwen waren er weinig. En de vrouwen die hij zag, waren voornamelijk dienstmeisjes. Ook een paar uit het leven, die hij herkende omdat hij ze ook in Tarragona had gezien. En meisjes die van hun werk in de ateliers of winkels kwamen. En hij kreeg niet de indruk dat ook maar één van die vrouwen uit de hoogte deed als ze merkte dat ze bekeken werd, eerder het tegendeel, ze lieten zich bekijken, heel anders dan in zijn dorp. Als ze groepsgewijs liepen, glimlachten ze, alsof hun dat mannelijke publiek dat hen met de ogen opvrat, heel weinig kon schelen. En over het plaveisel gingen ze klepperdeklep direct door naar de tramhalte.

Midden op de Rambla was kabaal te horen, waar behoorlijk wat volk bij stond. Hij vroeg wat er aan de hand was en een man fluisterde hem toe, dat er zelfs politieagenten aan te pas moesten komen om te voorkomen dat mensen voorkropen. "Ze zeggen dat het is om dit café binnen te komen. Ze zeggen dat je er gratis bier krijgt. Maar je ziet zo dat de meesten er alleen maar naar binnen willen om een kijkje te nemen. Ze zeggen dat het heel goed is."

Eustaqui bleef met open mond staan. "Als ik dat in Vila-rodona vertel, geloven ze me niet: dat in Barcelona mensen ruziemaken en in de rij gaan staan om een nieuw café vanbinnen te bekijken. En de politie slaat er op los om te zorgen dat mensen niet voorkruipen!"

De pompoenkleurige trams en de roodgroene paardentrams die langskwamen, puilden uit. En desondanks stapten de krantenverkopers onder het rijden in en uit. Tegen lunchtijd zag je af en toe een man een huurrijtuig aanhouden om naar huis te gaan.

En hij zag jongemannen met colbertjes aan en een hoed op die, moe van hun werk, bij een kiosk halt hielden en een kop koffie dronken. Zo lieten ze de trottoirs en de etalages van de winkels vrij. Er drentelden ook oude mannen af en aan, die op hun rug borden droegen met reclame voor kant-en-klare soep.

En schoenpoetsers die met een borstel en schoensmeer heel fatsoenlijk op klanten wachtten.

Tegen de avond begonnen de winkels hun deuren te sluiten, de nieuwe elektrische straatlantaarns begonnen plekken te verlichten waar al niemand meer was. Het was erg koud. Je hoorde alleen het geknars van de trams, die nu halfvol of halfleeg waren.

Ineens kreeg hij knikkende knieën. Hij had de hele dag niet gegeten en hij had uiteindelijk ontzettende honger gekregen. Hij was in de Carrer Gínjol, keek op, las 'café Gambrinus' en ging naar binnen. Hij vroeg warme soep.

"Met soepvlees en garnituur of zonder?" vroeg een vrouw achter de tapkast.

Hij vroeg wat het kostte, merkte hoe beroerd zijn financiële situatie was en zei met een dun stemmetje en zin om te huilen "zonder": een reus met een benauwd kindergezicht.

Hij at zijn soep en betaalde. De vrouw vroeg hem of hij zich wel goed voelde. Hij antwoordde: "U zult het niet geloven, mevrouw, maar ik ben net uit Tarragona aangekomen, via Cádiz. Ik wil werken. Ik kan elk soort werk doen, als het maar eerlijk is."

"Daar twijfel ik niet aan. Maar ... kan je lezen?"

"Een beetje."

"Nou, lees maar."

De vrouw haalde van onder de toog een krant tevoorschijn, zocht een pagina op en gaf hem de krant. Hardop (alleen zo kon hij het) begon Eustaqui de grote letters te lezen: "Er zijn vandaag de dag in Barcelona acht- tot tienduizend schooiers, die echt een sociale schandvlek vormen." En verderop: "Hoe moeilijk het ook is om toe te geven, het is echt een schande dat er door de straten van onze fantastische stad duizenden jongemannen rondlopen, zwervers en vagebonden, slecht gekleed en nog slechter gevoed, die net zoveel openstaan voor ongezonde voorstellen als dat ze elke discipline verwerpen ..."

Hij liet het voor wat het was. Hij werd misselijk als hij meer dan zeven of acht regels moest lezen.

"Heb je het begrepen?" vroeg de uitbaatster hem.

"Eustaqui knikte van ja. De vrouw schraapte de pan leeg en schepte nog een volle lepel soep en een stuk gehaktbal op zijn bord. Hem met de scheplepel aanwijzend, zei ze: "Kom, eet dit stukje gehaktbal. Ik trakteer. En luister naar mijn raad, jongeman ... Je zult wel geen geld hebben voor een behoorlijk pension, niet?" Zonder een antwoord te verwachten ratelde ze door. "Hier vlakbij, in de Carrer del Cid, bevindt zich een gemeentelijke nachtopvang. Alleen voor mannen. Je kan er slapen voor vijftien cent. Ga erheen en slaap eens goed. Morgen sta je vroeg op en ga je naar het badhuis in de Carrer Mina, meteen ernaast. Was je goed en trek andere kleren aan. En laat je daarna door een kapper scheren. Dat geld is goed besteed, geloof me. Ga dan pas werk zoeken. Vandaag de dag is het uiterst belangrijk dat je niet voor een vagebond wordt aangezien, de politie is nerveus."

"De rijken zijn nerveus", zei een klant die het gehoord had.

Beiden keken om. Het was een man van middelbare leeftijd, met een snor en een sikje en een opvallende zwarte zakdoek om zijn hals geknoopt. Hij had een goed pak rammel gehad. Er zat een verband om zijn hoofd en hoewel hij zijn rechteroog, dat dik, bont en blauw was, niet eens kon openen omdat het zo gezwollen was, had hij een doordringende blik. Hij droeg zijn pet boven op zijn zwachtel en dat was bijna komisch. Hij had een ouderwets kostuum aan dat betrekkelijk elegant was, van een ondefinieerbare kleur, met een flink gescheurde mouw. Hij wees Eustaqui met een trillende vinger aan en schreeuwde: "Jij!"

Hij verraste de jongeman, die zijn mond vol kekererwten had en net een stuk gehaktbal aan zijn vork prikte. De man met de zwarte halsdoek bleef, terwijl hij met moeite praatte, aandringen: "Jij, onnozel schepsel, dat zich toelegt op zelfvernietiging door onwetendheid ..."

Eustaqui Guillaumet keek hem met open mond aan: in Barcelona spraken zelfs eenvoudige cafébezoekers in raadsels!

"Jij, ja jij, ik heb gehoord dat je werk zoekt?"

"Ja, meneer."

"Noem me geen meneer. Wat voor werk?"

"Wat dan ook."

"Natuurlijk, werk van een redeloos dier voor een hongerloontje, niet?"

Eustaqui wist niet precies of de man hem beledigde. "Nog een geluk dat niet alle arbeiders zo gedwee zijn als jij. Wat zou het er anders uitzien als signore Errico terug zou komen ..."

"Wie?"

"Errico Malatesta, een van de knapste koppen van onze jonge eeuw. Zowaar ik hier sta, had ik de eer hem persoonlijk te mogen ontmoeten. Hij was december 1891 in Barcelona. Hij hield voortdurend lezingen ..."

"Lezingen? Wat wilt u zeggen, dat hij preekte ...?"

"Preken? Errico Malatesta, preken? Ben je gestoord, uilskuiken? Of kan het je geen bal schelen?"

De man wilde met zijn stok zwaaien, maar hij was zo afgemat dat hij er niet in slaagde hem ook maar een handbreedte van de grond te tillen. Hij mompelde: "Preken ... Alleen pastoors preken, stuk onbenul! Jazeker, hij preekte! En er zijn vele harten waar zijn wijsheid ontkiemde."

Eustaqui haalde zijn schouders op en at door. De man met de zwarte halsdoek kwam met veel moeite naar hem toe. Hij gaf zich niet gewonnen. Hij vroeg hem: "En jij, wat wil je eigenlijk van het leven?"

De jongen, die zich overvallen voelde, snapte er geen snars van. Hij deed een poging en antwoordde: "Geld."

"Geld? Er komt een dag dat je er niets aan hebt."

"Wilt u een beetje gehaktbal?" liet Eustaqui zich ontvallen.

De man viel even stil, niet in staat om zo'n onverwachte onderbreking te verwerken: "Eh? Vooruit, een beetje dan ..."

Nu sprak hij met volle mond: "We gaan de banken binnen, pakken handenvol bankbiljetten en gebruiken ze als confetti op kinderpartijtjes!"

"Maar nu zit je in de hoek waar de klappen vallen ..." zei

de uitbaatster op spottende toon.

De man probeerde zijn stem te verheffen, maar die sloeg over: "Mevrouw, als je moet incasseren, incasseer je. Signore Errico zelf, een persoon uit hoger sferen, is schandelijk als een paria behandeld ..."

"Als een wat?"

"Als een paria, verdomme. Maar waar kom je vandaan, van de maan?"

"Nee, uit Vila-rodona."

Hij bekeek hem een paar seconden met zijn goede oog, niet in staat uit te maken of die knaap heel slim of oerstom was. Hij vervolgde: "Wil je wel geloven dat signore Errico in Londen heeft moeten overleven door op straat ijsjes te verkopen? Kijk, de algemene stakingen van zeven en acht jaar geleden zijn mislukt, maar we hebben er wel een les uit getrokken. Nu ..."

Zijn goede oog werd plotseling groter. Hij nam de pet van zijn omzwachtelde hoofd om de aanwezigen te groeten, zette hem weer op en ging er met een verbazingwekkende behendigheid vandoor in de richting van de keukendeur achterin. Eustaqui zag dat hij gemsleren enkelschoenen met leren zolen droeg. Hij kende ze omdat ze geschikt waren voor gevoelige voeten en een oom uit Vila-rodona ze droeg. Kijk eens aan, een revolutionair met gevoelige voeten; het een sluit het ander niet uit, dacht hij. Vanaf de drempel fluisterde de man: "Mijne heren, de politie en ik dat gaat niet samen, goedenavond ..."

En hij verdween uit het zicht. Toen kwam er een man met een duister gezicht en een heel serieuze bolhoed op zijn hoofd gedrukt het etablissement binnen. Hij droeg zijn volle snor volgens de laatste mode, breed onder de neus en eindigend in twee punten die met snorwas waren behandeld. Hij had een op maat gemaakt colbertje aan, met bijpassende pantalon en lakschoenen. Hij liet zijn blik even rondgaan en ging onverschillig aan de toog hangen. De uitbaatster, die hem kende, serveerde hem een glaasje anijslikeur.

Eustaqui Guillaumet vroeg de weg naar de gemeentelijke nachtopvang en slofte erheen, terwijl hij zijn vijftien cent stevig vasthield.

Buiten kreeg het licht van de straatlantaarns door de nachtnevel rozeachtige tinten. Hij dacht dat hij droomde. Hij was die vreselijke kou beu. Het was vochtige kou, die aan je lijf kleefde en die je niet kwijtraakte. Het was alsof hij zelf helemaal droop. Hij pufte, stopte zijn handen in zijn zakken en liep het laatste stuk weg flink door.

Het asiel bevond zich op de benedenverdieping van een huurkazerne. De geur van overspel, ouderdom en pis was overal te ruiken, zelfs op straat. Maar het viel Eustaqui Guillaumet niet op. Hij betaalde en bevond zich midden in een zaal met twintig of vijfentwintig veldbedden, vol ijlende zieken of mannen die aan slapeloosheid leden en hardop in zichzelf spraken. Hij merkte dat de aardewerken kwispedoren, die met zaagsel en water op de grond stonden, leeg waren en brandschoon, terwijl er overal omheen fluimen lagen.

Toen hij al in bed was gaan liggen, hoorde hij een paar bedden verderop gejank.

"Wat is dat voor geluid?" vroeg hij fluisterend aan de man in het veldbed naast zich. Het was een man van ongeveer vijftig jaar. Hij was Eustaqui opgevallen omdat hij een nogal waardig voorkomen had en probeerde te verbergen dat zijn handen af en toe trilden. Hij antwoordde: "Het is een sergeant die uit de eerste Cubaanse oorlog is teruggekomen."

Eustaqui richtte zich half op en keek in de richting van het geluid. Hij zag iemand die helemaal was toegedekt, tot zijn hoofd toe.

"Maar hij is zich aan het aftrekken ..."

"Ja", antwoordde de ander, zonder zich ook maar om te draaien.

De jongeman keek weer naar de zogenaamde sergeant: hij wijdde zich in alle rust en zonder het te verheimelijken aan zijn activiteit. Niemand lette op hem.

"Ik heet Eustaqui Guillaumet, tot je dienst."

"En ik Tomàs Capdebrau."

De man viel stil, met open ogen en hem strak aankijkend. Hij zei niets. Eustaqui wachtte een poosje. De ander bleef in dezelfde houding liggen. Toen deze begon te snurken merkte Eustaqui pas dat de man op die manier sliep.

Met verderop het rumoerige gejank en met de ogen van zijn metgezel op zijn kruin gericht, zakte hij weg, terwijl hij dacht: wat een stad is Barcelona, waar mensen met open ogen kunnen slapen en er plekken als deze zijn voor mensen die geen rooie rotcent hebben.

En zich alles herinnerend, dat hij uit Tarragona gekomen was, maar via Cádiz, zei hij tegen zichzelf dat hij ontzettend veel geluk had gehad. Hij ademde diep de zware zweetlucht in en viel in slaap.

De volgende dag stond Eustaqui Guillaumet op met het plan om de raad van de uitbaatster van Café Gambrinus te volgen. Hij nam een bad, trok het enige schone hemd aan dat hij had en ging terug naar de Rambla. Hij liet zijn gedachten de vrije loop: het is heel fijn om in de winter door Barcelona te lopen als het mooi weer is en 's middags de zon schijnt. Maar meteen erop bedacht hij dat die gedachte van toepassing was op welke stad in de wereld dan ook en raakte verward. Hij ging de eerste de beste kapperszaak die hij vond binnen. Na te hebben betaald, vroeg hij de kapper: "Ik zoek werk. Weet u iemand die mensen nodig heeft?"

"Dat hangt ervan af of je goed werk, slecht werk of smerig werk wilt."

"Dat maakt niet uit. Ik ben naar Barcelona gekomen om te werken."

"Des te beter, want in feite is er alleen maar werk van de derde categorie."

De kapper gaf hem de naam van een vriend op de kade en anderhalf uur later was Eustaqui Guillaumet veranderd in de knecht met de meest rechte scheiding, die het meest geparfumeerd en het best geschoren was van iedereen die met kisten vis sjouwde. De kapper had niets te veel gezegd, het was inderdaad smerig werk: vanwege de visstank die aan zijn huid bleef hangen én omdat hij zich voor heel weinig geld moest afbeulen. Maar Eustaqui schikte zich makkelijk en niet alleen dat; hij was zelfs tevreden en vond het vanzelfsprekend dat hij in het begin voor een hongerloontje moest afzien.

Met wat hij die dag verdiende, had hij zelfs maar net genoeg voor nog zo'n bord maaltijdsoep in Café Gambrinus en een slaapplaats in de gemeentelijke nachtopvang. Maar dat kon hem niet schelen. De volgende dag was hij als eerste op de kade. Het was zelfs nog donker.

En zo begon de routine van die eerste dagen, werken van zonsop- tot zonsondergang. Aan het eind van elke dag liep hij de Rambla op, helemaal naar boven. Maar hij waagde het niet de vlakte die de Plaça de Catalunya vormde over te steken. Die was een soort grens. In Vila-rodona hadden ze hem gezegd dat Barcelona heel groot was en hij geloofde het graag. Maar in wezen had hij geen haast om daarachter te komen.

Zodat hij de Rambla weer afliep en, aangezien hij hondsmoe was, meteen doorging naar Gambrinus om er maaltijdsoep te eten. En als hij klaar was rechtstreeks naar de nachtopvang.

Al na een paar dagen was hij bevriend geraakt met de opzichter van de gemeentelijke inrichting. Het was een magere jongen met een kippenborst, witte huid en rode oren die Ferran Baldó heette. Hij mocht Eustaqui omdat die geen menselijk wrakhout was, zelfs geen schooier, in tegenstelling tot negenennegentig procent van de gebruikers van de nachtopvang. Bovendien waren ze even oud, lachten graag en maakten zich het leven niet al te moeilijk. Elke avond babbelden ze een poosje. Vaak over vrouwen. De vrouwen van Barcelona fascineerden Eustaqui: "Ferran, hoeveel kost een van die vrouwen op de Rambla?"

"Hè? Weet ik veel! Geen idee. Ik ga bijna trouwen, het kan me niet schelen, binnenkort kom ik aan mijn trekken ... In elk geval veel meer dan jij kan betalen. Denk er maar niet aan, als je rijk was, zat je niet met die vraag. Bovendien ontmoet je binnenkort een knap meisje dat ..."

"Er is er geen een die me wil", antwoordde hij mompelend.

"Waarom kom je zondag niet mee naar Bohèmia Modernista? Ik stel je aan mijn verloofde voor. Nu zijn er speciale carnavalsbals. Pure luxe, Eustaqui. Daar gaan de vrouwen uit Murcia heen die in Poble Sec wonen, de knapste van Spanje. Je hoeft alleen maar aan de deur te wachten en ze komen aangevlogen als duifjes die voer zien."

"Ik kan niet dansen."

"Maakt niet uit. Ik vraag mijn toekomstige zwager zijn masker te leen. Je zet het op en nodigt ze uit. Ze komen met hun moeders, tantes, schoonzussen, maar je weet nooit! Kop op ..."

Ze zaten loom bij de vuurpot, terwijl ze rozijnen en pinda's uit een kom knabbelden, en hoorden elk kwartier de klok slaan.

En als hij zin kreeg om te slapen, stond hij op en ging naar de slaapzaal die, hoewel het er niet behaaglijk was, toch enigszins verwarmd werd door de uitwasemingen van al die mannen die er probeerden te slapen. Als hij aan de kou buiten dacht, kreeg hij bijna jeuk van welbehagen. Een enkel elektrisch peertje scheen midden in de duisternis van de zaal en verspreidde niet het minste lichtstraaltje. Terwijl hij erop lette niet in een fluim te trappen, kwam hij bij zijn veldbed aan en kleedde zich zonder geluid te maken uit.

Soms lag de man die met open ogen sliep naast hem. In het halfduister sprongen zijn ogen er als twee witte vlekken uit.

Aan de andere kant van de zaal klonk met regelmatige tussenpozen de hoest van een of andere zieke; ook hoorde je de onsamenhangende stem van een ander die hardop droomde.

Buiten de nachtopvang kroop de ijskoude nacht de Rambla op, die door de februarikou in zijn schulp gekropen was. Een winternacht in de gemeentelijke nachtopvang voor mannen in de Carrer del Cid. Een koude nacht in Barcelona en in de wereld.

6

De zwangerschap vorderde en ook het ongemak dat erbij hoorde. Over een week zou Nonnita Serrallac een punt zetten achter het nummer van 'Belle en het Beest' en zouden er tegelijkertijd twee debuten zijn. Een Franse liedjeszangeres, die Miss Morrissini heette, én een exotisch nummer met negen negers die als indianen om een meisje dansten dat aan een paal was vastgebonden. Al naargelang hun succes zou Nonnita weer eind maart, begin april aan de beurt zijn met een nieuwe attractie, die ze al aan het voorbereiden was: ze moest Tina Parri worden, de vrouwelijke Fregolino, in heel Europa beroemd om haar transformaties. Het probleem lag voor de hand: er valt weinig te transformeren als je vijf maanden zwanger bent. De gebroeders Soriano wisten nog niets van die zwangerschap. En ze vond maar niet het juiste moment om het hun te vertellen. Ze was bang dat het in één klap gedaan zou zijn met de veilige haven die ze haar zo genereus hadden aangeboden. Het was een theater, geen liefdadigheidsinstelling. En ze waren ten opzichte van haar al heel goed geweest. Ze kon niet verlangen dat ze een attractie brachten waarin een zwangere de hoofdrol speelde. En als ze haar baan kwijtraakte, was het bijna zeker dat met haar ook haar beschermelingen op straat zouden staan: Tomàs, de papegaai, de zeehond, de muilezel en de kar.

Behalve de zorg over haar zwangerschap kreeg ze er ineens iets volkomen onverwachts bij. Altijd op zoek naar nieuwe attracties hadden de gebroeders Soriano een bliksembezoek gebracht aan Parijs om er de nieuwe liedjeszangeres te contracteren. Bij terugkomst vertelden ze iedereen trots dat ze bij toeval de Russische fietsers hadden gevonden. En dat het komische fietsnummer waarmee ze in Barcelona hadden gedebuteerd in de Franse hoofdstad een groot succes was. Nonnita Serrallac wist niet hoe snel ze moest vragen naar de Italiaan.

"De Italiaan? Eh, tja! Die was niet bij hen. Ze zeiden dat ze hem in Barcelona hadden achtergelaten", legde meneer Ricardo Soriano uit.

Toen ze dat hoorde, sloeg haar hart over. Ze was al aan het idee van de verdwijning van Emidio Forlì gewend geraakt, alsof hij dood was. En nu bleek ineens dat hij niet was weggegaan. Rees dus onvermijdelijk de vraag: waarom had hij haar niets gezegd? Misschien mankeerde hem iets? Of misschien kon het hem niet meer schelen, zo simpel. Maar ze was zwanger van hem ... En een tweede vraag, die uit de eerste volgde, begon een obsessie voor haar te worden: als hij niet was weggegaan, was hij er misschien nog; per slot van rekening was het niet zo lang geleden dat ... En als hij in Barcelona was, moest ze hem vinden. Ze wilde slechts even bij hem zijn en hem in de ogen kijken. Ze zou in één tel weten of ze hem moest zeggen dat ze zwanger van hem was, of niet ... Dat was alles, ze zou hem niets vragen of verwijten. In haar hart was ze een kermisklant. En de liefdes van kermisklanten waren vaak vluchtig. Het waren liefdes om te overleven, van het moment, zolang de tournee duurde. Uit haar circustijd herinnerde ze zich een vrouw met wie ze vier, vijf jaar hadden opgetrokken. Ze heette Maria en trok horoscopen, las theeblaadjes, koffiedrab, legde tarotkaarten en deed aan handlezen. Ze was klein van stuk, ongeveer 35 jaar, en reisde met haar kinderen, vijf in getal. De oudste was twintig, de jongste een paar maanden, allen van verschillende vaders. Iedereen hield van Maria en vroeg zich af hoe het toch mogelijk was dat ze, hoewel ze de toekomst voorspelde, nooit kon voorspellen of haar mannen goed of slecht uitpakten. Nonnita Serrallac zou Emidio dus niks vragen. Maar ze wilde hem vinden. Ze had niets te verbergen en ze was er zelfs trots op dat ze van die magere lefgozer van een spaghettivreter had gehouden.

Zodat ze elke ochtend relatief vroeg opstond en van vele dagen het eerste deel verspilde door in Barcelona naar hem te zoeken met de energie die een verloren zaak eigen is. Na het middageten ging ze vroeg in de namiddag naar het theater om te repeteren en daar bleef ze tot 's avonds laat, als ze het nummer met de zeehond deed.

Het was bijna routine, vol valse hoop. Ze begon haar zoektocht enigszins methodisch en verkende de meest voor de hand liggende mogelijkheden. Ze bezocht alle theaters van Barcelona. Met de kar kwam ze zelfs bij die theaters die het verst af lagen. Ze vroeg de leiding, de caissières, de bedienden naar de Italiaan, maar niemand wist iets. Dat vertelde ze later aan Tomàs, als hij op dat moment aanspreekbaar was. Was dat niet het geval, dan wachtte ze tot ze naar huis ging: niet om het een of ander, maar de doden uit de buurt, die vaak in groepjes op haar wachtten, luisterden tenminste een beetje aandachtig. Gedurende die dagen van doldwaas zoeken was er een dode die ze toevallig tegen het lijf liep. Dat was te veel van het goede. Ze struikelde zowat over hem tussen de mensen die de werken van de Reforma bekeken. Hij zag er nauwelijks slechter uit dan de levenden om hem heen. Ze wilde zich niet opnieuw vergissen, aangezien de Barcelonezen van deze óf de andere wereld altijd lange tenen hebben gehad en zich gauw beledigd voelen. Ze deed alsof en hoopte maar dat hij haar niet zag. De doden kunnen erg vervelend zijn. Waarom zou een overledene trouwens wegwerkzaamheden bekijken? Ze liep op haar tenen achter hem langs. Het was overduidelijk dat de dode haar zag, maar ook hij deed net alsof. Hij voelde goed aan wanneer hij niet welkom was.

Na in de theaters navraag te hebben gedaan, kwam ze op het idee om naar het gemeentehuis te gaan. Toen ze uitlegde dat ze een Italiaanse acrobaat van twaalf ambachten, dertien ongelukken zocht, stuurden ze haar naar een van de politiebureaus voor de armen. De agent die dienst had, bekeek haar van top tot teen. Hij pakte een vel papier en begon een lijst op te sommen: "Italiaan, zegt u? Uit het buitenland is er de laatste tijd een Franse bedelaar bij ons binnengekomen die agenten met een snoeischaar aanviel ..."

"Nee ..."

"Hou oud is hij? Want we hebben een oude man opgepikt die alleen leeft in een vervallen krot in de Carrer Jaume Giralt en die verklaart dat hij een dochter heeft die goed getrouwd is, maar hij kan zich haar adres niet herinneren ..."

"Nee ..."

"En een man die ijlt, die verklaart dat hij Isidro Leyva is, de beroemde zwendelaar uit Badajóz ...?"

"Ook niet."
"We hebben ook ..."
"Laat maar."
"Italiaan, zegt u? Was hij bedelaar, zwerver?"
"Hij was artiest."
"Natuurlijk: een straatarme artiest of zomaar een arme artiest?"
Nonnita keek vluchtig om zich heen naar de mensen die in het politiebureau op hun beurt wachtten. De agent maakte zich er vrolijk over. Hij was zelfverzekerd, had een rond gezicht en zijn lippen glommen van speeksel. In schril contrast met hem hadden de mannen en vrouwen die met een ondoorgrondelijk gezicht aan het wachten waren droge lippen. Ze zaten op houten banken of stonden en konden net zo goed paupers als arbeiders zijn. In Barcelona, in 1909, was er vaak maar weinig verschil tussen de ene en de andere categorie. Dat wist ze heel goed door de mensen die uit de onteigende woningen in haar buurt werden gezet. Ze vervielen in een kwestie van minuten van armoede tot misère. Barcelona maakte het je makkelijk om behoeftig te zijn. Je hoefde alleen maar ziek of oud te worden.
En wat was zij, hè?
Terwijl ze midden in de nacht naar huis gaat, stelt ze Severí Blauet dezelfde vraag. Ze herinnert zich hem van kleins af, hij moet allang dood zijn, maar dat zie je niet gauw aan ze. Severí Blauet, niet jong, niet oud, mager en lichtgebouwd, met geëpileerde wenkbrauwen als van een vrouw, is van geboorte af simpel. En het lijkt erop dat hij dat, nu hij dood is, nog steeds is. 's Winters en 's zomers loopt hij over straat, terwijl hij een wollen sjaal breit. Hij gaat winkel in en uit en biedt de klanten zijn sjaal aan, absoluut niet agressief, beleefd. Niemand koopt zijn sjaal, omdat iedereen weet dat hij hem nodig heeft om hem weer uit te halen en opnieuw te beginnen. Nonnita voelt zich in haar toestand, op die plek en op dat moment bijna in goed gezelschap. En de dode vertelt haar dat toen ze hem in zijn grafnis hadden geschoven, de doodgraver verstrooid was en zijn naam niet in de grafsteen beitelde. En aangezien niemand bezwaar maakte, is het daarna zo gebleven. En hij bekent dat hij het niet erg vindt dat zijn naam niet in steen gebeiteld op de grafnis staat; wat hem spijt is dat hij naar de andere wereld is gegaan en er zijn moeder niet kan vinden. Nonnita vraagt of hij

wel goed heeft gekeken, want dat zij, die niet dood is, haar ouders onmiddellijk heeft gevonden. En ze denkt: als de doden mij al lastigvallen, mag ik ook van ze profiteren. En ze zegt: "Dat Emidio niet met de Russen is weggegaan, betekent niet dat hij in Barcelona is gebleven. Hij kan met de volgende trein naar Italië zijn teruggegaan, ik ben niet gek ... Ik zoek hem al twee weken. Ik geef mezelf nog twee weken en dan laat ik het voor wat het is ... Wat vind je, Severí?" In eerste instantie zegt de dode niets, omdat hij dood net zo simpel is als toen hij leefde. Maar Severí heeft haar nog nooit zo gezien. En hoewel hij dood is, merkt hij dat hij iets voor het meisje moet doen en antwoordt: "Dat lijkt me prima." Let wel, vervelend als alle doden herhaalt hij dat het hem niet spijt dat zijn naam niet in de grafsteen van zijn grafnis is gebeiteld, maar dat hij naar de andere wereld is gegaan en er zijn moeder niet kan vinden. En Nonnita raakt er eens te meer van overtuigd dat je van de overledenen niets te verwachten hebt, geen gezelschap, geen begrip, niets. Zodat ze hem opzijschuift en hem laat staan met de sjaal die half af is. En de hele weg naar huis hoort ze hem achter haar rug jammeren, hoort ze hem huilen omdat hij een debiele dode is.

En intussen herhaalt ze bij zichzelf: "Nog twee weken en dan laat ik het voor wat het is."

Een van die avonden kreeg Tomàs Capdebrau een ernstige angstaanval. Tussen twee voorstellingen in bleef hij in een hoekje zitten en wilde niet bewegen. Hij wilde nergens heen. Uiteindelijk, zoals zoveel andere keren, slaagde Nonnita erin hem over te halen in de nachtopvang in de Carrer del Cid te gaan slapen. Het was merkwaardig hoe hij tot rust kwam tussen al die mensen, die stank, die misère ... Ze kleedde zich warm aan, hielp hem in zijn jas en bracht hem erheen. Het was bijna halftien. Nonnita wist dat ze de beheerder in een lastig parket bracht, want er werden na klokslag negen uur geen mensen meer toegelaten om te slapen. En deze regel was heilig in een voorziening als deze met al het vreemde volk dat er op straat rondzwierf. Maar de jongen was bijzonder op Tomàs gesteld en een vriend was een vriend. Hij nam hem dus altijd op. Hij vroeg alleen om een beetje discretie.

Aangezien het laat was en hij op dat uur niemand verwachtte, deed de jongen met een knuppeltje in zijn hand open. Toen hij zag dat het, zoals zoveel andere keren, die arme donder van een Tomàs Capdebrau was die met zijn vriendin kwam, stopte hij het knuppeltje in zijn broekzak en liet hen zonder lawaai te maken binnen.

Ze drukten elkaar de hand en de beheerder stelde de jonge vrouw voor aan Eustaqui Guillaumet, die hem, zoals bijna elke dag voor het slapengaan, een poosje gezelschap hield. Tomás hoefde niet te worden voorgesteld, want die kende Eustaqui al.

Het meisje groette hem en hij was niet in staat te antwoorden, verbouwereerd als hij was over die vrouwelijke verschijning. Nonnita liet Tomàs staan en begon uit te leggen: "Tussen twee voorstellingen in zei hij dat hij vannacht hier wilde slapen. Anders zou hij geen oog dichtdoen. En als hij niet slaapt, blijft zijn hand de volgende dag maar trillen."

Ze had het allemaal in het bijzijn van Tomàs gezegd als een moeder die met de dokter over de ziekte van haar kind praat waar het bij staat.

De beheerder krabde zich eens op zijn hoofd en antwoordde: "Nou, geen probleem, je hoeft niets meer te zeggen. Kom maar binnen. Trouwens, als ze me op straat gooien omdat ik de regels niet heb nageleefd en mijn vrouw me laat zitten omdat ik mijn baan kwijt ben, laat je me dan slapen bij Tomàs, de papegaai en de zeehond?"

"En de muilezel, vergeet die niet ..." zei ze glimlachend.

Ze lachten vrijuit. Op dat moment troffen haar ogen die van Eustaqui Guillaumet. In haar trots gekwetst, legde ze hem uit: "Als u maar weet dat Tomàs niet één, maar twee fatsoenlijke plekken heeft om te slapen. Een bij Soriano, op de Paralelo ... Het probleem is dat hij die plek moet delen met een muilezel, een zeehond en een papegaai. En er zijn dagen dat hij er echt genoeg van heeft om tussen de beesten te slapen."

Eustaqui luisterde gefascineerd. Hij hoorde de woorden 'zeehond' en 'papegaai' en herhaalde ze in gedachten. Hij vroeg haar: "En die andere plek?"

"Wat is er met die andere plek?"

"U hebt gezegd dat hij twee plekken ..."

"En of! Als Tomàs maar wilde, zou hij een dak boven zijn hoofd hebben en een echt bed, bij mij thuis ..."

"En waarom gaat hij er dan niet heen?" vroeg Eustaqui.

"Hij wil niet. Hij is bang dat het huis 's nachts instort en hem bedelft ..."

De jongen, die in rap tempo leerde dat in Barcelona de vreemdste dingen met de grootste vanzelfsprekendheid werden gezegd, antwoordde dat het hem heel normaal leek. Hij was onder de indruk van de uitwerking die deze lichtende verschijning in deze krocht, dit ellendige hol had. Ze keken naar Tomàs, die heel ernstig op een paar pinda's knabbelde. Ze gingen zitten.

"En verder geen nieuws, Nonnita?" vroeg de beheerder.

"En of! We werken niet meer in paviljoen Soriano!"

"Wat vertel je me nou?"

"Wat ik zeg. We werken nu in ... theater Soriano! De bazen zijn uit Londen en Parijs teruggekomen en het eerste wat ze hebben veranderd is het niveau van de zaak ... Je ziet het, wat een nieuws ... Kom Tomàs, slapen ..."

En Tomàs Capdebrau stond op en begon begeleid door de beheerder naar de slaapzaal te lopen. Toen deze terugkwam, trof hij een nog altijd versteende Eustaqui aan die de jonge vrouw met zijn ogen verslond. Ze had niets in de gaten, ze was zich aan het aankleden om naar buiten te gaan. Hoewel het helemaal niet ver was, had ze net haar lange gebreide wollen sjaal en omslagdoek omgedaan om naar het theater te gaan. Ze betaalde de vijftien cent voor Tomàs en verzuchtte: "Vandaag ben ik niet echt leuk gezelschap, Ferran. Ik ben doodop en ik moet over twintig minuten de late voorstelling nog doen."

Toen ze haar kleding geschikt had, keek ze Eustaqui opnieuw aan. Aangezien deze niet in staat was ook maar één woord uit te brengen, zei de beheerder tegen het meisje: "Eustaqui is een vriend van me. Dat heb ik je al eerder verteld."

"Hoe maak je het? De vrienden van Ferran zijn mijn vrienden. Wat doe je eigenlijk?"

Eustaqui Guillaumet kwam weer tot leven. Hij had een geweldige vrouw voor zich, die bovendien met hem sprak. De woorden bleven in zijn keel steken: "Ik ben sinds een paar maanden in Barcelona. Ik los zakken aan de havenkade: graan, houtskool ... Eergisteren heb ik op de Plaça del Nord een kar volgeladen met zakken voederwikke. Soms laad ik ook balken ... Nu sta ik op de Plaça de Sant Jaume aan muilezels te trekken ..."

"Wat zeg je dat je doet?" vroeg ze nieuwsgierig.

Eustaqui ging recht op zijn stoel zitten en liet zijn handen zien. Grote handen vol eelt. Van die handen die een stier in één keer kunnen doden door hem een klap op zijn kop te geven. Hij legde glimlachend uit: "Er is een tramlijn vanaf de Arc del Triomf die door muilezels wordt getrokken. Ze moeten vanaf de Plaça de l'Angel via de Carrer Jaume I omhoog om bij de Plaça de Sant Jaume te komen. Het is er heel steil. En als de tram vol mensen zit, kan het span muilezels de weg omhoog niet aan. Dan moet er een derde muilezel bij. Ik span hem in, ga ervoor staan en met een touw trek ik alles vooruit. Eenmaal op de Plaça de Sant Jaume, span ik de muilezel uit en neem hem weer mee naar beneden om op de volgende tram te wachten."

"En als pakezel werken bevalt je?"

"Bent u revolutionair?"

"Wat klets je nou?"

"Ik ben nu bijna twee maanden in Barcelona en ik heb er behoorlijk wat leren kennen; de meesten zijn collega's van de havenkade. Ze beginnen hun betoog altijd zo."

"Ben je van lotje getikt? Ik wil je helemaal nergens van overtuigen."

"Des te beter. Nu wil ik alleen maar werken. Goed werk vinden ... En als ik dat niet vind, ga ik naar Amerika."

"Waarom?" vroeg ze.

"Iedereen op de kade praat erover. Het is het land van de onbegrensde mogelijkheden. Niemand vraagt waar je vandaan komt, alleen of je hard wilt werken. Waarom niet? Naar Amerika gaan moet zoiets zijn als een paar keer de afstand van Tarragona naar Cádiz afleggen ..."

"Je bent net in Barcelona aangekomen en wilt nu alweer weg?"

"Nee. Maar het zou me niet uitmaken."

Toen kwam Ferran Baldó tussenbeide, zijn mond vol pinda's: "Nonnita, zei je niet dat je iemand zoekt voor karweitjes met de kar? Eustaqui is je man ..."

"Ik geloof niet dat hij belangstelling heeft." En tot Eustaqui, die zijn ogen maar niet kon afhouden van die prachtige vrouw, die vlakbij stond: "Wil je ander werk? Ik heb een kar en een muilezel die maar wat staan te staan. Ik denk erover er iets mee te doen:

vrachtvervoer. En intussen op straat rondneuzen en spullen inzamelen die de mensen weggooien om ze weer te verkopen. Om ze op zondagochtend te veilen in de kraam van de gebroeders Soriano. Een theaterleverancier heeft me gezegd dat de nonnen een vast bedrag betalen aan wie ze regelmatig van brandhout en kolen voorziet. Voor hun armen zouden ze ook tweedehands kleding van ons afkopen. Om een lang verhaal kort te maken: werken als voddenman. Een hulpje zou me goed uitkomen, vooral een sterk iemand als jij ..."

Ze vertelde niet dat het hele gedoe om midden in de winter iets met de paarse kar en de muilezel te doen haar in werkelijkheid alleen maar te binnen was geschoten om Barcelona af te kunnen struinen en een Italiaanse acrobaat te zoeken die haar zwanger had gemaakt. En dat ze daar eigenlijk hulp bij nodig had. Ze zou het hem later nog weleens vertellen ... En ze voegde eraan toe: "Misschien verdien je niet zoveel als wanneer je de muilezel trekt, maar het is minder vermoeiend ... Snap je?"

"Ja, mevrouw."

"En?"

Het vooruitzicht om te kappen met het werk op de kade was aanlokkelijk, net als stoppen met het trekken van de muilezel, maar meer nog om bij die vrouw in de buurt te zijn.

"Ik zie er wel wat in."

"Je vindt ons in theater Soriano, aan de Paralelo. Vraag naar Nonnita Serrallac. Je kan er zelfs af en toe slapen. Als het je tenminste niet uitmaakt de ruimte met drie dieren te delen en de strozak met Tomàs. Let wel, je mag je niet bezatten en ook geen maten of vrouwen meenemen. De gebroeders Soriano bewijzen me een dienst en ik wil ze te vriend houden ..."

Eustaqui stond met open mond en kon alleen maar stamelen: "Barcelona is te gek."

"Proficiat. Wanneer kom je? Ik hoop dat je niet te lang aarzelt. Ik wil zo snel mogelijk beginnen. Tot ziens."

Ze glimlachte samenzweerderig en ging in vliegende haast weg.

De beheerder feliciteerde Eustaqui alsof hij de baan van zijn leven had gevonden. Toen het tijd was om naar de slaapzaal te gaan, draaide deze zich naar zijn vriend en verkondigde plechtig, voor hij naar binnen ging: "Ferran, ik geloof niet dat ik naar Amerika ga."

7

Rafel Escorrigüela, ruim 31 jaar, eerder klein dan groot, mager, sluik haar, hoestte, blies in zijn handen en keek niet waar hij zijn voeten neerzette. Hij zag er haveloos uit en leek ouder dan hij was. Hij had al dagen geleden kougevat en kwam er maar niet van af. Hij was naar het station Del Nord gegaan om naar de treinen te kijken. Als ze van ver kwamen, waren de vensters met een fijne laag rijp bedekt.

Tegen de middag kamde hij de straten uit waar de zon scheen. Hij liep tot aan het Ciutadellapark en slenterde er rond tot hij bij de Born uitkwam. Vervolgens sjokte hij tot aan de Carrer de Montcada, langs winkels met olie en zeep, kruiden en gepekelde vis. Er klonk muziek en kabaal en plotseling kwam er een groep collectanten in zicht. Het waren studenten die geld vroegen voor de aardbevingsslachtoffers in Italië. Ze doken op uit de Carrer de Montcada, ordelijk achter elkaar lopend, met rijtuigen, een muziekkapel en elke faculteit met haar eigen banier. Het waren er twintig of vijfentwintig. Rafel Escorrigüela had zo veel honger dat hij op de jongen af ging die vooraan liep en vroeg hem of ze, bereid als ze waren om te helpen, niet met hém konden beginnen, omdat hij Catalaan was en onder handbereik ... De jongen schrok en keek achterom naar de ordedienst van de gemeentepolitie. Hij dacht waarschijnlijk dat Rafel hem zijn collectebus wilde afpakken. Dat merkte Rafel Escorrigüela en hij deed meteen een stap opzij. Hij zat absoluut niet te wachten op een agent die hem met één stokslag tegen de grond mepte; het was nog maar de vraag of hij weer overeind kon komen. Hij ging in een portiek zitten en keek toe hoe de stoet collectanten met al zijn bombarie naar de kerk van Santa Maria del Mar trok.

"Tjonge, jonge, wat een herrie. Je krijgt gewoon zin om ze tien cent te geven, als ze hun kop maar houden ..."

Rafel Escorrigüela draaide nieuwsgierig zijn hoofd om naar de stem. Degene die gesproken had, was een mollig meisje in dienstkleding: onder haar jas droeg ze een blouse en een schort; ze was geheel in het wit gekleed, heel gedrongen, met haar kapje, haar wrong en de haarspelden die alles op zijn plaats hielden, met haar worstvingertjes en wat snorhaar ... Het zou wel een dienstmeisje zijn uit een van de gegoede huizen in de buurt. Ze droeg een paar grote blikken melkbussen en haar gezicht stond op onweer. Naast haar op de grond lag een jutezak die af en toe bewoog, alsof hij een eigen leven leidde.

Rafel Escorrigüela stond op en struikelde over de zak. Hij schrok enorm en viel languit op de grond. En toen hij opkeek, zag hij de snuit van een speenvarkentje met grijze ogen dat hem nogal boos aanstaarde. In een kwestie van seconden rende het varkentje zijn vrijheid tegemoet. Het dienstmeisje begon te schreeuwen en woedend gaf ze Rafel Escorrigüela een trap in zijn zij: "Waar wacht u op? Erachteraan om hem te vangen!"

De jongen moest zijn uiterste best doen om op te staan en achter het varken aan te gaan. In plaats van hem te helpen, gingen de mensen opzij, vormden een kring, schreeuwden en klapten, sloegen dubbel van het lachen. En Rafel hoestte, spuugde bloederige fluimen uit en begreep niet wat hij in Barcelona deed, zo ver van huis, achter een varkentje aan rennend, vlak voor hij doodging (hij, niet het varkentje). Want daar was hij zeker van: bij elke hoestbui was het immers of hij zich de longen uit zijn lijf hoestte. Uiteindelijk verborg het speenvarken zich onder een kar voor de werkplaats van een rietbewerker in de Carrer del Rec. De voerman verjoeg het dier met een bezem, en net toen het varken zijn snuit weer liet zien, gooide Rafel er zijn volle gewicht op en ving het. In eerste instantie bewoog het speenvarken niet meer en was Rafel bang dat hij het geplet had. Hij opende zijn armen een beetje en het varkentje probeerde weer te ontsnappen. Rafel schreeuwde ertegen, hoestte, schraapte zijn keel alsof hij net de riolering van half Barcelona had schoongemaakt en spoog een monumentale fluim tussen de ogen van het varkentje. Verrast, weifelde het dier even en was alweer in bedwang. Ziehier de kracht van een fluim, van een fluim uit Alcagaire. Daar kan je mee voor de dag komen, met fluimen uit Alcagaire, dacht Rafel trots: ze hebben een hypnotisch, majesteitelijk, doeltreffend vermogen, héél doeltreffend.

Het dienstmeisje kwam in vliegende haast met de open zak aanzetten en gezamenlijk stopten ze er het speenvarken zonder omhaal in.

Rafel probeerde zich tegelijkertijd te verontschuldigen, maar uit zijn mond klonk alleen maar een vreemde rochel. Hij merkte niet dat het niet hoefde, want het was juist de dienstmeid die hém bedankte en zich tegelijk verontschuldigde voor de trap in zijn zij. Maar hij voelde niets en verloor de wereld uit het oog. Hij merkte dat zijn mond droog was. En het laatste wat hij zag voor hij flauwviel, was het meisje dat hem met de panden van haar overjas toewaaierde.

Rafel Escorrigüela zwierf al een paar dagen zonder eten over straat. Dat was eind februari 1909 geen uitzondering. Er waren er honderden als hij. Het verschil was dat hij zich beroerd voelde, hij was ziek.

Toen hij zijn ogen opendeed, zag hij het dienstmeisje en een hoop mensen om hem heen die hem aankeken.

"Hoe voelt u zich?"

"Niet zo goed. Ik heb al twee dagen niets gegeten."

Die woorden hadden het magische effect dat alle nieuwsgierigen verdwenen: een hongerlijder? De groeten. Ze vonden het al niet vermakelijk meer. De dienstmeid hielp hem overeind.

"Dan verbaast het me niet dat u onderuit bent gegaan, jezusmina ... Bedankt dat u het varkentje hebt gevangen, want als ik het kwijtraak, trekt de bazin het van mijn loon af en ..." Ze zweeg ineens en spitste haar oren. Er waren veeklokken te horen en ze zei serieus: "Daar komen de ezelinnen al ..."

Van de kant van de Santa Maria del Mar kwam iemand aanlopen met drie zwarte ezelinnen. Elk dier droeg een klokje dat bengelde. Ze kwamen er heel serieus, gelaten en met een nogal dof geklingel aan. Een man dreef ze met een lange hennepstaf voor zich uit. Maar eigenlijk hoefde dat niet, want de drie dieren waren zo mak als een lammetje. Onder het lopen riep de man: "Meisjes, melk!" Toen hij al dicht bij hen was, merkte Rafel Escorrigüela op dat de melkman, die dik, rood en van laag allooi was, een goedkope sigaar rookte en een dikke wollen trui vol vlekken droeg. Het was net of zijn pet, zwart met een lange klep, aan zijn hoofd zat vastgeschroefd. Rafel was zelfs jaloers op de ezels: zij hadden tenminste een dikke rode deken over hun rug. De man keek hem wantrouwig aan en groette het meisje dat hem met uitgestrekte armen ontving, met aan iedere hand een bungelende melkbus.

"Schiet op, Jaumet, je bent aan de late kant. Waarom ben je eigenlijk zo laat?"

De man klapperde alleen maar met zijn tanden en de ezelinnen hielden meteen halt. Hij haalde een maatbeker uit zijn herderstas, bukte zich en begon te melken. Hij molk en als de maatbeker voor een kwart vol was, deed hij de vloeistof in de melkbus. Het dienstertje verloor hem niet uit het oog en Rafel de melk niet. In een vloek en een zucht waren beide melkbussen vol. De melkman rekende af, ze spraken voor de volgende week af, hij klapperde weer met zijn tanden en ging terug naar waar hij vandaan kwam. Hij was pas een paar meter gevorderd, toen er een doordringend gefluit klonk. Het was het meisje dat zich met onverwachte energie naar de melkman had omgedraaid en, nadat ze haar twee wijsvingers in haar mond had gestopt, op zo'n huiveringwekkende manier had gefloten dat alle mensen in de straat naar haar bleven staan kijken. Ze liet de melkman terugkomen, terwijl ze Rafel bij een schouder vasthield, zodat hij niet weg kon. Zonder hem aan te kijken zei ze: "Ezelinnenmelk is heel goed voor kinderen en zieken. Mijn bazin zegt dat het haar jeugdig houdt. Dat weet ik niet, ze laat me er altijd maar een liter of drie van kopen, helaas. Ik geloof niet dat het genoeg is om er een bad in te nemen. Maar je gezicht ermee wassen ... Ik weet het zo net niet ..."

De melkman wachtte op wat komen ging. Het meisje liet hem een beetje meer melken. En meteen daarna moest Rafel Escorrigüela van haar de melk direct uit de maatbeker opdrinken. Hij goot de inhoud in één teug in zijn keel. Hij dronk snel, te snel, voelde de lauwwarme vloeistof naar zijn maag zakken en het schuim dat zijn snor kietelde. Hij kreeg een brok in zijn keel. Het verkwikte hem ... Het meisje betaalde de melkman het extra kwart melk en zag dat Rafel Escorrigüela van dankbaarheid huilde.

"Kom, kom, huilt u niet, gedraagt u zich als een man ..."

Hij snoof wat, veegde zijn tranen met zijn mouw af en slaagde erin te stamelen: "Ik voel me iets beter ..."

"Wat ik u zei, ezelinnenmelk doet wonderen. Hebt u geen werk?"

"Op het ogenblik niet."

"Laten we het volgende doen, ik zal u een halve peseta geven als u de zak met het speenvarken naar het huis van mijn bazin brengt. Ze heeft me erop uitgestuurd om het op te halen zonder erbij stil te staan dat vandaag ook de ezelinnen langskwamen. En ik ging ervan uit dat ik de twee melkbussen en het speenvarken wel alledrie kon dragen. Maar dat kan ik niet. Lijkt het u wat?"

"Ik weet niet of ik dat kan ... Ik heb geen kracht meer ..."

"Hij weet niet of hij het kan? Is het mogelijk, zo'n ondankbare hond? Ik geef hem werk en hij wijst het af? Hup, overeind ..."

Ze zette zijn armen in een rechte hoek en legde er de zak met het varken op, dat maar bleef spartelen, zich misschien bewust van het fatale eind dat hem wachtte. Rafel Escorrigüela begon te hoesten en probeerde het te onderdrukken. Eigenlijk zou een onpartijdig betrachter op dat moment getwijfeld hebben wie hem meer aan het hart ging, de man of het dier. Zodat het meisje uiteindelijk het varken overnam en de volle melkbussen letterlijk aan de vingertoppen van Rafel Escorrigüela hing. Dat leek haar veiliger.

En zo begonnen ze, naast elkaar, de Carrer de Montcada op te lopen in de richting van de Carrer de la Barra de Ferro, waar ze heen gingen. Intussen vertelde hij dat hij Rafel Escorrigüela heette, dat hij uit Alcagaire de la Roca in de Ebrostreek kwam, dat zijn ouders boeren waren en suikerbieten verbouwden. En hij praatte en praatte omdat hij bang was dat hij, als hij zijn mond hield, languit op de grond zou vallen om nooit meer op te staan. Of erger nog, dat de ezelinnenmelk, het enige stevige voedsel dat hij de laatste uren had binnengekregen, zijn lichaam weer net zo makkelijk zou verlaten als het erin was gegaan. Een kwestie van diarree. Hij wilde niet opnieuw een lege maag hebben en alleen al het vooruitzicht dat hij een halve peseta zou verdienen deed hem doorgaan. Het meisje bekeek hem aldoor met een schuin oog. Ze vond hem maar minnetjes; ze kon hem maar beter niet vertrouwen. Ze wilde niet dat die lapzwans er na alles met de melkbussen van haar bazin vandoor ging. Ze zei: "Ik weet niet wat u in Barcelona doet, maar u bent naar de ideale stad gekomen. Te beginnen bij mij en eindigend bij de eerste de beste die u op de hoek tegenkomt, is iedereen van elders ... Barcelona is verschrikkelijk. Ik vind het maar niks. Je kent er niemand. Ik ben zes jaar geleden in het gevolg van mijn bazin uit Sant Gervasi gekomen. Wat vindt u van Barcelona?"

De vraag verraste hem. Hij vond niks. En het interesseerde hem geen biet.

Ze gingen via de dienstingang naar de eerste verdieping. De warmte die hun tegemoet kwam, was bijna een klap in zijn gezicht. Het meisje wees hem de keuken. Ze nam een homp kaas uit een vliegenkast en sneed er een stuk af. Met een snee oud brood, met daarop een scheutje olie en een snufje zout, én een glas wijn vormde dit een beste maaltijd.

"Kom, eet op ... En wees maar niet bang dat ik het van die halve peseta zal aftrekken ..."

Hij liet het zich geen twee keer zeggen. Hij ging aan het werk, at te snel en verslikte zich ... Het meisje liep de keuken in en uit. Ze bond het varkentje in het washok vast. Met een strooien waaier wakkerde ze de kolen van de kachel aan. Het fornuis verwarmde de kamer aangenaam. Af en toe ging het meisje even zitten, keek hem aan en vroeg het een of het ander: "Bent u getrouwd?"

"Nee."

"Ik ook niet, maar ik heb een vriend. Mijn vriend zit in dienst ..."

Toen de dienstmeid het moe was om naar hem te kijken, wees ze hem zonder omhaal de deur: "Kom, eruit! U bent in staat om midden in mijn keuken het loodje te leggen. Ik wil geen toestanden met mevrouw."

Rafel Escorrigüela knikte nederig ja. Dat meisje had hem al genoeg geholpen en tot overmaat van ramp had ze ook nog eens gelijk. Hij stond op, stak een korst brood, die half aangesneden op tafel was blijven liggen, in zijn jaszak en hield zijn hand op. Het meisje gaf hem de halve peseta en drukte hem op het hart het geld niet aan wijn uit te geven.

En weer de straat op, maar nu met een volle maag en een halve peseta op zak: dat was heel iets anders. Hoe dan ook, wat een ironie van het lot, juist hij die het zo ver had zullen schoppen. Wie hem nu kon zien! Want Rafel was een jonge, ambitieuze Catalaan, content omdat hij Catalaan was en content omdat hij ambitieus was. Hij droeg het verlangen om rijk te zijn in zijn bloed ... Maar de laatste tijd waren al zijn zaakjes slecht verlopen.

Toen zijn geld op was, had hij het pension waar hij verbleef verlaten en was zonder vast doel door Barcelona gaan zwerven. Bovendien was hij ziek. Wat hij at, verloor hij na een paar minuten weer in de vorm van fijne, vernederende diarree. In die toestand was het onmogelijk om werk te vinden.

Maar nu had hij twee kwartjes op zak en leek zijn maag niet op te spelen.

Hij haalde zijn koffer op in een pianowinkel in de Carrer Ample, waar ze hem voor tien cent per dag bewaarden. Toen ze hem zo zagen binnenkomen, overhandigden ze hem zwijgend zijn koffer en weigerden hem te laten betalen. Hij slaagde erin het pension in de wijk Barceloneta te bereiken, waar hij onderdak had gevonden. Met die halve peseta zou hij hen er wel toe kunnen overhalen om hem er te laten slapen. Dat lukte, maar wel brachten ze hem onder op het dakterras, in een oud washok, op een veldbed. Rafel Escorrigüela bedacht dat dit beter was dan de straat: een paar dekens en beschutting, wat wilde hij nog meer ...

Het was vreselijk koud. Hij knoopte zijn jas dicht en leunde over de balustrade om naar zee te kijken. Hij had alleen maar vijf minuten rust nodig om na te denken. Vijf minuten voor hij zichzelf in dat stinkende washok zou opsluiten, dat ze hem hadden gegeven. Het was belangrijk geen kou te vatten en weer te gaan hoesten. Want als hij hoestte, scheet hij zichzelf onder. En dan was hij weer terug bij af. Het licht van de zonsondergang vlamde in het glas van de grafnissen op de begraafplaats op de Montjuïc in de verte. Dichterbij weerkaatste het licht in straatlantaarns en de vensters van de vissersboten en vonkte roodachtig in het donkere water van de kade ... Je hoorde niets. De stilte was compleet, bijna onwerkelijk. Een sirene in de haven bracht hem terug tot de werkelijkheid. Hij kreeg zin om erheen te gaan en er te gaan zitten, met zijn voeten bengelend boven het dikke, olieachtige water. Ineens kreeg hij maagkramp en hij rilde. Zijn voorhoofd voelde erg warm aan. Vanuit zijn ooghoek zag hij een schoener die met volle zeilen snel de haven uit voer. Ook een raar stoomschip, klein maar met lange, smalle schoorstenen, die dunne witte rookwolken uitstootten. Het was niet eens zo laat, maar hij moest gewoon gaan liggen en zich toedekken. De lucht was erg zacht en het was net of de dood hem op de hielen zat. Zijn hoofd tolde en zijn knieën knikten. Hij liep langs de trapdeur en de zoete geur van versgebakken brood drong in zijn neusgaten. Hij ging het washok binnen, strekte zich op het veldbed uit en dekte zichzelf toe. Hij rilde. Hij kon niet meer. Terwijl hij probeerde te voorkomen dat zijn tanden als een paar castagnetten klapperden en hij zijn sluitspier tot het uiterste spande om het onvermijdelijke te voorkomen, ontdekte hij plotseling dat hij enorm veel zin kreeg om naar een kroeg te gaan en een heel koude, rode vermout te bestellen, ja, heel koud, midden in de winter. Hij wierp zijn dekens af, stond op en ging weer naar buiten. Het was al bijna donker. Hij was misselijk. Hij had nog steeds hoge koorts. Maar hij dacht alleen maar aan de smaak van rode vermout, ijskoud en kruidig. Zonder er verder bij na te denken, slingerde hij zijn benen over de balustrade van het dakterras en ging zitten. Het was er spekglad. Hij keek de diepte in, naar de straat beneden. Hij kreeg weer kramp in zijn maag en toen, ja, dat was een onstuitbare, stinkende straal. Overrompeld verloor Rafel Escorrigüela zijn evenwicht, viel en gilde niet eens.

De uitbaters van het pension waren aan het eten en hoorden de doffe plof van het lichaam dat te pletter sloeg. De baas twijfelde geen seconde: die vreemde knul had zich naar beneden gegooid.

Pater Maroto, van de Sant-Miquelparochie, zat aan tafel en had in zijn ene hand een crucifix en in zijn andere een homp brood. Het kruisbeeld was houtsnijwerk dat een visser uit de Barceloneta eerder met veel goede wil dan met behendigheid had gemaakt. Het was een gift voor een gedane gelofte. Hij pakte een stuk kaas van tafel en beet erin, beet in het brood en terwijl hij kauwde, bekeek hij het crucifix weer. Hij moest een plekje vinden om het neer te zetten. Pater Bonaventura Maroto was op-en-top priester, met een soutane die een lust voor het oog was, zo glansde ze. Hij was dik, rond en sterk, een sigarenroker. Hij had bronchitis en als hij begon te hoesten, kon hij maar niet ophouden. Hij maakte zich vaak boos en iemand had hem zelfs horen vloeken. Hij stond op het punt de kaas te vergezellen van een straaltje wijn uit de *porró*, toen er met klem op de deur werd geklopt. Op dat uur kon dit alleen maar extra werk betekenen. Hij deed open en de bazin van het pension kwam de sacristie binnen. Hij kende haar van gezicht; ze ging bijna nooit naar de kerk.

"Meneer pastoor, snel, er is een ongeluk gebeurd!" schreeuwde de vrouw. "Er is iemand van het dakterras gevallen!"

"Dat hij naar de hel loopt!" mompelde de pater, terwijl hij zijn homp neergooide.

"Wat zegt u?"

"Niets. Niets. Klop hiernaast bij de familie Baró."

Hij sloeg meteen een kruis, mompelde een "vergeef ons onze schuld" omdat hij oprecht spijt had van zijn uitval, trok zijn jas aan en ging de straat op. De vrouw klopte aan bij een benedenverdieping naast de ingang van de sacristie. Een kleine, gespierde man deed met volle mond open. Hij monsterde hen stilletjes, zonder hun te vragen binnen te komen. Achter hem was een vrij kleine kamer met zes of zeven mensen die om een ronde tafel zonder tafelkleed zaten, met dampende borden soep voor zich en midden op tafel een bord vol aardappels, wortels en een paar bieten. De man keek hen vragend aan. "Goedendag, Baró en familie ..." zei de pater.

Alle zes de gezichten draaiden zich half glimlachend naar hem toe. Het waren Baró's vrouw en vijf kinderen.

"Baró, je moet helpen, ga met deze vrouw mee, die zegt dat er iemand van het dakterras is gevallen. Ren erheen om te zien of er nog iets te doen valt ... Ik kom achter jullie aan, maar je weet dat ik het heel gauw benauwd krijg ..."

De man bleef op dezelfde manier kijken, ging even naar binnen en kwam weer met pet, jas en sjaal naar buiten. De man en de vrouw verdwenen samen op een drafje de nachtelijke nevel in. De pater keek naar Baró's gezin, dat zijn mond niet opendeed, wenste goedenavond en deed zelf de deur dicht. Toen hij puffend, rood en hoestend aankwam, hadden ze het lichaam van Rafel Escorrigüela net in de gang van het pension neergelegd. Hij lag met open, weggedraaide ogen op zijn rug en zijn linkerarm lag dubbelgevouwen tegen de normale richting in. Het stonk behoorlijk, maar uit consideratie met het slachtoffer zei niemand er iets van. Een boze pater Maroto kwam er met gefronste wenkbrauwen bij staan en haalde zonder het te merken het stuk kaas uit de zak van zijn soutane. Maar toen een meisje hem aankeek, stak hij het meteen weer weg.

"Leeft hij nog, Baró?"

"Ja, meneer pastoor," zei hij. "Hij heeft geluk gehad, een waslijn heeft zijn val gebroken. Maar hij is op zijn hoofd terechtgekomen. Ik weet niet of hij het redt."

Pater Maroto stuurde Baró weg om een arts te halen die voor het lichaam van die pechvogel zou zorgen; hijzelf zou de zorg voor diens ziel wel op zich nemen. Hij rook discreet aan zijn vingers en ja hoor, ze stonken naar kaas. Hoe het ook zij, hij pufte opnieuw en knielde naast Rafel Escorrigüela, want die mocht er niet zomaar tussenuit piepen. Hij maakte een kruisteken op diens voorhoofd en begon meteen een responsorie te bidden, uit het donker beantwoord door een gelovige ziel uit het pension die het tafereel zonder speciale reden gadesloeg.

8

’s Nachts had het gesneeuwd en Barcelona stond letterlijk wit op. Vrijdag 26 februari 1909 sneeuwde het zoals het dat nog nooit eerder had gedaan. Dat verklaarden tenminste de oudsten uit de groep mannen en vrouwen die in de intense kou van die zaterdag om politieagent Felip Dalmau heen dromden. Hij was een grote man van tegen de vijftig, met hoge schouders, gezet. Hij had een rattengezicht en onder zijn pet droeg hij zijn sluike haar naar achteren gekamd en aan zijn schedel geplakt. Volgens sommigen was agent Dalmau iemand om bang voor te zijn.

En terwijl de families die het zich konden permitteren de tram naar de Tibidaboberg pakten om van het besneeuwde uitzicht te genieten, sloeg agent Dalmau in de Carrer Montjuïc de Sant Pere een pechvogel in de boeien. Met een inspecteur van de *Companyia Arrendatària de Tabacs* had hij net het huis van de arrestant doorzocht. Het was de benedenverdieping die bij een oude schoenmakerswerkplaats hoorde. Pal voor de deur draaide de tabaksinspecteur met één gehandschoende hand aan zijn snor en pakte met de andere het dossier met de officiële akte. De handelaar, een schriele jongeman met een wazige blik, had zich niet verzet. Als agent stond Felip Dalmau zijn mannetje en er was slechts één klap nodig geweest om de basis te leggen voor de relatie die er de komende minuten tussen hen beiden zou bestaan. Met die kou was de klap twee keer zo hard aangekomen en de jongeman was zo stil, rustig en gedwee mogelijk. Het huis was klein en slecht geventileerd. De onbetegelde vloer was klam, net als de muren, waar het vocht vanaf droop. Het onderzoek was zo verricht. Zoals voorzien had het niet veel om het lijf. Het gebeurde vaak dat de anonieme verklikker hen misleidde over het belang van de delinquent. Het onderzoek had geresulteerd in een van de belachelijkste inbeslagnames van de laatste tijd: twee pond versneden tabak en anderhalf dozijn havanna's. Het was zo weinig dat het bijna beschamend was. Ze vonden ook een zak met 345 lucifers. Niks bijzonders. Zoveel werk voor niets. Agent Felip Dalmau, die niet eens 2500 peseta per jaar verdiende, zoals de ambtenaar met wie hij normaliter bij de gemeente van doen had, hield er niet van om klappen uit te delen aan pechvogels of om een voor een de gesmokkelde lucifers te tellen, die in de zak zaten. En al helemaal niet als inspecteurs zoals die daar een akte opmaakten zonder zelfs maar hun handschoenen uit te trekken. Hij bekeek het allemaal eens en gaf het handelaartje als toegift een klap in zijn nek, zodat hij zou ophouden met huilen en zich liet vastbinden aan de ijzeren handgreep van de deur, terwijl de formaliteiten werden afgehandeld.

Er was allerlei volk op afgekomen. De Carrer de Montjuïc de Sant Pere was klein en iedereen kende elkaar. De bewoners vroegen onverholen waarom hun buurman werd afgevoerd. Op alle balkons stonden vrouwen matten, lakens en spreien uit te kloppen en deden hun zegje. Na tien minuten was iedereen reuze nieuwsgierig. En agent Dalmau hield de boel in de gaten omdat hij bevel had de fysieke integriteit van de inspecteur te waarborgen. Dat was nou Barcelona, zei de agent tegen zichzelf: zijn dieven en bedriegers stelden zo weinig voor dat het geen naam mocht hebben. Kon je de waarde van een stad ook afmeten aan het gehalte van haar dieven? Als dat zo was, stelde de trotse Gravenstad op dat moment geen moer voor. Die ochtend, om precies te zijn, had hij al iemand moeten aanhouden die er zich op toelegde kabels te stelen van telefoonpalen die door de sneeuw waren omgevallen. Bovendien, het was om gek van te worden, maakten de mensen het zichzelf nog moeilijker door de raarste dingen te stelen: zakken vol kalfsbotten, schuiven van de sluis van een bevloeiingskanaal, aandrijfriemen van een zaagmachine, binnenbanden ... Er werd van alles gestolen. Pasgeleden nog had Felip Dalmau in de Carrer de l'Arc del Teatre geprobeerd een oude man aan te houden die vis had gestolen, deze slechts twee straten verderop te koop had aangeboden, met valse gewichten werkte en bovendien vals geld teruggaf. Midden op de Rambla had hij zelf gezien hoe drie individuen het tuig van een paard probeerden te stelen ... dat nog aangespannen was, terwijl de eigenaar er vlakbij met zijn rug naar toe stond! Dat was niet normaal meer.

"We zijn klaar, Dalmau!" zei de inspecteur.

Het zag ernaar uit dat deze zijn klus al had geklaard. Nu hoefde de agent alleen nog maar als getuige te tekenen. De inspecteur haalde de documenten uit een leren aktetas. Hij ging door met zijn handschoenen aan en de agent bewonderde de behendigheid waarmee hij papieren, documenten, zegels et cetera hanteerde, terwijl zijn rode neus telkens net niet ging druipen. Hij stopte de versneden tabak en de sigaren in de zak bij de lucifers en overhandigde hem aan de inspecteur.

"Hoeveel sigaren waren er, Dalmau?"

"Anderhalf dozijn. Achttien."

"Zeker weten?"

"Heel zeker."

"Kunt u even hier komen, alstublieft?"

Ze gingen weer naar binnen. Buiten stonden zes of zeven mensen te wachten. Een van hen schold de arrestant uit. Hij verweet hem niet zijn onwettige activiteit, maar het feit dat hij zich als de eerste de beste sukkel had laten snappen. De inspecteur, die ongeveer tien centimeter langer was dan de agent, pakte hem met zijn gehandschoende hand bij de schouder en zei, terwijl hij glimlachte: "Nou, ik dacht dat er maar veertien sigaren waren ..."

Hij haalde pen en inktkoker uit zijn jaszak, streek de papieren glad op het marmeren aanrecht en voegde eraan toe: "Kom op, beste kerel, teken ..."

Agent Dalmau tekende bijna werktuigelijk het origineel en de kopie. Meteen daarop knipoogde de inspecteur naar hem, stak een hand in de zak en haalde er vier sigaren uit. Hij stak er een paar in Dalmaus jaszak en toen hij dat deed, rook deze diens handschoenen. Ze waren nieuw. De inspecteur stopte het andere paar in zijn eigen aktetas en terwijl hij hem amicaal op zijn rug klopte zei hij: "Ziet u wel, Dalmau, beste kerel, dat het er veertien waren ..."

En hij ging weg, terwijl hij zich afvroeg hoe iemand in godsnaam kon leven in een benedenverdieping die zo koud en smerig was. En hoe het in godsnaam mogelijk was dat iemand voor een hongerloontje agent wilde zijn en zodoende door de sneeuw moest patrouilleren op schoenen met kartonnen zolen en moest accepteren dat ze hem bevalen een zak lucifers te tellen. Het leven, zo verzuchtte meneer de inspecteur, was in wezen onrechtvaardig. En terwijl hij zijn hoed schikte en eindelijk openlijk kon afgeven op onwaardige getuigen, zoals al dat gepeupel dat hij achterliet, verdween hij om de hoek van de Carrer Més Baix de Sant Pere. Voor hem maakte de agent deel uit van het grauw, en het klootjesvolk was nauwelijks een haar beter dan de jonge handelaar.

Agent Felip Dalmau reageerde niet snel genoeg. Hij las het document dat hij ondertekend had: "In beslag genomen is ook een hoeveelheid van veertien havanna's ..." Hij had de puf niet om de inspecteur na te roepen en hem te dwingen terug te komen. Gelukkig werkte hij buiten diensttijd als secretaris en vertrouwensman van een dame van stand die hem beloofd had dat hij binnenkort volledig voor haar aan de slag kon. Hij werd opgetogen bij de gedachte alleen al dat hij de politiedienst kon verlaten. Het was deprimerend om in Barcelona politieagent te zijn. Het begon hem werkelijk de keel uit te hangen.

Toen hij eenmaal weer op straat stond, begon hij als een gek te schreeuwen: "Doorlopen, doorlopen, kom op, hier valt niks te zien!"

Nonnita Serrallac merkte dat de agent haar bij haar arm beetpakte en tegen haar zei: "Hoort u me niet?"

Dat die onbeschofte agent haar met u aansprak maakte meer indruk op haar dan dat hij haar een zetje gaf. Het was de eerste keer dat iemand haar met u aansprak en niet met jij. Ze was nieuwsgierig blijven staan, terwijl ze op weg was naar het station Del Nord. Ze was nog steeds op zoek naar Emidio Forlì. De twee weken die ze zichzelf had gegeven om hem te vinden, waren bijna voorbij. Ze koesterde weinig hoop als ze eraan dacht waar de treinen die van het station Del Nord vertrokken heen gingen. Het was veel logischer dat iemand iets wist op het station waar de treinen naar Frankrijk vertrokken. Maar dat hield ze liever achter de hand om zichzelf nog een beetje hoop te geven.

Ze was van tactiek veranderd. Ze had tegen zichzelf gezegd: "We draaien het om, we gaan uit van het meest logische: dat hij weer naar huis wou gaan, een paar spaarcenten had ... Oké, je kan met de trein of met de boot naar Italië gaan ... Ik zal aan de kade en op de stations navraag doen. Zijn hutkoffer trok nogal de aandacht, misschien herinnert iemand hem zich. Ze zullen me zeggen: zeker wel, hij is met dat stoomschip naar Genua gevaren ... Of hij heeft de trein naar Portbou gepakt ... En ik zal gerustgesteld zijn en er vrede mee hebben." En hier ging Eustaqui Guillaumet een rol spelen. Hij kwam al de dag nadat ze hem werk had aangeboden opdagen. Helemaal in het begin was het meisje niet verrukt van het idee dat ze die jongeman moest vertrouwen, die haar maar met de ogen van een gekeeld schaap aan bleef kijken, maar ze had geen keus: "Heel goed, kom, ik laat je de wagen zien. Gisteren heb ik het je niet gezegd, maar voor ik je aanneem, ben je een paar dagen op proef. Vanzelfsprekend zonder betaald te krijgen. Hoe kan ik weten dat je te vertrouwen bent, dat je er niet met de wagen en de muilezel vandoor gaat en nooit meer terugkomt?"

Eustaqui geloofde zijn ogen niet toen hij de paarse wagen en de rachitische muilezel zag.

"Maakt u zich geen zorgen, mevrouw. En dat klokje?"

"Dat is over van het circus. Ik heb het opgehangen om de mensen op straat te waarschuwen. O ja, als Tomàs in orde is, werk je met hem samen, dat zal hem afleiden."

"Ja, mevrouw."

"De proef bestaat hieruit ..." En ze gaf hem opdracht bij scheepvaartmaatschappijen en kadewerkers naar Emidio Forlì te informeren. "Ik wil heel graag weten wat er met deze persoon is gebeurd. Ik zou het erg waarderen als je iets over hem aan de weet komt."

"Komt in orde, mevrouw."

Zelf zou ze op de stations navraag doen.

Door de sneeuw lekte het station Del Nord aan alle kanten en een klamme geur voegde zich bij die van alledag. Nonnita Serrallac zag net hoe een trein stopte waarvan het dak was bedekt met een dikke, witte laag. De stationschef stond midden op het perron en controleerde de toegang. Ze stoorde hem maar liever niet en ging rechtstreeks naar zijn kantoor om daar op hem te wachten. Het was een heel klein kamertje met vensters waarvan het glas was gebarsten en de metalen sponningen groen waren uitgeslagen, met een gepolsterde stoel die kraakte en op tafel een botte pen waarvan de houder onder de vlekken zat en droop van de zwarte inkt. Ernaast stond een open inktpot van het merk Stephens. De kachel was uit en binnen was het kouder dan in de stationshal. Door de open deur zag ze een lummelende stationsbediende, die schik had om een jongetje wiens gezicht voor de helft vreselijk verbrand was. De hummel speelde diabolo en liep behoorlijk in de weg. De man merkte dat het meisje naar hen keek en zei: "U ziet het, ze willen het kind nergens hebben en ik moet het naar mijn werk meenemen. Hij is niet goed bij zijn hoofd, de stumper. Hij is van mijn zus. Ze was ongetrouwd toen ze hem kreeg. Hij had beter doodgeboren kunnen zijn. Hij was ongewenst en toen hij net geboren was, heeft ze hem in het haardvuur gegooid ... We waren er op tijd bij en hij is maar een beetje verbrand, maar de schok heeft hem van zijn verstand beroofd. Zijn moeder ontkent het, maar volgens mij ruikt hij een beetje aangebrand. Ruik maar, ruik maar, als u wilt ..."

Ze maakte een afwijzend gebaar. Intussen liet de hummel met behulp van twee stokjes en het touw de diabolo rollen, gooide hem de lucht in en ving hem behendig op als hij neerkwam.

Ineens maakten ze zich uit de voeten. De stationschef kwam eraan.

De man, met pet en in uniform, was net zo onaangenaam als te verwachten viel. Hij stelde zich bij de deur op en zonder binnen te komen, bijna zonder haar aan te kijken, vroeg hij wat ze wilde: het was overduidelijk dat hij bijna net zo'n afkeer had van Nonnita Serrallac als van het mismaakte jongetje dat maar bleef klieren. Het meisje legde het hem in een paar woorden uit.

"Ik weet niets, ik herinner me niets. Hoe wilt u dat ik me van één reiziger in het bijzonder iets herinner?" Hij kwam binnen, ging op zijn stoel zitten en liet de dop van de inktpot rollen. Hij sprak verder: "Als dit alles is wat u weet, adviseer ik u het te laten voor wat het is. U zult hem nooit vinden."

Het beetje inkt dat op de dop zat maakte vlekken op zijn vinger. Hij werd boos. Hij stond plotseling op en keek haar strak aan: "Ik heb nog veel te doen, juffrouw. Nog iets?"

Nonnita Serrallac had het een en ander meegemaakt en was wel wat van mensen gewend, maar aan stupiditeit en botheid kon ze maar niet wennen. Ze liep naar buiten, het stationsplein op, met de moed in de schoenen en zin om te huilen. Daar stonden acht of tien rijtuigen met hun paarden te wachten op treinpassagiers die op ze af zouden vliegen om ze te huren. Ze keek naar de sneeuw op de grond, die alles besmeurde. Ineens rolde de diabolo van het jongetje tussen haar benen door. En achter de diabolo het jongetje zelf, met zijn uiterlijk als dat van een kikkertje. Ze struikelde bijna, maar zei niets. Het jongetje raapte de diabolo op en keek haar aan met het anderhalve bruikbare oog dat niet verbrand was. Het leek of hij niet wist dat zijn moeder hem vlak na zijn geboorte in het haardvuur had gegooid. Het was zelfs net of hij lachte. Maar Nonnita gaf niet thuis. Ze streek met haar hand over zijn hoofd, glimlachte naar hem en verliet het stationsterrein. De zon stak volop. Ze liep gehaast, maar met kleine pasjes vanwege haar nauwe rok. Ze merkte dat aan haar mouw werd getrokken en ze schrok. Ze draaide zich om, het was het kikkerjongetje weer. Hij deed zijn handje open om haar iets te laten zien. Er lag een muntstuk in.

"Dat heeft hij me gegeven. Hij heeft me diabolo leren gooien."

Het meisje keek aandachtiger. Het was een Italiaanse munt. Ze slaagde erin uit te roepen: "Wie heeft hem je gegeven?"

"De acrobaat. Ik heb je in het kantoor gehoord ..."

Ze pakte hem bij zijn schouders en schudde hem, zonder het te willen, dooreen: "Wat weet je ervan? Hoe lang heb je hem niet meer gezien?"

Ze liepen terug naar het station om met de bediende te praten, zijn oom. Toen de man haar met het jongetje zag, zei hij glimlachend: "U kon het zeker niet laten, hè?"

"Wat?"

"Aan hem ruiken. Ruikt hij aangebrand of niet?"

Ze zei van wel, zodat hij zijn kop zou houden. Ze zei tegen het jongetje dat hij zijn oom moest vertellen wat hij net tegen haar had gezegd. De man herinnerde het zich heel goed: "Jazeker! Jordi! Hij heeft een paar dagen bij het station rondgehangen."

En hij voegde eraan toe: "Hij goochelde voor het jongetje. Hij sprak Italiaans en iedereen deed het in zijn broek van het lachen. Hij haalde daarbuiten, bij de ingang van het station, goocheltoeren uit en ging daarna met zijn pet rond onder de reizigers die in en uit liepen. Er werd gezegd dat zijn maten hem hadden laten stikken en ook nog zijn geld hadden gepikt. Hij spaarde om naar huis terug te gaan. Hij zei dat Barcelona net was als alle steden op de wereld. Zolang je geld had, ging alles goed, iedereen respecteerde je, maar als je geld op was ..."

Het danste Nonnita Serrallac voor de ogen. Haar adem stokte bijna. "Waarom praat u in de verleden tijd over hem? Wanneer komt hij terug?"

"Hier volgens mij nooit meer."

"Waarom niet?"

In verwarring door de reactie die hij bij het meisje had teweeggebracht, vervolgde de man: "In zijn eentje zou hij nooit het geld bij elkaar hebben kunnen sparen om naar Italië terug te gaan. En hij had het jongetje zo goed behandeld en hij had zo veel heimwee dat ik hem als verstekeling op een goederentrein heb gekregen die naar de Franse grens ging. De machinist is een vriend van me en heeft hem tegen een kleine vergoeding meegenomen. En hij leek blij om weer naar huis te gaan ... Dat is nog niet zo lang geleden ... Voelt u zich wel goed, juffrouw?"

Nonnita knikte van ja. In de wolken en aan de grond. Alles en niets in een oogwenk. Ze bedankte hem ("hij had zo veel heimwee") en ze ging er als een haas vandoor ("hij leek blij om weer naar huis te gaan"). Ze kon maar niet geloven wat haar net was overkomen.

Ze zwierf dwars door de stad zonder iets te zien of te horen. Uit de kou doemden straten op, winkels, al dan niet goedgeklede Barcelonezen, met strohoeden, gleufhoeden of met een pet, ingesnoerde Barcelonese vrouwen, met hoeden die met reusachtige spelden waren vastgepind; oude mannen die met bukshouten bezems de vuile sneeuw bijeenveegden. Nonnita ontweek trams en wagens, karretjes en karren. Ze liep door het Ciutadellapark met het gezicht in de wind, die de geur van bepoederde bomen aandroeg. Het park was wit, de bloembedden lagen onder sneeuw bedolven. De banken in het zonnetje waren allemaal bezet. Er waren fotografen met hun driepoten, die opnames maakten van dat ongekende landschap. Ze baande zich een weg tot aan het station voor treinen die naar Frankrijk gingen en vandaar naar de Plaça de López. Ze merkte dat ze er goed aan had gedaan om niet de weg af te snijden door haar buurt omdat ze niet wilde dat welke schim dan ook haar afleidde: op het plein vlak bij haar buurt, waar de werken van de Reforma begonnen, zag ze er drie die ze kende. Ze zaten op een rij en groetten haar. Ze versnelde haar pas zonder zich iets van hen aan te trekken.

Het gevoel te ver te gaan en nooit aan te komen. Ze werd even misselijk en leunde tegen een lantaarnpaal. Ze hoorde klepperdeklep en keek naar de straat: er kwam een man langs, langzaam, ritmisch, hoog gezeten op een wit paard met lange, zijdeachtige, grijze manen. Hij droeg een jas van sabelbont, die tot zijn knieën reikte, een pet, zwarte laarzen, die blonken als een spiegel, en suède handschoenen: trots, één hand aan een teugel, de andere aan het rijzadel ... Klepperdeklep ...

Haar hoofd tolde. Ze moest gaan zitten.

Goed dan, ze had hem gevonden. Haar hart had haar van het begin af ingegeven dat Emidio Forlì niet was weggegaan. En ze had zich niet vergist. Maar wat ze had ontdekt, had haar misschien meer pijn gedaan: Emidio had heel wat dagen in zijn eentje door Barcelona gezworven, terwijl hij goocheltoeren uithaalde met de enige bedoeling om wat geld op te halen om naar Italië terug te gaan ... En hij had het beter gevonden om niet op haar te rekenen.

Ze liep midden op straat en hoorde een paar zware wielen op het plaveisel. Het moest een grote wagen zijn, beladen, met een traag paard. Ze ging pas op het laatste moment opzij, zoals ze bij de trams deed, maar de voerman moest een nieuweling zijn, want hij schold het dier uit in plaats van haar. Juist op een moment dat ze had gewild dat iemand iets tegen haar zei.

Die nacht slenterde ze met zwaar gemoed van het theater terug naar huis. Liefde was iets heel raars ... En ineens werd ze kwaad, die oude, geconcentreerde kwaadheid van haar: was ze gek geworden? Werd ze net zo idioot als Tomàs? Of was idiotie soms besmettelijk? Waar was ze mee bezig? Wat had ze met die zoektocht willen bereiken? Ze liep en zei bij zichzelf: idioot, idioot, idioot ... Het meest voor de hand liggende was gebeurd. En ze had nog het geweldige geluk gehad dat ze dagenlang had gezocht wat ze niet kon vinden en toch een antwoord te krijgen: "De machinist is een vriend van me en heeft hem tegen een kleine vergoeding meegenomen. En hij leek blij om weer naar huis te gaan ...” Hij leek blij ... En zij leek wel gek. Het was afgelopen.

Zonder het te merken was ze de weg gegaan die ze altijd nam. Er waren weinig mensen op pad: het gebied van de Reforma was slecht verlicht en ongelukken door glij-, struikel- en valpartijen kwamen daar meer voor dan elders. Er waren diepe bouwputten, maar nauwelijks van de wandelaars gescheiden door houten schuttingen die met moeite overeind bleven. Een man liep fluitend de Carrer Basea af, een Barcelonese arbeider, in zijn eentje, wat een treurnis, zo ver af van de dingen van alledag. En dat deel van de Carrer Basea was al gesloopt en Nonnita keek naar rechts omdat haar palmpje daar stond, nog wonderbaarlijk intact, wonderbaarlijk alleen midden op het bouwperceel. Verderop liep een oude vrouw verloren in de steegjes van de buurt en de nacht viel als een zak aarde op haar magere schouders. En Nonnita merkte dat de doden haar niet uit het oog verloren, maar zich niet manifesteerden omdat ze haar niet wilden lastigvallen. Zelfs de stomste dode wist dat dit niet het goede moment was.

Maar haar ouders kunnen zich daar niet bij neerleggen. Ze zien hun dochter en verschijnen. Zij ziet hen ook en loopt naar hen toe. Het maakt haar niet uit als mensen haar erop betrappen dat ze met de doden kletst. Zoals gewoonlijk houdt haar moeder een citroen in haar hand. Ze neemt een hap met schil en al omdat het volgens haar vanbinnen reinigt. De moeder weet dat haar dochter hun wil toevertrouwen dat ze de dood aanvaardt als haar tijd is gekomen, zolang ze haar tenminste in haar doodstrijd bijstaan. Het was wat de circusballerina háár had gevraagd. Wat kon ze haar nu goed begrijpen! Ze wilde niet alleen doodgaan. De ballerina had tenminste hen gehad, Nonnita en Tomàs. En wie had Nonnita? De moeder wendt zich tot haar man, terwijl ze afkeurend maar niet hardop moppert, want aangezien ze haar dochter al niet begreep toen ze leefde, zal ze het zeker niet kunnen nu ze dood is. En onder de palmboom gezeten op zijn kruk met drie poten, rookt haar vader zijn sigaartje, dat aan zijn mond plakt onder zijn witte snor, die geel is van de rook of van de dood. De vader begint te gnuiven, staat op en vertelt zijn dode buren dat zijn dochter op het punt staat een belangrijke verklaring af te leggen. En ineens komen er tussen het puin dodemansogen tevoorschijn, nieuwsgierig, ogen van overleden Barcelonezen die al lang geleden zijn opgehouden te piekeren over wat ze ook al weer in het leven deden, over hoeveel dingen ze zijn begonnen zonder ze af te maken. En Nonnita kijkt naar hen en zegt eenvoudig: ik zal me alles herinneren! En die verzuchting doet hen beven, en ze beklagen zich en vluchten en verbergen zich. En voor het eerst biggelen er tranen over haar wangen. Uit boosheid omdat de doden haar, goed- of kwaadschiks, één seconde bijna tot in detail het hele leven hebben doen voelen, zien en horen dat zij nooit met Emidio Forlì zal leven. En ze wil haar ouders iets anders vragen, maar egoïstisch als de meeste doden kletsen die alleen maar over hun eigen dingen, luisteren niet eens naar haar. En Nonnita besluit door te lopen, naar huis toe. Als ze verdergaat, hoort ze dat iemand haar roept; het is haar vader die zegt: "Hé, waar ga je heen?" En ze zegt: "Naar huis." En hij zegt dat het erg onbeleefd is de doden zomaar te laten staan. En haar moeder zegt met de citroen in haar hand: "Word niet boos, meisje, want we luisteren wel, maar wij doden hebben het voordeel dat we twee of drie dingen tegelijk kunnen doen." En ze neemt nog een laatste hap van haar citroen. Nonnita kan bijna de spetters van die niet-bestaande citroen voelen. De vrouw lacht en zegt: "Nonnita, pieker niet meisje, luister naar wat je moeder zegt: als je kerel, die Italiaanse acrobaat, die jou achternaloopt, hier op een goede dag ronddoolt, zal ik hem bij je langsbrengen, dat beloof ik je." En Nonnita lopen de rillingen over de rug en ze wil deze macabere verklaring niet horen. En haar moeder, verward, ziet in haar dochter weer een soort wanhoop en vastbeslotenheid die ze niet kan duiden. En dood als ze is, lopen de rillingen haar over de rug, terwijl ze ziet hoe haar dochter in het donker verdwijnt.

Hoewel het midden in de nacht was, maakte een arbeidersploeg van de Reforma overuren: de sneeuw had een paar constructies beschadigd en om de verloren tijd in te halen moesten deze worden gerepareerd. Ze werkten bij het licht van elektrische schijnwerpers. Een paar metselaarsknechten veegden uitentreuren de ingang van het bouwterrein dat een en al modder was vanwege de sneeuw die de nacht ervoor en de natte sneeuw die overdag was gevallen. De onderneming heeft hun sjaals, petten en handschoenen verstrekt. Ze stopten, leunden op hun bezems en vormden zich snel een oordeel over Nonnita. Ze lachten brutaal. Ze hoopten dat iemand eventjes voor afleiding zorgde. Nonnita merkte die blikken op, waarmee ze van top tot teen werd bekeken. Op dat nachtelijk uur kon zo'n knap meisje alleen maar één ding zijn. Ze hadden bijna als hondjes hun tong uit hun mond hangen; het ontbrak er nog maar aan dat ze op hun vingers floten ... Ze sloeg de Carrer Tapineria in. Twee honden volgden haar en wilden haar besnuffelen; in sommige huizen was nog licht aan. Gelukkig was de tweeling Tarrida er die nacht ook niet, zo rustig en formeel met hun dodemansgezichten. Meestal zeiden ze niets, keken haar alleen maar na. Een meisje in een lichtgroene jurk en met een rond gezicht probeerde een deur te openen met een sleutel die groter was dan haar hand, maar het lukte haar niet. En toen Nonnita langskwam, glimlachte ze naar haar.

Maar dat was niet genoeg om Nonnita Serrallac met piekeren te doen ophouden: ze had de vader van haar kind niet gevonden en had bovendien zojuist, tot haar eigen woede, gemerkt dat ze stuk zat. Dat ze er helemaal genoeg van had.

9

Er werd op de kamerdeur geklopt en door de manier waarop wist Miquela Gambús al wie het was. Ze gaf permissie en de kleine, kromme gestalte van haar oude dienster verscheen: "Mevrouw Miquela, beneden aan de deur staat een soldaat. Hij heeft een brief voor u bij zich."

Miquela Gambús keek op de klok. Er waren twintig minuten verstreken. Ze was in slaap gevallen. De laatste tijd sliep ze 's nachts weinig en deed ze overdag op elk willekeurig moment een dutje. Ze was altijd een vrouw geweest die overliep van energie, maar nu ze oud was, hing het er helemaal van af hoe ze opstond. En aangezien alleen zijzelf er een idee van had hoe ze was opgestaan, wisten haar bedienden, haar zoon of haar vrienden van tevoren nooit wat hun te wachten stond. Ze was meestal vrij stuurs. En zelfs als ze sentimenteel werd, was ze dat op een stuurse, weinig affectieve manier.

De dienster leek behoorlijk van slag, wat mevrouw Gambús aan louter beleefdheid toeschreef. "De soldaat zegt dat het ministerie van Buitenlandse Zaken hem stuurt!"

Hoewel er bij de familie Gambús niet elke dag over een ministerie werd gesproken, was het ook weer niet uitzonderlijk.

"Heel goed, bedankt, geef hem een fooi, geef het couvert terug en zeg dat het een vergissing is ..."

"Maar uw naam staat op de envelop en ..."

"Carmetta, we kennen elkaar al zo lang, en je weet nóg niet wat je taak is? Jouw taak is gehoorzamen en zwijgen."

"Ja, mevrouw."

En ze ging diep beledigd weg. Dat was wel het minste wat ze zich kon permitteren. Mevrouw Miquela zou haar niet ontslaan en zij zou nooit weggaan.

Aan haar kaptafel bevochtigde Miquela Gambús haar gezicht om een beetje wakker te worden. Ze hoefde de brief niet te lezen om de inhoud ervan te kennen: gouverneur Ossorio wilde haar laten weten dat hij haar feest zou bijwonen, perfect ... Welnu, dat de arme man zo met zichzelf was ingenomen dat hij een envelop liet rondgaan waarin precies stond waar hij op een vastgestelde dag op een vastgesteld uur zou zijn, zei veel over het karakter van een bepaalde politieke klasse. Zo stierven vele functionarissen op een stupide manier. Ze wilde dat er nog lang over haar werd gesproken vanwege het welslagen van haar feest, ze wilde niet een nieuwsberichtje zijn omdat een anarchistische gek op háár stoep de gouverneur van Barcelona een kogel door diens kop had gejaagd. Door zíjn schuld moest de datum van het feest nu worden verzet en kon de hele kermis weer van voren af aan beginnen. Het maakte niet uit. Ze was gewend aan de spanning die inherent is aan grote gebeurtenissen en daarom wist ze dat als het aan haar lag alles goed zou aflopen; ze moest slechts op haar qui-vive blijven.

Ze maakte zich alleen een beetje zorgen over de weinig standvastige houding van Deogràcies-Miquel ... Jammer genoeg ebde het knagende onbehagen over haar zoon dat al een tijdje door haar hoofd maalde maar niet weg. Demi had noch de doortastendheid noch de energie van zijn grootvader, zijn overgrootvader of zelfs maar van haarzelf. Hij was intelligenter, maar juist in dit vak stond intelligentie niet garant voor succes. De stad had hem week gemaakt. Daarom had ze hem een proeve van bekwaamheid willen opleggen, een soort examen, met de gefundeerde hoop dat hij met vlag en wimpel zou slagen: haar zoon was een Gambús ten voeten uit; dat had hij voldoende bewezen. Maar dat wist alleen zij: zelfs nu nog, negen lange jaren na hun komst naar Barcelona, amuseerde hij zich prima, terwijl hij rond zijn persoon een waas van geheimzinnigheid in stand hield.

De Gambús waren niet naar Barcelona gekomen om fortuin te maken. Nee. Helemaal tegengesteld aan wat in die tijd normaal was, gingen ze er niet heen om in hun levensonderhoud te voorzien, maar om het leven uit te dagen of, zoals de bazin het uitdrukte, "dat het leven ons maar voor zich wint".

Deze vorm van dikdoenerij was de familie Gambús eigen. Het had zelfs de vader van de bazin zelf, die om voor de hand liggende redenen 'de Rijke Stinkerd' werd genoemd, uiteindelijk zijn leven gekost. En ze had door hetzelfde familietrekje de vernedering moeten ondergaan om naar aanleiding van de begrafenis van haar vader in een geschil met het bisdom het onderspit te delven. Het was eind 1899 en matriarch Miquela was een ondernemende, rusteloze vrouw. En met haar 53 jaar voelde ze zich nog ijzersterk. Er was een strategische terugtrekking nodig. De dag nadat ze haar vader had begraven, stond ze midden onder het eten op en kondigde aan: "Iedereen naar Barcelona."

De zin was weinig duidelijk, daarover hoeven we onszelf niets wijs te maken. Hij kon van alles betekenen. Daarom vielen de disgenoten helemaal stil. Deogràcies-Miquel, haar enige kind, was er, een tante van 89 jaar, de gevolmachtigde van de belangrijkste ondernemingen van de familie en pater Jeroni, de dorpspastoor. De stilte hield even aan. Iedereen wachtte tot het hoofd van de familie in een verdere toelichting de bepalingen van haar vonnis uiteen zou zetten. Deogràcies-Miquel had zijn mond wel open- maar nog niet weer dichtgedaan, de oude tante had zichzelf verschanst achter een simpele glimlach-tussen-ja-en-nee-in, de gevolmachtigde bleef naar zijn bord kijken en de pater besloot te hoesten alsof er een kippenbotje in zijn verkeerde keelgat was geschoten. Eindelijk herhaalde mevrouw Miquela: "Alles en iedereen naar Barcelona."

En ze belde. Het oude, vertrouwde hoofd van de huishouding, dat Carmeta heette, verscheen en ze zei tegen haar: "Carmeta, ik wil dat al het personeel over een halfuur in de bibliotheek is. Iedereen. We gaan naar Barcelona en ik wil weten wie er met me meegaat. Vooruit!"

Carmeta ging er in vliegende haast vandoor en toen ze weer alleen waren, legde het hoofd van de familie uit dat in Alcagaire alles al gedaan was, dat ze zich gezond van lijf en leden voelde, dat een politieke carrière haar niet trok, dat grootvader Gambús net gestorven was en dat in Barcelona nieuwe verten lonkten.

Niemand begreep haar ook maar in het minst, behalve de jonge Demi, die haar optreden op de juiste manier interpreteerde: zijn moeder had afstand, tijd en rust nodig om haar wraak uit te werken. De dood van haar vader en vooral de vernedering van de begrafenis zouden niet onbestraft blijven. Hij glimlachte en liep de kamer uit. Hij kende zijn moeder; ze zou de nederlaag niet zomaar accepteren. Die vlucht was niet meer dan de eerste stap in haar wraakstrategie.

De familie Gambús was praktisch ingesteld; wat telde was het eindresultaat. Daarom had ze al lang geleden geleerd dat het soms nodig was een belediging te slikken. Het was de enige manier waarop zelfs het allernederigste schepsel zich op de machtigsten kon wreken. Maar het leed geen twijfel dat de wraak van bazin Miquela zou komen. Het kon een jaar duren, tien of honderd, maar het zou ervan komen. Ze had het altijd iets stoms van lafbekken gevonden dat wraak een gerecht was dat je koud moest eten. Integendeel, je moest ervan genieten, of het nu koud of warm was. Je moest het goede moment afwachten, lang of kort. En dan onverbiddelijk toeslaan. Haar antwoord overviel haar vijanden plotseling, hard en afdoende, zonder dat ze wisten hoe of wat.

Ze sprak met de pater af dat hij voor haar tante zou zorgen. Meteen erna wees ze de gevolmachtigde aan en zette uiteen: "U komt niet mee. U blijft hier in Alcagaire. Ik blijf burgemeester, ook al woon ik in Barcelona. Maar ik wil er niets mee van doen hebben: ik benoem u tot locoburgemeester. U draagt zorg voor het dorp en voor de familiebezittingen ... Eens per maand brengt u aan mij verslag uit."

"Tot uw dienst, *donya* Miquela."

Ze zou haar zoon naar Barcelona meenemen. Hij was als zij, als haar vader, als de vader van haar vader. Hij bezat bijna alle slechte eigenschappen die een willekeurige sterveling normaliter tot het eeuwig vuur veroordelen, maar die in die familie als onmisbare deugden werden beschouwd. De vrouw was erachter gekomen toen ze hem, hij was op dat moment nog maar een jongen, bij zich had geroepen en hem had gezegd: "Demi, je zult weldra een man zijn. Het is tijd om je uit te leggen in wat voor familie je bent geboren, mocht je dat nog niet doorhebben. Je bent mijn enige kind, maar toch wil ik je de kans geven om na te denken over wat je met je leven wil doen ... En luister nu goed naar me: heb je gemerkt dat we in het dorp en in de streek veel te vertellen hebben?"

"Ja, moeder."

“Je hebt gemerkt dat we heel rijk zijn, ook al hebben we geen grote fabrieken, ook al zijn we geen grootbankiers of grote kooplieden?”

“Ja, moeder.”

“Nou goed, om kort te gaan: dat is te verklaren uit het feit dat de familie Gambús bestaat uit wat de samenleving omschrijft als misdadigers.”

Hier stopte ze even om te kijken hoe de jonge Demi reageerde. De jongen had nog geen spier vertrokken. De vrouw, die stond te kijken van de passiviteit van haar zoon, schraapte haar keel en liet aan duidelijkheid niets te wensen over: “We zijn een familie van dieven. Wat vind je daarvan?”

De jongen bleef onaangedaan, keek haar op zijn beurt aan en wierp tegen: “Dat is niet helemaal correct.”

“Wat bedoel je?”

“Wat u zegt, klopt niet. We zijn misdadigers, maar geen gewone dieven, moeder. We zijn piraten. Uit het binnenland, maar toch piraten. We zouden dieven kunnen zijn, bijna zonder ook maar één stap te verzetten. Maar nee, als het nodig was, heeft de familie zich soms heel ver verplaatst om een goede slag te slaan. Zelfs over zee, als echte piraten. En we hebben, als het nodig was, met geweld de belangen geschaad van particulieren en van de staat. En we hebben zelfs meer dan eens belangrijke handelsroutes in gevaar gebracht, te land en ter zee. We zijn piraten van het vasteland: ons dorp is een onneembaar roversnest waar niemand binnen durft te komen ... En aangezien we soms zijn opgetreden met toestemming van de staat zelf, zijn we ook kapers geweest ...”

Bazin Miquela had paf gestaan. Waar had haar zoon zo leren praten? Hij leek wel een procureur. Hij ging serieus en tegelijkertijd onverstoorbaar door: “Niemand zou het ooit wagen ons voor eenvoudige struikrovers te houden.”

“Je hebt gelijk”, zei ze geëmotioneerd. “Struikrovers zijn losbollen, vlerken. Wij zijn een familie, wij hebben onze zaakjes op orde ...”

En ze zei niets meer omdat haar ogen zich van trots met tranen vulden. Ze legde haar hand op zijn schouder, kreunde als het ware en rende weg. Grootvader Gambús, die haar in een van de gangen tegenkwam, schrok zo dat hij de dokter liet komen: niemand had bazin Miquela ooit zien huilen. Hij pakte zijn kleinzoon bij diens oor beet: “Wat heb je met je moeder gedaan?”

“Niets grootvader, vraagt u haar maar.”

“Ik help het je hopen, snotneus. Want ik doe als de beren. Weet je wat beren doen?”

“Nee ...”

“Die eten hun jongen op!” bulderde hij.

“Ik heb niets gedaan, grootvader!”

“Dat bepaal ik wel. Nu moet je het vooral tegen niemand zeggen. We zijn er niet bij gebaat als de mensen weten dat je moeder huilt.”

Eind 1899 besloot ze het dorp te verlaten en zoals gezegd naar Barcelona te gaan. Dat was op tweede kerstdag. Ze vierden oud op nieuw en eer de januarimaand van 1900 voorbij was, hadden zij en haar gevolg zich in een paleisje aan de Plaça de la Mercè genesteld. Handje contantje betaald met zilvergeld dat uit een volle schatkist kwam. Ook net als bij de piraten. Het was een vervallen kast van een huis van een berooide edelman. Het telde een eigen ingang voor koetsen en auto’s, een garage en twee verdiepingen waar, buiten de vertrekken van de vrouw en heer des huizes en die van het dienstpersoneel, een eetkamer met een mooi versierd plafond in het oog sprong en een spiegelzaal, die geschikt was om koffie te drinken, groepsgewijs een rozenhoedje te bidden of een groot carnavalsbal te houden.

In het begin dachten heel wat mensen dat de Gambús een rijke familie waren die uit Amerika of de Filippijnen waren teruggekeerd. Maar toen ze zagen met welk respect hooggeplaatste persoonlijkheden van rijk, provincie en gemeente Miquela Gambús behandelden, vermoedden ze al heel snel dat die nieuwkomers niet zomaar steenrijke oud-kolonialen waren. Ze waren veel meer dan dat, maar het probleem was dat niemand precies wist wat dan wel. Koud vijf maanden nadat de familie zich er had gevestigd, zag de fine fleur van de stad Barcelona met eigen ogen hoe de minister van Binnenlandse Zaken, de heer Eduardo Dato, Miquela tijdens een officieel bezoek aan Barcelona te midden van de rij persoonlijkheden die hem kwamen begroeten hartelijk omhelsde. Het was mei 1900 en het provocerende bezoek van Dato was tumultueus verlopen, omdat de extra lasten die de staat de Catalaanse handelaren en industriëlen had opgelegd om het verlies van de laatste Spaanse koloniën te compenseren nog vers in het geheugen lagen. De leden van de politieke beweging Centre Català hadden een fluitconcert georganiseerd dat bijna op een handgemeen met het leger was uitgelopen. Welnu, hoewel het helemaal indruiste tegen het oordeel van diens veiligheidsadviseurs, ging de minister tóch in huize Gambús souperen en bleef hij er tot in de vroege uurtjes sigaren roken, cognac drinken en verhalen uitwisselen met de vrouw des huizes. Dagen later, toen de rust begon weer te keren, werden vriend en vijand zich van één ding bewust: mevrouw Miquela Gambús, een steenrijke nieuwkomer, was de enige gastvrouw geweest van minister Dato, iets wat geen enkele van zijn meest trouwe volgelingen in Barcelona was gelukt.

Zowel Catalaanse nationalisten als monarchisten, conservatieven, radicalen, republikeinen en liberalen vroegen zich hetzelfde af. Wie was die vrouw? Ze was slechts het hoofd van het huis Gambús, eersterangs dieven, een dievengeslacht, spreekwoordelijk koelbloedig. Met een mate van lef die recht evenredig is aan de doelmatigheid van iedere operatie. Miquel Gambús I, Die van de koning, had op papier gezet: "De echte mate van verdienste van een dief moet worden beoordeeld op basis van het tijdstip en de plaats die zijn gekozen om het delict te begaan. De kunst om iemand midden in een straat vol mensen op klaarlichte dag te bestelen blijkt als de dief daarin slaagt zonder te worden gezien ..."

Vóór Miquela Gambús naar Barcelona kwam, was ze daar onder de leden van de politieke klasse al jarenlang bekend door haar reputatie op het gebied van de ontwikkeling van haar misdadige specialiteit: de manipulatie van verkiezingsuitslagen. Ze raakte eerst in heel Catalonië, daarna in heel Spanje en later weer in half Europa bekend als 'Pannenlikster'. Naar verluidt had op een dag een vertegenwoordiger van een gouverneur die op was van de zenuwen omdat ze de verkiezingen aan het verliezen waren, haar toegeschreeuwd: "We moeten winnen; als het nodig is pakken we de stembus en gooien die als een pan kapot." En zij had hem rustig geantwoord: "Dat nooit meneer. Van de pan blijven we af. Als het moet, likken we hem uit!"

En Miquela Gambús, Pannenlikster, had haar zaakjes goed voor elkaar. Ze bestudeerde elk geval apart en al naargelang de plaats paste ze dan weer de ene, dan weer de andere strategie toe. Ze omgaf zich met een vaste, trouwe kring van medewerkers. En altijd vertrouwde ze op de raadgevingen van haar vader en haar eigen gezonde verstand. Soms was de methode heel eenvoudig: het tot winnaar uitroepen van een kandidaat zonder dat er vooraf verkiezingen waren gehouden. Er moest alleen maar met ieder van de kandidaten worden onderhandeld om hen ervan te overtuigen dat ze zich uit de race moesten terugtrekken, tenminste bij die verkiezingen. Waren er drie? Dan waren er twee te veel. Waren er twee? Dan was er een te veel. Eerst stuurde ze een van haar mensen om onder vier ogen met de kandidaten te praten. De gebruikte methoden waren verschillend, maar de meest gehanteerde was het zeer oude, doeltreffende omkopen (aan de andere kant goedkoper dan een verkiezingscampagne financieren). Als dat niet hielp, ging bazin Miquela hoogstpersoonlijk. Op-en-top koelbloedig beredeneerde ze met de betrokkene de grote voordelen die haar voorstel volgens haar had. Het was alleen nodig erover te praten, redelijk te zijn, tot overeenstemming te komen; ze was altijd bereid om haar opvatting te wijzigen. Ze dreigde nooit. Ze was nooit boos of geïrriteerd. Ze nam nooit iets persoonlijk op, maar maakte haar bedoelingen altijd duidelijk. Op een niet mis te verstane wijze. Als dat alles mislukte, legde ze ten slotte uit dat ze haar klant had beloofd dat hij zou worden gekozen. En dat het haar speet, maar dat de familie Gambús altijd haar beloften nakwam. Meteen zette ze zich ertoe uit te zoeken hoe ze de rivalen kon uitschakelen door wat ze 'het noodlot' noemde (chantage, iemand de stuipen op het lijf jagen, dreigementen en, zeer zelden, heel legale sterfgevallen ...).

Het eindresultaat was altijd hetzelfde: de gewenste kandidaat had de zekerheid 'verkozen' te worden. Altijd met de wet aan zijn kant: hij was de enige kandidaat en werd automatisch tot winnaar uitgeroepen.

De weerklank van de doeltreffendheid van bazin Miquela, Pannenlikster, ging de grenzen over en ze kwamen zelfs haar hulp inroepen vanuit het Franse departement Pyrénées-Orientales en vanuit het verre Sicilië, waar ze haar ervaring met een Siciliaanse collega kon delen. Als er een potentiële klant naar het voorvaderlijk huis in Alcagaire kwam om van haar diensten gebruik te maken, nam bazin Gambús hem trots mee voor een bezoek aan de Barri de les Ànimes: vanaf de berg die Alcagaire domineerde, naast het kasteel, waren straten te zien, huizen, pleinen, fonteinen, een boerderij, een kruidenierswinkel, zelfs een kleine parochiekerk met een eigen kerkhof ... Aangeharkt, schoon, opgepoetst, met bloemen in de vensters en op de balkons ... De Barri de les Ànimes was van alles voorzien ... behalve van mensen. De buurt was leeg. Dit was het geniaalste idee van Miquela, Pannenlikster, Gambús. Niet heel erg origineel, maar wel geniaal.

"Ziet u iemand?" vroeg ze onschuldig aan de toekomstige cliënt, die van de wijs was geraakt.

"Niemand."

"Nou, het zit er anders vol, mijn waarde. Het zit er stampvol."

De toon van Miquela Gambús nodigde niet uit om een grapje te maken; haar gesprekspartners bleven dus wachten om haar juist te interpreteren, terwijl ze vervolgde: "Er zijn complete boerenfamilies, er zijn de arbeiders van een kleine papierfabriek; er zijn politieagenten, er is een doodgraver, een arts, een priester, een herder, een gepensioneerde militair, een beestenhandelaar, twee afgestudeerden, een bevoegd landbouwkundig ingenieur ... In totaal staan er 899 personen geregistreerd."

De gast begreep er niets van. Dan riep ze haar secretaris bij zich, wees op hem en zei: "Deze persoon beschikt over het actuele bevolkingsregister; we reviseren het zo nu en dan. Het bestaat al eenentwintig jaar. De eerste mannelijke baby's zullen binnenkort hun oproep voor militaire dienst krijgen ..."

Ineens viel het muntje bij de gast, hij opende zijn ogen wagenwijd, zei "bij de Heilige Maagd" en sloeg met de vlakke hand tegen zijn voorhoofd: "Het is als een broeikas: je plant er mensen, verzint er levens bij en als je ze nodig hebt, maak je er gebruik van."

"Precies. Iedere inwoner van Les Ànimes heeft zijn eigen biografie die we, zoals ik u heb verteld, elke zes maanden nauwgezet herzien. Ik kan ze gebruiken als stemvee, stromannen, schuldigen ..."

"Wat bedoelt u?"

"Heel simpel. Wordt bijvoorbeeld een van ons van een misdrijf beschuldigd, dan neemt een inwoner van Les Ànimes de schuld op zich. Hij wordt veroordeeld en al naargelang het misdrijf 'zit hij zijn straf uit' in de dorpsgevangenis. O, en mocht het echt nodig zijn, dan ruimt de politie hem uit de weg als hij probeert te ontsnappen ... Een rechter die niet aan onze kant staat, komt nooit iets te weten."

"Buitengewoon."

"Erg vriendelijk. Soms laat ik een fictieve vrouw trouwen met een knaap die echt bestaat. Of andersom. Het is een soort sociale dienstverlening, waarvoor ze loon ontvangen. Als ik er belang bij heb, laat ik de vrouw of man sterven. We begraven hen op hun kerkhof en we zijn tevreden. Alle fictieve persoonlijkheden zijn de dubbelganger van een van de mensen in het dorp. Iedereen doet mee. Hebben ze ergens vijftien mensen nodig voor de volgende verkiezingen? Ze huren me in, we nemen ze in het bevolkingsregister op en klaar is Kees. Als er gestemd moet worden, is er geen vuiltje aan de lucht."

Ze vervolgden hun wandeling door de verlaten wijk vol schimmen, tot het tijd was voor het avondeten. Het waren andere tijden. Bazin Miquela dacht er vaak aan terug. Toen ze Alcagaire verliet, had ze hen allemaal 'vermoord'. Als iemand in de nabije of verre toekomst, wanneer de Gambús-dynastie van de aardbodem was verdwenen, een kijkje nam in het bevolkingsregister van de gemeente, zou hij zien dat het inwonertal in één klap met bijna duizend personen was afgenomen. Alsof een apocalyptische natuurramp een hele wijk had weggevaagd. Op een bepaalde manier was Miquela, Pannenlikster, Gambús God. En daar wende ze aan. Daarom werd ze bijna gek van woede toen ze de bisschop en iedereen die haar en haar vader had vernederd niet op dezelfde manier kon neerbliksemen.

Bazin Miquela ging naar Barcelona en haar bijnaam Pannenlikster raakte in vergetelheid. Ze leefde nu teruggetrokken en ging alleen uit om aan de onvermijdelijke sociale verplichtingen te voldoen. Ze lette erop iedereen te ontvangen die erom vroeg. Ze had net 3500 peseta bijgedragen voor de Romereis van vijf meisjes van de Acadèmia de la Joventut Catòlica die er de heiligverklaring van Josep Oriol wilden bijwonen, ze schonk regelmatig geld aan het ziekenhuis voor arme kinderen van dokter Vidal Solares en stond op het punt het Rode Kruis een donatie te geven ten behoeve van de aardbevingsslachtoffers op Sicilië en in Calabrië ... Ze kon het beste doorgaan voor een liefdadige dame. Aan de andere kant beheerde ze met overleg de immense hoeveelheid geld die ze had opgepot. Alleen zo nu en dan gaf ze aan kleine opwellingen toe. Pasgeleden bijvoorbeeld had ze de jonge cellist Antonio Sala ontboden om voor haar een recital te geven. Exclusief voor haar, haar zoon en, staande achterin, haar bedienden. De musicus moest om tien uur in de Cercle de Liceu een intiem concert geven. De volgende dag zou hij naar Parijs vertrekken om er zijn opleiding af te ronden. Maar klokslag zes uur speelde hij voor Miquela Gambús de *Sonata* van Locatelli, het *Concert opus 140* van Dvorák, de *Nocturne* van Chopin en de *Hongaarse Rhapsodie* van Popper. En dat in de meest strikte anonimiteit. Anders had het nog meer de aandacht getrokken.

Ze was nu meer dan negen jaar in Barcelona en haar hart gaf haar in dat het uur der wrake naderde. En als het kwam, zou ze zich op een buitensporige manier wreken. Want de ervaring had haar geleerd dat iemand vermoorden het maximaal haalbare was dat je hem kon aandoen. Maar ongelukkigerwijs had ze het gevoel dat dit niet genoeg was. Daarom vond ze het leven soms maar onrechtvaardig. Vandaar haar zwartgalligheid.

Haar enige hoop was dat de hel niet bestond.

10

De gebroeders Soriano stonden bij de deur van hun theater in gezelschap van een zwaarlijvige, behoedzame man van begin veertig. Hij heette Jordi Planas en was bankier. Hij droeg een dikke overjas met bontkraag die al niet meer bij de tijd van het jaar paste en had een dure bolhoed op. Hij had lichte ogen, kastanjebruin haar en een volle baard en droeg in het knoopsgat van de revers van zijn jas een kunstig bewerkt verzilverd insigne van de Banc Hispano-Colonial. Alles welbeschouwd zag hij eruit als een patriciër, wat zeer goed paste bij de taak die hem naar de Paralelo had gebracht: bepalen of zijn instelling de zaal krediet zou verlenen.

"Zoals u kunt zien zijn de prijzen laag, zodat de arbeiders- en middenklasse deze topattracties van wereldfaam kunnen zien", bracht Ricardo Soriano te berde.

"Topattracties van wereldfaam?"

"Eersteklas artiesten, meneer Planas, die huns gelijke niet kennen in welke gelegenheid aan de Paralelo dán ook", droeg Manuel Soriano zijn steentje bij.

"Maar brengt het wat op? Ik ben hier om het risico te bepalen dat uw bedrijf inhoudt."

"Risico? Geen enkel!" riepen beide broers tegelijk uit. "Het is beter dan de beste beursbelegging."

"Als ik me niet vergis, verkoopt u kaartjes voor tien en dertig cent. Als je dat vermenigvuldigt met de capaciteit en rekening houdt met de onkosten die dit type gelegenheid met zich meebrengt ..."

"Ik weet al waar u heen wilt, u hebt helemaal gelijk, maar we hebben goed nieuws. We hebben besloten de prijs van de eerste rijen te verhogen. Let u op: van de eerste tot en met de vijfde rij twee peseta's. De rijen zes en zeven een peseta. De rijen acht, negen en tien een halve peseta, en van rij elf tot de achterste dertig cent. Het schellinkje tien cent. Wat vindt u ervan? Vermenigvuldigt u eens, vermenigvuldigt u ... Bovendien hebben we een abonnementensysteem ingevoerd, net als het Liceu ... En we hebben er al vijf verkocht aan heren van een aristocratische club in deze hoofdstad."

Meneer Planas begon te hoesten. Hij rookte te veel. Hij had last van zijn bronchiën. Als methodisch man draaide hij elke dag voor hij van huis ging zelf tien of twaalf sigaretten en bewaarde ze in zijn sigarettenkoker. Hij had longklachten, maar hij bleef gewoon roken. En het was logisch dat hij hoestte omdat het hartje winter was en hij net een sigaret had opgestoken. De gebroeders Soriano, die eerder klein en gedrongen waren, leken om hem heen te dansen en in het begin zeiden ze telkens 'gezondheid' als meneer Planas hoestte en hoewel hij niet geniest maar gehoest had, voelde hij zich verplicht om 'dank u wel' te zeggen. Daarom koesterde meneer Jordi Planas al een tijdje een zekere wrok. De vluchtige gestalte van een als markies geklede zigeuner die discreet uit een deuropening kwam en met enige haast wegliep in de richting van de Ronda Sant Pau, leidde hem af. 's Mans ringen en armbanden glinsterden. Hij trof de ogen van de gebroeders Soriano, die hoop uitstraalden: "De boeken staan tot uw beschikking. U weet wel dat ons theater wettig gezien niet meer is dan een bouwsel dat gelijkenis vertoont met het concept van een barak. Hoe het ook zij, we hebben een nieuw systeem van privaten neergezet, de moderne Water Closet, geïmporteerd uit Engeland. Bovendien biedt ons paviljoen zijn hooggeëerd publiek de meest comfortabele gelegenheid van Barcelona: kachels tegen de kou, verlichting niet met tien, niet met honderd, niet met vijfhonderd, maar met duizend gloeilampen van 25 watt, verschillende lampen van 150 watt en acht reflectoren van dertig ampère. En ook nog, als veiligheidsmaatregel voor het geval er brand uitbreekt, een eigen brandweerdienst van twee personen met materieel van de gemeente. We hebben behoorlijk geïnvesteerd. Daarom willen we het terrein graag kopen om voor eens en altijd een punt te zetten achter het voorlopig karakter."

Investering? Wat wisten die mensen van investeren? Een melancholische meneer Planas hoorde hen beleefd, maar vermoeid aan. Hij wist wél wat investeren was: hij was een van de belangrijkste muntverzamelaars van Barcelona ... Hij vroeg zich af hoe die twee marktkramers uit Salamanca in Barcelona terechtgekomen waren. Alsof de stad al niet genoeg schooiers telde. Hij kon maar niet snappen waarom de bank de mogelijkheid had overwogen om hun ook maar één cent krediet te geven. Het was wel zo dat de instelling sinds het verlies van de koloniën haar belangen naar de industriële sector aan het verleggen was. Maar wat was dit voor industrie? Hij liet zijn ogen gaan over het affiche bij de ingang dat het 'hooggeëerde publiek' vele doden, geweersalvo's, uitbarstende vulkanen, dramatische schipbreuken beloofde en zelfs de aanwezigheid van 'een wild wezen dat in het oerwoud van de Amazone was gevonden'. Wie kon dat geloven? Dat was vermaak voor luie studenten, afgestompte arbeiders, soldaten met weinig hersens, verdorven mensen ... 'Uitbarstende vulkanen' ... Mijn God! Een attractief meisje met mahoniekleurig haar keek hem aan en glimlachte. Ze had een kop koffie met melk in haar handen, met een dekseltje erop, zodat hij niet koud zou worden.

"Wij stellen u juffrouw Nonnita Serrallac voor, onze topactrice", zei een van de broers.

"Aangenaam, juffrouw."

Bij wijze van groet glimlachte het meisje hem weer toe, knikte met haar hoofd en ging het theater binnen. Meneer Planas bekeek haar. Jaren geleden was hij naar de Paralelo gekomen om er een min voor zijn zoon te zoeken. De zoogsters van de Poble Sec waren beroemd. Het waren vaak vrouwen uit Murcia of Aragón. Als het geen minnen waren, kon daar niets goeds vandaan komen. Híj kwam uit Sant Andreu, maar woonde in de Carrer Mallorca. Pasgeleden waren ze in zijn stuk straat, tussen de Passeig de Gràcia en de Rambla Catalunya, met de aanleg van elektrische verlichting begonnen. Het was de eerste elektrische verlichting in Barcelona waarvoor de bewoners de opdracht hadden gegeven en die ze zelf betaalden. En hij was er trots op. Dat was het Barcelona van de toekomst. De Eixample. En het gebied van de Reforma, die zijn bank mee financierde ... Niet die barakken.

De broers bleven maar doorkletsen en hij bleef maar net doen alsof hij luisterde. Hij kon het niet geloven: voor zijn ogen passeerde een paarse kar met gouden sierranden die door een soort dikke, glimlachende, simpele ziel werd gemend. Een simpele ziel die hém groette? Hém? Ja, hij wenkte met een hand die twee keer zo groot was als de zijne! Hij wendde zijn blik naar de gebroeders Soriano en wees verbijsterd naar de wagenmenner. Trots legden ze hem uit: "Hij heet Eustaqui en werkt voor ons."

Meneer Planas had ineens het zuur en zonder dat hij wist waarom werd hem op dat precieze moment duidelijk wat hij met die lening moest doen.

Hij gooide zijn sigaret op de grond, nam in zeven haasten afscheid en struikelde over een jongeman die een pamflet aan de muur bevestigde. Hij had een weerbarstige pony die over zijn ogen viel. Als hij het beu was hem met zijn hand opzij te schuiven, blies hij hem omhoog. Het pamflet nodigde iedereen broederlijk uit voor de volkse picknick van Lerroux, 'keizer' van de Paralelo.

"Wilt u met ons gaan picknicken?" vroeg hij.

Bankier Planas, boos en met zijn schoen onder de lijm, hijgde en duwde hem opzij. Picknicken? Mijn God, deze ochtend was een soort nachtmerrie waaraan maar geen eind kwam.

In het theater dacht Nonnita Serrallac na. De gebroeders Soriano hadden zich in hun kantoor opgesloten, ontdaan en ontmoedigd omdat ze duidelijk hadden gezien wat het resultaat van hun kredietaanvraag zou zijn. Tomàs sliep. De pianist was er nog niet. De papegaai Trinitat kwam van achter uit de zaal aanzetten. Lopend, als altijd. Hij sloeg een beetje met de vleugels om boven op de piano te komen en haar te bekijken. In het bijzijn van Tomàs beging en zei hij alle stommiteiten van de wereld. Maar als hij in de gaten had dat er publiek was, speelde hij stommetje. En dat niet alleen, hij leerde ook doodliggen en aapte zo de toevallen van zijn baas na. Hij liet zich op de bodem van zijn kooi vallen en lag daar met zijn poten omhoog en met open ogen. Tomàs zei: "Trinitat, lig eens dood voor Nonnita." En de papegaai gaf geen krimp. Maar het meisje had hem nog niet haar rug toegekeerd of hij deed het. Hij bracht zijn leven in zijn kooi door, terwijl hij zonnebloempitten at en hele gesprekken met zichzelf voerde. Nu wachtte hij erop tot het meisje iets tegen hem zou zeggen. Maar ze keek niet eens naar hem en het dier liet zich teleurgesteld vallen en ging terug naar waar het vandaan kwam. Het was een diertje met veel eigendunk.

Ze zat helemaal alleen op de pianokruk en haar kop koffie met melk dampte boven op de klep van het toetsenbord. Ze legde het suikerklontje op haar lepeltje en doopte dat langzaam in de vloeistof. Soms liet ze het klontje vallen of stopte de suiker, die zich met koffie met melk had volgezogen, weer in haar mond, zoals nu. Ze hield ervan het klontje met haar tong tegen haar verhemelte plat te drukken en de smaak ervan ten volle te proeven.

Achterin, op de binnenplaats, hoorde ze Eustaqui die met kar en muilezel in de weer was. Hij en Tomàs Capdebrau waren onafscheidelijk geworden. Ze leidden allebei bijna hetzelfde leven. 's Morgens gingen ze er met de kar op uit om als voddenmannen door Barcelona te zwerven. 's Middags, 's avonds en 's nachts waren ze in dienst van het theater. Al naargelang de dag sliepen ze in de kar, in de gemeentelijke nachtopvang of bij Nonnita thuis. Eustaqui had de zorg voor Tomàs op zich genomen, wat het meisje van deze verantwoordelijkheid ontsloeg. Haar zwangerschap was al een beetje te zien. De gebroeders Soriano was het meteen opgevallen. Ze had het gemerkt aan de manier waarop ze met haar omgingen. Op dit moment zouden ze al wel aan het bedenken zijn wat ze ermee aan moesten ...

Daar in het halfdonker, naast een onmogelijk grote badkuip waarin een oude zeehond knikkebolde, bedacht Nonnita, terwijl ze met een lepeltje doordrenkte suiker aan de piano zat, dat als ze niets ondernam het jongetje of meisje dat ze droeg net zo ongelukkig zou worden als zijzelf. Dat moest wel zijn stempel drukken: hij of zij zou weinig gezond geboren worden, zou op de wereld komen met een geestelijke armoede die al niet meer recht te zetten viel. Hij of zij zou zich door het leven moeten slaan. Zijzelf, Nonnita Serrallac, kon hem of haar daar ter plekke een heel saaie toekomst voorspellen. De rillingen liepen haar over de rug bij de gedachte dat wat in haar buik groeide, wat het ook was, maar zeer gewoontjes zou zijn, zonder kraak of smaak, waardeloos.

Ze hield het half verfrommelde visitekaartje in haar hand dat Deogràcies-Miquel Gambús haar twee maanden eerder had gegeven. Het vernederde haar diep, maar ze kon het niet uit haar hoofd zetten. Misschien was het de enige oplossing: haar trots inslikken, ook al was het de laatste keer. Ook al was dat het laatste wat ze deed. Ze keek naar de grote klok in de zaal: het was nog vroeg. Vlak voor de avondvoorstelling had ze tijd.

Ze kwam plotseling overeind, schoot haar jas aan en ging de straat op. De zon scheen en nodigde uit tot wandelen. Ze deed er een kwartier over naar de Rambla en vijf minuten later stond ze voor de voordeur van de familie Gambús.

Het dienstmeisje haalde haar neus op, kwam dichterbij en vroeg haar of meneer haar verwachtte. Ze zei van niet, maar overhandigde haar het kaartje. Het meisje vroeg haar even te wachten. Ze deed de deur voor haar neus dicht en ging weg. Na vijf minuten ging de deur weer open en verscheen hij in hoogsteigen persoon, slanker dan een paar maanden geleden. Het duurde even voor hij haar herkende, hij glimlachte, stak zijn hand uit en zei haar dat het hem speet dat ze haar op straat hadden laten staan. Ook hij haalde zijn neus op. Waarom haalden ze hun neus op? Ze snoof onopvallend: ze had niet gemerkt dat ze als een kampvuur rook, naar verbrand hout, net als de zigeuners die op de braakliggende terreinen van de Paralelo verbleven. Als zij, Eustaqui en Tomàs hout hadden, stookten ze samen op de binnenplaats van het theater een vuurtje om zich te verwarmen, aangezien de gloednieuwe kachel in de zaal alleen aanging als er voorstellingen waren. Haar kleren stonken naar rook en maakten hierdoor een eerder armoedige dan vieze indruk. Hij daarentegen rook schoon, als pasgestreken lakens. Ze ging dat paleis binnen, liep achter hem aan de trap op, passeerde zalen, salons, gangen en galerijen. Aan het eind liet hij haar zijn kantoor binnengaan. Ze zag hoe Demi Gambús ernaar streefde om tussen hen beiden de meter afstand te bewaren die zijn werktafel breed was.

"Nonnita ... U hebt een heel grappige naam ... De laatste keer dat we elkaar zagen, hebben we afgesproken dat u me niet zou doen denken aan die onaangename gebeurtenis van negen jaar geleden en dat u me ook geen geld zou vragen ... Denkt u daar nog steeds zo over?"

"Ja en nee. Alleen al mijn aanwezigheid doet u eraan denken, zelfs al doe ik mijn mond niet open. En aan de andere kant zijn er dingen die niet in geld zijn uit te drukken ..."

"Heel goed, ik ben blij u dat te horen zeggen. Ik heb u mijn kaartje gegeven. Ik heb u beloofd dat ik naar u zou luisteren als u me zou opzoeken. Wat wilt u?"

Nonnita Serrallac was een beetje van slag. Die houding gooide al haar plannen in de war. Ze had verwacht de agressieve, onaangename man van afgelopen keer te ontmoeten en ze ontmoette daarentegen iemand die aardig was en bereid om te luisteren. Hij zette de situatie naar zijn hand. Ze rook bovendien als een armoedzaaier. Ze voelde zich al minder en minder worden en zelfs de herinnering aan haar missie kon haar er bijna niet toe brengen haar ogen op te slaan om hem aan te kijken, niet in staat de schaamte te overwinnen, dat ze als een aan lagerwal geraakt iemand met hem een onderhoud had.

Ze kon niet eens doen of ze gelukkig was, toen ze hem de boodschap meedeelde: "Ik ben zwanger."

Ze zag duidelijk hoe de uitdrukking op het gezicht van haar gesprekspartner veranderde.

"Waarom vertelt u me dat?"

"Om ..."

"U bent zwanger en ik stond op een goede ochtend op en merkte dat ik haar op mijn oren had."

Haar mond viel open. Ze geloofde haar oren niet.

"Ik heb u net verteld dat ik zwanger ben ..."

"Jawel. En u, juffrouw, hebt u mij wel gehoord?" Ineens begon hij haar te tutoyeren en zijn stem te verheffen: "Maak er maar geen grapje over, ik heb nooit haren op mijn oren gehad. Hoe kan het dat ik ze op mijn dertigste voor het eerst krijg? Wat vind je ervan?"

"Misschien kijkt u te vaak in de spiegel ..."

"Wat een gotspe ... Je zegt dat je zwanger bent en ik zeg dat ik ineens haren op mijn oren heb! Het zijn twee problemen, ieder heeft het zijne, met het verschil dat ik mijn haren met een pincet kan uitrukken, als ik wil. Ik kan zelfs iemand laten komen die dat voor me doet. Jouw probleem interesseert me volstrekt niet en is een beetje moeilijker op te lossen. Maar het lijkt erop; die dingen kan je uitrukken, net als haren op je oren."

Ze werd gek van die vent. Als hij zo zakendeed vond ze het niet gek dat hij succes had. Van de ene naar de andere kant, als een kat die met een muis speelt.

"Ik wil niets uitrukken."

Nonnita Serrallac was uitgeput, de woorden wilden maar niet komen.

"Je bent zwanger, wilt het kind houden; heel goed, nou dan, proficiat. Je bent vast niet gekomen om me te vragen peetoom te worden?"

Nonnita liet haar hoofd nog meer zakken. Ze wilde niet huilen waar hij bij was. Net zo plotseling als hij begonnen was haar te tutoyeren, hield Demi Gambús daarmee op: "Kijkt u eens, vandaag ben ik in een erg slechte bui. Morgen moet ik een belangrijke beslissing nemen en ik voel me niet positief, groothartig of liefdadig. Ik zal eerlijk tegen u zijn, ik heb u toen mijn visitekaartje gegeven omdat u een beetje de morbiditeit van die nacht in me wakker riep. Maar dat was twee maanden geleden, niet nu. En ik waarschuwde u al: ik peins er niet over u geld te geven. Ik ben allesbehalve trots op wat ik u negen jaar geleden heb aangedaan, maar ik vind niet dat ik bij u in het krijt sta, begrepen?"

"Helpt u me ..."

"Ik weet niet hoe ik u kan helpen. Praat u met mijn secretaris, misschien kan hij u werk geven. Kunt u iets, behalve naakt zwemmen met een zeehond? Het is om het even, zeg het me maar niet."

Hij krabbelde iets op een papiertje, gaf het haar en zei zonder een spoortje ironie: "Het was me aangenaam, maar ik hoop u niet weer te zien ... Geeft u dit briefje aan de huishoudster als u weggaat. Ze zal zeker het een of ander voor u vinden. En vanaf nu doet u met haar zaken ... Goedendag. En veel sterkte."

Nonnita Serrallac stond zonder overtuiging op, een spiegel weerkaatste het beeld van een ouwelijk kind.

Ze dacht: ik heb hem niet kunnen vermurwen omdat hij waarschijnlijk heeft besloten dat ik kreeg wat ik verdien, dat ik een pechvogel ben. Precies zo. Zomaar.

Vanaf de trap hoorde ze Gambús het dienstmeisje opdragen ramen en balkondeuren te openen om het kantoor te luchten.

De moed was haar in de schoenen gezonken. Maar vreemd genoeg voelde ze zich niet vernederd. En ze begreep niet waarom niet. Het briefje van Gambús gaf ze aan niemand.

Werktuigelijk werkte ze de twee dagelijkse voorstellingen af. En hoe meer tijd er voorbijging, hoe meer ze weer bij haar positieven kwam. Ook weer zonder te weten waarom. Haar hart zei haar dat de oplossing van haar problemen via Demi Gambús liep. En gaan praten met het hoofd van de huishouding zodat die haar werk als dienstmeisje zou geven, was het zeker niet.

De oplossing deed haar die nacht Joana uit de Carreró de l'Infern aan de hand, die Klotilde werd genoemd.

Als Nonnita naar huis terugkeert, hoort ze het geruis van takken in een tuin en kattengejammer dat niet wordt beantwoord. Ze kijkt op en er is geen tuin of kat te zien. Maar wel Klotilde, die zich bij een gedoofd kampvuur warmt. Het meisje herkent Nonnita meteen, hoewel ze nauwelijks met elkaar omgingen toen ze nog leefde. Ze herinnert zich Nonnita's optreden in de Gran Salón Doré, toen ze haar gratis binnenlieten. En gratis wil zeggen zonder te betalen en ook niets in ruil te geven. Ze zat op de eerste rij en masseerde haar voeten omdat de nacht slapjes was en ze meer liep dan werkte. Toen was Nonnita gelegenheidsassistente van monsieur Harmant, 'beroemd rekenaar, de enige rivaal van de niet minder beroemde Inaudi'. Toen de voorstelling was afgelopen, praatten ze wat na en vond Nonnita het goed dat ze bij hen bleef. Ze deelden zelfs het bord eten met haar dat de Gran Salón Doré de artiesten als deel van hun traktement uitreikte. Het had verder weinig om het lijf, maar Klotilde vatte het op als een vriendschappelijk gebaar van Nonnita ten opzichte van haar. En aangezien dat soort gebaren maar zelden voorkwam, was ze haar erg dankbaar. En nu, gezeten op deze kist bij een kampvuur dat geen vuur is, ziet Klotilde er zo jong en zo knap uit, en Nonnita heeft haar nog maar zo kort geleden gezien, dat ze niet zou zeggen dat het meisje nu dood is. Nonnita vraagt wanneer ze is gestorven en het hoertje antwoordt met een glimlach: "Een paar maanden geleden, met kerst." En hoewel ze jong en knap is, is ze nu dood en daarom gaat ze haar eigen gang, zoals allen van haar stiel, en ze legt uit dat ze haar voet had bezeerd en met haar kreupele been van hot naar her liep, uitgehongerd en zonder werk, want mannen doen het niet graag met stinkende hinkepoten. Dat ze uiteindelijk met regelrechte malloten had gevochten om als eerste keukenafval van restaurants te mogen doorzoeken. Joana zei: "De politie betrapte me een keer, toen ik met een volle zak op mijn rug uit een parochiekerk in de Barceloneta kwam. Ik had me er 's avonds verstopt.

's Nachts heb ik het deurtje van het tabernakel opengebroken. Ik stopte een miskelk en twee zilveren hostiekelken in mijn zak, nadat ik de hosties had opgegeten en de wijn had opgedronken: echt een feestmaal. De agenten dwongen me de kelken aan de paters terug te geven en vergeving te vragen. Daarna namen ze me mee naar het strand ..." "U hoeft niet verder te vertellen." Nonnita kan zich wel voorstellen wat er met deze schoonheid van achttien jaar is gebeurd, wier lijf net zo mooi is als haar hoofd leeg. Ze zegt: "Ze haalden van alles met me uit en toen ze klaar waren, gaven ze me een flink pak rammel, zodat ik er niet terug zou gaan." Ze zegt: "Ze lieten me in het zand liggen. Ik was zo kwaad en alles deed zo'n pijn dat ik bijna zonder het te merken de zee in ben gelopen en verdronk. Toen de politie me herkende, wilde de pastoor van de Sant-Miquelparochie, pater Maroto, me niet begraven omdat ik een hoer was, een heiligschenner, een dievegge van gewijde voorwerpen en een zelfmoordenares." En met haren die nog druipen van het zeewater heeft ze pas net weer Nonnita gezien en haar gevraagd om dichterbij te komen. Ze zegt: "Vissers hebben me uit zee gehaald en ik leefde nog. Ze hielden me op mijn kop om te zien of ik water zou uitspugen, maar het hielp niet. Ze lieten me als een klipvis hangen. De agenten, die wisten dat ik leefde, bestonden het zelfs om hun karwei nog eens dunnetjes over te doen ... Omdat alles zo snel ging, ben ik tenminste niet opgezwollen en blauw." En ze ziet Nonnita, die haar zorgen niet van zich af kan zetten. En wier ogen ineens oplichten. "Wat is er, Nonnita?" En deze antwoordt niet en gaat weg zonder afscheid te nemen of te bedanken. En Klotilde kijkt haar na en is niet boos omdat veel overledenen, als ze al niets anders in huis hebben, wel probleemloos leven en laten leven – zeker als ze uit Barcelona komen, die bewaarplaats van hoffelijkheid, zelfs in de andere wereld. En ze blijft daar, terwijl ze haar tong uitsteekt en het schijnsel van een niet bestaand kampvuur haar gezicht verlicht.

Nonnita Serrallac gaat opgewonden naar huis omdat Klotilde haar de oplossing voor haar probleem aan de hand heeft gedaan.

En opgerold in haar dekens blijft ze maar nadenken. Buiten is het volkomen stil, de stilte van een chic kerkhof. In de verte hoort ze het geblaf van een treurige hond. Klotilde heeft gezegd: "De agenten bestonden het om hun karwei over te doen ..." Ze konden het niet nalaten. Net als Deogràcies-Miquel Gambús het die middag ook niet had kunnen nalaten om haar te zeggen: "... ik heb u mijn kaartje gegeven omdat u een beetje de morbiditeit van die nacht bij me wakker roept." De klokken van de kathedraal slaan drie uur, zo plechtig op die uren van de nacht alsof ze levenden en doden oproepen voor het Laatste Oordeel.

Ineens begint het idee dat door haar hoofd spookt vorm te krijgen. Het is een beetje een ongerijmd idee dat haar, als het lukt, in staat zal stellen Gambús schade te berokkenen en tegelijk geld te verdienen (de enige manier om die onvermijdelijk armzalige opvolgingslijn te verbreken die ze de wereld met haar zwangerschap te bieden heeft).

Het idee is niet bepaald makkelijk of prettig te verwezenlijken; het is zelfs niet legaal.

TWEEDE DEEL

11

Rafel Escorrigüela beschouwde zichzelf als de vogel feniks, enig in zijn soort. Het mythische dier was beroemd omdat het zijn eigen nest in brand stak, met zichzelf erin. En uit de as werd een nieuwe feniks geboren. Wel, Rafel verging het ook zo: uit de as van de oude werd altijd een nieuwe geboren, met de ervaring van de oude en de kracht van de pasgeborene.

Als zo vaak had hij geluk gehad: het ongeluk leek erger dan het was. Hij had een zware hersenschudding en had zijn rechterarm en een paar ribben gebroken. Ziehier de vogel feniks: je kon in één oogopslag zien hoe hij was hersteld. Hij had zelfs geen diarree meer. Hij had iedereen versteld doen staan. Pater Maroto nam hem uit barmhartigheid bij zich in huis. Eigenlijk met het idee dat Rafel nog maar een paar dagen te leven had. Maar zijn hersenschudding was na een paar weken overgeven en hoofdpijn over. Zijn breuken waren wat vervelender, vanwege het gips en al het gedoe eromheen. Maar Rafel Escorrigüela stond weer uit de dood op dankzij het geduld van pater Maroto, die zich erbij had neergelegd dat hij zijn huis en kaas met die jongeman moest delen, en dankzij de sterke bouillon met eidooier en cognac van Maroto's huishoudster. In het begin voelde hij zich erg zwak en een beetje gammel. Daarna was hij weer helemaal de oude. Het was niet de eerste keer dat hij aan de grond zat, dat hij tot in de hel afdaalde en als de mythische vogel opnieuw geboren werd. Dat gaf hem een bijna niet stuk te krijgen zelfvertrouwen. Daarom vond hij het eigenlijk vanzelfsprekend dat pater Maroto een aanbevelingsbrief schreef naar een vriend van hem die een zeetransportonderneming had. De eigenaar, meneer Gatell, vroeg Rafel Escorrigüela wat hij kon en deze antwoordde dat hij administrateur was. Gatell geloofde het en nam hem meteen aan, hoewel hij nog steeds in het gips zat.

Zo begon Rafel Escorrigüela zijn carrière als kantoorklerk.

Met wat geld dat pater Maroto hem had voorgeschoten en in afwachting van zijn eerste loon installeerde hij zich in Pensió de França, op een eerste verdieping in de Carrer de Bergara. Het was een voordelig pension, voor gasten op doorreis, centraal gelegen, gespecialiseerd in onderdak bieden aan huisvaders die tijdelijk alleen waren. Typisch geval van de vrouw gaat met de kinderen op vakantie en de echtgenoot kan zich thuis niet redden. Of mannen die naar Barcelona kwamen om te werken en een plek nodig hadden, terwijl ze een woning zochten om hun gezin onder te brengen. Geen vrijgezellen. Het pension was van een echtpaar dat naar het idee van Rafel zo uit een Spaanse operette was weggelopen: zij, dik, mededeelzaam, uit Torroella de Montgrí, stond met ferme hand aan het roer van dit schip; hij, klein, donker, schriel, Andalusiër uit Jerez de la Frontera, met de naam Paco, sprak bijna niet en als hij dat wel deed, verstond je hem niet omdat hij bijna al zijn tanden kwijt was. De bazin bestierde de boel en hij stond in de keuken, bakte visjes en kwijnde van heimwee weg. Rafel Escorrigüela, in het gips, wikkelde hen met zijn meelijwekkend voorkomen om zijn vinger en deed of hij pas weduwnaar was geworden: "U verleent echtgenoten die tijdelijk alleen zijn onderdak en vraagt uit beleefdheid, uit wellevendheid, nooit uit hypocrisie, waar hun gezin is. En ze antwoorden 'op vakantie in Caldetes', anderen weer 'in Puigcerdà om bij de rechter erfenisproblemen op te lossen' ... Mevrouw en meneer, vraagt u me waar mijn gezin is, dan antwoord ik u: in de hemel ..."

Klanten klapten en een pasgetrouwde vrouw die er haar jonge echtgenoot had ondergebracht, pinkte een traan weg. De pensionhouders konden elkaar alleen maar in de ogen kijken en toegeven. Ze namen hem tijdelijk, voor een paar dagen, in hun huis op.

Twee maanden later was hij er nog steeds, met volpension. Hij betaalde stipt vijfendertig peseta per week en paste ervoor op aanleiding te geven tot klachten of opmerkingen. Hij lette erop dat zijn in het oog springende gips, dat zijn halve lichaam insnoerde, niet voor overlast zorgde en trakteerde op bepaalde dagen op een banketkrans. En telkens als de pensionhouder hem aan de tijdelijkheid van zijn verblijf herinnerde, bulderde hij dat hij zich als diens adoptiefzoon beschouwde en gaf hem een paar rokertjes. De man verlengde meteen zijn verblijf. Dat gebeurde in de eerste vier of vijf weken. Daarna zeiden ze er al niets meer over.

Gedurende die tijd herstelde Rafel Escorrigüela van het ongeluk. Hij werkte bij Transports Gatell en gedroeg zich goed. En vaak bekeek hij in zijn pensionkamer zijn schatten, resten van een vorig leven: zijn gestreken kraag met elastiek en zijn ronde manchetten van celluloid, waarmee hij zich de komende tijd kon omkleden als dat nodig was. Op het ogenblik droeg hij nog de kleren die pater Maroto hem zelf uit de bedeling had gegeven, maar in zijn hart behield hij zijn trots.

De kantoren van het huis Gatell bevonden zich op de bovenste verdieping van een gebouw aan de Passeig de Colom. Op elk trapportaal was een onderneming te vinden die met de bedrijvigheid in de haven te maken had. Dat kwam in die buurt veel voor. Behalve de kantoren van de havenautoriteit bevonden er zich de zetels van scheepvaartbedrijven, douane- en transportagentschappen, pakhuizen, leveranciers van scheepvaartbenodigdheden, verzekeraars, et cetera, et cetera. Transports Gatell nam er een heel eigen plaats in, onder het devies: 'Gatell en Cia. Gesticht in 1801. Van Barcelona naar de hele wereld en vanuit de hele wereld naar Barcelona. Agenten in Dover, San Juan, Buenos Aires en Manila.'

Vanuit het kantoor van de heer Gatell had je een van de mooiste uitzichten op de haven van Barcelona. En als zijn baas er niet was, ging de jonge, dynamische en vooral herboren Rafel Escorrigüela er stiekem binnen, zette zich in diens bureaustoel, keek naar zee en fantaseerde over zijn toekomst. Hij werkte er bijna drie maanden en als hij fantaseerde was dat omdat hij onrustig begon te worden. Het grootste deel van de bedrijvigheid van Transports Gatell speelde zich af in het pakhuis aan de havenkade. Daar brachten zijn baas en het overige personeel het overgrote deel van hun tijd door. Rafel Escorrigüela daarentegen was helemaal alleen op kantoor en deed administratief werk. Bevrijd van het gips voelde hij zich steeds beter worden en hij vond dat ze hem niet op waarde schatten. Het verveelde hem om dag in, dag uit van acht uur 's morgens tot acht uur 's avonds aan een tafel en een stoel gekluisterd te zijn en de publieksbalie te bedienen. Hij keek om zich heen en mompelde: "Pathetisch werk, pathetisch loon, pathetische inktpot, pathetische pen, pathetisch potlood, pathetisch vloeipapier, pathetische ik ..."

Hij zei tegen zichzelf: "Ik ben voor ander werk bestemd." Hij herinnerde zich al niet meer dat hij een paar maanden geleden een zieke hongerlijder was en dat hij in de straten van Barcelona een speenvarkentje achterna moest zitten in ruil voor een miserabele halve peseta. Welnu, zijn idool was Eusebi Güell. En niet omdat deze getrouwd was met de markiezin van Comillas, maar omdat hij industrieel was, mecenas, geleerde, gerespecteerd politicus ... en rijk. Als er iets over hem in de krant verscheen, knipte Rafel Escorrigüela het uit en bewaarde het. Pasgeleden, naar aanleiding van de achtste verjaardag van de opening van cementfabriek Asland, in het stadje Pobla de Lillet, had don Eusebi Güell gezegd dat zijn verdienste niet was dat hij als eerste het portlandcement in Catalonië had geïntroduceerd, maar dat hij de dingen goed had gedaan. En dat betekende volgens hem: "Het verhogen van de productie, het drukken van de kosten, het toenemen van de winst en daardoor het stijgen van de salarissen en het vernietigen van het zaad van het sociale oproer ..." Alsof het een goddelijke openbaring betrof, noteerde Rafel Escorrigüela het met potlood op een los blaadje. Zijn grootste illusie was dus rijk zijn en tegelijkertijd een halve intellectueel. Hij wilde zijn als meneer Güell.

Voorlopig beperkte hij zich ertoe het bedrijf zo veel mogelijk te bestelen en te sparen om de kleding uit de bedeling van pater Maroto bij het vuil te kunnen gooien.

Maar er waren van die grijze dagen waarop niets erop wees dat zijn dag gekomen was en dan ijsbeerde hij als een gekooide tijger door het kantoor van meneer Gatell.

Die bewuste dag was meneer Gatell er niet. Hij zou pas de volgende dag terugkomen en had hem de sleutels van de zaak gegeven. En als zoveel andere keren had Rafel Escorrigüela bezit genomen van de gepolsterde stoel van zijn baas en had hem naar het raam gedraaid (en, bij uitbreiding, naar zee). Hij helde hem achterover tot hij nog maar op twee poten rustte en leunde met de rugleuning tegen de tafel, op het gevaar af deze te beschadigen.

Hij hield zeer lovenswaardige redevoeringen, waarin hij zijn persoonlijke en arbeidseisen uiteenzette. Op sommige dagen werd hij door woede verteerd: "Deze slavendrijver zal nog aan me denken als ik wegga. Een goed geplaatste bom. Hier, onder zijn kont. De anarchisten plaatsen ze te veel zonder nadenken. Als ze me mijn gang lieten gaan ..."

Op sommige dagen vrat de twijfel aan hem: hij keek eens om zich heen en bedacht dat dit werk zo slecht nog niet was. En bovendien had meneer Gatell hem opgenomen, zogezegd van het ziekbed, uit het niets ... En natuurlijk was hij hem dankbaar, maar het een had niets met het ander te maken. Dat was geen werk voor een jonge kerel als hij. En hij moest aan zijn toekomst denken ...

In gedachten verzonken keek hij naar de muur, maar meteen wendde hij zijn blik af: hij was het zat om dag in, dag uit de drie portretten te zien die bijna elkaars kopie waren (vale huid, roofvogelogen, een smalle, puntige neus, een scheiding in het midden): Josep Gatell Campderà, 1779-1841; Josep Gatell Piguillem, 1839-1907; Josep Gatell Arrufó, 1876-. Dit laatste detail haalde hem uit zijn gewone doen. Hij kon de witruimte achter 1876 niet verdragen: wat smakeloos van die Gatell! Hoe kon hij elke dag opnieuw in goede harmonie samenleven met zijn verdomde portret, in de wetenschap dat die verdomde witruimte alleen gevuld zou worden op de verdomde dag dat hij dood zou gaan?

Hij hoorde de klokken van de Mercèkerk vier uur slaan en schrok. Hij ging naar een van de kasten in de kamer en haalde vanonder een stapel mappen, kaarten en documenten de koker met de verrekijker tevoorschijn. Hij opende het raam dat op de haven uitkeek. Ineens was het met de stilte in het kantoor gedaan: alle geluiden van het leven op de boulevard pal onder hem en het leven op de kade verderop; geluiden die de wind met bruut geweld aandroeg, alsof ze zich aan hem hadden vastgeklampt en deze niet wist hoe hij ze van zich af kon schudden. Vergezeld van een koude en zoute windvlaag kwam alles als in een golf binnen. Rafel Escorrigüela knoopte zijn jas dicht, bond zijn sjaal om en richtte de verrekijker op de kade die zijn speciale belangstelling had. Hij verwachtte de komst van de *Diana*, een stoomschip uit Cartagena. De lading van het schip bestond slechts uit honderd vaten teer, maar het vervoerde ook meneer Rodrigáñez, een klant met wie Transports Gatell een van de meest lucratieve contracten van de laatste jaren zou sluiten. Het betrof een nieuwe handelsverbinding Barcelona-Puerto Rico via Cartagena, dankzij de contacten die meneer Rodrigáñez in de voormalige Caribische kolonies had. En meneer Gatell had het alleenrecht, dat mag duidelijk zijn. Omdat zijn baas een acute spitaanval had, had hij Rafel telegrafisch opgedragen om Rodrigáñez op de kade te ontvangen, naar zijn hotel te brengen en zo nodig terzijde te staan.

Rafel was dus een en al aandacht voor de kade. Hij herkende het rustige silhouet van een ander stoomschip, dat *Sagunto* heette; maar geen spoor van de *Diana*. Het had er al moeten zijn. Hij sloeg de tijd dood met het bespieden van het lossen van ijzeren platen op de Moll de Pescadors; verderop onderhandelden migranten met een voerman om hen – man, vrouw en een dikke dochter van dertien – én een hutkoffer te vervoeren; en de voerman wees naar zijn muilezel en leek te willen zeggen dat het arme dier daar al te oud voor was ... Hij zwenkte de verrekijker naar de tram die op dat moment over de boulevard langsreed. Het was een eersteklas verrekijker: hij zag heel duidelijk de snor van de trambestuurder. Hij keek weer naar zee, naar de rivier de Llobregat. Hij stuitte op de lange, witte rookpluim die de aanwezigheid van een stoomschip verried. Hij volgde hem meer dan vijf minuten. Het silhouet werd groter en groter. Het was een stoomschip met een lange, appelgroene schoorsteen. Dat kon alleen maar de *Diana* zijn en het schip zou binnen het halfuur aanmeren.

Met de verrekijker bungelend om zijn nek, liep hij naar beneden om de portier van het gebouw te waarschuwen die belast was met het huren van rijtuigen.

Weer op kantoor vouwde hij zijn krant dubbel en stak die in een van de zakken van zijn colbertje, schoot zijn overjas aan, zette zijn hoed op en trok zijn handschoenen aan, spuugde Gatell in diens geportretteerde gezicht, zag hoe het droop, veegde het spuug met zijn zakdoek weg, deed, rustiger nu, de deur goed op slot en liep de trap af. Bij de deur beneden stond het huurrijtuig al te wachten. Het was een fiaker die werd gemend door een koetsier met wollen muts en handschoenen. Een sjaal bedekte zijn gezicht tot aan zijn neus. Het was ijskoud. Het paard was ongeduldig en stootte door zijn neusgaten adem uit die zo wit was dat hij kneedbaar leek. Hij gaf de portier een fooi, zei de koetsier waar hij heen wilde en stapte in. Hij hoorde de zweep knallen en ze reden weg.

Ze stopten precies voor de deur van het kantoor van de scheepvaartmaatschappij. Vergezeld door de koetsier liep hij naar binnen. Als alle deuren had ook deze matglas en een afgesleten klink. Men bevestigde dat de *Diana* net was afgemeerd. Perfect. De koetsier, die het allemaal niet zoveel kon schelen, ging voor de kachel staan roken. Rafel Escorrigüela zelf ging zitten wachten. Naast hem zaten twee mannen van middelbare leeftijd. Een van hen, met een gouden tand en een modieus ruitjesvest, probeerde de ander ergens van te overtuigen: "De Empordanese kurkfabrieken proberen nu al tien jaar op te krabbelen. Maar moet je de Duitsers zien. Ze zijn met hun machines de Empordà en de Garrotxa binnengedrongen ... Ze produceren meer kurken in kortere tijd en, omdat ze niet zoveel personeel nodig hebben, goedkoper. Bovendien verkopen ze de kurken zelf, zonder tussenhandelaren. Ze verdienen nu al drie jaar geld als water. Het is een gouden kans om te investeren. Aan u de keus ..."

"Ik weet het niet, Fonollosa. Bovendien, wie kan me garanderen dat kurken niet van de ene op de andere dag verdwijnen en ze flessen op een andere manier afsluiten?"

"Barcelona verzinkt eerder in zee dan dat ze flessen niet meer met kurken afsluiten ..."

Rafel Escorrigüela werd het moe om naar zijn bankgenoten te luisteren en sloeg zijn krant weer open. De gemeente Barcelona publiceerde de lijst met de tweehonderd belangrijkste belastingbetalers. Volgens de wet hadden alleen zij het recht kiesmannen voor de senaatsverkiezing af te vaardigen. Hij ging na wie er op plaats tweehonderd stond en hoeveel hij bijdroeg: 2413 peseta en 42 cent! Alleen al met de belastingafdracht van de armste rijke kon een heel gezin een jaar lang comfortabel leven. Hij hield ervan dat soort lijsten door te nemen omdat hij er zichzelf in de niet zo verre toekomst op zag staan. De meeste namen waren min of meer bekend. Plotseling stopte zijn vinger boven aan de lijst. Hij geloofde zijn ogen niet: Miquela Gambús i Vilagrassa. Dit was toch de lijst van Barcelonese belastingbetalers? Wat deed ze in Barcelona? En als zij er was, was haar zoon Demi er misschien ook ...

Van zijn stuk gebracht trok hij zijn jas aan en ging buiten op de kade wandelen. Hij struikelde over een armdik sleeptouw en viel boven op een paar versterkte houten kisten: "Breekbaar. Precisiemateriaal. Casa Bassó i Alsina, Plaça Palau 13. Depositaris van de firma Richter, Chemnitz." Hem bereikte als een vlaag de bedorven stank die het water afgaf, een stank als die van een wastobbe ... Hij snoof, stond plotseling op en klopte zijn kleren af. Iets was in zijn hoofd gaan rondtollen. Hij wist niet precies wat. Hij moest te weten komen waar ze woonden!

"Hé, jongeman!"

Het was een elegante heer die Spaans sprak. Meneer Rodrigáñez in hoogsteigen persoon, met een deukhoed en een wandelstok met vergulde knop, riep hem vanuit de wachtkamer. Naast hem droeg de koetsier een koffer op zijn rug. Rafel Escorrigüela, beschaamd en verward, haastte zich om hem te begroeten en verontschuldigde de in het oog springende afwezigheid van meneer Gatell vanwege force majeure. Tijdens de korte rit naar het hotel – ze hoefden alleen maar tot hotel Orient – stelde meneer Rodrigáñez beleefdheidsvragen over meneer Gatell, die hij ternauwernood met ja of nee beantwoordde. Wat hij net in de krant had gelezen, bleef maar door zijn hoofd spoken. Hij was van streek. Ze kwamen bij het hotel aan en de man, boos en bevreemd over het gedrag van die ondergeschikte, verkoos het om nadrukkelijk zonder afscheid te nemen naar binnen te gaan. Hij zou het wel met diens baas opnemen. Rafel merkte er niets van. Hij reed haastig de Rambla omhoog: de werknemers van het Comité de Defensa Social op de Plaça de Catalunya, waar ze alles behandelden wat met belastingen van doen had, zouden hem het adres wel geven.

Demi Gambús!

De vader van Rafel Escorrigüela was de rechterhand geweest van Miquel Gambús II, de Rijke Stinkerd. Als je de vertrouwensman was van een cacique, was je meer dan zijn bloedeigen broer. Het bewijs daarvan was dat de een stierf in gezelschap van de ander.

Het was dus helemaal niet vreemd dat Rafel en Demi samen waren opgegroeid en hadden schoolgegaan. Ze deelden alles met elkaar, zelfs hun vriendinnen. Rafel Escorrigüela was kind aan huis in de grote familiewoning. Vaak ging hij met Demi bij de ingang van het dorp de sjees van bazin Miquela opwachten, als die van haar werkbezoeken terugkwam. Ze zagen haar van verre aankomen, zwart gekleed en met een leren aktetas. In die tijd was bazin Miquela groot, slank, met ravenzwart haar, lichte ogen en twee verticale groeven die haar gelaatstrekken als twee littekens markeerden. Hij huiverde bij de gedachte alleen al.

Hij had Demi Gambús al meer dan tien jaar niet gezien, maar ze waren erg goed bevriend geweest ... Nou, goed dan, er was dat ene kleine detail dat hem gedwongen had van de ene op de andere dag overhaast uit Alcagaire weg te vluchten. Maar er was heel wat tijd overheen gegaan en bovendien kon je het zo interpreteren dat hij een soort verbanning had uitgezeten ...

En als dat het teken was waarop hij wachtte?

12

Ju! Ju! Ju!

Eustaqui Guillaumet riep in zichzelf en dampte meer dan zijn ezel. Ochtendlijke aanblik van door de kou ineengedoken straten, van straten die door de kou gezouten leken, met een kleur als van gietijzer.

Ju! Ju! Ju!

En hij bedacht dat in Vila-rodona op dat uur, in die tijd van het jaar, zo tegen april, het daglicht zich al overal verspreidde. In Barcelona daarentegen was het of het licht al naargelang de dag toestemming moest vragen om er zich te mogen vestigen. Welnu, dat verhinderde hem absoluut niet om de buitengewone, positieve dingen te zien die hem in deze stad maar telkens bleven overkomen. Dat mocht duidelijk zijn. En hij keek van de ene naar de andere kant om te zien of hij het zou uitschreeuwen.

Hij kwam terug van een nachtelijk klusje. Het werd goed betaald en hij had het niet kunnen afslaan: hij moest een palm vervoeren van de gemeentelijke bomenopslag aan de Plaça d'Espanya naar Sant Boi. De zoon van een rijke koloniaal wilde hem voor zijn huis planten om zijn vader te verrassen. De man lag op sterven en zijn zoon had hem beloofd dat hij, als hij op een ochtend zou opstaan, zou ontdekken dat er van de ene op de andere dag een palm in de tuin was opgeschoten.

Nadat hij een keer zo hard had gegeeuwd dat de ezel er bijna van schrok, zei hij tegen zichzelf dat hij tevreden mocht zijn: hij had vast werk in theater Soriano, als vervanger van Tomàs Capdebrau, wiens toevallen telkens erger werden en langer duurden. Hij was zo'n beetje manusje-van-alles: hij hielp aan de kassa, beantwoordde vragen van het publiek dat op straat bijeen stond, joeg groepen lummelaars uiteen ... Het kwam 's nachts vaker voor dat het publiek dat al binnen was begon te fluiten en met de voeten op de plankenvloer begon te stampen, terwijl er aan de toegangsdeur nog kaartjes werden verkocht. Dan trok het geschreeuw binnen nóg meer mensen vanbuiten en moest hij een beetje orde scheppen. Maar als animator optreden aan de deur beviel hem het beste. Hij herinnerde zich de eerste nacht aan de Paralelo. Hij liep de straat aan weerskanten op en af en kon zijn ogen niet geloven. Het leek wel een andere wereld. Alleen al op het kleine stukje waar Soriano zich bevond, waren er meer theaters en musichalls dan woningen: vanaf de haven, aan de rechterkant, Gayarre, Arnau en Espanyol. Er recht tegenover Apolo, Nou, Soriano en Onofri. Elk theater had bovendien zijn eigen café of tingeltangel ... Van die eerste nacht herinnerde hij zich hoe hij met open mond had staan kijken naar de aanroepers en animators, die je van alles beloofden en al een schouwspel op zich waren. Het was een kakofonie aan geluiden die rondhuppelde tussen de pettenzee die aan de deur aan het wachten was, nóg een geluid dat zich bij het algemene rumoer voegde en hem als een slangenbezweerdersmelodie bereikte. Nu was het ook zíjn werk. Hij klom op de verhoging en riep: "Een, twee, drie, vier, vijf, zes, zeven en zelfs acht keer moet het doek weer op, op verzoek van het publiek dat gehypnotiseerd is door de magie van dit episch schouwspel!" En niemand begreep ook maar één woord van wat hij zei omdat hij zelf woorden als 'gehypnotiseerd' en 'episch' niet begreep en zijn Spaans, bovendien gesproken met een accent uit Alt Camp, door een trechter moest die als luidspreker dienstdeed.

Dat was leven! Dat was hét leven! En hij zat er middenin. Er middenin ... en naast Nonnita Serrallac, zijn bazin, op wie hij smoorverliefd was, tot over zijn oren.

's Middags en 's nachts werkte hij dus in het theater en overdag als voddenman: van hot naar her door Barcelona met die zonderlinge kar. Let wel, hij had bijna volledig de vrije hand. Hij mocht bijna alles houden van wat hij verdiende en als hij wilde kon hij bovendien gratis in het washok slapen, op de binnenplaats achter het theater of in het huis van zijn bazin, naast Tomàs op de grond. In ruil moest hij het vehikel onderhouden, de ezel voeren en die simpele ziel van een Tomàs Capdebrau verzorgen. Niet noodzakelijkerwijs in deze volgorde.

Hij zei tegen zichzelf: "Als me in de korte tijd die ik in Barcelona ben al zoveel dingen zijn overkomen en allemaal van die goede dingen, wat heeft het lot dan nog meer voor me in petto?" Daarom was Eustaqui Guillaumet gelukkiger dan ooit. Hoe je het ook bekeek, hij had een eigen zaak en was bovendien zijn angst voor de stad kwijt. In twee maanden tijd had hij die van begin tot eind en van de ene naar de andere kant doorkruist. Hij was zelfs tot aan de Tibidabo gekomen! Bovendien bleven ze niet onopgemerkt. Het was een heel schouwspel die kar te zien rondtrekken. Omdat een paarse kar met gouden sierranden erg de aandacht trok, probeerde Eustaqui Tomàs Capdebrau ervan te overtuigen hem over te schilderen. Maar het mocht niet; waarschijnlijk deed de kar hem denken aan vervlogen tijden, toen hij alles nog op een rijtje had. Tomàs nestelde zich met de papegaai Trinitat op het laadvlak achter in de kar en gedrieën trokken ze door Barcelona. Oké, met zijn vieren, als je de ezel ook meetelt. Tomàs had in de krant *La Vanguardia* een advertentie gezien, waarin stond: 'We kopen tegen een goede prijs papegaaien en parkieten die duidelijk kunnen zeggen: RICO CAFÉ TUPINAMBA. c/Gran 74 en 76. Gràcia.' Hij dacht er veel over na en had uiteindelijk met pijn in zijn hart besloten dat hij het Trinitat moest leren. Tomàs merkte dat hij zijn collega's tot last was en door de papegaai af te richten wilde hij aan het inkomen van de groep bijdragen: "Niet dat ik hem wil verkopen, ik zweer het, maar als ik hem 'Rico café Tupinamba' leer zeggen, is hij niet alleen een papegaai, maar een soort investering voor als er moeilijke tijden komen ..."

Zodat als het mooi weer was Eustaqui Tomàs meenam en Tomàs de papegaai Trinitat. Afhankelijk van de dag reden ze de Paralelo op of af. En terwijl Eustaqui Guillaumet nadacht, pakte de ander, achterin, de vogel en begon "rico, rico, rico" te herhalen. En de papegaai keek terug en antwoordde "hoerenzoon" en "godverdomme". Dat kon in het Barcelona van 1909 al naargelang de plek erg veel problemen opleveren. Wat bleek toen ze op een goede dag op een processie stuitten, waarvoor ze moesten stoppen om haar te laten passeren.

Het was een stoet mannen met hemelsblauwe, helrode en gouden linten die diagonaal over hun borst liepen en opvallende staven die allemaal tegelijkertijd op de grond neerkwamen. Degenen achterin, die geen staf droegen, sloegen op tamboerijnen. Een heer van tachtig met een mager gezicht en witte haren en baard voerde de processie aan, terwijl hij vastbesloten de kou trotseerde en krachtig de standaard met de heilige Joannes Chrisostomus vasthield. In devote houding en met hese stem bezong hij de lof van de heilige. Hij was zo oud en uitgedroogd dat het leek of hij elk moment kon barsten. Veel mensen op straat kenden hem en terwijl de processie langstrok, begroetten ze hem met respect. Om zijn krachten te sparen antwoordde hij ernstig met een hoofdknik en ging zachtjes door met reciteren. Hij had dieprode lippen en met het ouder worden was zijn neiging om ze de hele tijd met zijn tong nat te maken alleen maar erger geworden, waardoor ze altijd glommen.

Het was een ogenblik stil en ineens hoorde je heel duidelijk: "Hoerenzoon", "Hoerenzoon", "Godverdomme", "Godverdomme".

Het blasfemische gekrijs viel als een bom midden in die sfeer van ingetogenheid. Na een moment van opperste verbazing reageerde de oude man als eerste. Hij verbrak de orde van de processie met de nauwelijks verholen bedoeling om met de gietijzeren standaard van Joannes Chrisostomus het hoofd van de godslasteraar te splijten. Hij hief de standaard op en liet hem met al zijn kracht neerkomen op het lichaam van de vervloekte lafaard die zich onder het zeildoek van een zonderlinge kar had verstopt. Er klonk gekerm en tevoorschijn kwam iemand met het gezicht van een idioot, en ook een papegaai. De strijders van de heilige Joannes Chrisostomus hielden hen vast tot de politie arriveerde, tegelijk met de voerman. Blind van woede beschuldigde de prikkelbare grijsaard hen ervan godslasteraars en terroristen te zijn.

In wezen krenkte de sabotage van zijn processie, die hij met zijn eigen geld had betaald, de oude man meer dan de belediging die de heilige Joannes Chrisostomus was aangedaan.

Sinds hij zich uit de nobele wereld van de handel had teruggetrokken, had hij zich aan die heilige toegewijd, schutspatroon van de predikers en, naar zijn mening, bij uitbreiding van de politici. Hij zag het duidelijk: binnenkort zou het volk van Barcelona, een reusachtige massa arbeiders die analfabeet, vuil en zielloos was, hunkerend naar revolutie, verleid door individuen van het soort van die praatjesmaker van een Lerroux, met tegenzin moeten gaan stemmen. Ze zouden de heilige stembussen vullen met blanco biljetten of, erger nog, met schunnige antiklerikale grappen en grollen. Daarom waren er goede politici nodig, katholiek en rechtschapen. En als het alleen maar op zijn geld aankwam, kon dat hele stel vrijmetselaars dat de politiek beheerste en het panorama bevuilde er zeker van zijn dat hij alles zou doen wat in zijn macht lag – nou goed, in die van Joannes Chrisostomus – om strijdlustig tot het einde naar de andere wereld te gaan.

Terwijl ze naar het politiebureau gingen, vroeg Eustaqui Guillaumet aan een van de twee agenten die hen bewaakten wie toch dat driftige, oude mannetje was. De man keek hem verbaasd aan en antwoordde dat dat mannetje een voorbeeld van rechtschapenheid en burgerzin was: don Bonaventura Bandolí, de oude eigenaar van het huis Bandolí. Zijn zeepwinkel midden in de Carrer Princesa is heel beroemd, legde hij uit. Eustaqui Guillaumet stond als versteend, hij kon er met zijn verstand niet meer bij. Dus in Barcelona maakte je zeep en je werd een voorbeeld. Zeep om te wassen ...?

“Spot u met de autoriteit?” vroeg de agent wantrouwig. Eustaqui verzekerde hem van niet en de agent, een toonbeeld van engelengeduld, legde hem uit dat het huis Bandolí zijn roem aan toiletzeep dankte; de producten van meneer Bandolí veroorzaakten met kerst en op andere hoogtijdagen ordeproblemen. Bezienswaardig waren de rijen voor de winkeldeur als de hele straat zich met het aroma van geuren vulde. En hij besloot: “En dan heb ik het nog niet over de Heilige Vader in Rome gehad.” Hij bestudeerde zijn gesprekspartner, die hem met een lege, waterige blik aankeek. Hij zuchtte en vervolgde: “Meer dan dertig jaar geleden liet hij een blok zeep maken in de gedaante van de paus. En op ware grootte. Het heeft zeker drie jaar in de etalage gestaan ...”

Uiteindelijk gingen ze het politiebureau binnen. Meneer Bandolí begon te praten. Hij deed het schoksgewijs, maar je verstond alles. Hij zei: “Ik beschuldig deze papegaai er formeel van een vermomde propagandistische agent te zijn van Solidaritat Obrera, Partit Radical en Esquerra Solidària. En ik beschuldig zijn bazen ervan dat ze provocateurs zijn en handlangers van het antiklerikale gif dat in het geweten van de arbeider wordt gegoten door kranten en boeken die door zielloze intellectuelen worden geschreven en dat door de zogenaamde lekenscholen wordt bevorderd, heel in het bijzonder door Ferrer i Guàrdia.

En hij ging zitten om op adem te komen. Hij was verhit en verontwaardigd.

"Maar meneer Bandolí, weet u zeker dat u dat verband tussen de papegaai en de lekenscholen in de aangifte wilt opnemen?" vroeg een van de agenten onzeker.

Tomàs, die bijna van zijn papegaai hield als van een kind, zag hem al met zijn pootjes in de boeien geslagen op weg naar de Montjuïc, in afwachting van zijn terechtstelling. Gelukkig manifesteerde de mist in zijn hoofd zich die dag niet en tijdens de ondervraging kon hij bezweren dat hij hem nooit dat soort enormiteiten had leren zeggen, dat het dier ze op straat had opgepikt, dat hij namens de vogel nederig om vergeving vroeg, dat het een intelligente papegaai was en hijzelf een goed mens, dat ze moesten bedenken dat de papegaai zijn leven had gered ...

De commissaris keek meneer Bandolí vragend aan die, op zijn stok leunend, opstond en verklaarde: "Het is een goed katholiek eigen om te vergeven. Aangezien de beledigingen alleen maar een antiklerikale inhoud hadden, zal ik niet beweren dat de papegaai anarchist of socialist is ... maar het is duidelijk dat het een papegaai is van de Partit Radical! En anders wel van de vrijmetselaars! Onze zeer wijze Heilige Vader stelt dat al aan de kaak in zijn encycliek *Humanus genus*: de vrijmetselarij is de veroorzaker van het grootste deel van de kwaden die de Kerk in de huidige tijd treffen. Als de daad van de papegaai al duivels is, moet de reactie goddelijk zijn. En daarom moeten we beginnen met ons tot God te wenden om de beledigingen die hem zijn aangedaan goed te maken."

In de praktijk werd dat vertaald naar een soort veroordeling tot dwangarbeid. De voorwaarden waaronder meneer Bandolí, praktisch als hij was, wilde vergeven, waren erg duidelijk: de papegaai moest met wijwater worden besprenkeld en Eustaqui Guillaumet, verantwoordelijk voor de groep, moest beloven dat hij zijn kar en werkkracht niet ter beschikking zou stellen van een katholieke congregatie die de volgende dag een paar religieuzen naar de missie zou uitzenden. Het ging erom hutkoffers en nonnen te vervoeren vanaf de berg Horta tot aan de kade, tot bij de loopplank van de stoomboot. En dat Eustaqui dat moest doen, óf de aangifte werd alsnog afgewikkeld met alle gevolgen van dien. Het behoeft geen betoog dat deze accepteerde.

Toen de oude man eenmaal was weggegaan, legde de commissaris aan Eustaqui uit: "Dat meneer Bandolí in Calaf is geboren, doet niets af aan het feit dat hij op-en-top een heer uit Barcelona is." En terwijl Eustaqui Guillaumet zijn kar ging halen, bedacht hij dat je alleen in Barcelona vanwege een papegaai kon worden veroordeeld en dat je alleen hier op-en-top een heer uit Barcelona kon zijn, ook al was je in Calaf geboren.

De volgende dag, toen hij naar de Horta wilde gaan om de precies omschreven verplichting aan meneer Bandolí na te komen, kreeg hij woorden. Tomàs wilde de papegaai meenemen en Eustaqui vond het beter het dier thuis te laten, uit voorzorg, voor het geval hij tijdens het vervoer van de nonnen weer 'godverdomme' zou zeggen. Uiteindelijk bleef Trinitat in het theater, in zijn kooi. Maar Tomàs was nog niet weg of hij miste het dier al. De zon straalde en Eustaqui liet de zweep om de oren van de ezel knallen, die meer weg had van een mens dan van een dier. De bestemming was het Sant-Jeroniklooster in Vall d'Hebron, midden op de Horta. Hij volgde de tramrails die het centrum van Barcelona via de Eixample met de Horta verbond.

Ze reden langs de Sagrada Família, die omgeven was door velden, met ernaast een zigeunerkamp met karren, tenten, dieren en alles. Verderop zagen ze hoe bewoners op een omheind stuk land ratten aan het doden waren. Ze knalden ze met geweren af en lieten de kadavers wegrotten in de zon. Eustaqui en Tomàs staken een terrein over waar om de een of andere reden een bewaker was. De man woonde in een kleine barak, had een kippen- en konijnenhok gebouwd, deed zijn behoefte in een mobiele latrine en je wist eigenlijk niet wat hij bewaakte. Dat verwonderde Eustaqui nog het meest in Barcelona: de meeste huizenblokken in de Eixample waren slechts op de grond aangegeven, leeg, maar er waren wel stoepen en bomen. De gemeente investeerde veel geld in het aanleggen van straten en bouwrijp maken van plekken waar helemaal niets was, compleet met asfalt en verlichting. Een toekomstdroom, een soort misselijke grap waarmee een illusionist wankele geesten bij de neus wilde nemen. Zoals die van Eustaqui Guillaumet die het, toen ze de oude weg naar de Horta al waren ingeslagen, niet kon laten tegen zijn kameraad te zeggen dat ze er in Barcelona in waren geslaagd het onmogelijke mogelijk te maken.

Meneer Bandolí wachtte hen met zijn horloge in zijn hand en een onvriendelijk gezicht op. Het was op de met kiezelstenen verharde straten een komen en gaan van nonnen en hutkoffers. Eustaqui en Tomàs weerden zich de hele dag door kranig. Ze moesten twee tochten maken en ten slotte zwaaiden ze de zustertjes op de Moll d'Espanya met zakdoek en hoed uit. Deze zeiden "tot ziens!", "tot ziens!" en wuifden, terwijl hun donzig snorretje glinsterde en de sluier van hun habijt in de wind fladderde. Ze hadden zich aan boord van het Italiaanse oefenschip *Palinuro* ingescheept, een oorlogsbrik die naar donker Afrika voer. De genereuze Italianen hadden aan boord plaats ingeruimd voor de onverschrokken religieuzen. Geëmotioneerd drukte de grijsaard Eustaqui en Tomàs de hand, vertelde hun dat hij hen van ganser harte vergaf en schonk hun als bewijs een stuk badzeep op basis van ijzerhard en goudsbloem, het succesnummer van het seizoen van het huis Bandolí.

Ju! Ju! Ju!

Gebukt tegen de wind in, tot aan het puntje van zijn neus ingepakt, met zijn kin op zijn borst, riep Eustaqui Guillaumet in zichzelf, maar telkens als hij dat deed, als hij weer ademhaalde, krabde de ijskoude ochtendlucht zijn keel en longen alsof hij een handvol glassplinters inslikte. Hij moedigde zichzelf aan, niet de muilezel.

En die koude ochtend, toen hij terugging naar het theater, merkte Eustaqui Guillaumet dat de meest gelukkige en zaligmakende routine zijn leven beheerste, afgezien van bijzaken als deze. En dat hij het getroffen had.

Hij keek naar de muilezel. Met de inspanning van die ochtend had het arme dier al genoeg gedaan voor de hele dag. Eustaqui, die opnieuw op de bok zat, trok de teugels aan en legde hem zachtjes uit: "Vandaag heb je je dagloon al verdiend, ezel."

En beiden vorderden kalmpjes van huis tot huis. De ezel knikte, alsof hij ja wilde zeggen of alsof hij zich voor de zoveelste keer verbaasde over het geknars van de wielen of het geklepper van zijn hoeven op de klinkers. Het leven op de Paralelo begon weer. Het licht van de opgaande zon kleurde de bovenste delen van de façades goud. De open velden aan de kant van de Montjuïc glinsterden van de dauw, de populairste cafés schonken al een paar uur koffie met een scheutje, de drie schoorstenen in de verte die witte rook uitbraakten ... En het stof. En de zware stilte die tussen het geknars van twee passerende trams bleef hangen.

Op een hoek wreef een hoer haar armen warm. Hij keek ernaar. Hij keek er altijd naar. In feite was het het enige wat een beetje meer snelheid leek te brengen in de lichamelijke en zintuiglijke vitaliteit van Eustaqui Guillaumet: de vrouwen uit het leven. Vanaf de eerste dag hadden ze hem gefascineerd. En gelet op het feit dat zijn liefdesdoel nummer een, Nonnita Serrallac, een hardnekkige utopie bleef, trok de vleeshandel hem onherroepelijk aan. Met twintig peseta op zak die hem in zijn broekzak brandde, maar niet in staat om hen te benaderen, slaagde hij er op een dag in Ferran Baldó, de opzichter van de gemeentelijke nachtopvang, mee te krijgen. Hij ging er zo nu en dan slapen en de vriendschap van de twee jongemannen was sterker dan ooit. Ferran, die voor zijn bruiloft aan het sparen was, kwam alleen maar mee omdat Eustaqui hem telkens weer verzekerde dat hij hem uitnodigde. Ze waren jong, ze waren vrienden en gearmd gingen ze op pad. Ze lieten zich opslokken door de sfeer op de Rambla: telkens als de deuren open- en dichtgingen, stootten de cafés loom wolken licht uit. Zo konden Eustaqui en Ferran telkens opnieuw een blik op de drukte binnen werpen. Ze zagen het geelachtige schijnsel van messing, de glans van vernis en de glinstering van spiegels. Op straat, tot hun beschikking, vrouwen onder het licht van lantaarnpalen. Het was onmogelijk om de verleiding te weerstaan. Eustaqui en Ferran waren op een zaterdag eind maart tot alles in staat.

Ze gingen naar een hoerenkast in de buurt van de Santa-Madronapoort, naast de scheepswerf. Met de militaire kazerne vlakbij waren er altijd soldaten. Tussen het menselijk materiaal dat er te koop was, zag Eustaqui een meisje dat niet eens tien jaar oud was en een paar meisjes die nog geen twaalf waren. Het leven in Barcelona kon, al naargelang om wie het ging, heel moeilijk zijn.

Het kostte meer dan ze hadden verwacht.

“Ik kan jullie korting geven als jullie het niet erg vinden om de kamer te delen”, zei de madame, overduidelijk ongeïnteresseerd.

Ze keken elkaar aan en accepteerden weinig enthousiast. Ze liepen door naar een ruimte waar een kleine verhoging stond. De meisjes gebruikten deze om er te paraderen en zich te laten bekijken op het ritme van een piano die op het punt stond dat stadium te bereiken waarvan je niet kan zeggen of iets antiek of gewoon oud is. Een pianist van ongeveer zeventig jaar speelde erop. Hij had een caesarkapsel en droeg onder zijn oog een duidelijk zichtbaar, min of meer rond litteken, alsof hij een kwaadaardige pukkel had gehad.

Als publiek was er een donkere jongen met een rond, expressieloos gezicht, zwarte haren, een gepommadeerde snor en een anjer in zijn knoopsgat; ook een dik individu, met bloot bovenlijf, rode haren, een gezicht als een acht en wimpers die zo licht waren dat je ze niet zag; vermoedelijk een buitenlandse zeeman. Bovendien hoertjes die er allemaal heel verschillend uitzagen en op chaises longues zaten. De piano zette in en op de verhoging verscheen een dik, lacherig meisje dat alleen een ochtendjas aanhad. Ze wond er geen doekjes om. Ze ging met haar rug naar het publiek staan en liet haar ochtendjas vallen. Ze stond helemaal in haar blootje. De hoeren en de noorderling lachten als gekken, ze kenden het meisje op het podium zeker, dat op dat moment met een gracieus gebaar naar haar kont wees. Eustaqui merkte dat die getatoeëerd was. Het was alsof er op elke bil een half gezicht stond. Het meisje vroeg een willekeurig hoertje in de zaal haar kont met twee handen samen te drukken. Eentje deed het in haar broek van het lachen, maar liep desondanks op haar toe. En toen kon je zien dat de tatoeages op de twee konthelften bij elkaar pasten en samen een gezicht vormden dat met open mond lachte. Het meisje dat de billen van haar collega stevig vasthad, riep naar een derde hoertje: “Kom, kom eens luisteren naar wat hij je te zeggen heeft ...”

Het aangesproken meisje, mager met diepliggende ogen, kwam dichterbij en de ander zei: “Hou je oor vlakbij ...”

En het meisje deed alsof ze naar die getatoeëerde mond luisterde. Meteen concentreerde degene die op de verhoging stond zich ... en liet een scheet. Een wereldscheet, een scheet voor een wedstrijd. Luidruchtig, gemoduleerd, langdurig. Een scheet waar je in alle opzichten u tegen zegt. Iedereen klapte en terwijl ze haar ochtendjas weer dichtknoopte, zei ze tevreden gedag. De twee vrienden waren zo gefascineerd door het tafereel dat ze bijna vergaten waarvoor ze naar dat etablissement waren gekomen. Eustaqui vroeg zich af met wie ze een kamer moesten delen. Met het heertje of met de zeeman. Met de laatste dus. Gedrieën gingen ze met drie meisjes naar binnen. Er waren twee bedden en een bank. De noorderling ging zitten en zette zijn meisje op zijn knieën. Hij lachte, hij leek dronken. Hij begon te praten en de twee jongens ontdekten dat ze er geen woord van verstonden. Hij begon met het meisje een soort hop-hop-hop-paardje-in-galop te spelen. De man stond ineens op, toen hij merkte dat hij opzien had gebaard. Hij groette de twee jongens vrolijk in die vreemde taal en toen hij zag dat ze hem helemaal niet begrepen, schaterlachte hij opnieuw, nog harder. Hij draaide hun zijn rug toe, deed zijn broek naar beneden en ging aan de slag. De twee jongens ook. Even later kwamen ze te weten dat hij Theo heette, Deen was en de volgende dag aan boord van het stoomschip *Málaga* naar Hamburg terugvoer. Ze eindigden op de kade en terwijl ze de armen om elkaar heen hadden geslagen, zongen ze tot het dag werd.

Het kon hem dus niet beter vergaan. Hij verdiende niet veel, maar was tevreden. Daarover dacht Eustaqui Guillaumet die ijskoude ochtend na, terwijl hij naar theater Soriano terugkeerde. Niets leek dat rustige leventje van voddenman overdag en kermisklant 's avonds te kunnen verstoren. Hij en de ezel wilden zich alleen maar terugtrekken en een poosje slapen.

Maar die ochtend kwam hij Nonnita Serrallac tegen, die hem klaarwakker bij de deur van het theater opwachtte. Het was erg koud en dat ze hem opwachtte was niet normaal. Zijn ijskoude voeten deden pijn toen hij zich van de bok liet glijden. Hij stampte flink op de grond, zodat zijn bloed weer een beetje ging circuleren, en maakte zich op om de ezel en de kar naar binnen te leiden. Het meisje liep op hem af. Zij en Tomàs waren goed volk. Ze waren zijn tweede familie. Ze riep hem. Hij merkte dat haar lippen trilden, alsof het haar moeite kostte om met praten te beginnen. Eustaqui schrok ervan, hij had haar nog nooit zo gezien: "Eustaqui ..."

"Ja."

"Ben je tevreden bij ons?"
"Zeker, mevrouw."
"Ik zou je een gunst willen vragen."
"Om het even wat, mevrouw."
"Nee, niet om het even wat. Ik moet het je in alle rust uitleggen en je moet er in alle rust over nadenken. Het is niet zo maar iets. Vannacht, als we klaar zijn met de voorstelling, gaan we met zijn drieën bij mij thuis eten. Om er rustig over te kunnen praten. Ik wil dat je me helpt bij een beetje speciaal klusje. Als het niet goed afloopt, kan het nadelig voor je zijn ..."
Eustaqui waagde het haar te onderbreken, zo had hij haar nog nooit gezien. Zelfs niet de eerste dag, toen ze hem had gedwongen met een absurde kar rond te rijden in een stad die hij niet kende om een Italiaanse acrobaat te zoeken die er later niet bleek te zijn. Die vrouw liet zijn hart altijd sneller kloppen. Hij zei: "Wat het ook is, u kunt op me rekenen, mevrouw."
"Dank je." Ze probeerde tevergeefs het trillen van haar lippen te beheersen. "En ga nu een beetje slapen ..."
Eustaqui Guillaumet ging het voormalige washok binnen, waar nu de muilezel als warmtebron stond. Op de grond in een hoek lag een hoop vers stro waarop ze een paar dekens hadden uitgespreid. Goed toegedekt sliep daar Tomàs Capdebrau. Zijn open ogen glommen in het donker. Naast hem de papegaai, stil en plechtstatig. Zoals hij andere keren had gedaan, trok Eustaqui zijn kleren uit en ging stil naast hen liggen.
"Hé, jij", zei Tomàs ineens. "Nonnita heeft je werk gegeven, niet?"
Eustaqui sliep al half en begreep niet wat Tomàs vroeg. En de ander drong aan: "Heeft ze je niet gevraagd om voor haar te werken?"
De jongen was moe en had niet de puf om hem duidelijk te maken dat hij er al een paar maanden werkte. Het was de moeite niet. Hij antwoordde half slaperig: "Ja, ze heeft het me gevraagd. Welterusten. Of goedemorgen. Ik wil slapen."
En midden in de duisternis zei Tomás Capdebrau, zijn ogen op het plafond gericht, ternauwernood fluisterend met zijn hese stem, zonder intonatie: "Dan zal ik je een sprookje vertellen, zodat je in slaap valt. Er was eens een meisje dat Nonnita Serrallac heet-

te. Ze voerde een excentriek nummer op in een klein gelegenheidscircus en lachte alléén als ze optrad. Verder lachte ze nooit. En nu is het sprookje uit."

Eustaqui was onder de indruk en durfde niets te zeggen. Hij draaide zich om, trok zijn hand van onder de deken vandaan en krabde op zijn hoofd, alsof dat gebaar hem hielp nadenken. En toen wist hij ineens dat die man naast hem, die al lag te snurken, ook op enig moment in het verleden op Nonnita Serrallac verliefd was geweest.

Hij gaapte, deed zijn ogen dicht en sliep in.

13

Rafel Escorrigüela moest nog wennen aan het idee dat hij Demi Gambús weer zou zien, toen zich een gebeurtenis voordeed die hem bevestigde dat iets in zijn leven aan het veranderen was.

Het was zaterdag en in zijn hand hield hij een uitnodiging voor een exclusief bal. In werkelijkheid was ze niet voor hem, maar voor meneer Gatell, die echter op zakenreis was. Hij zou pas over een paar dagen terugkomen en de zakelijk ingestelde Rafel Escorrigüela kon zichzelf niet toestaan de uitnodiging ongebruikt te laten. Hij ging dus meneer Gatells kantoor binnen en nam haar mee. Meneer Gatell zou zelfs in de verste verte niet te weten komen dat die uitnodiging op zijn tafel had gelegen ... Het betrof een informeel bal dat een belangrijke familie in de stad had georganiseerd en waarvoor ze een paar uur Novetats had afgehuurd. Indrukwekkend.

Die zaterdag stopte hij tegen zessen met werken en ging in vliegende haast naar zijn pension. Hij rende de trap met drie treden tegelijk op, groette de aanwezigen met een zwak, astmatisch hallo en sloot zich in zijn kamer op. Hij zei tegen zichzelf: “Ik ben een jongen die er zijn mag. Als het moet, ga ik als jonge weduwnaar, met gloednieuwe boord en manchetten; hoed, stok en handschoenen zijn van verleden kerst; een colbertje kan ik wel voor een peseta huren van een van de pensiongasten ... Op naar Novetats!”

De paren kwamen in huurrijtuigen bij het theater aan, groetten, omhelsden, kusten elkaar, lachten en gingen naar binnen. Het was ongetwijfeld een belangrijk bal. Rafel Escorrigüela, die bij de deur stond om naar binnen te mogen, moest de persoonlijkheid van de heer Gatell aannemen. Hij slaagde er zonder problemen in: de bovenlaag van Barcelona was zelfverzekerd en gelukkig. Temeer omdat de anarchisten hun bommen de laatste tijd in de volkswijken lieten ontploffen. Alleen zo was het te begrijpen dat iemand als hij, een armoedzaaier die zich een beetje in de kleren had gestoken, zonder al te veel omhaal binnen had kunnen komen.

De aanleiding voor het feest was het debuut van een jongedame van voorname familie. Er was een aantal stoelrijen weggehaald om de parterre in een dansvloer te veranderen, waarheen vanaf de ingang pal bij de straat een weelderig tapijt liep. De zaal was schitterend verlicht en versierd met guirlandes en allerlei soorten papieren bloemen, die met veel behendigheid waren gemaakt: ze hingen met ijzerdraad bevestigd aan muren, stonden in vazen op tafels, lagen in mandjes, waaruit de diensters ze uitdeelden en die zowel mannen als vrouwen in de knoopsgaten van hun kleding staken of waar het hun het beste leek. Alles geleverd door het gerenommeerde Italiaanse huis Lazzoli. Het orkest, in gala-uniform, werd gevormd door de militaire regimentskapel van Mérida, die op het podium zijn instrumenten stemde, gedirigeerd door een sergeant met dikke wenkbrauwen en een gepommadeerde snor. Rafel Escorrigüela kon er niet over uit. Bij iedere stap die hij zette, liep hij de meest vooraanstaande politieke, industriële en culturele figuren van de stad tegen het lijf. Hij zag dat een gespierde, deftig geklede man gefeliciteerd werd door vele andere illustere heren. Hij liep ook op hem af, omdat hij dacht dat het de gastheer was. Na hem hartelijk te hebben gefeliciteerd, merkte hij dat het slechts de maître was.

De mensen dansten en vermaakten zich opperbest. En hij voelde zich al op zijn gemak. Een jongeman kwam op hem af en begon te babbelen. Ze moesten schreeuwen om boven het geluid van het orkest uit te komen. Het was de jonge erfgenaam van een aristocratische Barcelonese familie. Hij vroeg hem wat hij deed en Rafel antwoordde dat hij eigenaar was van een belangrijke scheepvaartmaatschappij: "Import export, u snapt wel wat ik bedoel: we hebben zakenrelaties in Dover, San Juan, Buenos Aires en Manila ... Dezer dagen zijn we druk bezig met de export van cement naar Italië. Door de aardbeving is er veel materiaal nodig voor de wederopbouw. We gaan rechtstreeks om met meneer Güell, die met de markiezin van Comillas is getrouwd ..."

"Ik weet wie het is ..." zei de jongeman met een spottend glimlachje.

"We kopen cement van hem. Een buitengewoon persoon, meneer Güell, u weet toch wat hij zegt? 'Het verhogen van de productie, het drukken van de kosten, het toenemen van de winst en daardoor het stijgen van de salarissen en het vernietigen van het zaad van het sociale oproer ...'"

Hij loog dat het gedrukt stond. Met een vreemde uitdrukking bekeek de jongeman hem van top tot teen en liep met een smoes weg naar een andere groep. Rafel ging naar een meisje dat zich stond te vergapen en fluisterde in haar oor: "Dansen?"

Het meisje weigerde en liet hem staan. Maar hij was in een jubelstemming, gelukkig en tevreden dat hij op dat moment op die plek kon zijn en in het gezelschap van die mensen.

Hij knabbelde kleine sandwiches, dronk punch en bewoog zich sierlijk en beheerst door de zaal. De muziek bleef maar spelen. Er werden kartonnen maskers uitgedeeld die op dieren leken en iedereen deed ze op om een paar muziekstukken te dansen. Ineens vielen de maskers en de loges werden bezet door mooie dames en gedistingeerde heren. Meteen erop begonnen van de ene naar de andere loge de eerste projectielen confetti en serpentines te vliegen. Ze vlogen door de ruimte en bedekten uiteindelijk de vloer. Een kleurenregen. De sfeer was zeer uitgelaten.

Tegen middernacht nam de gastheer afscheid en nodigde de echte nachtbrakers uit om tot twee uur door te feesten, want zowel zaal en personeel als musici waren tot dat uur afgehuurd en het was de bedoeling er tot op het laatst van te profiteren. Iedereen applaudisseerde. Onmiddellijk daarop klonk er meer applaus voor het meisje dat werd gehuldigd en ze trok zich vervolgens met haar ouders terug. Ook al was het haar debuut, het was laat genoeg.

Het behoeft geen betoog dat Rafel Escorrigüela zich onder degenen bevond die in Novetats bleven.

Een strijkje had de militaire kapel vervangen. En tussen het dansen door zochten enkele stellen de hoekjes op om elkaar min of meer discreet het hof te maken. Op dat moment zag hij een man van zekere leeftijd die zijn gezicht met een tijgermasker bedekte. Hij had zijn arm om het middel van een meisje met onbedekt gezicht dat veel jonger was dan hij. Hij drukte haar tegen zich aan en gaf haar zoentjes achter haar oren. Die nek, die manier van lopen ... Hij benaderde hen van achteren, zonder dat ze het merkten. Hij observeerde hen vanuit het donker. Het meisje, dat ongeveer vijfentwintig jaar was, trok haar vriends masker af om hem voluit te kunnen zoenen. De oude viezerik die voor hem stond was meneer Gatell in hoogsteigen persoon! En dat vurige meisje zou wel niet mevrouw zijn echtgenote zijn ... Het gezicht van Rafel klaarde met een brede glimlach op. Er rolde zelfs bijna een traan over zijn wang. Het was een geschenk uit de hemel. Veel beter nog. Hij moest snel denken. Wat te doen? Meneer Gatell vrat het meisje bijna op en ze giechelde en liet hem begaan. Denk na, Rafel, denk na. Hij bedacht net dat ze een meisje van goeden huize was, hij had haar op de soiree met haar ouders gezien ... Denk na, verdomme: was dit de kans waarop hij had gewacht? Hij besloot van wel. Hij slikte en liep op hen af.

"Meneer Gatell, wat een verrassing!"

De man voelde zich betrapt. Hij gooide het meisje bijna van zich af, als iemand die een worm van zijn revers veegt. Hij wist niet wat te doen of te zeggen.

"Dit is mijn nichtje", begon Gatell te stotteren.

"Ik wist niet dat nichtjes tegenwoordig hun tong in de mond van hun ooms steken ..."

Het meisje snikte en rende vliegensvlug weg. De man liep rood aan en gaf hem een klap in zijn gezicht. Rafel viel verrast achterover en belandde op een belachelijke manier in een stoel.

"Hoe durft u? U bent ontslagen!" zei Gatell.

De jongen stond op en zei heel serieus: "Zoals u wilt, maar eerst zou ik met u willen praten. En waagt u het niet nog eens me aan te raken."

"Met mij? Waarover? We hebben niets te bespreken!"

"U hebt gelijk, ik kan misschien beter met uw vrouw gaan praten."

"Klootzak. En ik heb je nog wel uit de stront gehaald ..."

"Aan u de keus. Morgenochtend, op kantoor?" onderbrak hij hem doodkalm. "Hoe eerder we praten, des te beter, vindt u niet?"

Gatell keek hem stilletjes aan en mompelde toen binnensmonds: "Ja, ik neem aan van wel."

"Tot morgen dus. Goedenacht, meneer Gatell. En gaat u vooral door, de juffrouw zal wel verborgen in een of ander hoekje op u wachten ..."

En hij ging er vlug vandoor. Voor hij naar buiten ging, zag hij nog kans een afspraak te maken met een van de meisjes die hij op het bal had leren kennen. Ze heette Llucieta, was naaister en verdiende bij als dienster.

Eenmaal op straat, werd Rafel Escorrigüela rustig. Het was nog behoorlijk koud voor de tijd van het jaar. Desondanks ademde hij eens flink in en begon in de kunstmatige schemering in de richting van het pension te lopen. Hij maakte zich op om de meest listige chantage uit de hele geschiedenis te plegen.

Hij schonk de anjer die hij in zijn revers droeg aan de pensionhoudster, die nog niet sliep, en maakte een buiging voor haar. De vrouw keek hem heel ernstig aan: in theorie was hij pas weduwnaar geworden en rouwde nog. Maar hijzelf zag zich al deel uitmaken van een ander universum.

De volgende dag, zondag, was meneer Gatell er al toen hij op kantoor kwam. Er hing een vreemde sfeer, alles was zo stil. Hij was er nog nooit op zijn vrije dag geweest. Hij klopte op de kantoordeur en ging naar binnen. Het vertrek was in het halfduister gehuld. De zon viel onder de gordijnen door de kamer in en verlichtte schuins de rook van de havanna die meneer Gatell, gezeten in zijn stoel, rookte.

Een seconde lang was Rafel Escorrigüela in paniek: hij had even de indruk dat Gatell hem ontving met een halve glimlach om zijn mond. Hij keek rond: er was verder niemand. Hij haalde adem en ging aan de slag. Hij staande, Gatell zittend, rokend en eigenaardig rustig, zoals wanneer hij een gesprek voerde met een leverancier. Escorrigüela schreef dat toe aan de zenuwen en begon. Hij luisterde naar zichzelf en verwonderde zich erover: alsof hij de situatie had voorzien, drukte hij zich op een heldere, meedogenloze manier uit, een beetje cynisch, van man tot man, terwijl hij Gatell ervan probeerde te overtuigen dat hij hem een goed voorstel deed. "Voor een grijpstuiver kunt u van de jongedame blijven genieten, wat u trouwens dik verdient ..."

Gatell hield het tot dat moment vol. Zijn ironische glimlach brak en zijn gezicht vertrok tot een grimas. Hij stond plotseling op, maar ging weer zitten. Escorrigüela was in juichstemming:

"Kom, meneer Gatell, het is geen dramatische opera ... Doet u de Catalaanse geest eer aan, gezond verstand en hartstocht. De hartstocht hebt u al in de vorm van een lekker ding van twintig jaar, doet u er nu een beetje gezond verstand bij. Bijna om niet krijgt u mijn volledige discretie en geheimhouding. Bovendien zou u bijdragen aan het begin van het fortuin van een jongeman, een bediende, naar wie het geluk altijd zijn rug heeft toegekeerd. En die u, dat hoef ik niet te zeggen, eeuwig dankbaar zou zijn. Denk erover na, als u wilt, maar ik zie louter voordelen. Denkt u eens aan het schandaal: zij een gecompromitteerd meisje, en u ... U kunt het zich niet veroorloven problemen met uw vrouw te krijgen, die bovendien, naar ik heb begrepen, door haar familiefortuin de voornaamste beschermvrouwe van deze handelsfirma is. Kom op, man, wees niet egoïstisch ..."

Gatell was perplex.

"Als ik je hoor, krijg ik zin om te kotsen. Voor de dag ermee, hoeveel?"

"Vijfenzeventighonderd peseta."

"Geen sprake van. Vijfduizend."

"Wilt u afdingen op uw geluk?"

"Doe niet of je leuk bent. En prijs je gelukkig dat ik je niet helemaal verrot sla."

Rafel zag de verrekijker op tafel; hij pakte hem en begon schaamteloos de kamer af te turen, terwijl hij zei: "Denk erover na, Gatell."

"Ik hoef er niet over na te denken. Vijfduizend peseta en omdat je hem zo mooi vindt, krijg je de verrekijker erbij. Een heel goede, peperduur ..."

Rafel Escorrigüela, die van nature schrander was, wist tot hoever hij kon gaan: "Ik heb een goede dag ... Akkoord."

Gatell overhandigde hem ter plekke een bedrag van vijfhonderd peseta contant en een cheque voor vijfenveertighonderd peseta. Het verbaasde Rafel Escorrigüela niet dat hij alles al kant-en-klaar had. Het was hem om het even. Het was geen fortuin, maar zijn loon van honderd peseta per maand in aanmerking genomen, was hij met dat geld dik tevreden.

Toen hij al wegging, zei zijn ex-baas: "Escorrigüela, denk niet dat u altijd het geluk zult hebben dat u vandaag hebt gehad."

De raadselachtige toon van de zin weerhield hem een moment. Gatell voegde eraan toe: "Voor het geval het niet duidelijk is, ik verwacht u van mijn leven niet meer te zien. Ik sta niet voor mezelf in."

"Maakt u zich geen zorgen, meneer Gatell. U beiden zult me nooit meer zien."

"Wij beiden?"

"Noch u, noch uw vrouw, dat moge duidelijk zijn."

"Sodemieter op!"

Rafel antwoordde met een "erg fijn u gekend te hebben" en waarschuwde niets tegen hem te ondernemen omdat er op dat moment al twee mensen in Barcelona rondliepen die van de zaak op de hoogte waren en alles zouden verklappen als hij geen levensteken meer gaf.

De man kwam uit zijn stoel en draaide hem de rug toe. Hij keek melancholisch tussen de plooien van de gordijnen door naar buiten, waar hij de zee vermoedde.

Rafel Escorrigüela trok zich er niets van aan en sloeg met een klap de deur achter zich dicht. Terwijl hij de trap naar de straat af liep, voelde hij de vijfhonderd peseta aan bankbiljetten in zijn ene jaszak en de verrekijker in de andere. Hij was eerder verrast dan tevreden. Hij was bijna zonder het te merken misdadiger geworden. Wel, een echte misdadiger was hij technisch gesproken eigenlijk al een hele poos. Maar zijn kleine vergissingen uit het verleden telden niet mee. Het belangrijkste was dat hij net een groot misdrijf had begaan en geen enkele wroeging had.

Hij rende de laatste treden af en liep de Rambla op. Hoewel het zondag was, voelde hij zich door het simpele feit dat hij van kantoor kwam net als toen hij als kleine jongen spijbelde: opgewonden en vrij. Het was een indrukwekkende, zonnige ochtend aan het eind van de winter.

Hij ademde diep in en dook onder in die golf van Barcelonees leven, net als iemand die het water in duikt en er zeker van is dat hij vindt wat hij zoekt. Bijna zonder het te merken kwam hij op de Canaletes uit. En meteen erna was hij in de Carrer Bergara, bij het pension. Aangezien hij het lot niet wilde tarten had hij precies op dat moment besloten te verhuizen. Het mocht niet zo zijn dat een boze meneer Gatell uiteindelijk de controle verloor en hem iemand met slechte bedoelingen op zijn dak stuurde.

Rafel improviseerde een korte maar gevoelige afscheidstoespraak voor de pensionhouders, liet weten dat hij wel iemand zou sturen om zijn spullen op te halen en ging weg als een heer. Hij dacht: don Eusebi Güell had het niet beter gedaan. Na het middageten zou hij zich bij een nieuw pension inschrijven. En hij zou er net zolang blijven tot hij een goed huurappartement in de Eixample had gevonden. Ah, en morgen naar kleermaker L'aranya, op de Plaça de la Llana, om zich een pak te laten aanmeten. Nu kon hij het zich permitteren, een hele tijd lang tenminste.

Hij besloot ook dat de tijd gekomen was om zijn jeugdvriend Deogràcies Miquel-Gambús weer op te zoeken. Hij had een aantal dagen op de loer gelegen in de buurt van het adres dat hij bij het Comité de Defensa Social had gekregen. Zoals hij verwachtte kon hij meteen vaststellen dat die Gambús zíjn Gambús waren. Op een ochtend zag hij bazin Miquela op straat. Ouder, maar met dezelfde reptielenblik als jaren geleden. Het had maar een seconde geduurd, net zo lang als de vrouw erover deed om in de koets te stappen die bij de deur op haar wachtte, maar hij had er genoeg aan. Op een avond zag hij Demi naar buiten komen. Hij ging hem achterna zonder dat hij zijn aandacht durfde trekken. Hij achtervolgde hem een aantal keren, maar liet zich niet zien. Iets zei hem dat het niet het juiste moment was.

Deze keer zou het heel anders zijn en hij wist waarom: hij had geld op zak.

Hij stak de open, rumoerige ruimte van de Plaça de Catalunya over. Het was een koude maar zonnige dag, een zondagochtend: matrozenmutsen, mutsjes in *parisien*-stijl met roze linten, dameshoeden met veren en moorddadige hoedennaalden, stevige herenhoeden, allerlei soorten petten, kakelbonte hoofddoeken van vrouwen met een donkere huid, alpinopetten en sobere kerkelijke hoofddeksels ...

Paartjes zeiden onder de palmen geheimzinnige zinnen tegen elkaar. Sommige gezinnen kwamen om een opgerolde crèmecake te kopen, andere hadden hem al en moesten terug naar Gràcia of Sant Gervasi en wachtten op toestemming om in de wachtende trams te mogen stappen. Kindermeisjes, die hun heerschapjes in een kinderwagen uitlieten, wezen naar de groene, rode of pompoenkleurige paardentrams barstensvol mensen, getrokken door lijdzame lastdieren. Oude mannen met vogelkooien namen een zonnebad ... Ter hoogte van de Ronda de Sant Pere zag hij mensen in een kring staan en hij liep erop af. Iemand van ongeveer veertig jaar schopte schandaal. Hondenmeppers hadden zijn hond afgepakt; ze zeiden dat het dier er verwaarloosd uitzag en zonder muilkorf liep. De luidruchtige burger wilde verhinderen dat ze het dier meenamen en liet hem niet los. Hij trok aan zijn hond en de anderen trokken hun strik strak. De nek van het arme dier deed 'krak' en de hond stierf. Boos en aangemoedigd door de kreten van de omstanders begon de vermoedelijke eigenaar de kar van de hondenmeppers heen en weer te schudden en er met handen en voeten tegenaan te slaan en te trappen. De hondenmeppers pakten hem met hun strik bij zijn nek, wat het volk nog bozer maakte, vooral een paar vrouwen die zich op de ambtenaren wierpen. Toen Rafel verder liep waren alle honden uit de kar en de twee hondenmeppers erin, naakt, aan handen en voeten gebonden. En er kwamen al een paar agenten te paard aan om vrede en rust te herstellen.

Dat was Barcelona.

Zoals hij had voorzien, was alles gladjes verlopen. Zozeer dat hij maar net op tijd was voor zijn afspraak met dat lieve naaistertje dat hij de nacht ervoor in Novetats had leren kennen.

Ze hadden afgesproken voor een populair café aan de Passeig de Gràcia.

Rafel Escorrigüela was gelukkig, de donkere wolken boven zijn leven waren overgewaaid en in zijn zak brandde geld.

Uit zijn koker haalde hij een van die korte, afgeplatte en onrookbare sigaren die twaalfenhalve cent kosten, beet er de punt af en stak hem aan. Hij nam een stevige trek en hoestte, als altijd. Hij hief zijn arm op en met zijn hoed in zijn hand groette hij blij het meisje, dat onrustig op hem wachtte op de hoek van de Carrer Casp met de Passeig de Gràcia. Hij riep: "Llucieta!"

En hij pakte het rokertje waaraan hij nog maar net begonnen was, gooide het op de grond en vertrapte het met een mengeling van woede en genot: "Afgelopen met vuiligheid roken."

14

In het jaar 1899 werd overal waar Nonnita Serrallac haar excentrieke nummer opvoerde reikhalzend naar de voorstelling uitgezien. Aangezien er dieren in werden afgemaakt en het een arm circus was, kon het nummer slechts af en toe worden opgevoerd. Daarom hadden de mensen het er met elkaar over, van dorp tot dorp, langs de hele route van het circus, en dromden ze bij de ingang van de tent samen om Nonnita te zien. En het was niet niks: ze zaten gekluisterd aan hun bank als ze diep onder de indruk bewaarheid zagen worden hoe een teer poppetje met één nekbeet kippen en duiven onthoofdde. Het nummer, dat Nonnita zelf had bedacht, begon met de klanken van onbestemd oosterse muziek die Tomàs Capdebrau op zijn viool speelde. Zijn ritme volgend, hypnotiseerde het meisje de dieren een voor een en legde ze roerloos, in trance, languit neer op een houten tafel, alsof ze sliepen, terwijl hun kopje hing. En ineens stopte de viool en onder tromgeroffel pakte ze een van de dieren behoedzaam op, streelde zijn kop, likte de kam als het een kip was ... en zette plotseling haar tanden in de nek! Bij duiven trok ze de kop er in één ruk af, spuugde die in een hoek en glimlachend, het dier bewoog nog, liet ze hem lopen, terwijl ze hem bij zijn vleugels beethield en het bloed uit de verminkte nek gutste. Op de tribune schreeuwden boerinnen die het gewend waren een konijn met één mep van de stamper in de nek af te maken, het uit van ontzetting. Doorgewinterde boeren, die het gewend waren om kippen de nek om te draaien, werden onpasselijk. Nonnita Serrallac zag het en lachte nog harder, pakte een ander dier en herhaalde de handeling, deze keer beestachtiger: ze douchte zich met het bloed en deed alsof ze het publiek ermee wilde besproeien. Ze droeg witte kleren, zodat de bloedrode kleur van de plas beter te zien was. Soms goot ze het bloed van het ongelukkige dier op de stoffige, modderige grond en besmeurde zichzelf vervolgens met de bloederige massa; een andere keer spreidde ze de vleugels en deed alsof ze met het dier ging dansen, op het ritme van een walsje of een mazurka; ze maakte zelfs meer dan eens met een dolk een gat in het dier, sneed het van onder tot boven open en verborg haar gezicht in de ingewanden. Meteen erna hief ze het kadaver op door met haar mond een darm beet te pakken en dan schudde ze het op het telkens snellere ritme van de viool heen en weer, zodat het bloed krachtig rondspatte. Het publiek reageerde een paar tellen later; het liet zich door zijn enthousiasme meeslepen en klapte zich de handen blauw. En intussen boog ze, droogde haar gezicht met een handdoekje ... en glimlachte. Ze schudde haar mahoniekleurige haar, maakte een paar danspasjes, boog opnieuw en verliet op de maat van de muziek sierlijk de piste. Het was prachtig! Ze leek wel een koningin ... Van opwinding waren de mensen door het dolle heen en ze bleven maar klappen. Ze hadden de gedaanteverwisseling van een engel in een duivel bijgewoond.

Vanwege het succes wilde ze het nummer uitbreiden door aan de kip en de duif een kalkoen toe te voegen: dat was spectaculairder, je zag het dier beter en het verzette zich. Nonnita kon laten zien dat ze met hem vocht, maar uiteindelijk ook hem de nek wist af te rukken. Toch lieten ze het idee varen, omdat kalkoenenbotten dikker zijn. En nadat Nonnita een tand had gebroken was het experiment afgelopen.

Het excentrieke nummer werkte, omdat er altijd publiek is dat de behoefte heeft zich te verwonderen en te schrikken. De mensen kwamen naar het circus met het voornemen zich te laten verrassen. Tomàs Capdebrau zei: "Het is nieuwsgierigheid die volwassenen de uitdrukking van een kind en kinderen de uitdrukking van een volwassene geeft."

Alcagaire de la Roca deed tijdens de kerstdagen van 1899 niet onder voor de andere dorpen. De belangrijkste familie ter plaatse, de Gambús, had het circus gecontracteerd. Het was een goed engagement: ze mochten gratis op een terrein bivakkeren en kregen een vast bedrag betaald voor een paar voorstellingen tussen kerst en nieuwjaar. In ruil daarvoor was de toegang voor alle inwoners gratis, als een soort cadeau dat de caciques hun mededorpelingen aanboden.

Zo leerde Nonnita de jonge Demi Gambús kennen. Na de voorstelling op tweede kerstdag kwam hij persoonlijk naar het voertuig waar ze woonde. Het was een eersteklas huifkar met een houten constructie, net een huisje op wielen. Ze hoorde dat er werd geklopt en toen ze de achterluiken opende, was het eerste wat ze zag een imponerend paar kattenogen dat haar van top tot teen opnam. En meteen erna kreeg ze complimenten: dat hij het nummer niet had gezien, maar naar wat ze hem hadden verteld, was het zo indrukwekkend (vooral omdat een vrouw het deed) dat ingezetenen en vreemdelingen van hun stuk gebracht naar buiten waren gekomen ... Kortom, hij wilde het zien, maar tijdens een eenmalige, speciale voorstelling voor hem en zijn vrienden, achter gesloten deuren.

"Ik wil op oudejaarsavond een feest geven en wil dat het heel geslaagd is, heel speciaal. Ik zou uw circuspiste willen afhuren om het te vieren. Ik wil dat mijn gasten zich vrij voelen en op hun gemak, ver van het toezicht van ouders en familieleden, dat ze kunnen dansen en kabaal maken, dat het niets geeft als ze een beetje te veel drinken en onderuitgaan. Uw circus is ideaal. Ik zal u een goede prijs betalen voor de huur en voor de heropvoering van uw nummer. Alleen úw nummer. Meer vraag ik niet. Dat lijkt me een goede overeenkomst."

Ze zag er het kenmerkende gebod in van degene die het voor het zeggen heeft, maar wat kon ze eraan doen? Ze zei natuurlijk ja.

Zo brachten ze dus na de avondvoorstelling van 31 december alles voor de nacht in gereedheid. De erfgenaam van de familie Gambús en diens gasten zouden er na het souper heen gaan om de komst van het nieuwe jaar te vieren.

De ruimte rook naar vers zaagsel en was schoon. Vanaf negen uur brachten mannelijke en vrouwelijke bedienden allerlei soorten drank en voedsel om een licht koud buffet aan te richten. Ze sleepten een paar kratten Henry Abelé-champagne aan. Daarop stond een afbeelding van een oudere, heel elegante heer die een badkuip met champagne volgiet. In de badkuip, dat behoeft geen betoog, een heel jonge naakte juffrouw die, met een glas in haar hand, 'Gelukkig 1900' wenst. Het circuspersoneel, dat het zag, maar er niet aan mocht komen, smachtte bij voorbaat naar de afvalresten. Met wat er overbleef zouden ze de volgende dag een heus festijn aanrichten om Nieuwjaar te vieren. In een handomdraai hadden ze een grote tafel klaargezet en vier houtkachels opgesteld, die binnen de ronde piste vier denkbeeldige hoeken markeerden. Om halftien droegen drie vrouwen een reusachtig ovaal vloerkleed binnen, dat ze midden in de ruimte uitrolden. Om tien uur waren er zes mannen voor nodig om een vleugel binnen te dragen, die ze in een hoek neerzetten. Als laatste brachten ze een badkuip vol gehakt ijs en zestien vergulde stijlstoelen bekleed met donkerrood fluweel, die ze in vier rijen van vier opstelden. Om kwart voor elf kwam de pianist, tot in de puntjes verzorgd, met zijn map partituren.

En om vijf voor elf werd al het circuspersoneel de ruimte uit gebonjourd, die dankzij de eigen kleine elektriciteitscentrale waarover het dorp beschikte verlicht was als op dagen dat er een grote voorstelling werd gegeven. Alleen twee betrouwbare bedienden en een hoofdkelner bleven om te voorzien in de behoeften van de baas en diens gasten. Klokslag elf uur kwamen de feestgangers: Demi Gambús en nog zeven jongemannen, allemaal overeenkomstig de etiquette gekleed. Allen erg jong. Een gemengd gezelschap van studiegenoten van de rechtenfaculteit en oude dorpsvrienden. Een mengeling van witte halzen en rode nekken. Waarom dan zestien stoelen? De jongens gingen in twee parallelle rijen van vier zitten, met het gezicht naar elkaar toe. Tussen hen in bleef een gang van ongeveer twee meter over. Ze schikten elkaars stropdassen en strikken, trokken hun vestjes recht en streken met hun handpalm, die ze eerst met spuug hadden natgemaakt, de onderkant van hun jassen recht. Enkelen haalden een kam uit hun zak en bij gebrek aan spiegel lieten ze degene die naast hen zat opnieuw hun scheiding trekken: heel precies, als alles die nacht, want niet elke dag begint er een nieuwe eeuw. Demi Gambús vroeg om stilte en ging op een stoel staan: "Waarde vrienden, volgens sommigen gaan we vandáág een nieuwe eeuw binnen, volgens anderen moeten we tot volgend jaar wachten. Dezelfde discussie deed zich honderd jaar geleden voor, in 1799, en het zou me niet verbazen als dat ook over honderd jaar het geval zal zijn, in 1999 (in dit geval verergerd door het miraculeus verspringen van het eerste cijfer). Omdat er twijfel over bestaat, wil ik geen enkel risico lopen. Ik wil de jaarwisseling 367 dagen vieren, vanaf vandaag, 31 december 1899, tot en met de eerste januari van 1901. Zo zitten we zeker goed. Laat het feest beginnen!"

Onder applaus ging hij weer in zijn rij zitten, terwijl de piano een paso doble inzette. Op het ritme van de muziek kwamen acht meisjes uit het leven uit de hoofdstad binnen. Ze waren speciaal voor de gelegenheid gekleed en zagen er best leuk uit. Jong en goedlachs kwamen ze binnen onder leiding van de oudste, een zwartharige van rond de dertig, dik en tegelijkertijd spontaan, die sigaretten van zwarte tabak rookte, gestoken in een lange sigarettenpijp die ze vasthield met twee worstvingertjes, die boven de respectieve ringen opzwollen. Achter haar kwamen de overige zeven, van alles wat, met een noords uiterlijk of mediterraan, echt of nep blond.

De jongens applaudisseerden en floten als gekken en de meisjes glimlachten en groetten, terwijl ze in ganzenpas liepen. Ze waren redelijk uitgerust, redelijk gekleed, redelijk gekapt, redelijk geparfumeerd, hadden redelijk gesoupeerd en gedronken, wat wilden ze nog meer? Bij het eind van de piste, zetten ze hun handen op hun heupen, maakten sierlijk een halve draai en gingen naar rechts of naar links. Dan paradeerden ze vlak voor de jongens langs, die ja of nee zeiden. Na drie rondjes werden ze uiteindelijk toegewezen en iedereen moest het maar voor lief nemen. De piano klonk, de mensen lachten, dronken en dansten. Een uitgelaten Demi Gambús hing rond een vrouw die een kop groter was dan hij, zich Rosor liet noemen en ingesnoerd was door een korset dat haar borsten zozeer omhoogduwde dat ze ze bijna met haar kin kon aanraken zonder haar hoofd te laten zakken. Ze deelden een coupe ijskoude champagne en hij vroeg haar waarom ze de hoer speelde. En de aangesprokene vertelde dat op één enkele middag, tijdens een volksfeest, drie jongens haar hun liefde hadden verklaard en dat ze alle drie Josep heetten: "Een wilde me karren leren mennen, de ander wilde naar Amerika en de derde ging dood. En ik zei maar tegen hen: 'Ik ben er nog niet klaar voor, Josep.' Ik merkte niet wat er aan de hand was en ik eindigde als tippelaarster."

En ze begon te lachen en wierp haar lichaam helemaal naar achteren om haar kleine armen beter te kunnen bewegen, die stijf waren geworden van het korset. Het was bijna middernacht en de stemming was opperbest. De bedienden stookten het vuur in de kachels op, zetten flessen koud in de badkuip en vulden de glazen. En dat de stelletjes niet daar ter plekke vleselijke omgang hadden, kwam alleen maar doordat de gastheer hun uitdrukkelijk te verstaan had gegeven dat ze hun lusten pas mochten botvieren als de nacht verder gevorderd was. Daarom grepen de jongens onder het dansen wat ze grijpen konden en werkten de meisjes zich in het zweet. En door het zweet liep hun make-up uit en werden hun gezichten nog sprekender. Demi Gambús ging van stelletje naar stelletje en vroeg de meisjes waarom ze tippelden. Een heel grote zwartharige die op de schoot van een van de jongens zat antwoordde: "Omdat mijn man ervandoor is met mijn beste vriendin en me met drie kleintjes heeft laten zitten."

"En heb je al een pooier die je zaken waarneemt?"

"Ik heb een man. Een beste kerel die met me wilde trouwen en goed is voor mijn meisjes."

"Ben je verliefd op hem?"

"Ga weg, ik hou alleen maar van geld!"

"Hoera!"

En ze klonken en hij liet haar de champagne in één teug opdrinken. En de opgeheven glazen schitterden onder het licht van de circuslantaarns.

Een van de jongens, metselaar van beroep, met een voor de gelegenheid uitgeschoren nek, geen drank gewend, ging tegen de kachel aan hangen en brandde zijn kont. Hij sprong op en de mensen begonnen te lachen.

De pianist, een mannetje met een appelgezicht, uitpuilende ogen en sluik haar, hield op met spelen. Hij had honger en het koude buffet dat er stond, was meer dan verleidelijk. Zijn stem sneed als een geslepen zaagje, van het soort dat aluminium snijdt: "Ik versterk even de inwendige mens en kom dan terug."

Maar ook toen de piano niet meer klonk, ging het doffe geluid van passen over het tapijt en wrijvende lichamen door; het doffe geluid van mensen die dansen zonder muziek. Heel hitsige jongens en meisjes die zelf muziek in hun lijf hadden. De pianist kreeg het ineens heel benauwd toen hij merkte dat hij overcompleet was en met een gebraden kippenboutje in zijn mond haastte hij zich weer terug naar zijn piano.

Handen die dansten, grepen en op de brede blote ruggen van de meisjes uit het leven lagen.

Het was bijna twaalf uur en de jonge Gambús legde de piano het zwijgen op en klom weer op een stoel. Hij haalde zijn horloge uit zijn vestzak, keek naar het uurwerk in zijn ene hand en maakte aanstalten om met de andere de pianist te waarschuwen. Hij riep om aandacht en begon om 23.59 uur af te tellen: "Tien, negen, acht, zeven, zes ... Gelukkig Nieuwjaar!" Als een veer die wordt losgelaten: meer geschreeuw, meer gegil en meer gepluk. En de pianist zette een wals in, een wals voor het nieuwe jaar 1900. Confetti, roltongen en vrolijkheid. En iedereen dansen! Magere jongens van goeden huize deelden met dikke boerenjongens dikke of magere meisjes uit het leven. En Demi Gambús er middenin die zijn meisje gilletjes liet slaken, alsof iemand haar kietelde.

Tegen één uur moest een van de jongens worden weggestuurd. Hij wilde alle hoeren hebben, wat onverenigbaar was met het feit dat het front van zijn overhemd met resten braaksel besmeurd was. Hij leek wel een hitsig dronken hondje. Op een teken van de jonge Gambús zetten de twee kelners en de hoofdkelner hem eruit. Ze wezen de jongen de deur zonder agressief te zijn, zodat het niet persoonlijk bedoeld leek. Maar aangezien hij niet wilde gaan, dwongen ze hem zijn jas en hoed te halen en gooiden hem er toen letterlijk uit. De jongen bleef met zijn kont op de grond zitten, in een plasje ijswater. Degenen die binnen waren lachten en klapten. Hij begreep er niets van, hij was erg misselijk, behoorde tot een van de voornaamste families van Barcelona: wat deed hij hier eigenlijk? Hij merkte dat hij zich verloren en alleen voelde in een afgelegen en onheilspellend dorp. En dat hij een natte kont had bij drie graden onder nul. Hij sloeg zijn revers op en zwalkte verward naar waar hij was gehuisvest.

Terwijl de sfeer niet stuk kon, kondigde Demi Gambús aan dat het tijd was voor de voorstelling. Hij legde de piano weer het zwijgen op en klapte in zijn handen. De circuslui, die op zijn signaal hadden gewacht, brachten het podium binnen waarop Nonnita Serrallac haar uitzonderlijke nummer zou vertonen en plaatsten het midden op het tapijt. Jongens en hoeren zetten de stoelen bijeen en gingen zitten. Demi Gambús ging de hoofdrolspeelster halen, die achter het gordijn stond dat toegang gaf tot de piste.

De piano begon een wals te spelen en beiden kwamen dansend tevoorschijn. Het meisje met het mahoniekleurige haar, de jongen met de kattenogen.

"U moet het me maar vergeven, ik dans helemaal niet goed", zei hij tegen haar en glimlachte.

Het meisje haalde haar schouders op en liet zich leiden. De gasten klapten voor de dansers, die dichterbij kwamen. Het was een mooi stel.

Hij had haar stevig om haar middel vast. Borsten, heupen en dijen vastgedrukt tegen zijn lijf. Hij merkte dat hij in vervoering raakte, als een stofwolk, als een vuurtong, met zijn neus verborgen in haar haren. Demi Gambús viel uiteen als een handvol zand die tussen de vingers door loopt. En dat beviel hem niet. Hij danste flink door.

"U hebt me belogen, u danst perfect", zei ze.

De jongeman glimlachte en liet haar achter naast de piano. De muziek stopte en de erfgenaam van huize Gambús merkte dat het gestuwde bloed weer naar zijn plaats terugging. Hij wilde die vrouw bezitten. Hij keek naar boven: helemaal bovenin liet het zeildoek van de tent de sterrennacht zien. Hij zei: "Waarde vrienden, een beetje geduld. Jullie hebben naast je, binnen handbereik, schoonheden van groot kaliber en ik weet dat jullie op het punt staan om te ontploffen. Maak je maar geen zorgen, binnenkort kunnen jullie de dames bevredigen. Maar eerst wil ik dat jullie met mij genieten van de kunsten van deze juffrouw. Ik heb er de afgelopen dagen zo veel over gehoord dat ik deze gelegenheid niet kon laten lopen. Ze is zo vriendelijk haar nummer voor ons allemaal te herhalen. Ik weet niet wat het voorstelt. Ik wilde het niet weten, het moest een volkomen verrassing zijn. Jullie, vrienden en vriendinnen, hebben het ook niet gezien. Is het écht zo bijzonder wat dit tere schepsel doet?"

Demi Gambús pakte haar hand en hief haar arm omhoog. Al het personeel klapte. Nonnita Serrallac straalde bevalligheid uit. Beschonken en glimmend van trots ging Demi Gambús verder: "Juffrouw Serrallac, deze nacht is heel speciaal. Ik wens dat uw optreden ook heel speciaal is. Zou u voor uw werk een toeslag willen verdienen van laten we zeggen ... duizend peseta?"

Het meisje sperde haar ogen wijd open bij het horen van dat kleine fortuin.

"Zoals u hoort. Vrienden, vriendinnen, er schiet me net iets te binnen ... Ik stel jullie voor om met juffrouw Serrallac de volgende weddenschap af te sluiten: zonder te weten wat haar nummer inhoudt, wedden we om duizend peseta, die ík betaal, dat we in staat zijn om te herhalen wat zij doet. Wat dan ook. Een van ons zevenen, wie dan ook, zal proberen het nummer te herhalen. Als het ons niet lukt, krijgt u die duizend peseta mee; als het ons wél lukt, incasseren we. Wat zegt u ervan?"

"Wat wilt u dat ik ervan zeg?" zei ze helemaal verrast. "Ik heb geen duizend peseta om in te zetten. En ook al had ik ze, dan nog kon ik me de luxe niet veroorloven het te doen."

"Niemand heeft u gevraagd om geld in te zetten. Als wij winnen, innen we in ... natura."

"In natura? Wat wilt u, gratis optredens?"

"Nee. U bent de prijs. En dit is geen huwelijksaanzoek ..." Er viel een stilte; iedereen luisterde aandachtig. "Verdomme, het is niet zo moeilijk te begrijpen. Met alle respect voor de hier aanwezigen, maar u bent geen hoer, wat u opwindender maakt. Geld is pervers. Ik heb het in overvloed en u hebt geen schijntje. Mijn duizend peseta afwijzen is immoreel. Denkt u eens aan die hongerlijders die u vergezellen ... Bovendien, en neemt u het me niet kwalijk, geloof ik niet dat u uw maagdelijkheid bewaart voor de een of andere heer uit de omgeving. En als u dat wel zou doen, zou ik haar ook voor duizend peseta kopen. Wat u weer voor een moreel dilemma zou plaatsen. Maar kom, als uw nummer zo bijzonder is als gezegd wordt, hebt u niets te vrezen, u wint zeker."

Nonnita Serrallac keek naar Tomàs Capdebrau, die net met zijn viool was binnengekomen en alles had gehoord. Hij moest wel wegkijken, dat dilemma was hem ook te veel. En bovendien hadden die zo openlijke toespelingen op de mogelijke maagdelijkheid van het meisje van iemand die gewend was om te bevelen hem van zijn stuk gebracht en beschaamd. Nonnita Serrallac keek op naar die hardvochtige jongen met de kattenogen die haar net had herinnerd aan de knagende honger die ze vaak in het circus leden. Ze zei zachtjes: "Afgesproken."

Er heerste een paar tellen stilte, die werd verbroken door het enthousiasme van Demi Gambús: "Perfect!" De piano zette een mars in. "Aan de slag, dus."

Op het ritme van de muziek ging Nonnita zelf de kip en de duif halen. Ze besteeg de verhoging en het werd stil. Tomàs Capdebrau gaf met zijn viool de maat aan en met het beeld van duizend peseta voor ogen ging ze vastbesloten te werk. De reacties van dat zo uitgelezen publiek waren die van altijd: afschuw en bewondering. Meteen weigerden de meisjes te kijken en verborgen hun ogen aan de borst van hun begeleider. De jongemannen moesten, na wat ze hadden gezopen, bijna allemaal overgeven. En zij, in de piste, zag het en kwam in de stemming. Zelfs zozeer dat ze die keer de wals met de van het bloed druipende kip zonder kop midden tussen dat zo bijzondere publiek deed. Alleen al toen ze zagen dat ze dichterbij kwam, stoven ze in alle richtingen uiteen, de meisjes gillend, de mannen lachend en boerend.

Er klonk daverend applaus, vooral uit opluchting nu ze wisten dat die foltering afgelopen was. Nonnita, die onder het bloed zat, glimlachte en boog. Ze zag zichzelf als winnaar van de weddenschap. Demi Gambús was heel ernstig geworden. Hij richtte zich tot zijn vrienden en riep ze een voor een bij hun naam. Met het schaamrood op de kaken verklaarde de een na de ander zich er niet toe in staat om die barbaarse daad te herhalen.

Nonnita Serrallac liep op hem af met de bedoeling te beuren. Hij liet haar dichterbij komen en toen ze binnen bereik was, pakte hij haar met één hand bij haar wangen beet. Zijn gezicht was vertrokken van ongenoegen, vermengd met resten van de spanning die hij net had doorstaan. Hij keek haar met zijn kattenogen aan en zei: "Niet zo snel, dame, ik ga het proberen. Ik vind de prijs erg de moeite waard."

Terwijl Tomàs de piste schoonmaakte en de resten opraapte om te bewaren, ging Nonnita zelf, verbouwereerd, opnieuw een kip en duif halen. Ze zette ze op hun plaats en hypnotiseerde ze om tijd te winnen. De dieren waren zo stom dat ze in een kwestie van seconden insliepen. Alles stond klaar. De viool van Tomàs Capdebrau klonk. De spanning was groot. Zelfs de pianist en de drie kelners kwamen erbij staan om het te zien. Demi Gambús besteeg het podium en trok zijn colbertje uit. De viool bleef maar spelen en de rest van de jongens en meisjes had al zonder het te merken de stoelen tot bij de rand van de verhoging gezet. Het kon hun niet schelen dat Demi hen zou bespatten, dit wilden ze met eigen ogen zien.

Demi Gambús pakte de duif voorzichtig vast zodat deze niet wakker zou worden, zoals hij het meisje had zien doen: de twee handen samengevouwen als van iemand die water uit een bron drinkt, met in het midden de duif. Alleen al bij de gedachte moest hij kokhalzen. Hij keek naar het walgelijke lijfje van de slapende duif, nam de omvang van dat kopje op en berekende hoe ver hij zijn mond zou moeten opendoen. Hij merkte dat het zweet langs zijn nek gutste. Hij werd misselijk. Hij was er niet toe in staat. Hij keek op en zag al die gezichten die hem met vreemde grimassen aankeken. Hij zag het meisje met het mahoniekleurige haar. Als hij wilde, kon hij haar ook voor nop hebben, hij was koning! Zijn handen begonnen te trillen. Koning? Wat voor koning is dat die het midden tussen die mensen van angst en benauwenis in zijn broek doet? Hij hoorde een soort knallende zweepslag, helder en droog, midden in zijn hersens. Adrenaline verving de alcohol.

En ineens deed hij het.

Zijn arm was als een bliksemflits. Met zijn rechterhand pakte hij de duif beet en in één beweging, zonder haperen, als iemand die een fles pakt en deze met zijn tanden ontkurkt, trok hij in één ruk de kop eraf en spuugde die op de grond. Een dierlijke schreeuw verloste de toeschouwers, die als idioten begonnen te klappen en te fluiten. En terwijl hij het onthoofde diertje als een trofee boven zijn hoofd hield, liep hij op hen af en ze zwegen plotseling. Hij schudde het verminkte lijf voor zijn gasten op en neer en stelde met genoegen vast dat ze eerst ineenkrompen en vervolgens terugdeinsden. Een van de jongens struikelde zelfs over zijn stoel en viel op de grond, toen hij de hoop bloederig vlees zag. Hij was koning!

Hij wendde zich tot het meisje en keek haar met zijn priemende roofdierenogen strak aan. Hij gooide de duif voor haar voeten op de grond en met een koude stem, gewend om te bevelen, gebood hij: "Betaal."

De lippen van het meisje trilden. Ze slaagde erin te zeggen: "Je bent nog niet klaar."

Als de kat die vóór het eten met zijn tong zijn snorharen aflikt, antwoordde hij haar heel langzaam: "Ik ben wel klaar. Betaal."

Nonnita Serrallac zag in zijn ogen dat hij haar geen keus liet. De mensen begonnen weer te schreeuwen en te klappen. Er was geen uitweg. Ze trilde meer van woede dan van schaamte. De jongeman vroeg om stilte en stuurde het personeel weg: de pianist en de kelners. Hij gaf ze een uurtje vrijaf.

Een van de jongens – hij was groot, erg mager, met krullend haar, stukadoor van beroep, bedwelmd door het moment, door die minuten en seconden – duwde een van de meisjes van zich af en richtte zich heel behoedzaam tot Demi Gambús: "Laat mij haar als eerste neuken, Demi. Kom, Demi, laat haar aan mij over, alsjeblieft!"

"Rustig, er is genoeg voor iedereen; orde voor alles ..."

Nonnita Serrallac geloofde haar oren niet. De stukadoor blies bedorven adem in haar gezicht en herinnerde haar eraan dat de heer Gambús had gezegd dat zij de prijs was, zonder te preciseren hóé ze van haar zouden genieten, noch met hoevelen ...

Het meisje keek rechts en links zonder te weten wat ze moest doen. Twee jongens hadden Tomàs Capdebrau beetgepakt en bonden hem aan een van de bankjes vast. Terwijl ze probeerde weg te komen van de stukadoor, smeekte ze haar te laten gaan, dat het allemaal maar een grap was. Maar het tegendeel was het geval, iemand pakte haar stevig vast en dwong haar op de grond, op het met bloed besmeurde zaagsel. Het was als het startschot. Demi Gambús riep euforisch: "Ik wil haar nu boven op de verhoging ... naakt! En jullie ook, meisjes! Redde wie zich redden kan!"

In minder dan een minuut sloeg iedereen aan het betasten, likken, uitkleden. Toen de beroeps de eerste schok eenmaal te boven waren, stortten ze zich fris en vrolijk op het hoereren. De acht meisjes moesten de vier of vijf overgebleven jongens met elkaar delen, aangezien Demi en twee anderen zich volledig aan Nonnita wijdden. Een pakte haar armen beet, een ander haar voeten en de derde, de erfgenaam Gambús, kleedde haar zonder haast uit. Nonnita, die echt bang geworden was, schreeuwde dat ze haar moesten laten gaan, kermde, smeekte dat ze het als ze ervan afzagen zou vergeten, dat ze het alleen maar als effect van de alcohol zou beschouwen. Het antwoord van Demi Gambús was een eerste klap in haar gezicht en de mededeling dat ze haar bek moest houden. De hoeren bemoeiden zich ermee en schreeuwden tegen haar dat ze niet zo'n schandaal moest schoppen, dat het nette jongens waren en de meesten van goeden huize. Maar Nonnita bleef gillen. Demi Gambús ging naar de tafel om zichzelf meer champagne in te schenken. Hij gromde, zei dat het gekrijs hem op de zenuwen werkte. De stukadoor pakte haar beet, beval haar stil te zijn en gaf haar een tweede klap, zodat haar gezicht opzij sloeg, tegen de grond aan. Desondanks hield ze haar mond niet. Waardoor ze een derde klap moest incasseren, die haar de wereld uit het oog deed verliezen en een scherp fluitje in haar hoofd liet klinken. Ze werd heel bang en zweeg van het ene op het andere moment.

Demi Gambús was heel opgewonden. Het was de eerste keer dat hij iemand verkrachtte. Niet omdat hij niet anders kon, maar juist omdat hij het niet nodig had. Hij hoefde maar met zijn vingers te knippen en binnen de seconde had hij twee meisjes die zijn bed verwarmden. Maar dat was vóór hij die vrouw met het mahoniekleurige haar had leren kennen. Ze had hem uitgedaagd en nu liet hij haar zien wie koning was en dat een koning als hij niet toestond dat hij werd getart.

Nonnita bleef schoppen en krabben. Maar ineens werd ze moe. Ze was een meisje alleen tegen drie goed doorvoede en zwaardronken mannen. En Demi Gambús werd ongeduldig. Hij maakte zijn broek los en deed rustig aan. Hij streek over haar borsten, begon fijntjes haar schaamhaar te kammen ... Ineens zei hij dat ze haar benen moest spreiden, hij likte aan de wijsvinger van zijn rechterhand en stopte die in haar vagina. Meteen daarna begon hij hem heel langzaam rond te draaien, erin, eruit, bijna alsof het om een onderzoek ging. Triomfantelijk riep hij uit: "Zien jullie wel? Ze is geen maagd."

Het meisje hield panisch haar adem in: iemand die daartoe in staat was, kon haar ook aan het mes rijgen waarmee de kip werd aangesneden om zo de viering van de eeuwwisseling af te sluiten.

Om haar heen hadden zich acht of tien gezichten verzameld van jongens en hoeren die de verrichting bekeken en ervan genoten. Dames en heren, respect alstublieft! Hij was die nacht de koning der koningen. Daarop bekeek hij Nonnita Serrallac, die onder hem lag. Hij sloeg met zijn hand hard op haar kont en drong bij haar binnen. Het ontbrak er nog maar aan dat hij haar toeknikte, terwijl hij het deed. Hij kwam klaar en iedereen klapte.

De overige zes volgden in Deogràcies-Miquel Gambús' voetsporen. Gedurende korte tijd bood Nonnita weerstand, telkens minder. Ze zag in dat ze er meer bij te verliezen dan te winnen had en gaf zich gewonnen. Ze hield zich rustig en liet hen begaan. Ze hoorde een stem die zei: "Dat bevalt me, dat ze verstandig wordt. Ze gaat het nog lekker vinden ook, let maar op."

De een na de ander, tot de laatste.

Ze zetten er een punt achter en lieten haar voor oud vuil liggen, alleen, midden op die verhoging, kapot, stuk, niet in staat te bewegen of adem te halen. Ze probeerde op te staan en viel flauw.

Een paar minuten later kwam ze weer bij en bleef stil liggen, zonder zich te bewegen, met gesloten ogen, terwijl ze haar hart voelde kloppen. Een slag op de piano deed haar opschrikken en ze opende haar ogen. De orgie ging tot ieders volle tevredenheid door en een jongen had net een van de hoeren boven op de toetsen laten vallen. Het waren zeven mannen en acht vrouwen op een vormeloze hoop. Toen zag ze Tomàs die bewusteloos op de grond lag. Ze hadden hem met zijn viool op zijn hoofd geslagen, zodat hij niet lastig werd. Ze probeerde op te staan, maar kon het niet. Ze werd misselijk. Ze bleef stil, ze jankte niet of schreeuwde niet. Ze had een grote bloedklonter tussen haar benen. Ze viel weer flauw.

Ze merkte hoe iemand van de aanwezigen haar opzij legde omdat ze in de weg lag. Haar bij de voeten beetpakkend versleepten ze haar een paar meter. Toen ze haar ogen opendeed, zag ze dat ze naast Tomàs Capdebrau lag. Daar bleven ze, als twee poppen, als twee doden, als twee opengesneden varkens. Een halfuur later goot een van de jongens een fles champagne over haar uit, keek naar haar en ging lachend weg. Het meisje opende haar ogen en deze keer kon ze opstaan. Ze trok haar paar vodden weer aan en begon haar vriend los te binden. Een hand pakte haar van achteren bij haar schouder en hield haar tegen. Ze draaide zich om, het was Demi Gambús, naakt, hij had alleen zijn laarzen aan. Hij glimlachte half.

"Ik hoop dat je ervan geleerd hebt. Je kan niet zomaar rondlopen en provoceren. Pak dat stuk stront van een vioolspeler op en neem hem mee. We zijn nog wel even bezig. Ga jezelf maar eens wassen. Je stinkt als een otter. En kijk me maar niet zo aan, want dan ga ik nog denken dat je het lekker vond en een tweede ronde wilt ..."

Ze keek met lege ogen naar hem en dat maakte hem woedend: "Eruit! Ik walg van jullie! Morgenmiddag wil ik helemaal niets meer van dit klotecircus zien. Ik wil dat jullie dan al lang en breed op weg zijn. Begrepen? Heb je me begrepen?"

"Ja ..."

"En nu opgesodemieterd."

En hij draaide zich om en ging naar zijn feest terug.

Nonnita maakte Tomàs Capdebrau los, bracht hem met een beetje water weer bij en nam hem mee. Nog een geluk dat ze zijn hoofd niet hadden ingeslagen. Hij zou er alleen een flinke bult aan overhouden.

Ze gingen helemaal kapot de huifkar binnen. Ze zou het gezicht van die klootzak nooit vergeten. Ze zou nooit vergeten wat die klootzak haar had aangedaan.

Dit was het verhaal dat Nonnita in grote lijnen en met weglating van de meest crue details aan Eustaqui Guillaumet moest vertellen, die op het punt stond bij haar thuis aan te kloppen.

Ongerust loopt ze met een petroleumlamp in haar hand de overloop op. Ze wil met de doden praten. Ze moeten weg. Ze hebben het nog niet aangedurfd bij haar binnen te komen, maar maanden geleden durfden ze ook geen voet over de drempel van het portiek te zetten en nu zijn er soms dagen dat ze hen bijna moet verjagen omdat er op de overloop geen plaats is.

Op het eerste gezicht zijn ze goed vertegenwoordigd. Bovendien zijn ze speels. Ze gaan voor haar staan en laten haar pas op het allerlaatste moment langs. De leukste van het stel, Jaume, de kapper uit de Carrer Tarongeta, gaat niet opzij en het meisje moet dwars door hem heen. Zodat gedurende een paar ogenblikken de twee gezichten, dat van de dode en dat van de levende, over elkaar heen liggen en het lijkt alsof Nonnita Serrallac het houten ei inslikt dat druipt van het speeksel van de dode. Het meisje is omringd door lachende spokengezichten. Maar ze is vandaag niet in de stemming voor spelletjes. Ze wil met hen tot een redelijke oplossing komen voor haar benauwenis.

En als ze merken dat het meisje met hen wil praten, zijn ze er ineens allemaal en willen ze allemaal hun zegje doen. En van het ene op het andere moment is het een heksenketel van doden, een Poolse landdag van geesten. Het typische haantje-de-voorste zijn van de overledenen, denkt ze. En ze zegt: "Jullie hebben het voordeel dat jullie dingen van tevoren weten. Doe ik er goed aan om Eustaqui te betrekken bij ...?" Maar ze accepteren het niet, ze ontkennen het met veel misbaar. De kapper uit de Carrer Tarongeta haalt het houten ei uit zijn mond, droogt het af en zegt: "Eens kijken, van tevoren weten, wat je noemt van tevoren weten, niet echt, want je hebt doden en doden. Let wel, als je dood bent, heb je een hoop kopzorgen minder." De kolenboer merkt op: "Als je dood bent, ken je geen verdriet en pijn meer, geen ziekten en haat. Je hebt weliswaar geen enkele hoop, maar er is niets meer wat je pijn kan doen: je schrikt niet van de donder of maakt je ongerust over het piepen van een deur die je niet had dichtgemaakt; je hoort zelfs niet de snik van een arme ziel." En de voormalige kapper zegt weer, met iets van de nostalgie die zelfs bij een dode onvermijdelijk is: "Dat is ons pakkie-an niet, dat past ons niet. Dat zijn jullie zaken, dat zijn kwesties voor onze kinderen, voor onze kindskinderen. Onze enige taak is uitrusten."

En de levenden lastigvallen, denkt Nonnita Serrallac, maar ze zegt het niet. En minacht hen. "Ik wilde jullie naar de toekomst vragen, maar ik peins er niet meer over. Ik heb niets aan jullie." Ze laat hen staan, terwijl ze onderling vurig discussiëren – wat in tegenspraak is met wat ze haar net hebben uitgelegd. De waarheid was een dode letter als je hen moest vertrouwen. En ze mompelt binnensmonds: "Je zult zien dat de doden uit mijn buurt uiteindelijk de stomste van heel Barcelona blijken te zijn ..."

Eustaqui Guillaumet kwam heel uitgelaten bij de woning van Nonnita Serrallac aan, enigszins nieuwsgierig naar wat ze hem wilde voorstellen. Hij beklom de trap in bijna totale duisternis, maar met snelle tred. Hij hoorde helemaal boven geluid, keek op en zag het vage schijnsel van een petroleumlamp. Dat moest ze zijn. Ineens hoorde hij haar praten, zonder te begrijpen wat ze zei. Tegen wie sprak ze als het niet tegen hem was? Hij besteedde er verder geen aandacht aan. Hij bereikte de bovenste overloop en ging de flat binnen. De deur stond open en hij liet zich leiden door het flikkerende schijnsel van een kaars die binnen brandde. In een hoek keek Tomàs Capdebrau, gezeten op een krukje, naar het plafond. Eustaqui groette hem niet, dat hoefde niet, hij wist al wanneer Tomàs er was en wanneer niet.

De stank van de petroleumlamp bereikte hem eerder dan zij. Ze kwam de keuken uit met een bord dampende broodsoep. Ze zette het bord voor hem neer en hing de lamp aan de muur: "Heb je trek?"

"En of! En u, mevrouw, eet u niet mee?"

Ze ging naast hem zitten en schudde haar hoofd. Ze wist niet hoe ze moest beginnen. Ze zweeg, terwijl de jongen van zijn soep slurpte. Hij had zijn bord nog niet met zijn lepel leeggeschraapt, of ze nam het al weg en kwam terug met een aardappelomelet, brood, een fles wijn en een glas. Wat een luxe. Er ging weer een lange minuut voorbij. Eustaqui Guillaumet voelde de spanning, maar durfde zijn mond niet open te doen. Uiteindelijk begon het meisje hem heel die verschrikkelijke geschiedenis te vertellen, terwijl ze met een vingernagel over het tafelblad kraste.

Hij kreeg de aardappelomelet onmogelijk door zijn keel. Hij had al geen honger meer. Nonnita zei tot slot zachtjes: "De marteling duurde nog twee weken, tot ik zeker wist dat geen enkele van die klootzakken me zwanger had gemaakt."

Ineens klonk de stem van Tomàs Capdebrau, moe en schor: "Ik herinner me alles. Ik moest alles mee aanzien. Ze waren wreed genoeg om tot het eind te wachten, voordat ze me buiten westen sloegen."

Ze waren even stil om te zien of hij nog iets zou zeggen, maar hij zweeg.

Eustaqui Guillaumet keek om zich heen. Ze waren alleen in een leeg en somber gebouw, dat tegen de grond ging. Je hoorde in een van de flats eronder deuren en vensters klapperen. Hij keek door het eetkamerraam naar buiten. Je zag niets, het was pikdonker. Er liep een rilling over zijn rug. Voor het eerst, één seconde lang, vond hij Barcelona onheilspellend. En hij was zich ervan bewust dat hij die klootzak, als hij hem op dat moment voor zich had gehad, zonder te haperen zou hebben vermoord. Gelukkig zei Nonnita Serrallac, die het instinct in zijn ogen had zien flikkeren: "Overdag heb je door het raam een rustig, mooi uitzicht: de wijken van Sant Pere, Santa Caterina en Sant Cugat."

De jongen kalmeerde en ze vervolgde: "Terwijl ik er het minst op bedacht was, is die man weer in mijn leven verschenen. Het is degene die je in de gaten hebt gehouden. Pasgeleden ben ik hem om hulp gaan vragen en hij heeft geweigerd. Daardoor heb ik ingezien dat je dat soort mensen niet iets moet vragen als je wilt dat ze notitie van je nemen ... Ik kreeg heel veel zin om hem pijn te doen, maar vooral om hem zijn geld af te pakken. En ik denk erover het te doen, Eustaqui. Ik ken dat soort kerels. Hij moet zelf een blunder begaan. Ik heb een idee."

Eustaqui Guillaumet luisterde aandachtig. Hij zou zich van het balkon gooien als het meisje hem dat vroeg. Hij dronk de woorden van Nonnita Serrallac bijna in.

"Ik ben van plan hem de kans te bieden de weddenschap van negen jaar geleden over te doen. In mijn toestand zal hij er ontzettend veel zin in hebben. Het verschil is dat ik hem veel meer geld zal vragen en ..."

"Maar mevrouw, als hij negen jaar geleden al gewonnen heeft, waarom denkt u dat het nu anders zal zijn?"

"Hij zal niet winnen. Hoor je me niet? Hij zal niet winnen omdat het niet zover zal komen! Wij zullen hem bedriegen. Het is het lokaas om hem zover te krijgen dat hij naar een bepaalde plek gaat, helemaal alleen en met de poen. Het gaat erom hem van alles te beroven, zelfs van zijn onderbroek."

De jongen sprak even later heel serieus: "We bedriegen hem, we plukken hem kaal ..."

"En wil je nu nog met me meedoen?"

"Dat kan ik u op een briefje geven, mevrouw."

Nu was zij het die hem pas na een paar tellen bedankte. Dat was ze niet gewend: "Dankjewel, Eustaqui."

En ze liep op hem toe en omhelsde hem hartelijk. En de jongen, die het hele lichaam voelde van die vrouw die hem gek maakte, kreeg vochtige ogen en een hard lid. Gelukkig behoedde het schaarse licht in de kamer hem voor de blamage dat ze het merkte. Achter hem ging ze door haar plan uit de doeken te doen, nu al wat opgewekter: "We hebben een paar uur speling nodig om te kunnen wegkomen. Ik bedenk wel hoe. We delen het geld. Je kan terug naar Vila-rodona met je zakken vol. Alsof je in Amerika fortuin hebt gemaakt."

"Dat maakt me niet uit, mevrouw. En waarom pakken we die kerel niet bij zijn kloten?"

"We moeten handelen met een warm hart, maar koelbloedig. We wachten. We moeten de vlucht goed plannen. Je weet dat ik ook nog verantwoordelijk ben voor Tomàs. Bovendien heb ik er nu het hart nog niet voor. Ik had er al genoeg moeite mee om hem de eerste keer op te zoeken. Ik wil er zeker van zijn dat ik voldoende lef zal hebben om naar zijn huis te gaan en hem op te lichten ... Ik weet dat hij er naarmate ik langer zwanger ben meer zin in zal hebben. Met jou aan mijn zijde zal het me niet zoveel moeite kosten."

Op dat moment smolt Eustaqui Guillaumet. Hij glimlachte, Nonnita Serrallac ook. En bij het kaarslicht at hij langzaam de aardappelomelet op. Helemaal in zijn eentje, omdat ze was gaan slapen, nadat ze zich ervan had vergewist dat Tomàs in bed lag. Voor ze naar haar kamer ging, zei ze: "Eustaqui, als je me weleens in mezelf hoort praten, moet je er maar niet op letten, afgesproken?"

"Afgesproken. Welterusten, mevrouw."

"Welterusten."

Ze zou hem wel een andere keer uitleggen dat ze met de doden uit haar buurt sprak. Een andere keer, niet nu.

Eustaqui Guillaumet dronk de fles wijn leeg, terwijl hij nadacht. Het was te veel in korte tijd, hij moest het beetje bij beetje verwerken. De bazin sprak in haar eentje? En wat dan nog: in Barcelona had hij al tientallen mensen gezien die hardop in hun eentje op straat spraken. In zijn dorp was een zwakzinnige die Ramon heette, die ook in zijn eentje praatte. Hij had geen tand meer in zijn mond en een menslievende ziel had hem, anoniem en praktisch, het kunstgebit van een dode cadeau gedaan. Het gevolg was dat de zwakzinnige Ramon het gebit beetpakte en er lange gesprekken mee voerde. Hij vroeg van alles en het kunstgebit antwoordde ...

Hij knikkebolde, gehypnotiseerd door de kaarsvlam. Hij probeerde zich een voorstelling te maken van het begrip 'geld hebben', maar er schoot hem niets te binnen en hij werd moe. Met zijn hoofd op tafel viel hij in slaap. Hij droomde dat hij rijk naar Vilarodona terugkeerde, getrouwd met Nonnita Serrallac en aan iedereen vertellend dat háár kind het zijne was. En hij maakte de reiswieg van zijn zoon open en het gezicht van de zwakzinnige Ramon verscheen, die zonder tanden glimlachte en met zijn hand het kunstgebit liet keuvelen.

Hij werd wakker toen het al licht was.

Hij zuchtte diep en zoals Nonnita Serrallac de avond ervoor al had voorspeld, ontvouwde zich voor zijn ogen een rustig en vredig panorama: de dakterrassen en daken van de wijken Sant Pere, Santa Caterina en Sant Cugat. En duiventillen rondom.

15

Fonda de Viatgers La Pau was gevestigd op de begane grond en de eerste verdieping van een hoekgebouw met de hoofdingang aan de Carrer Giriti nummer 4 en de dienstuitgang aan de Carrer Plateria 37. De arbeiders die elke ochtend vroeg door de straat liepen, konden vlak bij het keukenraam de geur opsnuiven van koffie met brandewijn, die matineuze klanten werd aangeboden.

Het was kwart over vijf en een dienstmeisje was druk in de weer met het dekken van een van de tafels van de kleine eetkamer van het logement, die pal naast de receptie lag. Het etablissement beleefde gouden tijden: er vlak naast waren de bouwwerkzaamheden van de Reforma. Er recht tegenover stond de overkant van de Carrer Plateria op het punt om tegen de vlakte te gaan. Dit bracht weliswaar stof en lawaai met zich mee, maar leverde ook klanten op, zowel gelegenheidsklanten als pensiongasten die langer bleven.

Terwijl het dienstmeisje de kachel in de eetkamer aanmaakte, schrok ze op van geklop in het portiek. Gedecideerd geklop, om kwart over vijf 's ochtends. Ze kalmeerde echter meteen, dieven kloppen niet aan. Ze dacht eerder aan een ongeluk, aan een noodsituatie. Ze liep de eetkamer door naar het raam dat uitzag op de Carrer Giriti. Er stond een rijtuig dat nogal luxe was uitgevoerd, van gelakt notenhout, met een koetsier in uniform op de bok en een paard met hazelnootkleurig tuig dat meer blonk dan de meeste pensionklanten. Het zou wel een of andere architect zijn, een ingenieur of een belangrijk iemand van de werkzaamheden van de Reforma, die buiten werkuren kwam en onderdak zocht. Er werd weer geklopt en ze ging opendoen, terwijl ze haar handen, die vies waren geworden van de kolen, aan haar schort afveegde. Er stonden drie mannen. De grootste, van middelbare leeftijd, had een rattengezicht en droeg zijn sluike haar naar achteren gekamd en aan zijn schedel geplakt. Hij had een beetje een hoge rug en was enigszins gezet. Hij droeg een jasje van zwarte stof en had laarzen aan. Uit dat jasje staken korte armen die uitliepen in vlezige handen, als die van een zuigeling, die aan zijn zijden leken te hangen. Onder het praten draaide hij zijn bolhoed rond. Achter hem twee jongens met hun petten diep over hun ogen en een weinig vertrouwenwekkend uiterlijk. Ze boezemden haar angst in. Ieder van hen kon met één hand haar nek breken. De man met het rattengezicht sprak.

"Schrikt u niet, juffrouw, we zijn goed volk. We zijn net aangekomen. Ik begrijp dat hier de jongeheer Rafel Escorrigüela logeert ..."

"Ja."

"Wel, hijzelf heeft me uw etablissement aanbevolen. Ik zou misschien een paar kamers willen huren. Een eenpersoonskamer voor mij en voor hen een tweepersoonskamer."

Het meisje bekeek de man met het rattengezicht en de twee onverstoorbare schelmen achter hem, die een hoofd groter waren dan hun zogenaamde baas. Wat moest ze doen? Ze ging opzij en liet de ingang vrij. Ze maakte van de gelegenheid gebruik om snel even naar buiten te kijken. Het rijtuig stond er nog steeds. Het besloeg bijna de hele straatbreedte. De gordijntjes voor de ramen maakten het onmogelijk te zien of er nog iemand in zat.

Het dienstmeisje stak een gaslamp aan die, door het stof, meer de lucht verpestte dan dat hij licht gaf. Het gedimde schijnsel ervan toonde een kamertje met geel en paars bloemenbehang en granaatkleurige gordijnen. In een verticale, ondiepe nis, die een dichtgemetseld raam leek te zijn, hing een olieverfportret van de oprichter van het etablissement. En in een hoek, tegen de muur, stond een piano met erop vele porseleinen figuurtjes en een foto.

De man met het rattengezicht kwam naar voren en zei glimlachend: "Wilt u zo goed zijn me de tarieven te noemen?"

Het meisje veegde haar handen weer aan haar schort af. Ze was er niet gerust op. De twee boomlange kerels keken haar aan zonder haar te zien. Het was net of ze zelfs niet ademhaalden. Het duurde even voor ze antwoordde: "We hebben eenpersoonskamers voor tachtig peseta per maand, inclusief ontbijt. Volpension kost honderdvijfentwintig. Abonnementen van dertig maaltijden vanaf vijfentwintig peseta. Klanten bieden we 's middags dagmenu's aan vanaf anderhalve peseta."

"Meer dan uitstekend."

"Om acht uur ontbijt met peulvruchten, sla, klipvis en sardines. Om twaalf uur het middageten met *escudella* en *carn d'olla*, brood, wijn en enkele nagerechten. Om vier uur het tussendoortje met *pa amb tomàquet* en ui, fruit en haring. Avondeten om acht uur met bonen, kekererwten, klipvis, ansjovis, een paar karbonaadjes, kliekjes van de andere maaltijden, brood en wijn. Op donderdag rijst. Op zondag gebak."

Ze somde het door de zenuwen uit haar hoofd op. Er ontstond een beklemmende stilte die werd verbroken door de sterke, typische geur van verbrand brood. Ze slaakte een kreet en verdween in de keuken. Het duurde een paar minuten voor ze terugkwam. Ze stuitte op de glimlach van de man met het rattengezicht. Er was verder niemand.

"En uw vrienden?"

"Het zijn geen vrienden. Ze werken voor me. Ze zijn naar boven gegaan om meneer Escorrigüela te begroeten. Maakt u zich niet ongerust, hij verwachtte ons bezoek. En kunt u me dan nu de kamer laten zien, als u tenminste het kleine probleempje heeft opgelost dat door het geroosterd brood is ontstaan? Als de kamer me bevalt, huur ik die meteen en neem er morgenavond mijn intrek. Maakt u zich over hen verder niet druk, ze zijn met alles tevreden."

Het meisje luisterde in de richting van de kamers. Er was niets te horen. Ze zei hem dat ze de kamer meteen zou laten zien, stak een petroleumlamp aan die op de toonbank van de receptie stond en ging hem voor op de trap naar boven. Die man met dat gezicht en die handjes die zijn hoed maar bleven ronddraaien deed haar de rillingen over de rug lopen.

Toen ze weer in de receptie terugkwamen, waren zijn twee begeleiders er al. Ze had hen niet gehoord.

"Erg vriendelijk van u, juffrouw", zei de man. "En jongens, hebben jullie meneer Escorrigüela naar behoren begroet?" Beiden knikten. "Perfect." Hij zette zijn hoed op en de andere twee hun petten. Hij voelde in zijn vestzakje. "Alstublieft, juffrouw, voor de overlast. Misschien komen we over een poosje terug ..."

Hij gaf haar een muntstuk.

"Heel erg bedankt. U bent altijd welkom ..."

"Het ga u goed. U hoeft niet met ons mee te lopen, we doen de deur wel dicht. We gaan, jongens."

En in een oogwenk waren ze alle drie weg. Het meisje merkte hoe het muntstuk warm werd in haar gesloten hand. Ze opende die en stond paf: het was een peseta! Ze beefde nog, terwijl ze tussen de gordijntjes voor het raam door zag hoe de man afscheid nam van de twee jongens, op het portier van het rijtuig klopte, het opende en met onverwachte lenigheid naar binnen sprong. Een paar tellen later was de straat weer leeg.

Binnen in de koets rook het prettig naar leer. De man met het rattengezicht ging meteen naast Rafel Escorrigüela zitten. Je zou medelijden met hem krijgen, blootsvoets en in ondergoed, half voor pampus op de zitbank, hoestend. Tegenover hem keek een dame hem nauwelijks geïnteresseerd aan. De man met het rattengezicht trok Rafel bij zijn borst omhoog door hem bij zijn onderhemd beet te pakken en hem rechtop te zetten, als een ledenpop. Toen hij zag dat de jongen weer bij zijn positieven kwam, keek hij naar de dame en nam een afwachtende houding aan.

Er waren nog geen vijf minuten voorbijgegaan sinds Rafel Escorrigüela had gehoord dat iemand zijn kamerdeur opende. Zonder dat hij wist of het droom of werkelijkheid was, voelde het een volgend moment alsof er een bom in zijn hersenen ontplofte en hij raakte buiten westen. Hij droomde dat meneer Gatell op de meest verschrikkelijke, geraffineerde manieren wraak nam voor zijn verraad. En nu wilde hij zijn ogen maar niet helemaal openen omdat hij doodsbang was. Door zijn hoofdpijn kreeg hij het gevoel dat hij moest overgeven. Hij betastte zijn hoofd en voelde een behoorlijk grote bult waar zijn haar begon. Hij keek opzij en zag een man met een rattengezicht, hij keek recht voor zich uit en ...

"U!"

"Wat hebben we elkaar al lang niet gezien, hè, Rafel? Trek niet zo'n gezicht, man, op mijn leeftijd slaap je weinig. Hier, dek je een beetje toe, je krijgt het nog koud. Vóór alles, sorry voor de klap met de knuppel, de jongens waren er niet zeker van of je vrijwillig zou meegaan. En ze moesten opschieten. Een prettig logement, niet? Veel beter dan het vorige ... Pensió de França heette het, in de Carrer de Bergara ..."

Om dit een nachtmerrie te noemen was wat Rafel Escorrigüela betreft te zacht uitgedrukt. Hij ging rechtop zitten en zijn hoofdpijn werd nog erger. Hij merkte dat zijn tanden van kou en van angst klapperden. Miquela Gambús zag er net zo onverbiddelijk uit als jaren geleden. Door de naam van zijn vorige pension te noemen, maakte ze duidelijk dat ze alles van hem wist. Hij wikkelde zich in de deken en had zin om te huilen. De vrouw keek hem niet eens aan. "Ik heb begrepen dat de zaken redelijk gaan ..."

Vanuit zijn ooghoek bekeek Rafel Escorrigüela de man met het rattengezicht en deed een poging, hoewel hij wist dat het nutteloos was: "Hoe komt u erbij, ik ben mijn baan kwijt ..."

"Je baan? O ja, ik had een erg interessant gesprek met meneer Gatell, onlangs heel vroeg, vlak voor jij kwam ..." Een rilling liep Rafel Escorrigüela over de rug. "Een praktisch en redelijk man. Geschikter dan hij lijkt. Je bent net zo stom als altijd, Rafel: je had hem niet moeten onderschatten. Hij had besloten je probleem op een, laten we zeggen, drastische manier op te lossen."

De jongen durfde te fluisteren: "Dat zou ik niet zeggen."

"Spreek me niet tegen! Ik bood hem vijfduizend peseta voor jou. We sloten een weddenschap af. Aangezien hij je nog niet eens vijf cent wilde betalen en ik mijn aanbod niet wilde verhogen, spraken we af dat je van mij zou zijn als de chantagesom vijfduizend peseta of minder was en van hem als het bedrag hoger uitviel. Wat vind je?"

"Ik heb hem vijfduizend peseta en een verrekijker afgetroggeld."

"O ja? Zo zie je maar weer. Vreemd, die verrekijker had je doodvonnis kunnen betekenen. Zie je dat in? Eigenlijk is meneer Gatell een goed mens. Maar maak je geen illusies. Ik wil dat je een paar vragen beantwoordt. En als het me niet bevalt, zal het eind dat je wacht nauwelijks beter zijn dan dat wat meneer Gatell voor je in petto had. Waarom ben je de gangen van mijn zoon nagegaan en voor wie?"

"Dat heb ik niet gedaan."

"Rafel, ik herhaal het niet nog een keer."

"Ik zweer het u, mevrouw Miquela, bij alles wat me lief is. Ik ontdekte toevallig dat u in Barcelona was komen wonen. Ik dacht dat Demi me kon helpen vooruit te komen. Zeker nu ik ..."

"Nu je een kapitaaltje hebt gewonnen, niet? Ik geloof je niet, Rafel. En houd me niet voor de gek. Voor wie werk je?"

"Voor niemand, ik zweer het u. Ik wilde alleen maar zo veel mogelijk informatie hebben voor het moment dat ik hem ging opzoeken en een overeenkomst zou voorstellen."

Miquela Gambús gaf de man met het rattengezicht een teken. Hij glimlachte. In een oogwenk voelde Rafel Escorrigüela een mes op zijn keel. Hij begon te jammeren: "Het is waar ..."

Miquela Gambús gaf nog een teken en de man met het rattengezicht stak zijn wapen weg.

"Net zo'n huilebalk als altijd ..." zei ze, en ze wachtte een paar tellen tot de jongen weer wat was bedaard. "Genoeg! Heel goed, Rafel, je bespioneerde mijn zoon alleen uit vermaak. Begrepen. Terwijl ik erover nadenk of ik je geloof, vertel ik je de tweede reden waarom je hier bent: je interesseert me. Tien of elf jaar geleden heb je ons bestolen en ben je ervandoor gegaan. Denk niet dat ik dat niet meer weet. Het was een onvergeeflijk gebrek aan respect, ik had je als wild kunnen opjagen, maar ik deed het niet omwille van je ouders. Je familie is vriend en trouwe medewerker geweest vanaf het moment dat de Gambús in Alcagaire kwamen wonen. Haar trouw is altijd onbaatzuchtig geweest. Ze waren trouw en we hebben als het zo uitkwam hun zintuigen, lichaamskracht, snelheid, moed en intelligentie ingezet. Ze hebben ons al hun vaardigheden ten dienste gesteld, meer dan voor eigen voordeel. En zo hebben ze naast ons eindeloos veel taken verricht, van bewaking tot administratie, van jachtpartijen tot huisdienst. Altijd serieus, respectvol, discreet, maar als het nodig was dapper. Jouw vader, hoe jong ook, was een goed raadgever van mijn vader. Je familie is arbeidzaam en koppig, maar voor alles trouw ..."

"U hebt net een hond beschreven", mompelde Rafel.

"Wat zeg je?" De vrouw wachtte niet eens om het op te helderen; ze vervolgde: "Je vader stierf met mijn vader, uit trouw. Je was er al niet meer. Je bent niet eens naar het dorp teruggekomen om hem te begraven."

"Ik wist pas twee jaar later dat hij dood was. Hij was sterk als een beer, niemand had ooit kunnen denken dat hij zou sterven door een ..."

Hij wilde 'stommiteit' zeggen, maar Miquela Gambús onderbrak hem zonder meer.

"Je hebt ons bestolen en bent ervandoor gegaan. Alleen al daarvoor zou ik je nu meteen door meneer Felip Dalmau, hier aanwezig, aan stukjes kunnen laten hakken ... Maar ik doe het niet. Let wel, je bent me de vijfduizend peseta schuldig die ik Gatell voor jou betaald heb. En die betaal je me terug."

"Hoe?"

"Door voor me te werken. Als je je best doet, betaal je je schuld behoorlijk snel af en zul je nog veel meer verdienen. Zo veel dat je geen stommiteiten hoeft uit te halen die weinig voorstellen. Jouw taak is het in Demi's buurt te blijven. Jullie oude vriendschap en je beetje hersens zullen helpen ..."

Rafel Escorrigüela, bloot, ijskoud, vernederd en geïntimideerd door bazin Miquela. Net zoals toen hij klein was. En nu zou zijn oude vriendschap van pas komen ... Hij zat weggezonken op zijn plaats, met neerslachtig gezicht en tanden die weer als castagnetten in zijn mond begonnen te klapperen. Maar de vrouw wilde er een punt achter zetten: "Ik wil dat je mijn zoon bewaakt om hem te beschermen. Er mag hem niets overkomen. Het is een heikel moment, ik heb zin om met pensioen te gaan en voor altijd naar Alcagaire terug te keren. Nu telt alleen Demi's veiligheid."

"Is hij misschien bedreigd of ..."

"Nee, hij is niet bedreigd. Er is niets aan de hand. En ik wil dat het zo blijft. Maar de laatste tijd gedraagt hij zich heel vreemd. Hij investeert veel geld en ik weet niet waarin of waarom. Ik vraag het hem, maar hij wil het me niet zeggen, hij zegt dat het een verrassing is. Ik wil het weten, Rafel, snap je? Niet dat ik aan hem twijfel, maar ik ben bang dat hij zich in een te groot wespennest heeft gestoken en ik wil op de hoogte zijn om hem te helpen, mocht dat nodig zijn. Op grond van jullie oude vriendschap vraag je hem jou te helpen. Probeer zijn vertrouwen te herwinnen. Waarom zou het je niet lukken? Toen je als een rat uit Alcagaire bent weggevlucht, speet hem dat erg, dat kan ik je verzekeren ... En je moet me vooral meteen inlichten over welke gebeurtenis dan ook, al is ze nog zo klein. Bekijk het van de positieve kant: dien me goed en je leeft goed. Om te beginnen heb ik een appartement voor je laten inrichten, alleen voor jou, in de nieuwe wijk, in de Eixample. Het is nieuw en groot, met beschilderde sierlijsten en reliëfs, voorzien van elektriciteit, gas en lift. Ik hoop dat het je bevalt. Ik wil dat je je er thuis voelt en er mijn zoon mee naartoe kan nemen. Hij moet geloven dat je in je vrije tijd een kleine belegger bent. Voorlopig kan je het geld van Gatell houden, dat eigenlijk van mij is. Ik zal het je wel in mindering brengen. Volgens mij is het een goede overeenkomst."

"Hoe lang moet ik hem in de gaten houden?"

De vrouw schoof zonder te antwoorden het gordijntje opzij en keek naar buiten. De koets reed de Passeig de Gràcia op. De gemeente had in het midden elektrische schijnwerpers geplaatst, zodat de voertuigen in het licht konden rijden; de gaslantaarns op de voetgangerspaden ernaast waren weggehaald. Het bespaarde geld, maar nu waren de trottoirs in het donker gehuld en was het middengedeelte te fel verlicht. Daarom zag Miquela Gambús alleen maar de etalage van Le Chic Parisien dat zich erop liet voorstaan zijn blouses direct van het huis Worth in Parijs te ontvangen. De firma kreeg ze elke zes maanden. Ze kocht haar blouses al acht jaar bij Le Chic Parisien, maar was er nog nooit geweest. Ze kocht nieuwe blouses en schonk haar oude weg. Bijna tot haar eigen spijt merkte ze dat haar een gevoel van vage tevredenheid bekroop. 's Ochtends vroeg was het aangenaam, je hoorde niets, behalve het geluid van de koets; er was niemand. Dit was Barcelona, in de triomf van zijn alledaagse nachten: de stad slaagde erin veel te lijken zonder het te zijn. Ze was niet de grootste, niet de meest beschaafde, niet de rijkste, ze was nergens de hoofdstad van ... Maar ze bestond. Ze was meer dan tweeduizend jaar oud.

Rafel Escorrigüela keek Miquela Gambús bijna uitdagend aan. Ze voelde zich moe. Ze zuchtte, het probleem van die jongen was nog altijd zijn morele luiheid en zijn irritante idiotie, die hij als kind en jongeling al had vertoond.

"Herinner je je ons devies? Familietrots: het land stelt niets voor, de familie alles."

En of hij zich dat herinnerde. Mét de Gambús alles; tegen hen niets, alleen de dood. Hij herinnerde zich nog maar al te goed een voorval uit zijn jonge jaren. De Gambús verlangden van een dorpeling dat hij een moord bekende, met de belofte dat een bevriend rechter hem op grond van krankzinnigheid zou vrijspreken. Als hij het deed, beschouwden ze dat als een persoonlijke gunst. Het kwam tot een proces en zoals te verwachten viel, verklaarde een arts dat de aangeklaagde gek was. Maar het proces viel net in een van die perioden van zedelijk herstel aan het eind van de eeuw en de autoriteiten besloten dat er een voorbeeld moest worden gesteld. Ze geloofden het niet, vervingen de rechter en verklaarden de dorpeling op basis van zijn bekentenis schuldig. De Gambús dwongen de pastoor van Alcagaire zich tot justitie te wenden om te bevestigen dat de man onschuldig was, dat de echte moordenaar hem had vrijgepleit. Maar het haalde niets uit: de nieuwe rechter wilde een naam, terwijl hij wist dat de pastoor die niet zou geven omdat het biechtgeheim hem dat verbood. De wanhopige priester smeekte de beklaagde om zichzelf, als hij dan al niet de waarheid wilde zeggen, in ieder geval onschuldig te verklaren, wat het proces zou vertragen. Maar deze weigerde, wetend dat hij, als hij dit deed toch zou sterven door de hand van de Gambús. Bovendien, als hij te boek stond als verklikker, zouden ook zijn toekomstige weduwe en zijn kinderen worden afgemaakt. De man werd ter dood veroordeeld en geëxecuteerd. Zo ging dat.

Hij moest ontsnappen! Ja! Hij kon er morgenochtend met de eerste trein en de vijfduizend peseta vandoor gaan! Onverwachts en ze zou hem nooit vinden! Hij kon naar Parijs vluchten en opnieuw beginnen. Met het geld kon hij een kleine zaak beginnen ... Ja, hij zou dat oude canaille om de tuin leiden ...

Hij keek opzij en zag dat de vrouw hem met onverbiddelijke ogen opnam. Hij kreeg de indruk dat ze zijn gedachten kon lezen en werd weer bang.

"Je geluk houdt vroeg of laat op, Rafel. Bovendien heb ik je maar een paar maanden nodig. Ik ben van plan een grote receptie te geven om bekend te maken dat ik me uit het openbare leven terugtrek, me weer in Alcagaire vestig en dat Demi het hoofd van de familie wordt. Deze receptie zal eind juli plaatsvinden. Ik ben er zeker van dat dit vreemde optreden van mijn zoon ermee te maken heeft. Maar hoe dan ook, goed of slecht, eind juli is het allemaal achter de rug. Doe het werk dat ik je gedurende deze tijd opdraag goed en je zult vrij zijn. Ik vraag weinig. Bedenk: vrij ... en je zult veel geld verdiend hebben."

De jongen beantwoordde haar blik met een zekere gelatenheid en knikte bevestigend: het was nog vier maanden tot juli. Vier maanden als een hond. Zijn ouders hadden hun hele leven de hond gespeeld voor dezelfde baas. In vergelijking daarmee was vierenhalve maand niet zo lang. En het ging snel voorbij. Hem schoten allerlei volkswijsheden over honden te binnen: iemand als een hondje achternalopen, sterven als een hond, iemand honds behandelen, een hondenleven hebben ...

Ze hadden hem om kwart over vijf 's ochtends van zijn bed gelicht, met een knuppel op zijn hoofd geslagen en hem in een koets geduwd, zonder schoenen, zonder kleren. Zonder omhaal. En een man met een rattengezicht had hem een mes op zijn keel gezet. En hij had het ijskoud en zijn neus liep en hij bleef maar snuiven, want hij had niet eens een simpele zakdoek om zijn neus te snuiten.

En denk maar dat hij zijn werk goed zou doen.

Vierenhalve maand als hond.

Bazin Miquela schoof de gordijntjes weer opzij. Ze zag een spoorovergang met een ketting en een wachthuisje. Ze reden over de Carrer Balmes naar beneden, vlak langs de buitenmuur van het Seminarie. Ze gaf de koetsier een aanwijzing. Een kwartier later stonden ze weer voor het portiek van Fonda de Viatgers La Pau.

"Rafel, Dalmau, Felip Dalmau", zei de vrouw verveeld, "is de man via wie je met mij in contact treedt. Wat je me ook wil vertellen, vertel je hem eerst. Als alles goed gaat, hoeven we elkaar misschien niet eens meer te ontmoeten."

En net zoals ze hem uit het hotelletje hadden meegenomen zonder dat iemand het had gemerkt, smokkelden ze hem ook weer naar binnen. Vijf minuten later lag Rafel Escorrigüela weer in zijn bed. Vernederd, zijn geknakte trots in het stof, maar heelhuids.

Alles onder controle dus. Alles in orde. En terwijl hij probeerde de slaap weer te vatten, zaten beneden in de eetkamer een paar metaalarbeiders bij kaarslicht te ontbijten. Vóór hen stonden twee kommen dampende koffie met melk en voor ieder was er een flink stuk geroosterd boerenbrood, gedrenkt in hete belegen wijn. En het meisje dat 's ochtends vroeg al de fooi voor een hele week had verdiend, piekerde erover hoe ze haar vader kon doen geloven dat ze die eerlijk had verdiend, want ze was een beetje van het soort dat graag lijdt.

Alles onder controle dus. Alles in orde.

Miquela Gambús was in haar kamer en hoorde het zes uur slaan. Ze lag op bed en was klaarwakker. Ze wist dat ze niet zou kunnen inslapen. Ze miste haar bed in het dorp, breed, zeer hoog, met een hemel van witte zijde. Dit van Barcelona, hoewel een twijfelaar, was slechts zes span breed en ze vond het maar een armelijke bedoening. Ze stond op en ging aan haar kaptafel zitten. Ze stak de twee witte lampen aan die de spiegel flankeerden en bekeek zichzelf. Zoals haar zo vaak overkwam, dacht ze aan vroeger. Rafel Escorrigüela had herinneringen opgeroepen. Ze vulde de lampetkom met water uit de kan en bevochtigde haar gezicht een beetje. Ze pakte de borstel met het zilveren handvat en begon haar haren te borstelen. Ze sloot haar ogen en de tijden van weleer kwamen terug.

Toen de tijd rijp was, dat wil zeggen toen haar vader haar rijp vond, moest er in zeven haasten een echtgenoot voor haar worden gezocht. Zodat ze zich als vrouw zou verwezenlijken en vooral de stamboom zou voortzetten. Onder enkele van de voornaamste families van Catalonië was aan huwelijkskandidaten geen gebrek. Maar dat was niet precies wat Miquel Gambús II, de Rijke Stinkerd, voor ogen stond. Hij zei: "We zijn niet van die mensen die zich de benen onder hun lijf uit lopen om familie te worden van, bijvoorbeeld, de koning van Spanje. Discretie is de basis van onze voorspoed."

En hij maakte van zijn hart geen moordkuil: "Als het aan mij lag, zou het mijn ideaal zijn als schoonzonen, schoondochters en dit hele gespuis aan nieuwe verwanten zouden komen, een paar erfgenamen zouden maken of krijgen en weer zouden ophoepelen. Let wel hè, tegen betaling ... Tegen ruime betaling."

De taak om voor erfgename Miquela een huwelijkskandidaat te vinden viel vooral toe aan haar oudoom don Deogràcies Gambús, broer van haar grootvader van vaders kant. Dat was koren op zijn molen, en als kandidaat stelde hij zijn neef voor, die net als hij uit Frankrijk kwam. Aangezien deze neef in Perpignan woonde, sprak hij zelfs Catalaans, hoewel hij deze taal radbraakte. Zijn familie was niet rijk en de kandidaat had meer op met kunst dan met zakendoen. Maar aangezien ze hem toch maar alleen als dekhengst wilden en het voornaamste richtsnoer van de familie Gambús, zoals gezegd, discretie was, kregen de twee jonge mensen toestemming elkaar te ontmoeten. Hij heette Gil Florensa en had verstand van kunst, retoriek en pianospel. Hij was in hetzelfde jaar geboren als Miquela Gambús.

De verloofden in spe zagen elkaar voor het eerst half december 1865. Zijn hele familie bracht op uitnodiging van de Gambús de feestdagen in Alcagaire door. Ze wandelden, maakten uitstapjes, luisterden naar muziek, dansten, praatten ... Ze waren beiden erg jong. Toen de feestdagen voorbij waren, hadden de twee aanstaanden zich al stiekem verloofd. Zoveel is zeker dat zij op aandrang van haar vader had onthuld dat ze hem welgevormd, knap, goed, intelligent en, vooral, geschikt vond.

Enkele adviseurs van de familie, die altijd achterdochtig waren, zagen met lede ogen de komst aan van een Fransoos die niet op de hoogte was van de gewoonten van het land en al helemaal niet van die van de familie. Een Fransman die vast en zeker, zoals gebruikelijk, egoïstisch en tactloos zou zijn.

Maar de wens van de jongedame, die tot over haar oren verliefd was geworden, hielp haar oudoom uiteindelijk zijn zin door te drijven. Aan alle twijfel kwam een eind toen patriarch Miquel Gambús II, de Rijke Stinkerd, met zijn vuist op tafel sloeg en uitriep: "Verdorie, mijn vader kwam ook uit Frankrijk. Bovendien komen die mensen uit Perpignan en zou je kunnen zeggen dat ze eerder Catalaans dan Frans zijn ..."

Let wel, alvorens het door te laten gaan, liet hij zijn dochter in alle ernst weten dat de gedoodverfde kandidaat moest weten in welk soort familie hij zou huwen, om later problemen te voorkomen. Het naadje van de kous hoefde hij niet te weten, maar hij moest er wel een flauwe notie van hebben. Hij, de patriarch, wilde achteraf geen klaagzang.

Toen ze hem eenmaal hadden uitgelegd waar de miljoenen en de macht van de familie Gambús vandaan kwamen, reageerde Gil Florensa boven verwachting goed. Hij citeerde de klassieken: "Volgens de redekunst van de wijze Lycurgus zijn er diefstallen gepleegd met als enig doel het vernuft van de mensheid beter te doen uitkomen. Wie zou ze kunnen veroordelen? Ik in elk geval niet. Ten tijde van de grote Lodewijken, koningen van Frankrijk, was het helemaal niet onoorbaar om vals te spelen. En vandaag de dag zijn er heel wat fatsoenlijke mensen die als ze zeggen dat ze een 'goede koop' hebben gedaan, eigenlijk bedoelen dat ze de verkoper hebben bedrogen ... Wie ben ik dan om een oordeel klaar te hebben, met zulke precedenten ...?" Genoeg, genoeg, onderbrak hem de patriarch geëmotioneerd.

Het was een schitterende bruiloft. De huwelijksreis van drie maanden bracht hen naar Parijs en Londen, zoals toen gebruikelijk. En erna het nieuwe leven in Alcagaire, in het oude paleis van de dorpsbaronnen. Hij speelde tot heel laat piano, tot in de vroege uurtjes. En hij studeerde, kocht kunstvoorwerpen, belegde in effecten en voerde de administratie van het huis. Zij stond heel vroeg op om haar vaders stiel te leren en ging vroeg naar bed. Soms moest ze voor een paar dagen weg. Al heel snel beweerden boze tongen dat er zo nooit een erfgenaam zou komen.

Een grote vergissing, want ondanks de nachtelijke concerten van de een en het voor dag en dauw opstaan van de ander kwam precies na negen maanden hun eerste kind ter wereld, Miquel-Deogràcies, met zijn zwakke gezondheid een krachteloos wezentje dat anderhalve maand na de geboorte stierf. Nog twee afgebroken zwangerschappen in vijf jaar bewezen dat de jonge echtgenoot ondanks alles zijn best deed en dat hem helder voor ogen stond dat hij gekomen was waarvoor hij gekomen was. Maar haar vader, patriarch Gambús, werd steeds zenuwachtiger. En toen het er al naar uitzag dat de dagen van Gil Florensa en zijn piano geteld waren, vond het wonder plaats. Na twaalf jaar, in 1879, kwam de kleine Deogràcies-Miquel ter wereld. En levenslustig. Het eerste wat Miquel Gambús II deed was de volgorde van de achternamen van de boreling wijzigen. Als zijn dochter al jongens baarde, moesten ze minimaal in staat zijn om zijn achternaam door te geven ... De vader, Gil Florensa, verzette zich niet, vriendelijk als hij was, absoluut niet kruiperig, maar zonder het harde, scherpe karakter dat het gedrag ontsierde van de ontembare jonge vrouw die hij tot echtgenote had verkozen. Hij was er al tevreden mee dat hij zijn huid en zijn piano had kunnen redden. Hij ging door met zijn concerten, met kunstvoorwerpen kopen, met geld beleggen in aandelen van afgelegen bedrijven in verre landen en met heel veel van zijn vrouw houden. En bovendien kreeg zijn schoonvader respect voor hem omdat hij met het verstrijken van de jaren zag dat die nietsnut die met zijn dochter was getrouwd niet alleen goed in zijn levensonderhoud voorzag zonder zelfs maar het huis te verlaten en terwijl hij maar piano bleef spelen, echter vooral ook omdat hij zich absoluut niet met familiezaken bemoeide ...

Toen Gil Florensa stierf, speet haar dat heel erg ... Hij was slechts vijfendertig jaar. Ze waren veertien jaar bij elkaar geweest. Als liefde bestond, moest wat ze voor haar man had gevoeld daar bij in de buurt komen. Dat was zo lang geleden ... het was net een ander leven.

Plotseling werd er op de deur geklopt.

"Moeder, ik zag licht. Voelt u zich niet goed?"

"Beter dan ooit. Kom binnen, ik wil je iets zeggen ..."

Demi Gambús ging naar binnen en schrok: hij trof zijn moeder glimlachend aan!

De oude vrouw zei hem bij haar te komen zitten en vervolgde: "Maak je geen zorgen, ik dacht aan je vader. Je weet nooit wie ik vandaag op straat ben tegengekomen ... Rafel."

"Wie?"

"Rafel Escorrigüela. Houd je maar niet van de domme, je weet heel goed over wie ik het heb."

"Rafel uit Alcagaire?"

"Dezelfde. Zijn zaken staan er zo te zien niet goed voor. Ik heb hem gezegd dat hij je moet opzoeken, dat je hem misschien zou kunnen helpen ..."

Nog beduusd doordat hij haar had zien glimlachen, ging er bij Demi Gambús geen lichtje branden dat ze, net als hij, als alle Gambús, vergaf noch vergat, hoeveel tijd er ook verstreek. Waarom dan een uitzondering gemaakt voor Rafel Escorrigüela?

Demi geloofde zijn moeder. En had haar net zien glimlachen. Dus geen kopzorgen meer. Een ontboezeming zo nu en dan kon geen kwaad. En de hygiënisten zeiden dat het goed was voor hart en bloedvaten.

Laat Rafel maar komen, waarom niet? Rafel en hij waren twee handen op één buik, van kleins af ...

16

Voor veel burgers in Barcelona zou zaterdag 2 mei 1909 de dag zijn waarop mister MacDermott, een rondreizende Noord-Amerikaanse geleerde, zou beginnen met de uitvoering van een van zijn wetenschappelijke experimenten. Het bestond eruit dat hij dertig dagen lang ten overstaan van het publiek zonder eten opgesloten zat. Het affiche liet aan duidelijkheid niets te wensen over: het experiment zou om negen uur 's avonds van start gaan in een winkeletalage op nummer 20 van de Carrer de Santa Anna. Om de gebeurtenis geloofwaardigheid te verlenen zou deze worden bijgewoond door medische autoriteiten, burgerlijke en kerkelijke gezagdragers en enkele vertegenwoordigers van de pers. Bovendien zou voor de meerderheid van de Barcelonezen die zaterdag ook de vooravond zijn van de gemeenteraadsverkiezingen en de dag ná de plechtigheden en eisen die horen bij de 1 meiviering.

En voor één inwoner van Barcelona in het bijzonder (ook al was hij het niet van geboorte), in concreto Eustaqui Guillaumet, betekenden die drie omstandigheden die zich binnen enkele dagen afspeelden slechts één ding: veel oud papier om in te zamelen. Bij de honderden aankondigingen die aan de muren waren geplakt en die de Barcelonezen opriepen om te komen bekijken hoe mister MacDermott was opgesloten, voegden zich honderden pamfletten die de arbeiders opriepen om 1 mei te vieren en de stapel affiches van politieke partijen die opriepen op 3 mei op deze of gene te stemmen. Stapels en stapels papier. Bergen goed papier dat op de grond was gegooid of aan muren zijn dagen sleet, zo veel was het.

Met hulp van Tomàs Capdebrau en zijn papegaai ging hij er na de laatste nachtvoorstelling op uit om er zo veel mogelijk van in te zamelen. Wachten tot de drie gebeurtenissen voorbij waren, leek het meest voor de hand te liggen. Maar Eustaqui Guillaumet had al een heleboel dingen over Barcelona geleerd. Een ervan was dat er veel misère was en dat papier veel uitgehongerde liefhebbers met een heel slecht karakter had. Welnu, een paar dagen eerder en je hoefde 's nachts alleen maar een beetje uit te kijken. Er was meer dan genoeg papier. En met wat ze van de donkerste en meest afgelegen muren trokken, hadden ze al genoeg. Vooral ook aangezien de verkiezingscampagne heel fel was: na het verdwijnen van Solidaritat Catalana stelden de lerrouxisten de verkiezingen voor als een strijd op leven en dood tussen henzelf en de Lliga, waar ook de republikeinse catalanisten zich tegen keerden. En de ultraconservatieven van Comité de Defensa Social keerden zich tegen iedereen. En ze werden allemaal boos als ze zagen dat iemand hun affiches van de muur trok. In het begin was Eustaqui Guillaumet de hele tijd doodsbenauwd. Hij keek naar links en naar rechts, scheurde af of raapte op en naar de kar ermee, alsof hij aan het stelen was. Als hij genoeg had, maakte hij er pakjes van waar hij een touw omheen bond. Alles welbeschouwd verliep het heel verdienstelijk, in aanmerking genomen dat hij vergezeld ging van een geestelijk gestoorde en een papegaai. Hij gebruikte Tomàs Capdebrau als een gigantische presse-papier. Hij liet hem met uitgestrekte armen en benen boven op de pakken papier liggen. Zo hoefde hij ze niet met een zeildoek af te dekken en ging alles een stuk sneller. Het was niet de eerste keer dat hij het zo deed. Er waren dagen dat de mensen zich omdraaiden of stil bleven staan om naar hen te kijken omdat Tomàs het vaak in zijn bol kreeg om zarzuela te gaan zingen. Languit boven op het papier was hij niet te zien, alleen de papegaai stak er met zijn kop bovenuit en het was net of het dier zong. Het effect was zo realistisch dat een oude dame op het balkon van een eerste verdieping in de Eixample hen liet stoppen en hun een paar muntstukken toewierp.

En onder het papier inzamelen dacht Eustaqui Guillaumet na over de hangende kwestie met zijn bazin, Nonnita Serrallac. Het gesprek bij haar thuis was bijna een maand geleden en ze had het er niet meer over gehad. Het is waar dat ze ziek was geweest. De zwangerschap begon haar op te breken en ze had een paar dagen het bed moeten houden. Hoe dan ook was hij de hem opgedragen bevelen blijven uitvoeren: om altijd als hij in de gelegenheid was die jongeheer van goeden huize te volgen die haar zo ongelukkig had gemaakt. Eens herkende hij hem in de mensenmenigte die bij Soriano naar binnen wilde. Een andere keer zag hij hoe hij vergezeld door een dame bij Gayarre naar binnen ging, aan de Paralelo een van de zalen van het allerlaagste allooi. Hij ging hem achterna en ook naar binnen. Gayarre beloofde eersterangs *variétés* en Aziatische luxe, maar was in feite een goor hol dat weinig gelucht werd. Hij was er nog nooit geweest, hoewel het vlak bij Soriano lag. Hij zag meteen waarom het zo populair was: het was scherp geprijsd en bood de meest gedateerde en zielige voorstellingen tien kilometer in de rondte. De revuemeisjes, die namen droegen als 'la Veracruz', 'la Granadina', 'la Ricitos', 'la Esmeralda', 'la Lunaritos', 'la Criollita', 'Bella Crisantema', et cetera, kwamen allemaal tegelijk het podium op. Meer een ratjetoe dan een geheel, want al vrijwel meteen nadat ze waren opgekomen, waren ze niet meer in staat samen te zingen en te dansen. En het publiek, wild, luidruchtig, zong de liedjes hardop mee en nodigde de meisjes op het podium uit naar beneden te komen. Hij was zo onder de indruk dat hij zich na vijf minuten al niet meer herinnerde wat hij er kwam doen. Een van de vrouwelijke artiesten waagde het de veiligheid van het voortoneel te verlaten om tussen het publiek 'De vlo' te zingen. Ze werd opgeslokt door een vormeloze massa handen en petten. Het vocht van het zweet in de lucht droop bijna druppel voor druppel van het plafond, er was een enorm kabaal. Een reikhalzende Eustaqui kon het meisje pas weer zien, toen het door de mensen werd opgerispt nadat ze zich haar goed hadden laten smaken. Het arme wicht klauterde terug het podium op, naakt, gekwetst, wankelend en hoestend. Het was het meest opgefokte publiek van Barcelona. Een van de meisjes, degene die 'Bella Crisantema' heette, viel hem tijdens een van deze geïmproviseerde, vleselijke opeenhopingen in de armen. Eustaqui was zo van slag dat hij handen tekortkwam om haar te bepotelen. Toen de rust was weergekeerd, keek hij om zich heen en merkte dat degene die hij moest bewaken gevlogen was. Hij zei tegen zichzelf: "Ook maar beter." En om zijn hitsigheid een beetje kwijt te raken, ging hij naar 'La Bilbaina', in de Carrer de Santa Mònica.

In dit soort kwesties was Eustaqui Guillaumet in korte tijd een veteraan geworden. En in vele andere ook.

Toen hij Nonnita Serrallac het resultaat van zijn achtervolgingen kon meedelen, bleek het meisje heel tevreden. Ze drong aan: "Weet je zeker dat hij altijd alleen is?" En hij: "Niet altijd, bazin. Soms gaat hij met een vriend, ze eten ergens en vermaken zich. Vaak is hij in gezelschap van een dame. Niet altijd dezelfde. Hij is vaak 's avonds op de Paralelo te zien. Hij vermomt zich niet, maar verandert alleen zijn manier van kleden een beetje. Om niet op te vallen."

Het meisje bleef echter aandringen: "Weet je zeker dat die mensen in zijn gezelschap vrienden van hem zijn?" En Eustaqui dook in zijn herinnering: "Als u bedoelt of hij beschermd wordt door een of andere bediende, denk ik van niet." En zij: "Denk je dat hij een wapen draagt?" Eustaqui kon haar niet antwoorden. Het waren harde tijden. In Barcelona liepen veel mensen bewapend rond, met messen en zelfs pistolen. Er gebeurden veel ongelukken. En of die jongeheer bewapend was? Hij wist het echt niet.

Nonnita zei dat hij er zich niet druk over moest maken en dat hij moest doorgaan hem te schaduwen. Ze omhelsde en bedankte hem: "Eustaqui, het uur van de waarheid nadert: we werpen de hengel uit; het lokaas is klaar en we hoeven het alleen nog maar aan de vishaak te bevestigen. En ik heb er meer zin in dan ooit ..."

Met hun kar vol papier keerden ze doodmoe naar het theater terug. Een heel elegante jongeheer, die na een avondje stappen beschonken op huis aan ging, keek met verwilderde blik naar de papierwinkel en zei, terwijl hij tegen een van de wielen piste: "De verkiezingen zijn net zo: smerig." En hij boerde en liep verder de Passeig de Gràcia op. Hij vond het prima dat zo'n paars burgerlijk stuk afval als dat daar voor hem en de zijnen de gevels en de trottoirs schoonmaakte.

Ze namen er geen notitie van en gingen terug naar huis. Ze kwamen gewapende patrouilles te paard tegen van de Guardia Civil, net zo moe en verslagen als zij, die naar de kazernes teruggingen na paraat te zijn geweest om opstootjes te voorkomen tijdens de dagen die aan de verkiezingen voorafgingen.

Eustaqui spande de muilezel uit en bracht hem naar de wasplaats. Hij stak zijn hoofd in het water en bleef kopje-onder tot hij weer boven moest komen om adem te halen. Hij dompelde zijn hoofd nogmaals onder, kwam weer boven en droogde zich met een handdoek af. Tomàs leende hem zijn kam. En Eustaqui kamde zijn haren zo strak en plat naar achteren dat hij er een konijnengezicht van kreeg. Hij vond het prettig om, indien mogelijk, fris gewassen en gekamd te gaan slapen. Hij keek omhoog, het was een prachtige nacht. Het ging goed, zeer zeker. Met Tomàs Capdebrau bereidde hij een licht maal op basis van brood en haring en een beetje wijn. De papegaai Trinitat knikkebolde boven op de ezel. Het zou snel licht worden. Het maakte niet uit. Ze gingen rustig slapen.

En zoals zo vaak had Eustaqui een absurde, maar weinig originele droom. Hij droomde dat hij zijn fantasievolle theaterpak aandeed, zijn hoed met lovertjes opzette en naar de ingang ging om de mensen op te warmen voor de komende sessie. Hij pakte de luidspreker, ging naast het orgeltje staan en begon zijn serenade. Het orgeltje en de automaten van Soriano in bedrijf! Zoals elke avond en elke nacht! "Dames en heren! 'Ik alleen tegen vijftien in Zamora en ik heb van alle vijftien gewonnen.' Dat zei de Cid, dames en heren! En om voor hem niet onder te doen, vechten we in Soriano tegen dertig theaters en we pakken ze allemaal hun publiek af! Omdat er in heel Europa niemand is die een vergelijkbaar schouwspel biedt: behalve Perezoff, de vier schone Rubis en Clément de Lyon, vandaag voor het eerst in Spanje, direct uit Londen, het debuut van uitvinder Noiset met zijn motorvliegtuig! Buitelingen vol risico op de diabolische dikke plank die ronddraait met een elektrische motor van zes paardekrachten!!!"

Dan werd hij wakker en moest zich haasten om bijna puntsgewijs te herhalen wat hij had gedroomd. En hij deed het uit de kunst, omdat het net was of hij had geoefend. Eustaqui Guillaumet was de enige man ter wereld die de werkelijkheid droomde.

17

Hoewel het al eind april was, was het fris en regenachtig. Het was druk, de tijd van het middageten. Een jonge zwarte bedelaar zonder armen zat op de toegangstrap van het Grand Restaurant de France en blokkeerde de deur. Aan zijn voeten een witlinnen pet met wat kleingeld. Hij hield zijn hand niet op omdat hij er geen had. Met hese stem, hortend als het zeuren van een handzaagje, dreunde hij in perfect Spaans op: "Ik ben Spaans burger uit Guinea, ik heet Lucindo, ik heb een Spaanse vrouw in Fernando Poo en drie Spaanse halfbloedjes. Ik heb een ongeluk gehad. Een kleinigheid om naar huis te kunnen teruggaan ..." Drie pubers in schooluniform liepen langs en lachten hem uit. Deogràcies-Miquel Gambús bleef voor hem staan. De bedelaar bracht hem totaal niet van zijn stuk, het was immers slechts een schooier zonder armen. Maar hij wilde naar binnen en het bleef een ongemakkelijke situatie. Bovendien kon hij hem niets geven, ook al zou hij willen, want hij had nooit geld bij zich. Dat was een van de voordelen van rijk zijn, dan was dat niet nodig. De neger keek hem doordringend maar zonder agressiviteit aan met zijn witachtige, uitpuilende, glimmende kijkers die op een biljartbal leken. Hij had net een lied met Afrikaanse klanken ingezet en passanten keken naar hem. Ineens was Demi Gambús het beu, hij trapte de neger opzij en ging naar binnen.

De warmte in de eetgelegenheid omgaf hem van top tot teen en veroorzaakte een rilling van welbehagen. Hij passeerde een antichambre met een paar fauteuils voor de wachtenden en ging de eetzaal binnen, volgestouwd met rijen tafels waarvan er al vele bezet waren. De lucht was bezwangerd met een potpourri aan geuren. Het was een tamelijk select etablissement, vlak bij de Plaça Reial, waar hij regelmatig ging dineren en waar hij gebruikmaakte van de discrete, doelmatige chambres séparées. De gerant kwam hem tegemoet en liet weten dat er al op hem werd gewacht. Demi Gambús liep de trap op en eenmaal op de bovenverdieping aangekomen, ging hij opzij zodat een bediende de deur van een van de drie chambres séparées kon openen. Hij bestelde gestoomde mosselen, een fles witte wijn en twee glazen en ging naar binnen. Het kamertje had een aangename temperatuur dankzij een kachel waarvan de pijp door het raam stak. Het vroeg er als het ware om er zich te nestelen. Zijn financieel adviseur was er al, hij heette Bartomeu Gatius en werkte voor de familie sinds ze zich in Barcelona had gevestigd. Hij was een jaar of veertig, had dikke wangen en een kleine mond die half door een snor werd verborgen. Hoewel zijn uiterlijk anders deed vermoeden – hij zweette zowel 's winters als 's zomers hevig – was hij efficiënt. Demi Gambús had telkens minder tijd en had hem onderzoek laten doen naar de nieuwste uitvindingen: telefoon, cinematografische productie, vliegtuigbouwkunde ... Onder de nieuwigheden die de vooruitgang naar Barcelona bracht, moest er wel een zijn die op de middellange termijn vaste vorm aannam in industriële projecten met toekomst. En hij sloot niet uit dat hij er bij wijze van vuurdoop helemaal zijn klauwen in zou slaan.

Die middag zou Bartomeu Gatius verslag uitbrengen over de cinematografie. De toekomstige erfgenaam van huize Gambús was het niet ontgaan dat de cinema, hoewel nog vrij nieuw, veel volk op de been bracht. Hijzelf werd er niet warm of koud van, hij gaf meer om het variété van de Paralelo, maar als fenomeen viel het echt op. Hij gooide zijn handschoenen en hoed op tafel en terwijl hij zijn overjas uitdeed, gaf hij zijn raadsman te kennen dat deze met zijn uiteenzetting moest beginnen. Gatius nam een slok water, zette zijn bril recht, pakte een stapel papier vol grafieken en begon: "De uitvinders zijn Franse portrettisten uit Lyon, het huis Lumière, met een internationale reputatie. We hebben contact met hen opgenomen en ze zijn van mening dat de cinematografie een voorbijgaande mode is. Het spreekt vanzelf dat licht geprojecteerd op een laken een hypnotisch effect sorteert, dat mensen zich vergapen. Maar voor zover de gebroeders Lumière konden inschatten is het geen serieuze manier om geld te verdienen, als de nieuwigheid er eenmaal af is. Je hebt cinema van scenische taferelen en documentaire taferelen. In het eerste geval worden de scènes speciaal gespeeld, net als bij een theatervoorstelling. En vaak is het nodig een boerderij af te huren of een bos waar een beekje doorheen stroomt of een bron opwelt, nog afgezien van het personeel en het maken van beschilderde decors. Het spreekt vanzelf dat dit allemaal grote sommen geld kost."

Er werd op de deur geklopt en met veel plichtplegingen kwam de gerant binnen, die hoogstpersoonlijk het aromatische schoteltje gestoomde mosselen serveerde. Achter hem zette een kelner een ijsemmer met vergruisd ijs neer met daarin de fles wijn. Ze schonken twee glazen in en gingen weg. Meteen pakte Demi Gambús een glas en dwong zijn medewerker met hem te drinken. "Op het succes van onze onderneming!"

Na de toost dronk hij zijn glas in één teug leeg en schonk zichzelf bij. Gatius bevochtigde zijn lippen nauwelijks. Hij ging verder: "Het wordt er niet beter op als we de variant van de documentairetaferelen nemen. Zodat u zich een beeld kunt vormen: anderhalf jaar geleden moesten elf fotografen van het huis Raleigh op verschillende punten langs de route van de koninklijke stoet staan om het bezoek van Wilhelm II aan het Engelse hof te kunnen filmen. Ieder verfilmde zijn deel en verscheidene automobielen, die alleen maar daarvoor waren toegerust, brachten de negatieven snel naar het laboratorium in Londen. Vier uur later kon de clientèle van die stad de beelden al bekijken. En dat niet alleen, met de eerste ochtendtrein gingen de eerste vijftig kopieën naar Parijs. Peperduur. Dezelfde firma stuurde een expeditie naar Afrika die twee jaar duurde. Alleen al om het materiaal te vervoeren waren er veertig inboorlingen nodig."

"Dat zijn veel inboorlingen, veertig", zei Demi Gambús verstrooid.

De raadsman keek naar hem om te zien of hij de draak met hem stak, maar kwam er niet achter. De gedachten van de jonge Demi Gambús zweefden; hij observeerde hoe de damp uit het pannetje omhoogkringelde. Mosselen zijn iets merkwaardigs, zo eenvoudig en tegelijk zo lekker, dacht hij, terwijl hij ze overdadig met citroensap besprenkelde.

Hij dacht aan de laatste keer dat hij met de weduwe Roca in deze chambre séparée was geweest. Toen viel er van de straatkant fel licht binnen en hij was opgestaan en tussen de vrouw en de zonnestralen in gaan staan. Hij had haar zo gedwongen hem met halfgesloten ogen aan te kijken, haar hand als een klep boven haar wenkbrauwen, terwijl hij haar met zijn kattenogen bespiedde. In het tegenlicht had hij een klassieke held geleken, stralend en machtig ... Ze aten oesters en dronken champagne. De vrouw zei: "Ziet u eens, Demi, vandaag de dag willen wij vrouwen vrij zijn. Ik helemaal, die al eens gebonden ben geweest." En hij, speels: "Bent u suffragette geworden, Merceneta?" En zij: "God beware me!" En hij, een verleider van niks: "Als ik deze oesters door de zeef zie gaan die uw mond is, ben ik me toch jaloers op ze ..."

Hij merkte dat zijn adviseur hem strak aankeek.

"Breit u er een eind aan, Gatius, als het u niet uitmaakt."

"Ja, meneer," zei de aangesprokene een beetje beledigd. "Samenvattend: naar mening van de uitvinders stelt de cinema weinig voor en is meer iets voor weinig standvastige kermisklanten, komieken. Aan de Paralelo worden barakken waar ze films vertonen van de ene op de andere dag opgebouwd en afgebroken. De zalen lopen alleen vol omdat het een heel goedkope manier is om de tijd dood te slaan."

"Hebt u nagetrokken of er in deze handel groot geld omgaat?"

"Is dit een grap?"

Demi Gambús keek hem niet aan. Hij zweeg en concentreerde zich op een grote, vlezige mossel. Hij liet een minuut voorbijgaan voordat hij hem naar zijn mond bracht. In een oogwenk stond hij op, kwam dichterbij en terwijl hij Bartomeu Gatius bij diens stropdas beetpakte en deze schikte, liet hij hem, vlak bij diens gezicht en de mossel half opgegeten, heel langzaam weten: "Ik, Gatius, maak nooit grappen. En zeker niet hierover, iets waarmee ik behoorlijk in mijn maag zit." En ineens schreeuwde hij: "Begrepen?"

De man moest wachten tot Demi Gambús weer was gaan zitten, voordat hij het stukje mossel kon weghalen dat midden op zijn voorhoofd was beland.

"Het is onvergeeflijk ... Het zal niet meer voorkomen."

"Aan het werk!"

"Ja, meneer. U vroeg me naar de betrokkenheid van kleine, solide investeerders en het antwoord luidt nee. De banken willen er niets van weten. Misschien zouden we een fantast kunnen vinden die er zijn geld in wil steken ..."

Deogràcies-Miquel Gambús keek door het raam naar de Barcelonezen die verrast waren door een bui en nergens konden schuilen: ze liepen snel de straat door, maar leken nauwelijks uit hun humeur. Hij dacht ineens aan de neger bij de deur. Hij zag hem niet.

"Bent u klaar, Gatius?"

"Ja, meneer."

"Nou, gaat u dan zitten en luistert u, want nu ben ik aan het woord."

"Ja, meneer."

Een regenachtige ochtend in de stad. Het was een vrolijke, fijne, onopvallende regen, van het soort dat niet vuil maakt of het zonlicht afschermt en dat in Barcelona alleen aan het eind van de winter of het begin van de lente voorkomt.

"Gatius, er is geen tijd meer. Ik moet u bekennen dat terwijl u uw onderzoek uitvoerde, ik een ander heb verricht. En ik moet toegeven dat ik alleen uit beleefdheid naar u geluisterd heb ..."

De gedaanteverwisseling was een kwestie van seconden. Gatius, geschrokken, zweeg en luisterde. Demi Gambús was zo opgewonden dat het hem moeite kostte zich te beheersen. De oplossing had zich aangediend tijdens de meest simpele, eenvoudige overpeinzing: "Ik moest toch de geschiedenis van mijn familie ingaan met een eigen persoonlijkheid? Na al deze verschrikkelijke maanden van onderzoek ben ik uiteindelijk bij de hamvraag uitgekomen: wat is het basisverschil tussen mijn persoon en de rest van de Gambús? In tegenstelling tot de anderen ben ik Barcelonees. Als ik het al niet van geboorte ben, ben ik het omdat ik er uit vrije wil woon en dat is wat telt. Barcelona bepaalt mijn weg, maakt het verschil ..."

Hij keek Gatius aan en ging door: "Barcelona groeit onophoudelijk. En waar wordt in de stad het meest gebouwd? In het Reformaproject, dat de sloop van een hoop oude gebouwen en straten met zich meebrengt, die worden vervangen door een rechtlijnig en modern stratenplan ... De radicale herstructurering waarmee in dit oude stadsdeel een begin is gemaakt, zal een algemene opwaardering van de zone betekenen, zowel voor economie en handel als voor de samenleving in het algemeen. Deze opwaardering zal heel groot zijn, heel groot."

Hij onderbrak zichzelf even om een slok wijn te drinken. Hiervan profiteerde Bartomeu Gatius, die met een zekere aarzeling opmerkte: "Bouwspeculatie was een van de eerste opties die u hebt afgewezen ..."

"Hou uw mond! Hoe lang geleden is de Reforma begonnen?"

Een verraste Gatius begon informatie te zoeken, tot hij vond wat hij zocht: "Zijne Majesteit heeft de eigenlijke werkzaamheden bijna een jaar geleden geïnaugureerd, meneer Gambús, maar het is zeker een jaar of drie jaar geleden dat de operatie is begonnen. De verschillende gevestigde economische belangen zijn er al zeer sterk bij betrokken, vooral die van de Banc Hispano-Colonial die ..."

"Ik heb er schijt aan of er gevestigde belangen zijn of niet."

"Maar we hebben het over de Banc Hispano-Colonial! De machtigste mensen in Barcelona staan erachter: het huis Comillas, de erfgenamen van bankier Girona ..."

"Wat je doet, kan je ongedaan maken. En punt. En maakt u me niet bang. Eens zien of u het begrijpt, Gatius. Er zijn nog eenenzestig percelen die onteigend kunnen worden. Welnu, die moeten van ons worden. Begrijpt u wat ik zeg? En van de meer dan honderd die al zijn onteigend, moeten we er zo veel mogelijk weer in handen krijgen ... We zijn er nog op tijd bij, maar we moeten opschieten. We moeten het voor elkaar zien te krijgen dat iedereen gelooft dat we belangstelling hebben voor de Gran Via A."

"Dat iedereen gelooft ...?" Bartomeu Gatius stond met zijn mond open. Hij was het even kwijt: "Is dat niet zo?"

"Nee. We hebben helemaal geen belangstelling. We kopen zoveel Reforma als we kunnen en ... doen er niets mee. Geeft u mij die kaart eens. En doe verdomme uw mond dicht!"

Gatius, die bijna in shock was, gehoorzaamde onmiddellijk. Ze rolden op tafel een stuk papier uit en zetten de uiteinden vast met glazen en couverts. Het was een plattegrond van Barcelona. Je kon er in rood de perfect rechte lijn van de toekomstige Via Laietana zien, nu de Gran Via A: van de Passeig de Colom tot aan de Plaça

Urquinaona, dwars door de wirwar van middeleeuwse straatjes die moesten verdwijnen. Demi Gambús pakte een potlood, plaatste hem waar de rode lijn ophield en vanuit de losse pols begon hij haar door te trekken in de richting van de zee. Hij trok een lijn over de kade heen, week een beetje uit om Barceloneta te omzeilen, ging het water in, het papier af en tekende verder op tafel, op het tafellaken. Eindelijk stopte hij, maakte een kruis en riep triomfantelijk: "Hier!"

Bartomeu Gatius keek met ogen als schoteltjes naar de tekening op het tafelblad.

"Waar?"

"Midden in zee, Gatius! Juist als iedereen denkt dat wij ons volop in het Reformaproject willen storten, leggen wij de fundamenten voor de verlenging van de nieuwe boulevard!"

En Demi Gambús liet zich gaan. Zijn passie was zijn woorden te snel af en hij sloeg wartaal uit. Hij kon zich niet beheersen. Hij stopte even om met een beetje wijn een strychninepil weg te spoelen. Hij kwam bij Gatius staan en wees de zee aan: "We steken in zee met een grote brug bovengronds en een grote onderzeese tunnel om treinen door te laten rijden, zoals de Amerikanen in New York willen doen. En weet u waar ze zullen stoppen?"

"Waar?"

"Aan de horizon, Gatius: in het nieuwe Barcelona, een gloednieuwe, kunstmatige wijk. Als de bankiers het nog niet eens zullen hebben gemerkt, hebben wij al in zee een stad gebouwd die zich vooral op de zakenwereld richt: de banken zelf zullen er hun vestigingen hebben en grote organisaties, bureaus en kantoren, afdelingen van gemeente en rijk, misschien ziekenhuizen en klinieken ... En grote zomerhuizen. De plek zal 'Illa Gambús' heten."

"We zullen alle activiteiten aan de Gran Via A controleren, zodat de beste transacties in Barcelona niet dáár van de grond komen, maar als het ware afdrijven naar Illa Gambús. Het zal ons een aantal jaren strijd kosten, laten we onszelf niets wijsmaken, maar we zullen erin slagen. Dankzij mij komt Barcelona weer op de kaart van Europa te staan."

Bartomeu Gatius was sprakeloos.

"Maar meneer Gambús, om zo'n groot project van de grond te tillen is ongelooflijk veel kapitaal nodig en ik geloof niet dat ook maar één Catalaanse of Spaanse bank bereid is mee te doen aan een ... aan een ..."

"Dwaasheid? Wilt u zeggen dwaasheid?"

"God beware me, meneer Gambús, natuurlijk niet ... Maar zelfs de Britse monarchie zou er niet aan kunnen deelnemen zonder ... Bovendien vormt het leger een probleem, om veiligheidsredenen zal het nooit toestemming geven."

"Gatius, Gatius ... Doe het niet in uw broek, man. Er is nog veel wat u niet van de familie weet. Bovendien zal het leger als eerste willen samenwerken. Vanuit administratief oogpunt is de kwestie veel makkelijker dan ze lijkt omdat we in werkelijkheid niet een nieuw eiland zouden uitvinden voor de kust van Barcelona ..."

Bartomeu Gatius was zich echt wild geschrokken. Het was duidelijk dat de jonge Gambús te veel strychninepillen had geslikt. Of wat dan ook.

"O, nee?"

"Nee! We zouden een oud eiland weer boven water halen. Barcelona heeft op verschillende tijdstippen in zijn geschiedenis een serie heuveltjes geteld die met de kust waren verbonden door zandtongen die een soort natuurlijke kaden vormden. In de loop van de tijd hebben erosie en zeestromen het zand meegevoerd en zijn de heuvels in een eiland veranderd. Het proces ging door en dit eilandje is uiteindelijk onder water verdwenen. Welnu, mijn besluit staat vast: we zullen de oude heuvel van Maians weer laten verschijnen, midden in zee. Het is een bergje dat al heeft bestaan. En als het bestaan heeft, moet het een eigenaar hebben gehad. We zullen de erfgenamen ervan vinden en we zullen van hen de veronderstelde rechten op het eiland kopen. En als we hen niet vinden, zullen we hen uitvinden. Het oude eiland Maians laat ik weer opduiken en iedereen zal het erover hebben. En de echo zal jaren aanhouden. En over tientallen jaren zal iemand er een boek over schrijven, iemand die gek genoeg is om te denken dat het de moeite waard is er iets over te schrijven. Of eenvoudigweg dat het de moeite waard is om te schrijven. Kalmeert u, Gatius, en weest u vooral discreet. Het eerste wat moet gebeuren is het project in opdracht geven. Met de hoogste geheimhouding. Aan een paar buitenlandse vaklui, om te kunnen vergelijken. Komt u dichterbij. Kijkt u eens."

Hij wees iemand aan die over de Rambla langskwam. Het regende niet meer. Het was een automobiel met drie passagiers. Eén voorin, de chauffeur met grijze stofjas, handschoenen en pet, en twee achterin, bebaard, met hoge hoed, goed ingepakt, met leren handschoenen aan en een schotsgeruite plaid over hun benen.

"Bekijk hen, Gatius", zei hij. "Wij Gambús weten hoe we die Barcelonese *haute volée* moeten behandelen. We moeten het goed aanpakken; indien nodig bouwen we een nieuwe Liceu midden in zee, we doen wat nodig is. Meneer Eusebi Güell heeft de architect Gaudí opgedragen voor hem een tuinstad te ontwerpen die een verrukking is; waarom zouden wij geen stad in zee bouwen? Zo nodig zullen we het project ook aan Gaudí in opdracht geven ..."

Hij voelde zich als een koning, als een minister-president. Hij trof voorbereidingen die korte tijd later een grote stroom goederen en mensen op gang brachten. Misschien was zijn gevoel er eerder een van een generaal vlak voor de strijd. Waren ze geen piraten? Nou, hij zou het beste piratennest ter wereld bouwen: Illa Gambús, vol burgers die hem vast en zeker alle prestige en achtenswaardigheid zouden toekennen die hem toekwamen. De ideale basis om volkomen straffeloos te stelen en te bedriegen. Zijn moeder zou versteld staan.

Bartomeu Gatius verliet de chambre séparée misselijk en koortsig, maar klaar voor de strijd. Eigenlijk had hij ook geen enkele keus.

Intussen dacht Deogràcies-Miquel Gambús dat zijn nieuwe missie zou slagen. Om een eenvoudige reden twijfelde hij daar geen moment aan: hij was beroepsdelinquent. En ook daarom was hij iedere denkbare mededinger altijd één stap voor. Veel Barcelonese burgers gedroegen zich in de praktijk als misdadiger. Maar tegelijkertijd konden ze er niet vol voor gaan omdat ze het moesten verbergen. Voor zichzelf, hun familie, de samenleving. Demi Gambús niet. Daarom was hij altijd in het voordeel. Maar hij was er tegelijkertijd dankbaar voor. En hij was tevreden. En daarom zou hij eraan bijdragen Barcelona groter te maken, zoals anderen dat eerder hadden gedaan. En niet voor het nageslacht. Daar maakte hij zich helemaal niet druk over; hij zou er toch niet zijn om het te zien. Hij deed het omdat hij er zin in had. Daarom. Omdat de

Gambús zo waren. En als anderen voor hem het hadden gedaan, waarom hij dan niet?

Hij wierp nogmaals een blik door het raam. Een zonderlinge paarse kar vol rommel trok zijn aandacht. Het was een voddenman die een klokje luidde. Het begon weer te regenen, alles was rustig. Hij opende het venster en er kwam een beetje frisse, enigszins zoete lucht binnen nu de motregen de wind zijn zilte zeesmaak had ontnomen. Er stonden voor de komende jaren grote gebeurtenissen op stapel. Hij sloot het venster energiek, sneed een anjer af uit de vaas die op tafel stond en stopte de bloem in het knoopsgat van zijn colbertje. Weldra zou hij de weduwe Roca ontvangen. Hij had haar een vertrouwelijke boodschap vol galante frasen laten bezorgen, waarin hij haar eraan herinnerde dat hij haar voor het diner had uitgenodigd. En om de tijd sneller te doen verstrijken, had hij bij zijn boodschap een boeket en parfum gevoegd.

Hij ging voor de spiegel van de chambre séparée staan om de haren op zijn oren aan een inspectie te onderwerpen, maar een kelner liet hem weten dat meneer Rafel Escorrigüela er was.

Hij kon zijn tegenzin maar nauwelijks verbergen. Hij keek naar de wandklok. Het was acht voor een en de afspraak met de weduwe was om twee uur. Op aandringen van zijn moeder had hij Escorrigüela uiteindelijk voor het middageten uitgenodigd en hij had er verder helemaal niet meer aan gedacht.

Hij gaf de opdracht hem binnen te laten met de weinig verhulde bedoeling zich weer zo snel mogelijk van hem te ontdoen.

Op het eerste gezicht herkende hij hem niet. Wat logisch was omdat zijn oude vriend erg veranderd was. Hij herinnerde hem zich twaalf jaar geleden, toen ze allebei achttien waren, met een ribfluwelen jasje en een wit hemd dat van ouderdom uit elkaar viel, dat zelfs de nonnen niet meer wilden hebben om het aan hun straatarme oudjes te geven. En nu stond hij hier in vol ornaat, gepolijst, van top tot teen een echte jongeheer.

"Rafel, je ziet er goed uit ..."

Demi Gambús wist niet dat alles wat Rafel Escorrigüela droeg nog geen drie dagen geleden was gekocht.

"Niet zo goed als jij, Demi ..."

Ze omhelsden elkaar hartelijk. De herinnering aan de tijd dat ze achttien waren had zich ineens van hen meester gemaakt.

"Rafel, ik moet je iets zeggen en ik hoop dat je het me niet kwalijk zult nemen ..."

"Zeg op, zeg op ..."

"Je hebt nog net zo'n afstotelijke kop als twaalf jaar geleden. Maar ik bekijk je en bekijk je opnieuw en ik denk dat misschien ... misschien, onder dit magere gezicht van je, het gezicht van een klootzak, misschien, na zoveel tijd, eigenlijk ..."

"Ja ..."

"Nog steeds een echte klootzak zit."

Ze lachten allebei en hij nodigde hem uit aan tafel plaats te nemen. Demi Gambús schonk hem een beetje wijn in.

"Ik waarschuw je: ik heb zo'n honger dat ik volop van deze gelegenheid zal profiteren."

"Nou, dat is dan voor een andere keer. Het spijt me, maar er is iets onverwachts gebeurd waar ik niet onderuit kan."

De knipoog die Demi Gambús hem gaf, was voldoende om de kleine wolk vernedering die zich ineens boven het hoofd van Rafel Escorrigüela had samengepakt te doen vervliegen. Dezelfde wolk die hij van kleins af altijd in contact met de familie Gambús had gevoeld en waaraan de oude bazin hem pasgeleden weer had doen denken.

"De tijd vliegt en wij veranderen niet, hè, Demi? Je doet het echt goed bij de vrouwtjes ..."

"Misschien wel, misschien niet."

Rafel Escorrigüela wilde hem niet bekennen dat hij op het ogenblik alleen maar een naaister bij de hand had die Llucieta heette, wier grootste zorg het was of ze voor snit en confectie het Martí-systeem moest kiezen of dat Parisien beter was. Hij was pas drie minuten met Demi Gambús samen en werd al onrustig. Buiten op straat was hij die vreselijke man met zijn rattengezicht tegengekomen. Deze had een tandenstoker in zijn mond en was hem met zijn blik gevolgd tot aan de restaurantdeur.

"Mijn afspraak staat voor twee uur", zei Demi. "Jij wacht, ik stel je pro forma voor en je hoepelt op. Ik wil dat je haar ziet ..."

"Nee, bedankt, ik voel er niets voor om lekker te worden gemaakt en dan niet te kunnen aanschuiven."

"Ik beloof je dat ik je zal uitnodigen om te dineren zoals je nog nooit in je leven hebt gegeten."

"Goed, kijken of het waar is."

"Ik beloof het je. En vertel me nu iets over jezelf, ik heb nog even. Je hebt vast meer meegemaakt dan ik. Mijn verhaal is heel eenvoudig: ik ben advocaat, maar de laatste tijd laat ik de advocatuur voor wat ze is om steeds meer de familiezaken te beheren. Jouw vader is samen met mijn grootvader gestorven ..."

"Dat zei je moeder me onlangs al."

Rafel Escorrigüela schaamde zich eigenlijk dood. Alsof er geen tijd was verstreken, behandelde Demi Gambús hem op dezelfde manier als diens moeder dat een paar dagen eerder had gedaan. Het herinnerde hem eraan dat hij eigenlijk niet meer was dan een hondendrol. Even kwam de gedachte bij hem op te zeggen dat de familie zich niet de luxe kon permitteren dat iemand de boel op stelten kwam zetten. Hij nam een slokje wijn: "Met het geld dat ik uit Alcagaire heb meegenomen, kon ik architectuur gaan studeren. Tegelijkertijd ging ik naar de beurs. Ik wilde slagen en daarom verzekerde ik me van twee heel verschillende methodes, één serieuze door voor rijke burgers huizen te bouwen en straten aan te leggen, een artistieke door schilderijen te maken en ze tegen een goede prijs aan diezelfde rijke burgers te verkopen."

"Ik ben een rijk burger, wat wil je me verkopen?"

"Hoe bedoel je?"

"Niets, sorry, zeg maar, zeg maar ..."

"Ik stuurde telkens gedichten in voor de Jocs Florals. Ik heb er zelfs een prijs mee gewonnen ..."

"Gedichten?" onderbrak Demi Gambús hem, terwijl hij hem met een ongelovige blik aankeek.

Dat was een andere wereld. Zijn meest intense en recente contact met de geschreven poëzie was het ongemak dat de directe omgang met een paar dichters hem een jaar geleden had bezorgd. Dat was in het Maison Dorée, waar hij met een potentiële klant aan het souperen was. Aan de naburige tafel at en dronk een hele groep eerbiedwaardige baarden; ze vertelden elkaar grappige dingen, kortom, ze vermaakten zich opperbest. Zo nu en dan ging een van de disgenoten staan en reciteerde hardop een gedicht, waardoor het in het etablissement bijna helemaal stil werd. Daarna vloeiden hartelijkheid en champagne weer. Demi Gambús kon er niet meer tegen en vroeg een ober wat al dat kabaal voorstelde.

Deze legde hem uit dat het het souper betrof na de plechtigheden van de Jocs Florals. En dat die meneer van ongeveer zestig jaar, die maar gasten van naburige tafels bleef begroeten die op hem afkwamen, de schrijver Àngel Guimerà in hoogsteigen persoon was. Demi Gambús was onder de indruk. Het wilde er bij hem maar niet in dat een dichter niet alleen niet als een uitvreter werd gezien, maar zelfs populair kon worden.

Escorrigüela keek hem bedroefd aan. "Het is me niet gelukt. Niet als kunstenaar en nog minder als architect, noch van de gemeente, noch anderszins. Mijn studie heb ik niet afgemaakt en de literatuur heb ik gelaten voor wat ze is. Ik heb entreekaartjes gescheurd bij de arena in Barceloneta. Ik heb zelfs een tijdje in de gevangenis gezeten."

"Waarom?"

"Niets bijzonders, stommiteiten van een stommeling. In de gevangenis heb ik een beetje leren boekhouden. Toen ik vrijkwam heb ik de administratie van een transportagentschap gedaan ..."

"Stop, Rafel, stop, ik hoef geen ellende meer te horen. Mijn moeder heeft me al op het hart gedrukt dat ik je moet helpen, maar laten we ter zake komen, want hoewel het duidelijk is dat je slechte tijden hebt gekend, gaan de zaken nu kennelijk beter. Waar woon je?"

"Ik woon op een bel-etage aan de Passeig de Sant Joan. Denk er niet te licht over: driehonderd peseta per maand huur! Zes kamers. Een grote eetkamer. Gas, elektriciteit, badkuip, douche, verwarming, veel zon en een tuin."

"Een peperduur huurpaleis. Je hebt dus geld."

"Dat is de oorsprong van alle kwaad. Ik heb geld, maar ik ben geen miljonair. Aan de andere kant, laten we zeggen dat dit geld niet van werken komt."

"Gokken? Loterij? Bedrog? Ik zie al dat we niet veranderen, hoeveel tijd er ook verstrijkt. Ik herhaal: wat wil je me verkopen, Rafel?"

"Ik wil je niets verkopen."

"Wees niet beledigd, sorry. Het is bijna mijn tijd."

"Ik zou het fijn vinden als je me adviseert hoe ik mijn geld kan beleggen. Zeg maar, dat we zo'n beetje compagnons zouden zijn. Ik kan in mijn flat kantoor houden. Ik ben er zeker van", zei hij, "dat ik tot volle tevredenheid een hele hoop verantwoordelijkheden in de zakenwereld op me kan nemen. En nu ben ik vooral bang dat mijn geld opraakt en ik met lege handen blijf zitten."

In één seconde las hij in Demi's ogen al diens gedachten: dat een individu als hij, een tijdje terug architectuurstudent en aspirant-dichter, die in een arena voor portier had moeten spelen, die kantoorklerk was geweest en die nu wat mysterieus geld had dat hem in zijn zakken brandde, zijn huidige positie niet door toeval of pech had kunnen bereiken. Veel of weinig, zijn persoonlijkheid moest er iets mee te maken hebben. Allesbehalve interessant om mee in zee te gaan.

En hij had volstrekt gelijk. Demi Gambús voelde er helemaal niets voor hem te helpen: "Misschien laat ik je meedoen aan een van mijn zaakjes. Of misschien help ik je zelf iets op te zetten, we zien wel. Hoe dan ook, bedenk dat je zeker drie jaar moet investeren om welke zaak dan ook op poten te zetten. En dat de eerste anderhalf jaar het ergste zijn."

"Met jou aan mijn zijde, ben ik nergens bang voor, Demi, jij behoort tot de sociale stijgers. Niet als ik, die in moeilijkheden raakt."

"Punt een, ik ben geen sociale stijger: ik ben al gearriveerd. Punt twee, begin niet weer te janken omdat ik je op weg help ..."

Naarmate de minuten verstreken, begreep Demi Gambús steeds minder waarom hij met Rafel Escorrigüela praatte. En vooral, waarom zijn moeder de jongeman naar hem toe had gestuurd. Zijn tijd raakte op: "Ik zal je zeggen wat ik zal doen: ik bespreek jouw geval met mijn financieel adviseur. Ik weet niet hoeveel geld je hebt, maakt ook niets uit. Er is zeker wel een of ander zaakje waar je het in kan stoppen om het te laten werken. En dan zien we wel. Het belangrijkste is dat we elkaar weer zijn tegengekomen. Bovendien is deze dag toevallig een heel speciale dag voor mij. Ik ben heel tevreden, je hebt geluk gehad: ik zal jouw hufterige tronie met deze dag associëren. En in de toekomst zal je dat meer rendement opleveren dan alle beurswaarden."

"Dat zeg je vanwege de dame op wie je wacht?"

"Vlieg toch op, man, vlieg op, ben je niet goed snik? Ik zeg het vanwege de zaak die ik ben begonnen. Die is zo fantastisch dat jij het niet eens kan vatten."

"Tjonge, en wat is dat dan?"

Demi Gambús keek hem een seconde lang intens aan.
"En waarom wil je dat weten?"
"Weet ik veel, uit nieuwsgierigheid."
"Je hoort er wel over als de tijd rijp is. En nu moet je gaan."
Terwijl Rafel Escorrigüela overjas en handschoenen aantrok, keek Demi Gambús hem even vanuit zijn ooghoeken aan. Op neutrale toon zei hij: "Kom vandaag over een week maar terug, je hebt nog een diner te goed. Ik zal zeker goed nieuws hebben."
Ze drukten elkaar als oude makkers de hand en Escorrigüela ging met langzame en ongelijke passen weg. Toen hij het restaurant verliet, was de man met het rattengezicht er nog steeds. Deze liet zijn schoenen poetsen en keek hem niet eens aan, toen hij langs hem liep. Het weerzien met zijn oude vriend was erg vreemd geweest. In feite had Demi hem eruit gegooid. Hij bleef zich maar een hond voelen.
Demi Gambús wierp een snelle blik uit het raam. Hij zag hoe de verminkte neger aan de deur op wonderbaarlijke wijze zijn armen weer terugkreeg. Hij was in twistgesprek met een paar agenten.
Met een ziekelijk genoegen bedacht hij dat hij zijn moeder best nog een beetje langer kon laten lijden. Hij zou dus nog een paar dagen wachten voor hij haar over zijn grote project zou vertellen. Voor het eerst was hij er zeker van dat hij sterker was dan zij.
Hij hoorde kloppen en draaide zich om. Een kelner kwam binnen om de tafel te dekken. De weduwe Roca zou weldra komen.

18

De kapster was nog maar net weg, toen het kamermeisje heel voorzichtig het zijdepapier in de doos openvouwde. Er lag een zeer elegante avondjurk in die, in aanmerking genomen voor wie hij was, zelfs gewaagd genoemd mocht worden. Het meisje haalde hem er met zo veel bewondering uit dat het leek of ze met haar blote handen een pasgeboren erfgenaam vasthield om hem aan haar bazin te laten zien. Zo nu en dan gunde Miquela Gambús zichzelf deze kleine blijken van ijdelheid. De familie Gambús was ijdel en desondanks geslaagd, dacht ze. Geassisteerd door het meisje trok ze de jurk aan, een zomermodel in appelgroen gecombineerd met turkoois.

"O, mevrouw, ik heb u nog nooit zo gezien ... zo ..."

"Zo wat?"

"... keurig netjes!"

"Dat zou iedereen zeggen! Maar vind je hem mooi of niet?"

"Hij is prachtig."

"Ik trek hem alleen aan op mijn feest in juli en daarna zal ik hem jou cadeau doen, want dan heb ik hem niet meer nodig."

Het meisje sloeg in tranen haar ogen neer.

"Dank u wel, maar ik kan het niet aannemen."

"Jij accepteert wat je gezegd wordt, brutaaltje."

"Ik zou hem nooit kunnen dragen ..."

De vrouw des huizes bedacht dat het meisje volkomen gelijk had. Ze moest het er eens met haar naaister over hebben zodat die, als het moment gekomen was, de jurk zou lostornen en vermaken tot iets eenvoudigers, aangepast aan de behoeften van het meisje.

Ze bekeek zichzelf geruime tijd in de passpiegel die in haar kleedkamer stond. De jurk was geschikt om afscheid te nemen van Barcelona. Ze trok hem uit en liet hem het kamermeisje dubbelvouwen en weer in de doos opbergen. Terwijl die daarmee bezig was, ging ze op haar vergulde stoeltje met de roze rugleuning zitten. Zo meteen zouden zij en haar zoon dineren met Joan Rovira, een van de succesvolste ondernemers van Barcelona. Hij had het heft in handen bij de handelsfirma La Portorriqueña, gespecialiseerd in de confectie, distributie en verkoop van stoffen. Deze onderneming bezat een paar confectieateliers in Barcelona: La Portorriqueña en La Nueva Portorriqueña. In tegenstelling tot zijn voorouders had hij, zoals zoveel anderen, fortuin gemaakt door zijn bedrijfsstrategie te baseren op legercontracten. En nu, jaren later, had hij veel geld en nam hij de vrijheid om de terreinen waarop hij vanouds zakendeed uit te breiden door alles op de beurs en in de onroerendgoedsector te beleggen.

In zijn hoedanigheid als bestuurder van de werkgeversorganisatie had hij Miquela en Demi Gambús om een onderhoud verzocht om zo enigszins discreet ideeën uit te kunnen wisselen. Er heerste veel onrust. Het regende weer bommen op Barcelona, vier in zes dagen, alsof iemand wilde laten weten dat na Pasen de dingen niet bleven zoals ze waren, maar ook niet veranderden. Hoewel de explosies hadden plaatsgevonden in volkswijken en volksstraten, waren de werkgevers erg nerveus. Bommen en sociale onrust zijn slecht voor de handel en handel is de ziel van Barcelona; daarom gaat Barcelona met bommen naar de verdommenis. Zo redeneerden ze. De regering in Madrid had dan ook zojuist de beloning voor elke snipper betrouwbare informatie over de aanslagen verhoogd tot de enorme som van honderdduizend peseta.

Als de heer Rovira de familie Gambús benaderde om de sociale kwestie onder haar aandacht te brengen, verdeed hij zijn tijd, want ze hadden haar al lang geleden zelf geanalyseerd: op 19 juni 1870 had Miquel Gambús II, de Rijke Stinkerd, vermomd als arbeider het Eerste Spaanse Arbeiderscongres bijgewoond. Onder de Catalaanse proletariërs vielen de aanhangers van het coöperatieve systeem, de syndicalisten en de volgelingen van Bakoenin het meest op. Ze moesten niets van politiek hebben en wilden dan ook dat de vakbonden zich apolitiek opstelden. De arbeidersvertegenwoordiger in Barcelona, Rafael Farga i Pellicer, was volgeling van Bakoenin.

Hij ontving de afgevaardigden met frasen als deze: "De maatschappij streeft naar orde in anarchie. Men neemt aan dat het woord 'anarchie' staat voor wanorde ... Het tegendeel is het geval!" Miquel Gambús maakte verschrikt dat hij wegkwam. Dat had hij niet verwacht. Hij was gewend om een-op-een met zijn arbeiders om te gaan. Het joeg hem angst aan er zoveel bijeen te zien, zo georganiseerd en zo luidruchtig. Het was een nachtmerrie. Hij ging in één ruk door naar Alcagaire, waarbij hem helder voor ogen stond dat er snel moest worden opgetreden. En altijd preventief. Dit was het principe dat hij zijn dochter Miquela bijbracht: preventie.

En bazin Miquela volgde de raad van haar vader naar de letter op, niet als defensieve tactiek, maar juist als meest directe weg naar bestendiging en uitbreiding van de macht van de familie. Ze had het op haar beurt haar zoon uitgelegd, kort nadat ze zich in Barcelona hadden gevestigd.

Vandaag zou ze hem aan dat gesprek herinneren. Want de sfeer werd grimmiger; binnenkort waren er gemeenteraadsverkiezingen en Miquela Gambús wist niet precies wat Joan Rovira wilde.

Ze voelde zich eerder moe dan ziek. Al haar botten wogen zwaar als lood, ze voelde zich log als nooit tevoren. Ze stond van haar stoeltje op en liep naar het raam. Een banketbakkershulp kwam langs met een dienblad vol brioches op zijn hoofd. Hij was ongeveer elf jaar. Hij stopte even om uit te rusten en zette zijn last neer. Hij had een paar rode konen alsof hij zo van het platteland kwam. Misschien kwam hij dat ook. Zij was oud en haar wangen werden zelfs niet rood als ze er met haar vingers in kneep. De laatste tijd dacht ze alleen maar aan vroeger. Ze wilde terug naar Alcagaire. Ze had er genoeg van.

Die ochtend had een kapelaantje een met de hand geschreven bericht van meneer de aartsbisschop gebracht. Hij liet haar weten dat hij haar feest om persoonlijke redenen en vanwege zijn drukke agenda onmogelijk kon bijwonen. Verrekkeling ... Ze verwachtte het eigenlijk al, maar voor het geval dat en tegen haar aard in had ze puur voor het oog van de mensen op Witte Donderdag en Goede Vrijdag meegelopen in een van de kruiswegoefeningen. Ze liep in de regen achter Zijne Goddelijke Majesteit onder diens troonhemel, gedragen door seminaristen met een drijfnat gezicht, die, dat wel, beschermd werden door hun koorkap.

"De Kerk is haatdragend ..." mopperde de oude bazin Miquela, terwijl ze zag hoe de banketbakkershulp, uitgerust, het dienblad weer op zijn hoofd zette en, op stuitende wijze vrolijk en tevreden, verderging.

De familie Gambús had altijd een correcte relatie met het bisdom onderhouden. Je zou kunnen zeggen dat hun belangen samenvielen. Het verbond tussen de Kerk en grootgrondbezitters van hun rang en positie was voor beide partijen profijtelijk. Om dicht bij huis te blijven: misschien had het bisdom daarom de verbeelding van een familie als de Gambús geen strobreed in de weg gelegd, dieven uit roeping, die echter tegelijkertijd de privileges van de Heilige Moederkerk eerbiedigden. Miquel Gambús I, Die van de koning, zette een grootschalige handel op om een slaatje te slaan uit het volksgeloof. Aan de ene kant verdiende hij geld als water en aan de andere hield hij het geloof levend in die van God en alleman verlaten streken. Hij behield wat Caesar toekwam en gaf het bisdom zoveel procent van wat God toekwam. En zo zette hij ten slotte een kleine religieuze nijverheid op die paste bij zijn vele andere zaakjes. Officieel leverde hij kaarsen, beelden, gravures, scapulieren, medailles ... In werkelijkheid was de handel in valse relikwieën zijn meest ambitieuze project: hij begon in serie originele rozenkransen van de heilige Raimon de Penyafort te leveren, tunieken van de heilige Eulàlia en zelfs gedroogde bloemblaadjes van de bloeiende staf van niemand minder dan de heilige Jozef. De volgende stap lag voor de hand: het gebruik van menselijke resten om zo vingers, nagels, tanden, zelfs een niet-vergane arm van de heilige Patllari te kunnen aanbieden. En uiteindelijk verzon hij een heilige die uit het dorp afkomstig was: vader Marius, die stigmata had. Het was het toppunt van sluwheid. En al met al, dat spreekt vanzelf, met medeplichtig stilzwijgen van de kerkelijke gezagdragers. De handel bloeide geruime tijd en was een van de pilaren van het fortuin van de familie. Hij verdween toen de kracht van de oude Gambús met de jaren afnam en vooral toen er nieuwe manieren opkwamen om misdrijven te plegen, manieren die het geslacht beroemd zouden maken en gebaseerd waren op drie uitgangspunten: meer inkomsten, minder risico en minder werk. Tijdens het tijdperk van Miquel Gambús II, de Rijke Stinkerd, verslechterde de relatie met de tijdelijke macht van de

Kerk volledig. Het is niet helemaal zeker, maar er zijn mensen die het toeschrijven aan het feit dat Miquel Gambús in hoogsteigen persoon in koelen bloede, midden op het dorpsplein van Alcagaire een kapelaan afmaakte. Voor het eerst probeerde de bisschop zich met de familiezaken te bemoeien en had een pater gestuurd met de volmacht om de religieuze zwendel van de familie Gambús te ontmaskeren. Miquel Gambús II deed hun de eer aan het hoogstpersoonlijk af te handelen. Het gezagsprincipe stond immers op het spel. Op de dag dat de gebeurtenissen plaatsvonden, had de dorpsarts, een alom gerespecteerd man, Miquel Gambús II uitgenodigd om bij hem te komen eten. Toen ze aan de aperitief zaten, excuseerde Miquel Gambús zich, hij was misselijk en wilde zich opfrissen. De arts stelde zijn eigen slaapvertrek ter beschikking en zag hem pas twintig minuten later terug. In de tussentijd ging don Miquel naar het dorpsplein, waar hij de gevolmachtigde van de bisschop van aangezicht tot aangezicht ontmoette. De man keek om zich heen en merkte dat het plein van Alcagaire, stoffig maar zo schitterend dat het pijn aan zijn ogen deed, in een kwestie van seconden leeg was. Toen hij weer voor zich keek, herkende hij don Miquel Gambús, die breed glimlachend een hand op zijn borst legde. Het was het laatste wat de kapelaan in dit tranendal zag, want meteen erop doorboorde een enkele kogel zijn hart en viel hij als een blok neer. Don Miquel verborg het miniatuurpistool-met-één-kogel kalmpjes in zijn mouw, klopte zijn colbert af en ging terug om zijn aperitief op te drinken. Het moet gezegd dat het bisdom bijzonder verbolgen was. Er werd aangifte gedaan en de zaak bereikte zelfs Madrid. Maar hij belandde in de doofpot omdat er geen getuigen waren en de arts bovendien verklaarde dat zijn achtenswaardige vriend don Miquel Gambús op de dag en het uur van het voorval bij hem thuis was geweest.

Vaststaat dat het bisdom deze nederlaag nooit had kunnen verkroppen. Het moment om de rekening te vereffenen deed zich een paar jaar later voor, in augustus 1899, toen don Miquel het leven liet bij een stommiteit, waarbij ook zijn trouwe ondergeschikte Evarist Escorrigüela het loodje legde. De oude patriarch van het huis Gambús was een fanatiek liefhebber van moderne uitvindingen en in het bijzonder van automobielen. Hij had telkens weer gezegd dat hij, als hij dood was, aan het stuur van zijn dierbare Benz Velo begraven wilde worden. Iedereen dacht dat hij een grapje maakte en niemand had het ooit serieus genomen. Maar toen bleek dat hij het testamentair had laten vastleggen. Zijn enige dochter, die haar vaders wens ten uitvoer wilde brengen, trof voorbereidingen om hem volgens zijn laatste wil te begraven. Ze ontving een officieel schrijven van het bisdom: "Het buitensporige optreden dat u van ons vraagt is strijdig met het respect en de waardigheid die de dodenliturgie vereist." Het bisdom onthield zijn toestemming om die man in gewijde grond te begraven. En het waarschuwde mevrouw Miquela Gambús dat ze het op straffe van excommunicatie niet moest wagen het verbod aan haar laars te lappen (nog afgezien van de rechtsvordering die ze kon verwachten wegens illegale teraardebestelling). Óf hij werd als iedereen in een kist begraven, óf hij werd niet begraven. De bazin was ziedend, ze wendde al haar invloed aan, maar het was vergeefs. Het tijdperk van de caciques liep af en de politici waren te druk om de tijd die kwam het hoofd te bieden. Niemand wilde het met het bisdom aan de stok krijgen. Maar Miquela Pannenlikster Gambús had de koppigheid van haar voorouders geërfd en besloot haar vader gezeten achter het stuur van zijn auto te begraven, mét zegen of zonder.

Haar zoon Demi, scherpzinnig als alleen hij dat kon zijn, vond meteen het gat in de wet, hoewel hij pas negentien jaar was en zijn rechtenstudie nog niet had voltooid: in Galicië bestonden kerkhoven voor Engelsen, waar overledenen van die nationaliteit kwamen te liggen die in oorlogen of bij schipbreuken waren omgekomen. Wel, ze zouden hetzelfde doen: een kerkhof voor Engelsen in Alcagaire. In ongelooflijk korte tijd droeg bazin Miquela een document aan waaruit bleek dat haar vader lid was geworden van de anglicaanse Kerk en toonde ze een tweede document waarin de gemeente Alcagaire toestemming gaf om een anglicaanse kapel in te richten, mét een aanpalend kerkhof dat uit één enkele ligplaats bestond. Een derde document, afkomstig uit Canterbury, wijdde het nieuwe religieuze complex en gaf toestemming om Miquel Gambús in een auto te begraven in plaats van in een kist.

Het werd een doorslaand succes dankzij het feit dat Alcagaire een doodgraver had die tevens dieren opzette. Diumenge Jordà was een grote, gezette man. Hij pufte altijd. Als hij zuchtte en zijn borstkas met lucht vulde, spanden de knopen van zijn vest en kwam zijn stropdas scheef te hangen. Hij was trots op zijn werk. Miquela Gambús zocht hem in het holst van de nacht op. Ze legde hem kort en bondig uit wat het probleem was en wat ze van hem verlangde. Diumenge Jordà was zoon, kleinzoon en achterkleinzoon van mensen die afkomstig waren uit Alcagaire. Hij velde geen oordeel over wat een heer en meester hem vroeg te doen, hoe zonderling ook. Wilden ze de oude man begraven, gezeten achter het stuur van zijn auto? Nou, dat ze hem dan maar begroeven, ze deden er niemand kwaad mee. En morgen was er weer een dag.

"Hoeveel tijd heb ik?" vroeg Jordà.

"Ik moet een paar documenten uit het buitenland laten overkomen. Tien dagen. Maar denk eraan, ik wil dat hij achter het stuur zit en zijn auto bestuurt."

"In deze tijd van het jaar ... We kunnen hem in een badkuip met ijs bewaren en ... Het is moeilijk om te garanderen, mevrouw, dat hij goed blijft, ook al is hij gebalsemd ..."

Miquela Gambús liet haar blik gaan over de everzwijnen, vogels en vossen die de werkplaats van Diumenge Jordà vulden, allemaal in de meest onnatuurlijke en onmogelijke houdingen, alle met ontzettend verwrongen bekken. Ze gebaarde vagelijk naar de dieren en keek hem ten slotte aan: "Zet hem op."

Stilte.

"Je hebt me gehoord. Ik wil hem begraven in zijn chauffeurskleding en met zijn handen aan het stuur. Geld speelt geen rol. Absoluut niet. Als je weigert, heb ik daar begrip voor. Het zou me erg spijten, maar ik zou er begrip voor hebben."

Diumenge Jordà moest iets wegslikken. In Alcagaire deed je wat de Gambús zeiden, ook al was het een dochter die je vroeg haar vader op te zetten. En die hem nu strak aankeek. Hij ademde in, de knopen van zijn vest spanden tot het uiterste. En hij zei ja.

Hij slaagde erin zijn schepsels levend te doen lijken, in woeste houdingen, met uitdrukkingen alsof ze verrast waren, rechtop op hun achterpoten, half ineengedoken in aanvalspositie ... Hij kon met willekeurig welk kadaver willekeurig wat doen. In zijn zenuwen, schoot hem niets beters te binnen dan de vrouw hetzelfde te vragen wat hij de mensen vroeg die hun jachttrofeeën of zelfs hun huisdier brachten: "Welke houding wilt u dat ik hem meegeef: woede, dat hij zijn tanden laat zien?"

Maar haar viel het absurde van deze vraag niet op. Onder andere omdat ze die nacht de absurditeit zelve was.

"Ik wil een natuurlijke houding. Nee, tevreden. Ik wil dat hij heel tevreden lijkt. Ik wil dat de klootzakken die ons hebben willen naaien hem zich zo herinneren. Denk je dat je dat lukt?"

"Ik weet het niet, mevrouw, ik neem aan van wel. Laten ze hem naar het kerkhof brengen, naar het depot, niemand zal het merken. En de auto natuurlijk ook."

Tijdens dit hele gesprek kende Miquela Gambús, Miesje Pannenlikster, slechts even een zwak moment. Maar ze snoof flink door haar neus en hervond zich weer. Ze ging met gerust hart weg. Ze liet haar vader in goede handen achter.

Jordà werkte dag en nacht. Ondanks al zijn ervaring moest hij wel onder de indruk raken toen hij het lichaam van Miquel Gambús II, de Rijke Stinkerd, onderzocht. Niet door het feit dat het geschonden of verminkt was: hij had tijdens zijn leven al heel wat mensen gezien die door de rivier waren meegesleurd en verdronken waren. Het was omdat het don Miquel betrof, de grand seigneur. Hij was het die er stijf, opgeblazen en blauwig bij lag, met één oog open, het andere gesloten.

Hij had zijn karwei maar net op tijd af. Het resultaat was zo spectaculair dat op de dag van de begrafenis twee vrouwen, helemaal onder de indruk, op straat flauwvielen en een paar anderen op hun knieën vielen en begonnen te bidden: Miquel Gambús II, de Rijke Stinkerd, met pet, stofbril, sjaal, handschoenen, overjas met revers van vossenbont en glimmende hoge laarzen, met zijn linkerhand aan het stuur van zijn Benz Velo, met een glimlach van oor tot oor en de andere hand uigestrekt in de lucht, groetend alsof hij afscheid nam. Toen de bazin hem zag stond ze helemaal perplex. Nou goed, de glimlach met de enigszins opgetrokken lip gaf hem iets van een opgezette vos, maar dat was een te verwaarlozen detail. Het was háár vader die de robuuste, veilige Benz Velo bestuurde, met de glimmende houten carrosserie, de fluwelen stoffering, het bewerkte leer, de hoorn van messing in de vorm van een boa constrictor ... Het zag er aan de buitenkant indrukwekkend uit. Eigenlijk zoals altijd, wanneer hij met zijn auto uit rijden ging en mensen en dieren opschrikte, terwijl hij dikke stofwolken opwierp.

De ceremonie was een waar gebeuren omdat Miquela Gambús er in die negen dagen niet alleen in was geslaagd uit Engeland de celen, certificaten en documenten van de anglicanen te doen overkomen, maar ook een inheemse kapelaan en een fanfarekorps. De musici, die hun gala-uniform droegen, speelden Engelse volkswijsjes en openden de stoet. Erachter de Benz Velo, getrokken door twee paarden, met het lijk van Miquel Gambús, rechtop gezeten, uitgedost, glimlachend als een vos, vastgebonden aan het stuur, terwijl hij aldoor groette. De constructie van ijzer en hout die Diumenge Jordà had gemaakt, hield hem als een vogelverschrikker strak overeind, bijna vastgesoldeerd aan de zitting en aan het stuur. Zijn voeten waren aan de bodem van het voertuig vastgemaakt met behulp van schroeven die met behoorlijk vernuft in de laarzen waren weggewerkt. Zijn rechterhand zat dankzij een speciale lijm voor eeuwig aan het stuur vast.

Bijna het hele dorp was op het kerkhof. Alvorens Miquel Gambús in dat enorme gat werd begraven, legde een fotograaf het moment voor eeuwig op de gevoelige plaat vast. Het was het alleszins waard omdat een piano die ernaast in de openlucht stond opgesteld de *Dodenmars* van Chopin begon te spelen. Tegelijkertijd daalden de dode en zijn automobiel langzaam af naar de bodem van de grafkuil dankzij een ingenieus katrollensysteem dat met behulp van een kruk door twee mannen werd bediend. Eerst was de helft van de wielen van de Benz Velo, die zo groot waren als die van een fiets, niet meer te zien, daarna verdwenen zijn benen uit het zicht, het stuur. Het laatste wat te zien was, was het vervormde gezicht en de hand in de lucht, die groette alsof hij wilde zeggen: "Tot gauw, onnozelaars!" Miquel Gambús II, de Rijke Stinkerd, tot het einde toe.

Aangezien het laten zakken in de grafkuil op het ergste moment van de middag plaatsvond, hield de anglicaanse kapelaan zijn gebeden kort. In de eerste plaats was hij bang dat hij met die zon zou flauwvallen omdat hij er immers niet aan gewend was. In de tweede plaats verstond toch niemand er een woord van, aangezien hij in het Engels bad. Daarom stopte de *Dodenmars* toen er 'amen' klonk en maakten alle aanwezigen zich op om handenvol aarde in de grafkuil te gooien. Er was een ploeg van zes man nodig om het gat te dichten. Scheppen vol aarde, terwijl de fanfare, druipend van het zweet, het Engelse volkslied speelde, alsof koningin Victoria zelf de begrafenisplechtigheid had bijgewoond.

De foto met de afbeelding van de dode Miquel Gambús die als een vos glimlachte bereikte het bisschoppelijk paleis drie of vier dagen later, anoniem. De bisschop moest het zich inprenten. Miquela Gambús ook: ze was nog niet voldaan. En de dag zou komen dat ze het zich zouden herinneren. Ze zag het duidelijk: de tijden veranderden, de euvele moed van het bisdom was slechts het eerste symptoom van een ontwikkeling die niet te stoppen leek. Ze moest het initiatief nemen. Daarom verhuisden ze naar Barcelona. Sindsdien hadden ze al negen jaar lang kleine schermutselingen, zoals die van nu: meneer de bisschop sloeg de uitnodiging voor haar feest om persoonlijke redenen en vanwege zijn agenda af. Hij kon er zich maar beter op voorbereiden dat hem weldra iets heel rauw op zijn dak zou vallen ...

Ze verfrommelde het briefje van de bisschop en gooide het op de grond. Er waren andere kwesties die dringender haar aandacht opeisten. Vooral die welke samenhing met het bezoek van de heer Joan Rovira. Ze was bang dat hij haar zoon Demi zou verleiden, die alle deugden van de Gambús bezat, maar tegelijkertijd ook alle ondeugden: ze waren sluw en wantrouwig, maar ook vitaal, egoïstisch, dikdoenerig en ijdel, heel ijdel. Te. En hij was haar enige zoon. Ze mompelde: "De politiek is zo verleidelijk ..."

Herinneringen, herinneringen, herinneringen ... Jaren geleden heersten de Gambús, bevalen ze. In Alcagaire kon een aanval van ijdelheid meer macht betekenen. In Barcelona echter het tegendeel. En Demi was heel ijdel.

Er werd op de deur geklopt. Toevallig was hij het die haar kwam halen om te gaan dineren.

"U ziet er heel slecht uit, moeder, voelt u zich niet goed?"

"Ik zou me beter voelen als je meer van me zou houden."

"U weet wel dat ik veel van u hou."

"En jij weet wel waarom ik het je zeg."

Demi liep op haar af en in een uiting van affectie die behoorlijk ongebruikelijk was, omhelsde hij haar, kuste haar en zei, terwijl hij glimlachte: "Binnenkort kan ik u meer vertellen, binnenkort."

"Dat hoop ik. Je hebt net geglimlacht als je grootvader. Dat is een goed teken. Ga zitten, ga op bed zitten, ik wil met jou over iets anders praten. Ken je de reden van het bezoek van de heer Rovira, eerzaam handelaar van onze stad?"

"Ik weet wat hij ons verteld heeft: gezichtspunten uitwisselen over ..."

"Ga toch weg, jongen! De heer Rovira vertegenwoordigt vele, andere heren Rovira die zich net als hij zorgen maken over wat er in Barcelona gebeurt: bommen, vakbonden, anarchisten ... Welnu, daar worden wij niet warm of koud van. Het is een kopzorg voor de staat, de overheid, die sukkels van werkgevers. Niet voor ons. En ik wil dat jij je dat inprent voor je met hem gaat praten, begrepen? We zijn dieven. We zijn de staat niet, we zullen nooit tot een politieke en sociale klasse behoren die, om dicht bij huis te blijven, in staat is om in naam van een abstract concept of een dundoek met kleurtjes duizenden en duizenden individuen de dood in te jagen. We zijn alleen maar in de arbeiderskwestie geïnteresseerd om er ons voordeel mee te doen. Ons komt het goed uit als de maatschappij permanent een janboel is, dat ze maar vaak moge wankelen, maar er mag niets omvallen. Als een industrieel X niet naar onze raad wil luisteren, organiseren we een staking of we breiden haar uit. Door corrupte elementen in bestaande groepen te brengen of door nieuwe groepen met absurde, romantische verzonnen afkortingen in het leven te roepen. Indien nodig laten we een bom ontploffen of stichten een terloopse brand. Industrieel X ziet dat zijn problemen van de ene op de andere dag voorbij zijn als hij naar ons luistert. Kortom, onze familie is al meer dan negen jaar geïnfiltreerd in vele van de bestaande maatschappijkritische en revolutionaire groepen. Onderhands steunen we deze groepjes financieel, in het geheim, dat moge duidelijk zijn. Zelfs zijzelf hebben geen flauw vermoeden. Als het in ons belang is, stichten we intern onenigheid en vallen ze helemaal uit zichzelf uiteen ... Maar pas op, je kunt de teugels niet te strak aanhalen. De machinerie moet blijven functioneren."

De ongelovige grimas van de jonge Demi Gambús was bijna pijnlijk. Zijn moeder glimlachte: "Wat dacht je, dat ik de hele dag door dames ontving en me onledig hield met ons geld te beheren?

Je weet maar al te goed dat er informatie bestaat die je maar beter niet kan delen. Om het zekere voor het onzekere te nemen, dat staat voorop. Neem nou de zaak-Rull, verleden jaar: een schurk die opgesloten zit omdat ze hem betrapt hebben bij het plaatsen van een bom. De gouverneur pikt hem eruit als zijn vertrouweling en uitvoerder van een beleid dat veel lijkt op wat ik je heb uitgelegd. De meeste bommen van 1906 en 1907 hebben hij en zijn bende geplaatst met geld en zelfs materieel dat rechtstreeks van het provinciebestuur kwam. Maar het plan van meneer de gouverneur Ossorio y Gallardo is jammerlijk mislukt omdat hij niet professioneel genoeg was: te veel mensen deelden het geheim. Iedereen in het provinciebestuur wist ervan. Toen Rull, die even stom als ambitieus was, er genoeg van had, begon hij Ossorio te chanteren. Deze moest in vliegende haast die hele schijnvertoning opvoeren van diens aanhouding, rechtszaak en vooral zeer snelle executie. Betreurenswaardig. Pathetisch. Al toen je pas zes jaar was, had je het beter gedaan, Demi. Jouw grootvader ontdekte dat elk politiek en sociaal systeem een minderheid nodig heeft die het bloed onder je nagels vandaan haalt. Dat helpt om de boel bijeen te houden. En ons belang is het dat de klasse van de machtigen samenhang vertoont. Dat is zeer in ons belang. Dus als we het spel goed spelen, kunnen we nooit verliezen."

"En waarom vertelt u me dat nu allemaal?" Miquela Gambús bespeurde wrok in de woorden van haar zoon. Hij was trots, hij hield er niet van als een klein kind te worden behandeld.

"Omdat ik niet weet wat Rovira wil. Dit soort mensen wil altijd iets. We zullen snel weten wat het is. Hij zal van het diner vandaag profiteren om je uit te nodigen elkaar informeel te ontmoeten om over zaken te praten. Vandaag of op een andere dag, jullie twee alleen. En op enig moment zal hij je iets vragen, nadat hij eerst een goede preek tegen je afgestoken heeft. Wat het ook is, pas op je tellen."

Daar stopte het gesprek, omdat het dienstmeisje hen onderbrak met de mededeling dat de gast was aangekomen.

De grote tafel in de voornaamste eetkamer van huize Gambús was voor dat diner gedekt alsof het een gala betrof. Hoewel het niet nodig was, brandde in het midden de grote zesarmige kroonluchter. Zijn vele glazen druppels verhoogden de helderheid nog.

Anderhalf jaar geleden was er in het huis elektriciteit aangelegd. En bazin Miquela was er als zovelen door gefascineerd en verbruikte zoveel als ze kon. Elegant als altijd zat ze aan het hoofd van de tafel. Aan haar rechterzijde haar zoon Deogràcies-Miquel en links van haar Joan Rovira, een man van ongeveer vijftig, met een rode huid en een opgeblazen gezicht. Zonder corpulent te zijn, vulde hij ruimschoots de fantasievolle jas van licht duifgrijs die voor de gelegenheid een beetje te informeel was.

Het feit dat Miquela Gambús het hoofd van de familie was, bekleedde haar met een soort mannelijke autoriteit die Joan Rovira zo van zijn stuk bracht dat hij maar niet de juiste toon voor zijn speech wist te treffen: "Bij de werkgeversorganisatie hebben we de inschrijvingsvoorwaarden ontvangen voor de aanbesteding van achttienduizend tunieken van rode stof, twintigduizend gordelbanden, twintigduizend broeken, twintigduizend laarzen, twintigduizend patroontassen, twintigduizend geweerhouders en twintigduizend *tahalís* ..."

"Hoe zegt u?"

Bazin Miquela had net de opsomming van haar gast onderbroken met een gezicht waar haar zoon verbaasd van stond: ze leek op een discrete, beminnelijke oudere dame die belangstellend luisterde naar een zo fascinerend onderwerp. Joan Rovira, die niet wist of zijn gastvrouw doof was of het begrip tahalí niet kende, koos voor deze laatste mogelijkheid.

"Tahalís zijn stukken leer die om het middel hangen en waarin je een kapmes of bajonet draagt ..."

"Nee maar, wat merkwaardig ..." zei ze.

Demi Gambús zou hebben willen opstaan om haar daar ter plekke te kussen. Als Joan Rovira die stompzinnige pose voor zoete koek slikte, verdiende hij niet beter dan dat hem wat dan ook zou overkomen.

"Dat is het, mevrouw, dat is het. En vreemder is nog dat de opdracht niet van het Spaanse leger komt, maar van de sultan van Marokko ... Welnu, de regering heeft laten doorschemeren dat ze het ernstig zou opnemen als een Spaanse firma het leger van de grootste vijand van de natie zou kleden en uitrusten ..."

"Maar de sultan van Marokko is toch een bondgenoot ..."

"Hij is ook een moor. En volle neef van deze wilde berbers uit de negorijen die ons niet met rust laten. In Madrid vrezen ze mogelijk verraad. Dat zou waar kunnen zijn, maar de vrije handel dan? Wat doen we met de vrije handel?"

De vraag bleef in de eetkamer door de ruimte zweven. Het dienstmeisje vlinderde om de tafel heen, terwijl ze gerechten opdiende, wijn inschonk en deed wat gedaan moest worden. En intussen was ze heel erg bang om geluid te maken. De bazin verplichtte hun speciale schoenen te dragen. Ze hield er niet van hen te horen lopen. Meneer Rovira sprak met geaffecteerde stem, terwijl hij zijn consommé oplepelde: "Als wíj die waar niet aan de sultan van Marokko verkopen, zal een ander het wél doen. Zouden de Fransen zo omzichtig te werk gaan? Zeker niet. Ze zullen zich op het ogenblik wel in hun handen wrijven met die transactie in het vooruitzicht ... Onze regering zou zich beter eens een keer kunnen bezighouden met zaken die er écht toe doen ..."

Moeder en zoon keken elkaar tegelijkertijd aan en wisselden een paar blikken van verstandhouding. De heer Joan Rovira kwam ter zake: "Arm Barcelona, je moet het gezien hebben om het te geloven, overspoeld door het ergste tuig van de richel ... Zwervers en anarchisten ... Het zijn de verderfelijke gevolgen van het lekenonderwijs en de constante antiklerikale propaganda. De regering is te tolerant!"

"Rustig aan, geachte Rovira, u krijgt nog congestie", zei de bazin, een en al spot.

"Maakt u zich geen zorgen, donya Miquela, ik ben een man die in de zwaarste omstandigheden is gesmeed; als het niet zo was, zou ik niet zijn waar ik ben. Maar ik kan u niet verhelen dat ik me af en toe kwaad maak: de zwakte van de autoriteiten veroorzaakt de verschrikkingen die we meemaken. Ziet u, de mensen moet eens goed de stuipen op het lijf worden gejaagd, zodat ze hun ogen openen."

Bazin Miquela onderdrukte met haar servet een boer en liet zich op ironische toon ontvallen: "Ik hoop dat ons gebraad niet een van die verschrikkingen is ..."

"Het is onvergeeflijk, mevrouw. Mijn gedrag is abominabel, ik blijf maar doorratelen. Ik zal uw gebraad met veel plezier alle eer aandoen. Misschien wilt u, meneer Deogràcies-Miquel, me naar de Cercle del Liceu vergezellen voor koffie en een digestief. We kunnen over politiek en zaken verder praten zonder dat we uw moeder hoeven te vermoeien. Wat vindt u?"

Demi Gambús wisselde weer een blik van verstandhouding met zijn moeder en antwoordde: "Naar de Cercle del Liceu, zegt u? Uitstekend. Heel graag."

Het dienstmeisje onderbrak het gesprek weer toen ze binnenkwam. Ze zette voor bazin Miquela een schotel met gebraden lam en gegratineerde aubergines neer. Er werd een fles champagne Mercedes ontkurkt en ze klonken op Barcelona en de toekomst. Gedurende de rest van de maaltijd beantwoordde de gast hoffelijk de gastvrijheid van de gastvrouw. Hij richtte zijn aandacht op haar en het gesprek kabbelde voort over algemene onderwerpen, terwijl de laatste sociale nieuwtjes van Barcelona werden doorgenomen, zoals de toestand van de Poloclub of het feit dat dichter Maragall een manifest had geschreven dat aan alle verenigingen en groeperingen in Catalonië was gericht, waarin hij ze aanspoorde zich aan te sluiten bij de 'Liga van beschaafd spreken'.

"Wat ik zeg: verspilde moeite. Wij spreken al beschaafd en de anderen zullen daar nooit in slagen, hoe ze ook hun best doen."

"Het is slechts een dichter, Rovira, laat hem zijn hart luchten ... De wind voert zijn woorden mee ..."

De verontwaardiging die zich elke vijf minuten van de heer Rovira meester leek te maken, belette hem niet van de Gervaiskaas te genieten die als dessert werd opgediend samen met de chocoladesoufflé waar hij lyrisch over was.

Meteen erop nam hij, zoals het een heer betaamt, afscheid en ging vergezeld van Demi Gambús naar de Cercle del Liceu.

Toen ze eenmaal in twee fauteuils van het etablissement gezeten waren, kwam meneer Joan Rovira snel ter zake. Hij haalde zijn hoornen bril uit een etui en zette hem op. En diepte uit zijn zak een dubbelgevouwen papier op dat hij op het lage tafeltje openvouwde: "Kijkt u eens, Gambús. Woensdag 7 april. Een bom in de Carrer de la Boqueria, gelegd in een gasmeterkastje van een orthopedische winkel. Om 23.30 uur. Twee gewonden, een arrestant. Donderdag 8 april. Een bom in de Carrer Sant Pere Més Alt. Het explosief zat in een afvoerpijp van huisnummer 2, waar tot voor kort de Lliga Regionalista zat en waar nu op de eerste verdieping de Cercle Tradicionalista zit en op de derde de Centre Federal. Een ijzeren pijp van zeven millimeter die was gevuld met dynamiet, patronen van een Browningpistool en spijkers. Geen persoonlijke ongelukken. Zondag, 11 april, een bom in de Carrer Aldana, op de hoek met de Carrer Parlament. In de bottelarij annex restaurant van Joan Codina, bekend als 'Ca l'Estevet'. De eetzaal is vol, net als op willekeurig welke feestdag. Het loopt weer goed af en er zijn verder geen persoonlijke ongelukken dan dat van een jonge artiest van Teatre Còmic, die flauwvalt als hij de explosie hoort. De volgende dag, maandag 12 april. Een bom in het trappenhuis van nummer 88 van de Carrer Sant Pau. De schade is beperkt. Wat zegt u ervan?"

"Dat u goed op de hoogte bent."

Toen de ober zich bukte om koffie en volle glazen neer te zetten, zag Demi Gambús door het raam voorbij de platanen een huiselijk tafereel in een van de woningen aan de overkant van de Rambla. Een vrouw begoot geraniums op een balkonnetje, waarop ook een stel kippen zat in een piepklein hok. De heer Rovira zette zijn bril recht om zijn glas cognac aandachtig te bekijken. Hij pakte het beet, walste ermee, rook eraan en proefde. Hij klakte met zijn tong en zei: "Stad en land zijn in heftige beroering. Het is net een Poolse landdag, waarvan ondermijnende doctrines profiteren om zich nog verder te verspreiden ... In Spanje ...", begon hij te zeggen, terwijl hij zijn koffiekopje even aan zijn mond zette, "proberen de vijanden van onze beschaving basisprincipes als de vrijhandel op hun grondvesten te doen schudden. Het is eerder een nationale of patriottische kwestie en niet zozeer een politieke, die als platform dient om de regering te bestrijden of verkiezingen te winnen ..."

Demi Gambús onderbrak hem: "Rovira, bewezen is dat rechtstreekse repressie slechts dient om martelaren te maken en nieuwe aanslagen te provoceren. Ik ken geen enkel geval waarin repressieve politiek het probleem helemaal heeft verholpen."

"Dat zeggen de ultraliberalen. U bent toch geen ultraliberaal, hè, Gambús?"

"Nee, maakt u zich geen zorgen."

"Als de liberalen in de regering zaten, zouden ze niet hetzelfde zeggen. In elk geval is de antiterreurpolitiek van de regering-Maura week en slap: laten we de terroristen vooral niet provoceren, laat ze zich niet beledigd voelen en laten we ervoor zorgen dat er niet nog meer bommen in onschuldige menigten ontploffen. Dat is een zeer ernstige vergissing, Gambús. Dankzij deze laffe politiek zijn de anarchistische scholen van Ferrer i Guàrdia gesticht en functioneren ze. Ze onderwijzen misdaad en wrokgevoelens. Ze voeden kinderen op tot vijanden van God, overheid, orde, eigendom en gezin."

Na een dramatische pauze die niemand hem na zou doen, keek hij Demi aan en riep uit: "Daarom moeten we nu meer dan ooit integere en tegelijk capabele mensen van onbesproken gedrag hebben in overheidsfuncties op het hoogste niveau."

"Laat me niet lachen, man. Met dit algemeen kiesrecht dat stemrecht verleent aan deze hele groep mensen die nauwelijks kan lezen? Ik heb in Madrid niets te zoeken."

Rovira glimlachte en likte zijn lippen af: "Ik had het niet over Madrid; ik bedoelde Barcelona, het stadhuis, de verkiezingen van 3 mei. Overmorgen, zo ongeveer. U hebt helemaal gelijk: óns probleem is dat eerzame Catalanen de neiging hebben zich niet met politiek te willen afgeven. Uit eergevoel en vanwege onze aard zien we de overheid helemaal niet zitten. Ik beweer geenszins dat u ongelijk hebt. Maar het gaat erom zich op te offeren, een stap vooruit te doen en de bezem erdoorheen te halen. Niet al te voorzichtig. Wij van de werkgeversorganisatie hebben geprobeerd ons steentje bij te dragen om het probleem op te lossen. Hebt u horen spreken over mister Arrow?"

"Nee."

"Dat verbaast me niet. Hij is een Engelse detective. We hebben hem een paar jaar geleden, na overleg met de gemeente en het provinciebestuur, ingehuurd om een eind te maken aan de bommen en aanslagen. Hij zette een privépolitiekorps op dat in theorie de ordetroepen niet voor de voeten moest lopen. Maar nu blijkt deze Engelsman te falen en de arbeidersorganisaties lachen hem in zijn gezicht uit. Gouverneur Prat de la Riba heeft er genoeg van en het provinciebestuur laat doorschemeren Arrow te willen ontslaan en naar huis terug te sturen. We hebben ons verschrikkelijk belachelijk gemaakt, maar we hebben tenminste iets geprobeerd ... na overleg met de instanties. Maar nu ... De waarheid is dat als de staat die ons moet beschermen door welke oorzaak ook zijn werk niet goed doet, de eerzame burgers van dit land ..."

"En de militairen?"

"Laat die maar zitten. Ze zijn al niet eens in staat in Afrika orde op zaken te stellen, tegen dat handjevol haveloze moren. Gambús, van mensen als u hangt af of Barcelona het voortouw neemt bij de vooruitgang op ons schiereiland, wat zeg ik, in Europa ... Wat zeg ik, in de wereld!"

"Even rustig aan, Rovira! Doet u mij misschien een voorstel? U hebt niet eens gezegd welke partij u bedoelt!"

"Het gaat niet om een partij. Laten we zeggen dat ik afgevaardigd ben door een groep van de allervoornaamste personen in deze stad."

"Maar als ik gemeenteraadslid moet worden, zou ik me toch zeker onder een afkorting kandidaat moeten stellen ..."

"Men ziet u niet als gemeenteraadslid. U kent de huidige wet zeker wel: één ding is de gemeenteraad en een ander de burgemeester, die door Madrid wordt aangewezen, dat wil zeggen, door de minister."

Demi Gambús had zijn glas halverwege naar zijn mond gebracht. Dit verwachtte hij niet.

"Ik burgemeester? U maakt een grapje? En waarom ik?"

"U weet dat het traditie is een persoon van erkend prestige uit de industriële, culturele, handelswereld aan te wijzen ... In uw geval ben ik bereid u mee te delen dat we in Madrid ál onze invloed zullen aanwenden zodat u wordt aangewezen. Dit is strikt vertrouwelijk. En laat ik u bekennen dat we zo'n aanbod niet ondoordacht doen. Er is iemand nodig met capaciteit, initiatief, durf en eigen vermogen. Bovendien moet ik eerlijk toegeven dat toen we uw naam in Madrid lieten vallen, duidelijk werd dat veel belangrijke mensen uw familie bleken te kennen. U houdt haar goed verborgen, deze bevoorrechte relatie met Madrid ..."

"Wij zijn van nature discreet."

"Een grote deugd. En dus?" drong Rovira aan.

Demi Gambús stond op het punt nee te zeggen, maar hem ontsnapte: "Laat me er vierentwintig uur over nadenken."

Hij stond op, schudde Rovira de hand, ze namen afscheid en hij ging weg.

19

Het café chantant Sevilla was sinds 15 augustus 1908 in bedrijf. De eigenaren deden hun voordeel met de ruimte van een oude taveerne en trokken zowaar een nieuwe voorgevel op, wit, Andalusisch, met moorse ramen en pannendakjes in de stijl van een Sevillaanse patio. Het lag direct aan de Paralelo, naast theater Gayarre, op het kruispunt van deze boulevard met de Carrer Nou. Halverwege de middag was het er die dag, begin mei, behoorlijk druk. Een paar dagen eerder waren de gemeenteraadsverkiezingen gehouden en de aanhangers van de Partit Radical gingen er alsnog heen om hun grote overwinning te vieren. Een van de jongsten had een rebelse pony die over zijn ogen viel. Als hij het beu werd hem met de hand opzij te schuiven, blies hij hem omhoog. Hij was uitgelaten. Hij legde zijn tafelgenoot uit: "Nu is het tijd om op te treden. Don Alejandro zegt het heel duidelijk: '... plunder dit land zonder geluk, maak een eind aan hun afgoden, hef de sluier van de novicen op en verhef ze tot de rang van moeders, steek de bevolkingsregisters in brand, richt legioenen van proletariërs op ...' Een eind maken aan hun afgoden, in brand steken, dat is duidelijk, maar de novicen verheffen tot de rang van moeders ... Eén ding is ze verheffen tot de rang van vrouwen, maar tot die van moeders ... We zullen ons moeten organiseren, je slaagt er bijna nooit de eerste keer in en ..."

Gekerm aan een tafeltje naast hem onderbrak de jongeman en hij praatte zachtjes verder. Het was Nonnita Serrallac, die net haar lippen aan een kop hete kamillethee had gebrand. Ze was erg zenuwachtig, omdat het halfzes was en ze om zes uur met Demi Gambús had afgesproken.

De dode aan haar zijde heet Tecla, maar iedereen noemt haar Cleta. Haar neus druipt 's winters en 's zomers, net als toen ze nog leefde. Voor eeuwig en altijd zal ze tien jaar zijn, twee staarten hebben, drie sproeten en vier tanden (die uitsteken, twee boven en twee onder). Cleta helpt haar ouders touwschoenen maken in hun eigen touwschoenenwinkel in de Carrer de la Tapineria. Ze heeft Nonnita staande gehouden toen deze de tram naar de Paralelo wilde nemen en zit als het ware aan haar vastgeklit. En nu is ze helemaal in haar schulp gekropen en zit berustend naast haar omdat blijkt dat ze levend noch dood ooit haar buurt is uit gegaan en bang is de weg kwijt te raken. Ze zegt: "Als die kleine in je buik koorts heeft, zal ik hem beter maken." Nonnita, die er alleen maar aan denkt dat ze heel gauw Demi Gambús ontmoet, luistert niet. Cleta vertelt haar heel nijdig dat ze in de kerstnacht is geboren. En dat ze daarom, volgens de traditie van Barcelona, het vermogen bezit om zieken van hun koorts te genezen. Nonnita zegt dat ze haar met rust moet laten, dat ze er alles van weet en eerst zien dan geloven. Cleta raakt uit haar humeur en stottert. Als ze uit haar humeur raakt, komt ze niet uit haar woorden. En ze zegt dat veel zieken haar krachten aan den lijve hebben ondervonden en uit volle overtuiging van dit deugdzame middel gebruik hebben gemaakt. En ze dringt aan: "Deze kracht bezitten ook Barcelonezen die geboren zijn in de tijd dat de geofferde Christus op het punt staat dood te gaan, Witte Donderdag en Goede Vrijdag, en iedereen die op Drievuldigheidsdag is geboren." "Laat me met rust", zegt Nonnita, "ik ben op van de zenuwen." En de kleine, dode Cleta houdt even haar mond, maar begint meteen weer: "Ik zal wachten om te zien of je kind met koorts wordt geboren." En Nonnita ondergaat het gelaten. Omdat de doden om overduidelijke redenen stomvervelend zijn: ze hebben maar een beperkt aantal dingen te doen en de hele eeuwigheid voor zich om ze te doen. En als een dode zich iets in zijn hoofd zet, is er geen levende die het eruit krijgt. Ze vraagt: "Weet je op wie ik wacht?" En Cleta antwoordt haar zonder aarzelen: "Je ontmoet de man die je kind echt geluk brengt." Het antwoord verbijstert Nonnita, ze leeft ervan op en komt weer op krachten.

Na veel gepieker en gepeins was ze tot de conclusie gekomen dat de beste manier om Demi Gambús te laten toehappen was hem op geheimzinnige manier te lokazen. Daarom koos ze de meest gewaagde aanpak om hem dat aas voor te houden: ze ging weer naar zijn huis en liet een briefje achter. Na een paar regels waarin ze verwees naar de gebeurtenissen van negenenhalf jaar geleden, stelde ze hem voor die dag om zes uur 's middags naar Café Sevilla te komen; ze wilde hem een voorstel doen dat hij stomweg niet kón weigeren.

Er was negentig procent kans dat het mislukte, maar als hij kwam, zou de rest van het plan veel beter lopen. Let wel, als hij niet kwam, zou ze het voor altijd laten schieten.

Ze was zenuwachtig. En bovendien was Cleta bij haar, die maar bleef plakken. Ze had het warm. Door haar zwangerschap sloegen haar bij het minste of geringste de vlammen uit. Een wolk van tegendraadse gedachten bezorgde haar een knoop in haar maag. Ze had een beetje koud water in haar gezicht nodig, op haar slapen ... Drie gezichten draaiden zich naar haar om. Misschien zat ze weer hardop te praten. Onlangs 's nachts hadden twee mannen die tegen de muur van de elektriciteitsfabriek aan het pissen waren haar ook horen praten. Ze draaiden zich even om, maar pisten door. Niets nieuws op de Paralelo: een meisje dat kierewiet was en in haar eentje praatte en iemand die tegen de muur van de elektriciteitsfabriek piste, terwijl de gemeente onlangs nauwelijks vijftig meter verderop, vóór Apolo, een paar openbare urinoirs had gebouwd.

Ze kalmeerde een beetje, maar haar hart ging nog steeds als een razende tekeer. Ze voelde hoe iemand haar van achteren op haar rug tikte. Nonnita zat roerloos, als aan de grond genageld, met een rolberoerte. Nonnita, met het hart in de schoenen. Nonnita, één brok zenuwen. En een vertrouwde stem: "Voelt u zich wel goed?"

Ze had hem bijna gekrabd. Het was meneer Ricardo Soriano, met een brede glimlach. Ze voelde zich gerustgesteld en tegelijkertijd verwenste ze hem. Ze keek naar de wandklok die boven de toog hing: tien over halfzes. Ze glimlachte terug en vroeg hem te gaan zitten. Tussen hen in de dode Cleta. Eigenlijk vond ze Ricardo Soriano best wel een aardige vent. Hij was van middelbare leeftijd, dikkig, met een heel volle, maar goed geknipte snor en kleine, donkere ogen. Hij droeg een licht jasje en een lichte broek, een fantasievest, een hoge kraag en een gestrikte das die bij het jasje paste. Alles eerste kwaliteit. Alles paste heel goed bij elkaar, althans volgens zijn Castiliaanse opvatting van elegantie. Het was echt een heer uit Béjar, Salamanca: "Kom, ik trakteer op kroketten en vermout."

"Ik ben bang dat ze niet goed zullen vallen ..."

"Kom, u moet voor twee eten. Bovendien is vermout medicinaal, gelooft u me. Beter dan wijn. Het is immers een elixer."

Nonnita Serrallac kwam vaak met de heer Ricardo Soriano samen om de lopende zaken van het theater te bespreken. Beide broers hadden het volste vertrouwen in haar en nu ze door haar zwangerschap niet kon optreden, was ze tot een soort bedrijfsleidster gepromoveerd: ze onderhield contact met de leveranciers, indien nodig zat ze aan de kassa, ze betaalde de artiesten of de pianostemmer hun gage, controleerde of de wc's, die gloednieuw waren, op orde waren, et cetera, et cetera. Vaak spraken ze vroeg in de middag, vóór de voorstelling, in Café Sevilla af om hun zaken rustig te kunnen afhandelen. Van de twee broers was Ricardo Soriano het mededeelzaamst. Nonnita vond hem net een dorpskapelaan, van het soort dat lange missen opdraagt, kaartspeelt en slokjes belegen wijn drinkt.

Vandaag hadden ze eigenlijk niet afgesproken, maar meneer Soriano was een beetje melancholisch en had zin om te praten. Hij legde Nonnita uit dat ze net in drie, vier zalen aan de Paralelo hadden geïnvesteerd, maar dat ze, zo deelde hij haar in vertrouwen mee, in de eerste plaats samen met een andere ondernemer een nieuw theater aan de Plaça d'Espanya wilden beginnen. Plannen en nog eens plannen.

"En we willen dat u van de partij bent, omdat we geloven dat u een van de grote artiesten van Barcelona kan worden."

Nonnita Serrallac wierp een vluchtige blik op de wandklok: kwart voor zes. En op Cleta, wie niets ontging van wat er aan tafel gebeurde.

"We zouden een rol als eerste actrice voor u vinden, we zouden u beroemd maken ..."

"Bent u daar zeker van?"

"Zeer zeker. Nog een kroket? Alstublieft ... Tegenwoordig wil iedereen succes hebben, dat spreekt vanzelf. We proberen de smaak te treffen van dit fictieve personage dat symbool staat voor de overgrote meerderheid van mensen die naar onze lokaliteiten komen. Het is de gouden droom van iedere ondernemer. Daarom storten sommigen zich zonder aarzeling op de publiciteit: artiesten en vedettes worden gemaakt alsof het cannelloni zijn. Gelukkig is publiciteit geen exacte wetenschap!"

Het lukte Nonnita half-en-half op de klok te kijken: zeven voor zes. Terwijl ze instemde, prikte ze in de olijf in haar vermout. Meneer Soriano verkondigde waarheden als een koe, maar hij verkondigde ze met zoveel aplomb dat het soms jammer was hem te onderbreken: "Ik ben het volledig met u eens, meneer Ricardo, gelukkig is er nog meer nodig."

"U hebt volledig gelijk, Nonnita. Maar de inhoud dan? Sommige ondernemers kiezen de kortste weg. Ze klampen zich vast aan de veronderstelde smaak van een meerderheid, die niemand kent, en rechtvaardigen hiermee gebrek aan niveau. Nog een olijf in uw vermout?"

"Ja, graag."

Maar hij deed hem niet in háár glas, maar in het zijne en begon met een tandenstoker te roeren. Hij zuchtte en ze profiteerde ervan door op de klok te kijken. Ze begon erg zenuwachtig te worden. Vijf voor zes. Ze zei: "U beiden biedt, en sorry dat ik het zo plat zeg, geen troep, in tegenstelling tot anderen ..."

En ze wees opzij naar de kleine, smalle ingang van Gayarre, waar de bordjes die de artiesten aankondigden sprekend op die van de viswinkels leken: zwarte leitjes die aan de muur hingen, met namen en prijzen er in witte verf op gepenseeld, met ongelijke letters, de regels schots en scheef en de letters s en n omgewisseld.

"Dat is waar", antwoordde meneer Soriano met pijn in het hart. "Maar het publiek dan? Wat vindt u? Jammer genoeg zit het niet op kunst te wachten: het wil massa's meisjes, hoe bloter, hoe liever ..."

Ricardo Soriano ging maar niet weg en ze vrat zich op van de zenuwen. Hij leek geen beroerde kerel. Misschien zouden ze uiteindelijk minnaars zijn geworden. Misschien was dat wat hij wilde en haar niet durfde voorstellen. Misschien had hij haar daarom zoveel geholpen. Al met al te veel vraagtekens. De gebroeders Soriano leidden een heel rustig leven; ze woonden met hun stokoude vader in de Carrer Vila i Vilà, niemand wist of ze vrijgezel of weduwnaar waren, ze leken geen homofielen ...

Ze was verward.

In gedachten vraagt ze Cleta: "Moet ik rustig aan doen en me door deze man laten oppikken, die achter me aan lijkt te zitten?" En Cleta antwoordt dat het haar spijt, maar dat ze van dit soort dingen geen verstand heeft omdat ze gestorven is toen ze een meisje was. En Nonnita vergeeft het haar omdat ze haar van alle doden die haar de laatste tijd verschijnen het aardigst vindt. Ze doet haar die dagen van spelletjes opnieuw beleven, met zijn tweeën, als zusjes, terwijl ze als geitjes op en neer huppelden, de klamheid roken en zich erover verbaasden dat het in hun straat sneller donker werd en ze dat niet begrepen. De vader van Cleta gaat elke zondag naar banketbakkerij Llibre en koopt een kransgebak van twee peseta. Hij laat het zorgvuldig inpakken, met kartonnen beschermstrips en rode linten. En weer terug in zijn buurt maakt hij loterijbriefjes van tien cent en verloot het gebak. Het is elke zondag een mooi schouwspel om te zien, als de mis van twaalf uur in Santa Marta is afgelopen en iedereen voor de verloting van de krans naar de Plaça de l'Oli komt. Armen, verminkten, arbeiders ... Meer dan eens komt een bedelaar die bij het uitgaan van de kerk een aalmoes vraagt nog net op tijd om het laatste nummer te kopen, als hij tenminste tien cent heeft ontvangen. En Cleta is de onschuldige hand die het winnende nummer uit de zak haalt en de prijs overhandigt. Nonnita is de enige in de wijk die in de krachten van Cleta gelooft. En 's nachts bidt ze tot Onze-Lieve-Heer of hij haar een stevige koorts wil bezorgen, zodat ze het iedereen kan bewijzen ...

Ondanks het tijdstip zoog een meisje dat achter de heer Soriano helemaal alleen aan tafel zat op een kalfsbot. Ze had een heel witte huid en twee rode rondjes op haar wangen; ze zoog zonder blikken of blozen het merg uit het bot. Ze merkte dat Nonnita naar haar keek en glimlachte naar haar. Deze glimlachte terug net op het moment dat de heer Ricardo Soriano naar haar keek. Hij dacht dat de glimlach hem gold en was even gelukkig.

Het geluid van de piano aan de overkant van de zaal, naast de verhoging die als podium dienstdeed, klonk gedempt. Het waren afzonderlijke, verweesde noten die de stemmer aansloeg. Het was een beetje drukker geworden. Mensen zaten op hun gemak te babbelen en te roken. Een paar voor een toost geheven glazen rinkelden zachtjes. De serveerster die achter de bar stond met de koffiemolen in haar hand, leek de koffie te malen op het ritme van een Caribisch liedje. Nonnita merkte dat ze misselijk aan het worden was; dat kwam door de vermout. Ineens had ze het idee dat de heer Soriano onder de tafel met haar voetjevrijde. Ze trok haar voet meteen terug en stond op. De klok wees exact zes uur aan.

"Sorry, meneer Soriano, maar ik word een beetje misselijk. Ik ga kijken of ik me een beetje kan opfrissen."

De man schaamde zich dood. Nonnita wist niet of zijn verwarring het gevolg was van het feit dat hij met zijn voet willens en wetens een toenaderingspoging had gedaan of dat de arme man een reflexbeweging had gemaakt dan wel kramp had.

"Ga uw gang, ga uw gang ..." zei hij zonder haar aan te kijken.

Ze vroeg of ze even naar het washok mocht. Een van de serveersters, een heel jong meisje nog, liep met haar mee. Ze nam haar met bezorgde blik op. Ze was waarschijnlijk bang dat ze daar ter plekke zou bevallen. Nonnita Serrallac dacht: als Gambús nu komt, ziet hij me niet. Ze friste zich op, werkte voor een stuk gebarsten spiegel haar make-up een beetje bij en ging rustiger naar buiten. Het was vijf over zes. Ineens wist ze zeker dat Demi Gambús niet zou komen en ze voelde de spanning van zich afglijden. Haar tafel was leeg – nou goed, alleen Cleta zat er, natuurlijk – en een van de serveersters liet haar weten dat meneer Soriano de consumptie had betaald en was weggegaan. Ze haalde haar schouders op en bestelde een glas koude melk. Ze nam zich voor die in alle rust op te drinken. Ze wilde in geen geval problemen krijgen met meneer Soriano. Tenminste, niet nu.

Zegt Cleta: "De koortslijder moet me een glas water brengen, ik nip eraan en geef het glas terug. De zieke drinkt het glas leeg en de koorts wijkt. Heb jij niet een beetje koorts, Nonnita?" "Nee!" antwoordt deze. En door de schreeuw lost de dode op en verdwijnt. Ze is er al niet meer.

En haar beeltenis werd vervangen door die van het meisje dat aan het bot zoog en haar een beetje verschrikt aankeek. En ze zoog pas weer aan haar bot toen Nonnita haar wenkbrauwen vriendschappelijk optrok en haar toelachte. Cleta had voor háár ongerustheid moeten boeten.

Zo was het noodlot, Cleta stierf door koortsen toen ze bijna tien was. Ze ging naar de andere wereld, arm in arm met een paar medewerkers van de Buffalo Bill Wild West Show, die ook het loodje legden door de pokken die Barcelona eind 1889 teisterden.

Als Cleta weer zou verschijnen, zou Nonnita haar excuses aanbieden en haar vragen of ze zich vermaakte met de dode Amerikanen van Buffalo Bill.

Iemand raakte weer lichtjes van achteren haar arm aan. Eerst kwam haar het beeld van het meisje dat aan het bot zoog voor ogen en ze glimlachte; daarna kwam het beeld van Ricardo Soriano weer terug. Ze draaide zich plotseling om en daar was hij: Demi Gambús.

Met een perfecte scheiding en geparfumeerd, glimlachend, met een strohoed in zijn ene en een rotanstok in zijn andere hand richtte hij zijn kattenogen op haar, terwijl hij glimlachte: "Mag ik bij u komen zitten?"

"Nu zegt u weer 'u' tegen me?"

"Kom, weest u niet haatdragend. Het spijt me dat ik te laat ben. Ik ben uw merkwaardige briefje kwijt. Ik wist niet meer waar we hadden afgesproken. In het theater hebben ze me verteld dat ik u hier zou vinden. Ik zie dat uw zwangerschap probleemloos vordert."

Ze monsterde hem van top tot teen: "Ik zie dat uw oorharen probleemloos groeien."

Hij kon er niet om lachen, hij was het niet gewend. Maar hij ontspande, glimlachte weer, trok de stoel waar de heer Soriano op had gezeten naar zich toe en ging zitten. Voor Demi Gambús was het net of de haren van het meisje intens rood waren onder het zonlicht dat door het grote venster binnenviel. Hij boog zich over de tafel heen, met vochtige lippen en fonkelende roofdierenogen. Net toen hij wilde gaan praten, kwam een van de serveersters aangelopen, een meisje nog, en keek hem aan met ogen als van een gekeeld lam: "Als altijd, meneer Gambús?"

"Als altijd, Caterina, als altijd."

Nonnita zat als versteend. Wat betekende die vertrouwelijkheid? Op dat deel van de Paralelo had elk café zijn vaste clientèle. In

Café Español, meteen ernaast, kwamen zowel soldaten uit de Drassaneskazerne en ambtenaren als circus- en variétéartiesten. Café de la Tranquilidad, naast Soriano, had ook zijn eigen publiek: arbeiders, radicalen, anarchisten en vakbondslui. Sevilla was een heel populaire tent. De meeste consumpties kostten niet meer dan een kwart peseta, inclusief optreden. Het stond bekend om zijn groepen vrijgezelle mannen die er vrouwen kwamen opsnorren. En Nonnita geloofde niet dat dit Demi Gambús' probleem was. Het was net of hij haar gedachten kon lezen. Hij glimlachte: "Ik breng hier vaak vrienden en klanten mee naartoe die de bloemetjes willen buitenzetten. Mij komt het goed uit om hier de nacht te beginnen. Caterina, het meisje dat mijn bestelling opnam, helpt me ..."

"Hoe?"

"U weet niet hoe poeslief ze kan zijn ..."

Nonnita Serrallac raakte gespannen, die toon beviel haar niet. Ze flapte er een beetje ongeduldig uit: "En bent u niet een beetje nieuwsgierig naar mijn briefje?"

"Een beetje wel, dat hoef ik niet voor u te verheimelijken. Maar als het alleen daarom ging, was ik niet gekomen. Ik leid een heel afwisselend leven. Elke dag bieden zich duizend redenen aan voor vermaak of nieuwsgierigheid."

"Maar u bent gekomen."

"Daar hoeft u niet vreemd van op te kijken. Ik kom heel vaak naar de Paralelo, zelfs al is het maar voor een wandelingetje."

"Helemaal alleen?"

"Dat hangt ervan af. Maar ik ben er hoe dan ook niet bang voor. Wij Gambús zijn rijk, maar we zijn geen angsthazerige en pietluttige burgermannetjes, van het soort dat geen ruggengraat heeft. Wij zijn door en door gemeen."

Hij knoopte zijn colbertje los en sloeg het nonchalant open: onder zijn arm droeg hij een pistool met een korte loop in een mooi bewerkte leren holster. Hij deed of het niets voorstelde: "Alleen maar om u te laten zien dat ik geen grapjes maak."

Nonnita Serrallac nam het wapen in zich op. Hij was geen doetje, wel een snoever. Nu wist ze dat hij een pistool bij zich had en waar hij het droeg. Hij glimlachte naar haar: "Kortom, aangezien ik vandaag mijn vrije dag heb, dacht ik: kom, ik ga even langs en kijk wat dat fameuze voorstel inhoudt. U wilt zeker een baantje, net als onlangs, is het niet?"

"Nou nee, ik heb werk en een beroep."

"Bedoelt u dát?"

Hij bewoog zijn rechterwijsvinger op en neer, als verwijzing naar de zielige meisjes van Gayarre.

"U bent rijk en ik wil een ander leven voor mijn kind."

"Ik vind alles best. Maar dat hebt u me al verteld. Als u geen baantje wilt, wat dan wel?"

"Ik wil een weddenschap afsluiten."

"Nog een? U hebt met mij niet zo'n beste ervaring opgedaan."

"Deze keer zal ík winnen."

"U bent erg zeker van uzelf. Waar gaat het om? Wat wilt u deze keer, me met een zeehond in een waterbassin stoppen?"

Dit was het moment.

"Nee. Veel makkelijker: we doen hetzelfde als negen jaar en vijf maanden geleden. Maar nu, wij twee alleen. Zonder iemand om u heen, zonder dat u iemand iets hoeft te bewijzen. We doen het nummer dunnetjes over, deze keer zonder vals te spelen, zonder machtsmisbruik: u moet hetzelfde doen als ik. Ik weet zeker dat het u niet lukt. Ik heb het sinds die nacht niet meer gedaan. De voorwaarden zijn dezelfde: als ik verlies ben ik de prijs; als ik win, geeft u mij vijfduizend peseta."

Hij begon als een bezetene te lachen.

"Met het klimmen der jaren moeten vrouwen als u hun tarieven naar beneden bijstellen, ze in ieder geval niet verhogen."

Ze stond op om weg te gaan.

"Ik heb geen tarief. U begrijpt er niets van."

Hij stond ook op en deed haar weer zitten.

"Gaat u alstublieft zitten. U ziet wel dat ik niet te redden ben. Sorry. Maar het kan niet, u vraagt te veel geld voor een paar minuten losbandigheid."

"Ik vraag u niet om een gunst. Ik ken de waarde van wat ik u aanbied. Het is niet alleen maar een moment van losbandigheid, zoals u zegt, het is veel meer. Het is de prijs van het verleden en het heden: ik ben zwanger, ik denk dat het de moeite waard is. Zonder overdrijving, ik zou mijn kind kunnen verliezen ... Het spreekt vanzelf dat de zaak geheim moet blijven, wij tweeën, niemand hoeft het te weten. Het is de enige zekerheid die ik heb dat u me niet bedriegt."

"U vertrouwt de zaak niet. Daar doet u goed aan. En ík zou de zaak wél moeten vertrouwen?"

"U hebt alle kans van slagen. Ik stelde negenenhalf jaar geleden niets voor. Nu ook niet, ziet u dat niet?"

"Kom nou toch ..."

Ze gooide het over een andere boeg: "Ik weet zeker dat dit geld voor u niets betekent. We kunnen het in Soriano doen, midden in de nacht. Ik ben verantwoordelijk voor het lokaal. Eén uur na de laatste voorstelling is iedereen weg. Ik zal alles klaarzetten. U komt en we doen het. Ik zal van u winnen."

"Wilt u dat ik met zoveel geld op zak naar de Paralelo kom?"

"Nou, nou, één minuut geleden was u nog de meest getapte kerel van Barcelona, met uw pistooltje ... Nu niet meer? Weet u, dit is het bedrag dat ik nodig heb om de boel de boel te laten en weg te gaan, een nieuw leven te beginnen."

"Een nieuw leven zegt u? Misschien bent u toch niet zo slim als ik dacht. In de eerste plaats hebt u geen idee wat nieuwe levens kosten. In de tweede plaats begint niemand ooit een nieuw leven, het is een slap excuus om het te bolwerken; terwijl je probeert nieuwe levens te beginnen, glijdt het leven dat je leidt door je vingers ..."

Nonnita bleef naar de grond kijken: die klootzak hoefde maar met zijn vingers te knippen om haar kapot te maken. Bovendien had Demi Gambús, net als pasgeleden bij hem thuis, niet eens de moeite genomen om haar te vragen wie de vader van haar kind was. Hij nam als vanzelfsprekend aan wat hij niet aan moest nemen: ze was immers artieste, het was het meest voor de hand liggende. Ze haalde diep adem, schudde haar hoofd en keek hem strak aan: "Wat vindt u ervan, meneer Gambús?"

"Wat wilt u dat ik zeg? U moet niet denken dat ik niet in de verleiding kom."

Nonnita keek naar het afgepeigerde gezicht van een meisje dat het etablissement net was binnengekomen. Café Sevilla liet zich er op voorstaan de klok rond dertig serveersters te hebben, 's middags en 's nachts. De scheidslijn tussen serveersters, revuemeisjes en vrouwen uit het leven vervaagde aan de Paralelo al naargelang de zone en de plek. In Café Sevilla, om precies te zijn, kon je het eerstgenoemde vroeg in de middag zijn, het tweede 's nachts, het laatste 's morgens heel vroeg. Het verwelkte gezicht en de dode ogen van het meisje, evenals de zachte toon waarmee ze de bedrijfsleider begroette, overtuigden Nonnita ervan dat het meisje daar een sprekend voorbeeld van was. Ineens begon de pianostemmer een stuk te spelen, een paso doble. Nonnita verbrak de stilte tussen hen: "Kom, laten we dansen."

Demi Gambús, die overrompeld was, kon alleen maar instinctief naar de behoorlijk omvangrijke buik van de zes maanden zwangere Nonnita Serrallac kijken. Ze merkte het: "Schaamt u zich ervoor met mij te dansen?"

De jongeman glimlachte, stond op, trok haar stoel terug, nam haar handen en leidde haar naar de dansvloer, waar het kleine podium stond dat rechtvaardigde dat Sevilla een café chantant was. Hij liep naar de pianist, gaf hem vijf peseta en zei hem vijf minuten door te spelen. Ze dansten vervolgens een hele minuut lang zonder te spreken.

"De laatste tijd doet iedereen me voorstellen", zei hij. "Weet u dat een lobbygroep bij de minister wilde pleiten om me tot burgemeester te benoemen?"

"Burgemeester? Waarvan?"

"Waarvan denkt u? Van Barcelona. Maar ik heb het geweigerd. U kunt tevreden zijn."

"Ik?"

"Ja. Een burgemeester kan zich niet vrij bewegen. Ik neem uw weddenschap aan. Meer om lol te hebben dan om u te helpen. Ik neem haar dus aan. Maar op één voorwaarde: als ik win, bent u de prijs en brengen wij tweeën een nacht samen door."

"En waarom?"

"Kijkt u eens, ik ben er zeker van dat ik weer zal winnen. Ik wil niet met het gevoel blijven zitten dat alles neerkomt op het geven van een flinke beurt. Aan de andere kant, en sorry dat ik het zeg, dat heb ik al gedaan. Ik zou iets nieuws willen doen. Zijn we het dus met elkaar eens, of niet?"

Ze bleef staan en hield op met dansen.

"Ja. En ik verzeker u dat u niet zult winnen!"

"Zo mag ik het graag zien, u bent heel trots ..."

De piano hield op met spelen. Hij begeleidde haar naar haar

stoel, maar ze wilde niet gaan zitten. Ze moest naar Soriano. Ze pakten hun spullen en gingen naar buiten. Het bleef lang dag en de hele boulevard was een en al licht.

"Wanneer doen we het?" vroeg hij haar.

"Ik weet het nog niet, maar we hoeven niet lang meer te wachten. We moeten de geschiktste dag vinden. Ik laat het u weten."

"Misschien heb ik dan geen zin meer."

"Misschien zorg ik ervoor dat u weer zin krijgt."

"Misschien is het zo dat ik als ik geen zin meer heb onmogelijk weer zin krijg."

"Misschien kent u mij niet goed genoeg. Misschien weet u niet dat als ik me iets in het hoofd zet niets of niemand dat er weer uit krijgt." Hij keek haar speels aan. Ze weerstond zijn blik. Het was net of Gambús ineens begon te mauwen, tegen háár begon te miauwen, kattengejank.

"Misschien ken ik u inderdaad onvoldoende", gaf hij eindelijk toe.

"Zeker weten", stelde ze vast.

Deogràcies-Miquel Gambús liep de Paralelo snel omhoog en controleerde onopvallend of er weer haren uit zijn oren groeiden.

Nonnita Serrallac stak met kloppend hart de straat over om naar Soriano terug te gaan.

Geleund tegen de tapkast van Sevilla had iemand geprobeerd het gesprek tussen Nonnita Serrallac en Demi Gambús te volgen. Met de rug naar hen toe had hij zijn oor te luisteren gelegd, terwijl hij rustig een biertje dronk. Hij was er nog steeds. Hij had een rattengezicht. Hij heette Felip Dalmau. Een stem uit het lokaal trok zijn aandacht: "Dalmau, kerel, waar hebben we de eer aan te danken in het gezelschap te verkeren van een vooraanstaand lid van ons verdienstelijke politiekorps?"

Dalmau draaide zich heel langzaam om. De groep van de Partit Radical was er al niet meer. Hij zag een man van ongeveer dertig jaar die helemaal alleen in een hoek zat. Hij was aangeschoten. Hij herkende hem onmiddellijk: het was een vrachtrijder die hij jaren geleden had leren kennen. Hij zag er hetzelfde uit met zijn olijfkleurige ribfluwelen broek, blauwe bloes, zwarte pet en touwschoenen. Dalmau boog zich weer over zijn bier, waarbij hij hem de rug toedraaide. Meteen erop zei hij: "Ik werk niet meer bij de politie."

"Nou, de stank is anders dezelfde. Oftewel, ik geloof je niet."

"Ik werk nu voor een particulier. En praat zachter."

"Als het waar is dat u niet meer bij de politie werkt, wat zou mij er dan van kunnen weerhouden u eruit te smijten en een schop onder uw kont te geven."

"Niets, denk ik. Maar het zal niet nodig zijn. Ik ga zo meteen weg. Wel pas, nadat ik mijn biertje heb opgedronken. Geen seconde eerder, geen seconde later."

Al het personeel en de klanten volgden het gesprek in stilte. De vrachtrijder keek een paar tellen naar diens rug, maar de ex-agent leek ineens heel erg geïnteresseerd in de samenstelling van het vocht dat nog in zijn glas zat. Hij was gespannen, had een mes in zijn hand verborgen. Via de spiegels in de zaal hield hij de vrachtrijder vanuit zijn ooghoeken in de gaten. Er gingen een paar tellen voorbij. Zoals te verwachten viel, verloor de jongeman zijn concentratie en ebde diens woede weg. Toen duwde deze, boos op zichzelf, een lootjesverkoper opzij die het café binnenkwam, ging naar buiten en sloeg hard de deur achter zich dicht.

Felip Dalmau ontspande. Hij nam het de man niet kwalijk dat deze zoveel wrok tegen hem koesterde. Hij had hem zes jaar geleden met andere vrachtrijders ingerekend toen ze pogingen deden om een algemene staking te beginnen. De arbeiders eisten een 8-urige werkdag. Het voorbeeld van de ververs, die de 54-urige werkweek al voor elkaar hadden gebokst, jutte alle beroepsgroepen op. En Felip Dalmau, toentertijd een integere geheim agent, kreeg het dienstbevel de rotte appel in de mand op te sporen die de goede appels kon aansteken. Hij had hem een flink pak rammel gegeven. Het waren andere tijden.

Dat hij voor mevrouw Gambús kon gaan werken, was een lot uit de loterij geweest. Niet zozeer vanwege het feit dat die dame zijn loon verviervoudigde, maar meer omdat hij al snel een nieuw huis in een keurige buurt kon betrekken, zijn vrouw gelukkig was en zijn dochter naar de universiteit kon. En tot nu toe had ze hem nog niets opgedragen wat hij niet al eerder bij de politie had gedaan. Hij verdiende goed en voelde zich gerespecteerd. Wat wilde hij nog meer?

Hij bewonderde de familie Gambús: die had structuur, orde, wist wat ze wilde en verdedigde haar belangen met hand en tand. Ze had hem zelfs een geheime flat bezorgd in de Carrer Nou de Sant Francesc. Alleen hij en zijn nieuwe bazin wisten ervan. Volgens haar hoefde niemand van het bestaan ervan af te weten: niet de vrienden van de familie noch het personeel en al helemaal niet haar zoon. Als het op een kwade dag toch zonder haar toestemming zou uitlekken, stond Dalmau op straat. Hij accepteerde het zonder problemen. Daaraan was het te danken dat hij de erfgenaam zo nu en dan vanuit de verte in de gaten kon houden. Net als vandaag, nu Demi Gambús door die zwangere vrouw door het dolle heen leek.

Dalmau dronk zijn bier op en ging weg.

20

Zondag rond de klok van twaalven op het pleintje Pla de la Boqueria. De maand mei liep op zijn eind en er hing zomer in de lucht. Op de Rambla waren nog draperieën te zien voor de viering van de heiligverklaring van de zalige Josep Oriol, de eerste Barcelonese heilige in lange tijd. Een indrukwekkende menigte was op de Plaça de Catalunya bijeengekomen voor een volks eerbetoon aan Àngel Guimerà. De laatste bom was anderhalve maand geleden en de mensen flaneerden tevreden. Ze praalden met voorjaarskleding en de caféterrassen begonnen te veranderen in opzichtige, kleurrijke pronkkamers vol dameshoeden en elegante robes.

Bij de tramhalte wachtte een meisje. Ze heette Llucieta Vaquer en ze had een afspraak met Rafel Escorrigüela. Ze was een iele verweesde naaister van achttien met vrij donker haar, dochter van een kleermaker en kleindochter van een modinette. Ze werkte in een atelier dat was gevestigd op een vierde verdieping in de Carrer de l'Hospital. Met zes andere naaisters, de regenspuwers van het Hospital de la Santa Creu achter het raam als het ware binnen handbereik, knipte, paste, reeg en naaide Llucieta van de vroege ochtend tot de late avond voor dames uit alle sociale geledingen. Gewapend met stukken krijt om patronen te tekenen, stofscharen, meetlint et cetera dook ze onder in stoffen, tule, serge. Ze hield in het bijzonder van een groot stuk zijde, sneeuwblank als geklopt eiwit ... De naaistertjes praatten alleen over mannen. Hardop als de bazin er niet was of zachtjes als ze in de buurt was of bij hen zat. Gewoonlijk hield Llucieta Vaquer haar mond, omdat ze niet wilde vertellen dat ze verkering had. Nog niet zo lang geleden was ze zo in haar sas geweest dat ze op het punt had gestaan om het te vertellen. Maar ze had niets gezegd om haar oudere collega's niet jaloers te maken. De hele week dacht ze aan de zondag.

Nu wachtte ze in de Pla de la Boqueria op haar vriend. Ze was een paar keer met hem uitgegaan en vond hem echt een kanjer. Hij heette Rafel en ze kon maar niet geloven dat juist háár dit overkwam. Hij was niet de eerste de beste. Hij was een zakenman en had levenservaring. Twee zondagen geleden had hij haar meegenomen naar Sitges om in Vinyet naar de autoraces te gaan kijken. Hij stelde haar zelfs aan een jeugdvriend voor, een advocaat die net als hij zakenman was. Deze bevond zich in gezelschap van een heel elegante, zeer sympathieke dame die pas weduwe was geworden. En zij, de arme Llucieta, in de hogere kringen! Nog een geluk dat de bazin van het atelier haar een prachtige gebloemde jurk had geleend, mét hoed, en ze had geen slecht figuur geslagen tussen die chique dames die met hun verrekijkers die kleine, eigenaardige eenpersoonsautootjes volgden.

Hij had beloofd haar die zondag naar Bonanova mee te nemen om te eten en te dansen. Rafel wilde er deze keer met de tram heen omdat dat romantischer was. Het was haar om het even. Ze vond de tram heel bijzonder. Zoals zoveel Barcelonezen van de arbeidersklasse spaarde ze dat geld als het even kon liever uit. Llucieta Vaquer was een Barcelonese van achttien, volwees, naaister, maar gelukkig omdat ze een vrijer had.

Rafel kwam op tijd, schoon, geparfumeerd en chic gekleed, met hoed en stok. Hij leek wel een dandy. Ze groetten elkaar hartelijk en hadden het er net over dat het zo'n mooi weer was, toen de tram al kwam. Het traject van de Pla de la Boqueria naar Bonanova, dat normaliter een halfuur vergde, duurde nu drie kwartier omdat de tram ter hoogte van de Passeig de Gràcia zonder stroom kwam te zitten. Ze merkten het niet eens. Die lieve jongen Rafel schilderde haar een rooskleurige toekomst, waarin ze met haar naai-expertise een eigen winkel met de laatste mode zou uitbaten die hij voor haar zou opzetten. En ze glimlachte en zei: "Gaat u niet een beetje te snel, Rafel?"

"Dat geeft mijn hart me in, Llucieta, wat kan ik eraan doen?"

Ze dineerden in de openlucht in een restaurant dat in zwang was. Ze was buiten zichzelf. Ze at dingen waarvan ze niet eens wist dat ze bestonden: ravioli *al gratin*, of escalope met fijne kruiden. Hij was zenuwachtig. Hij keek naar de ingang, hij keek op zijn horloge ...

"Verwacht u iemand, Rafel?"

"Hè? Ja, die vriend van me die ik u onlangs in Sitges heb voorgesteld. Hij heeft me gezegd dat hij misschien met ons zou eten. Maar gelet op de tijd, denk ik niet ..."

En Llucieta Vaquer bekeek tevreden de rode letters op het geperforeerde bord dat voor haar ogen danste: JAARLIJKS BAL VAN DE LAWN TENNIS CLUB TURÓ. Jongens en meisjes van goeden huize kwamen binnen nadat ze een lidmaatschapskaart hadden laten zien of een toegangskaartje hadden gekocht. Het kabaal van een orkest drong door de vestibule van het pand heen. Ze bevonden zich in een prachtige tuin met Venetiaanse lantaarntjes die klaarstonden om te worden aangestoken. Om zes uur begon het bal, dat op een van de tennisvelden plaatsvond. Om acht uur vuurwerk. Om negen uur grote wedstrijd van verlichte ballonnen en einde van het feest. Om tien uur iedereen eruit, want de dag erop was een maandag.

Rafel Escorrigüela kon een gevoel van melancholie en nostalgie niet van zich afschudden. Hij vree al een poos het naaistertje op en weinig meer dan dat. Dagen en geld gleden op een ellendige manier als zand door zijn vingers. En zijn pogingen om met Demi Gambús aan te pappen mislukten de een na de ander. Niet dat ze elkaar niet zagen, integendeel. Maar altijd weer eindigden ze met vermout drinken en het ophalen van oude herinneringen. Maar over het heden helemaal niets. Rafel Escorrigüela wilde vertrouwensman van Demi Gambús zijn. Hij had geprobeerd dikke vrienden te worden, maar dat bleek moeilijk. Hij had hem zelfs aan het naaistertje voorgesteld, voor het geval hij de weduwe Roca wilde inruilen voor een mals kippetje als zij. Maar niets, hij had niet eens naar haar gekeken. Hij wist niet wat hij moest doen. Waar Rafel Escorrigüela op vlaste was geld hebben en ermee smijten. Wat hij daarentegen met pijn en moeite had was een naaistertje dat amper dertig kilo woog (na het eten). Hij teerde weg in zijn spiksplinternieuwe, reusachtige appartement in de Eixample, terwijl hij ervan had gedroomd kantoor, zaken, vrouwen, dagen en nachten met Demi Gambús te delen. En wat die hem hooguit aanbood waren waardeloze transacties, alsof hij de draak met hem stak. Het laatste voorstel leek wel bijna een flauwe grap: hij speelde hem geheime informatie toe dat de gemeente binnenkort rubberen banden verplicht zou stellen voor alle automobielen en overdekte karren van vervoersmaatschappijen in Barcelona: Catalana, Española et cetera. De kosten om de oude wielen te vervangen bedroegen ongeveer tweeduizend peseta per voertuig. De nettowinst zou tot dertig procent kunnen oplopen. Alle vervoerders samen telden zo'n beetje honderd voertuigen die gereviseerd moesten worden. Niemand wist het nog, hij hoefde alleen maar snel de rubberbanden op de markt op te kopen. Daarna moest iedereen bij hem terecht om ze af te kopen: "Je kunt ervoor vragen wat je wilt, Rafel. Wat vind je? Zeg niet dat ik je niet help ..."

"Bedankt, man, bedankt."

Hij voelde zich heel erg vernederd. De grote Gambús bood hem de kruimels van zijn macht: wielen, banden, woorden waarvan hij al maagpijn kreeg als hij ze alleen maar hoorde. Hij moest er niets van hebben.

Rafel en Llucieta dansten en dansten maar. Er kwamen steeds meer mensen en de sfeer had iets van een vervroegde zomer. Het naaistertje klampte zich steeds verwoeder aan hem vast. Uit angst, het arme ding. Ze zag dat Rafel er was, maar met zijn hoofd zat hij ergens anders. Kopzorgen van een zakenman. Ze moest er maar aan wennen. Hij dreef telkens verder weg met zijn gedachten. Hij keek de hele middag naar de ingang. En dat alles, vol échte heertjes-meneertjes, kostte hem een rib uit zijn lijf. Gelukkig had hij haar de tramrit in de maag kunnen splitsen ...

Het vuurwerk begon terwijl het nog best licht was. Terwijl ze beiden met open mond omhoogkeken en 'o' zeiden, bekeek Rafel het naaistertje en zag haar huilen.

"Waarom huil je?"

"Nergens om. Om het vuurwerk dat zo mooi is. Om de ravioli van het etentje. Om de lantaarns ..."

"Kom, kom ..."

Hij keek weer omhoog. Een van de vuurpijlen ketste. Hij wendde zich naar haar toe om haar ontgoochelde gezicht te zien, maar ze was er niet. Hij zocht tussen het publiek. Geen spoor. Hij maakte zich geen zorgen, ze was waarschijnlijk in haar onnozelheid gaan wandelen onder de paar lindebomen die om de tennisvelden heen stonden. Het vuurwerk was afgelopen en ze was nog niet terug. Hij werd een beetje zenuwachtig omdat die domme gans in staat was de weg kwijt te raken en hij voelde er helemaal niet voor haar bij lantaarnlicht te gaan zoeken. Veel mensen begonnen om negen uur naar de uitgang te lopen. Bij de wedstrijd van de verlichte ballonnen presenteerden zich maar drie kandidaten en de jury besloot hun alle drie de prijs toe te kennen. En Llucieta was al meer dan een halfuur weg. De ballonnen stegen op en de aanwezigen klapten uitbundig.

En een minuut later kreeg iedereen ineens haast om weg te komen. En Rafel Escorrigüela spuwde vuur. Waar was die stomme trut verdomme gebleven? Ze zouden de laatste tram nog missen. En hij peinsde er niet over een koets of automobiel te huren. Hij liep een pad op dat naar een bron leidde die zich midden op het terrein bevond, toen de Venetiaanse lantaarntjes ineens uitgingen en alles donker werd. Dat ontbrak er nog maar aan. De organisatoren dachten zeker dat iedereen weg was en ...

Een ijzersterke hand tegen zijn schouder deed hem naar voren wankelen. Een andere hand pakte zijn arm beet en draaide die achter op zijn rug. Twee harde handen en hij viel keihard op de grond, Rafel met zijn smoel tegen de vlakte, Rafel Escorrigüela die aarde vrat, die tussen zijn tanden en tong aarde proefde, die aarde rook. Een hand in zijn nek drukte hem in de grond: smaak van speeksel en aarde.

Iemand trok hem overeind en zette hem op zijn knieën, hoestend en proestend. Felip Dalmau, die meer dan ooit een rattenkop had, siste hem toe: “Rafel, mevrouw zegt dat je haar behoorlijk hebt laten stikken.”

“En het meisje?”

“Maakt u zich geen zorgen. Het naaistertje is er heilig van overtuigd dat ze de verloofde is van een van de aankomende magnaten van Barcelona. Ze zou alles geloven. We hebben haar naar huis gebracht. We hebben haar gezegd dat een zeer dringende zaak, een kwestie van leven en dood, uw aandacht vereiste. En ze heeft het voor zoete koek geslikt. Ze is niet eens geschrokken. We wilden niet dat ze u zo zag. En nu, herhaal ik nog eens, hoe komt het dat u ons zo hebt laten stikken?”

"U doet me pijn."

Felip Dalmau gaf bevel hem los te laten.

"En we zullen u nog meer pijn doen, kerel, Rafel, als u niet in staat blijkt uw beloften na te komen. De bazin is bedroefd. We hebben u ontboden, we hebben u briefjes gestuurd en u hebt zich niet eens verwaardigd te antwoorden. Dat heeft mevrouw veel pijn gedaan."

"Ik heb niet geantwoord omdat ik niets te zeggen had. Demi vertrouwt me niet en behandelt me als stront. Het hoogste wat hij me tot nu toe heeft aangeboden is werk als middelaar in een transactie van rubberen banden."

"De bazin heeft u al uitgelegd dat haar zoon rare dingen doet, waar ze maar geen hoogte van krijgt. En dat hij haar nog steeds niets vertelt. Daar moet u zich op concentreren, Rafel ..."

"Ik heb geprobeerd om met hem op te trekken, maar het is onmogelijk. U hebt bovendien gelijk, de laatste tijd is het net of hij met zijn gedachten ergens anders zit."

"Mevrouw Miquela heeft besloten het initiatief te nemen." Dalmau gaf hem een stevige, volle map. "Hier hebt u instructies voor de komende week. U zult vele uren met de heer Gambús doorbrengen. En in een gewichtige zaak."

"Dat betwijfel ik."

"O, Rafel, Rafel, wat bent u lichtgelovig ... Luister, u voert ze letterlijk uit, begrepen? Het is geen voorstel, maar een bevel. U bestudeert het, leert van buiten wat wordt aangegeven en vernietigt het meteen, u verbrandt het, begrepen? En het is u geraden deze kans te benutten. Nou, tot kijk. En ik adviseer u de volgende keer meteen te reageren, als mevrouw u ontbiedt. Deze manier van doen bevalt haar helemaal niet. Hup, opgehoepeld, de tram wacht."

Met een duw belandde Rafel op het hoofdpad dat naar de deur leidde. Vreemd genoeg gingen de Venetiaanse lantaarns weer branden. Bij de deur was niemand, maar hij stond open. Hij was nog maar net buiten of de deur ging achter hem dicht. En de tram stond daar ongetwijfeld op hém te wachten, omdat hij meteen begon te rijden toen hij instapte. De conducteur kwam niet op hem af, hoewel er verder niemand was. En toen Rafel op de conducteur afliep, keek deze hem niet aan en wilde hem ook geen kaartje verkopen.

Rafel Escorrigüela had nog de smaak van aarde in zijn mond. En hij was heel bang. Hij was de verpersoonlijking van de ware betekenis van angst. Hij had de irrationele neiging om te negeren wat hem van buitenaf aanviel. Alsof het dan zou ophouden te bestaan. En dat was natuurlijk niet het geval. Met grond vreten als gevolg.

Tijdens de tramrit maakte hij de sluiting van de map los en begon het materiaal door te nemen. Hij stond perplex. Om te beginnen was er een stapel bankbiljetten die een enorm geldbedrag vertegenwoordigde. Bovendien waren er instructies waarin bazin Miquela hem duidelijk maakte waarom hij en Demi de komende dagen de gelegenheid hadden om vele uren samen door te brengen. In de sector van de vuilophaaldiensten zou ineens een wilde staking uitbreken. De hulp van Demi zou worden ingeroepen om de belangen van de werkgevers en de gemeente te verdedigen. De staking zou in een fase belanden waarbij beide partijen zich onbuigzaam opstelden en toevalligerwijs zou Rafel Escorrigüela ten tonele verschijnen, die vanwege een oude, innige vriendschap met een van de stakingsleiders als middelaar zou optreden.

Alle gegevens stonden op een los vel. Het betrof een wilde staking, die vier of vijf dagen keihard zou verlopen. Door ingrijpen van Rafel Escorrigüela zou er een eind aan komen. Dat zou het vertrouwen van Demi in hem vergroten. Meteen de volgende dag zou Rafel Escorrigüela zich bij Demi Gambús moeten melden en die stapel bankbiljetten op tafel moeten leggen, onverschillig als iemand die het niet kan schelen, alsof hij zou willen zeggen: "Dit is om te beginnen, Demi. Laat die banden maar zitten. Beleg dit geld op de manier die jou het meest geschikt lijkt."

De tram stopte plotseling. Het was het punt dat het dichtst bij zijn huis lag. Hij had het hele traject niet gestopt. Conducteur en bestuurder deden alsof hij niet bestond. Hij begreep dat hij moest uitstappen. Hij stond op en stapte uit. Op dat moment won zijn schaamte het van zijn angst.

Met het hart in de schoenen liep hij naar de ingang. Hij kikkerde niet eens op bij de gedachte dat zijn martelgang een houdbaarheidsdatum had: bazin Miquela had hem verzekerd dat het maar om enkele maanden ging. Gekleed als hij was ging hij op zijn buik op bed liggen en sliep in. Hij had verschrikkelijke nachtmerries, die met zijn verleden en de familie Gambús te maken hadden. Hij werd een halfuur later wakker, zonder goed te weten waar hij was en met een straal speeksel dat uit zijn mondhoek droop. Hij wist niet wat hij moest doen. Hij overwoog weer de mogelijkheid om er ineens tussenuit te branden ... Maar ... En als de man met het rattengezicht beneden stond? Elke oplossing was goed, behalve weggaan. Hij wist zeker dat hij de Gambús niet een tweede keer zou ontkomen. Begin 1898 had hij voor hen gewerkt als belastinginner. Het was een goede baan, die hij had gekregen dankzij de vriendschap van zijn vader met de baas. Don Miquel Gambús, de Rijke Stinkerd, hief bijzondere belastingen op bijna elke inkomstenbron en Rafel had de opdracht deze te innen. Een van de zonderlingste was de belasting om in geval van diefstal als middelaar op te treden. De gedupeerden kwamen naar don Miquel, die de dief achtervolgde en ving. Hij liet hem weten dat als ze tot overeenstemming kwamen hij niets meer te vrezen had, dat hij hem in naam van het slachtoffer vergaf en hem zijn anonimiteit en een kleine geldelijke compensatie garandeerde. Anders zou het zijn lot zijn om in stukjes gesneden weg te rotten in een droge put. Zowel in het ene als het andere geval schatte een soort privérechter het gestolen goed op waarde. Het slachtoffer kreeg het tegen een redelijke prijs terug, de familie Gambús behield zoveel procent en iedereen was content. Mettertijd zocht al bijna niemand meer zijn toevlucht tot de gewone rechtspraak. Don Miquel was beter en sneller. Op een dag ging Rafel Escorrigüela er als een haas vandoor in plaats van het geïnde geld af te dragen. Om zijn vader de schande te besparen, lieten ze hem lopen. Hij belandde in Barcelona, ongelooflijk vrij en tegelijkertijd ... ongelooflijk belachelijk: die hoeveelheid, die hem in het dorp enorm had geleken, stelde hier helemaal niets voor.

Nu herhaalde zich die belachelijke situatie, die zo groot, zo overweldigend was dat ze hem bijna de adem benam. En hij verdroeg het niet.

Hij ging de straat op. Het was bijna halfelf. Zonder het te merken had hij een halfuur later al een paar kroegen bezocht en was behoorlijk dronken. Hij ging zitten, bestelde cognac en kletste hardop. Hij vertelde de aanwezigen dingen van vroeger, uit Alcagaire, over de Gambús ...

In een lokaliteit in de Carrer Sant Jeroni kreeg hij gedaan dat ze een omelet voor hem klaarmaakten. Hij proefde niets omdat zijn tong verdoofd was door cognac en muskaatwijn. Hij voelde zich tenminste niet alleen. Weer op straat braakte hij op een hoek en voelde zich beter. Hij veegde zijn mond af met een nieuwe, schone zakdoek en liep door. De letters van de winkelopschriften dansten voor zijn ogen en leken van hun plaats te komen, alsof ze zich wilden loshaken, op de grond vallen en wegrennen, vrij. In een andere kroeg bestelde hij een omelet en koffie. Hij keek om zich heen en zag mensen, gezichten, petten; hij rook de geur van shag, van frituur, terwijl alles vaag om hem heen danste, alsof hij sterretjes zag. Hij ging naar buiten en de straat was donker. De verlichting werkte niet. Daar, ondergedompeld in een dikke stilte die weinig gewoon was, greep de angst hem weer bij de keel, een grote angst, die niet te verdragen angst van zatlappen, die ze van ontzetting kan doen sterven. Je hoorde niets, alsof er een grote, dikke donsdeken over de huizen was gevallen. Hij zag licht en mensen en liep erheen. Gaslantaarns en boombladeren wierpen vreemde schaduwen op het plaveisel. Hij begon ontroostbaar te huilen. Hij balkte als een kind en kalmeerde pas toen een medelijdende ziel, die hem vanaf een benedenverdieping had gadegeslagen, naar buiten kwam en hem een glas water gaf. Er stond een beetje frisse wind. Werktuigelijk lopend kwam hij uit voor het grote stadspaleis van don Eusebi Güell, in de Carrer Nou, vlak bij de Rambla. De maan scheen weer en gaf volop licht. Hij opende zijn armen en begon als een gek voor te dragen, terwijl hij met gebroken stem schreeuwde: "Don Eusebi! Don Eusebi! Hier!"

En nog harder: "Eusebi Güell i Bacigalupi! Industrieel en mecenas! Zoon van Joan Güell i Ferrer! Studeerde mechanica, politieke economie, rechten en toegepaste kunsten!"

Hij riep hoe langer hoe harder. De stem van Rafel Escorrigüela die de uitmuntende eigenschappen bezong van die biografie die hij zo goed kende, weerklonk midden op straat: "Getrouwd met Isabel López y Bru, markiezin van Comillas! Oprichter van een fabriek voor ribfluweel in Santa Coloma de Cervelló! Oprichter van de Companya General d'Asfalts i Pòrtland Asland!"

In een van de vensters die op straat uitkeken ging een licht aan.

De gedaante van een man schoof nieuwsgierig het gordijntje een beetje opzij.

"Meneer Güell! Meneer Güell! Hier! Hier! Meneer Güell! Lid van de raad van bestuur van de Banc Hispano-Colonial! Van de Compañía Tabacos de Filipinas!"

De man verdween ineens en het licht ging uit. Rafel schreeuwde nog harder. De weinige voorbijgangers die er waren stopten midden op straat om naar hem te kijken: "Wethouder van Barcelona, statenlid en senator! Stuwende kracht van de Catalaanse cultuur, voorzitter van en presentator bij de bijeenkomst van de Jocs Florals! Academicus van de Acadèmia de Sant Jordi van Barcelona en mecenas van de architect Gaudí! Eusebi Güell i Bacigalupi, bid voor mij!"

Hij zweeg even om weer op krachten te komen. Op dat moment kwam er een stel agenten langs. In het stadspaleis Güell moest iemand ze hebben verwittigd. Ze zagen Rafel, die er slecht uitzag, maar goed geschoren en gekleed ging. Een beetje verderop kletsten en rookten een paar arbeiders die tegen een muur hingen. De jongste had een rebelse pony die over zijn ogen viel. Als hij het beu werd hem opzij te schuiven, blies hij hem omhoog. De politieagenten liepen op hen af en in een oogwenk waren ze gearresteerd. Terwijl ze werden opgebracht keken de arbeiders naar Rafel Escorrigüela, opdat hij het misverstand zou ophelderen. Ze merkten dat hij niet van plan was dat te doen, maar desondanks verklikten ze hem niet, ze klaagden zelfs niet. Ze waren het gewend.

Rafel Escorrigüela bleef lange tijd midden op straat staan. Hij zag geen mensen, maar armen en benen die bewogen, hij zag hoeden, hij zag schitteringen, hij zag paardenvijgen, hij zag elektrische vonken van de staven van de trams, hij zag zijn handschoenen die als klauwen zijn knieën vastklampten.

Ineens kalm, zijn verstand op nul, ging hij terug naar huis.

Barcelona betekende nog Rafel Escorrigüela's dood.

21

Voilà: de messing deurknop van de firma Higiènics Gallifa, die zwart is geworden van duizenden bezwete handen die er in de afgelopen dertig of veertig jaar tegenaan hebben geduwd om dit kantoor binnen te gaan.

Voilà: de in een handschoen gestoken hand van Demi Gambús, die dubt of hij hem zal aanraken en de deur zal openduwen.

Twee rechte parallellen raken elkaar in theorie nooit, behalve misschien in het oneindige.

Demi Gambús was er dus helemaal niet zeker van dat hij wist wat hij op dat moment, om halfzeven 's ochtends, deed toen hij die deur openduwde. Iets van zijn moeder: bazin Miquela had er bij hem op aangedrongen dat hij zich als advocaat actief moest inzetten voor de beëindiging van de vuilnismannenstaking. Nooit had hij getwijfeld aan de goede neus van zijn moeder als moest worden bepaald uit welke hoek de winden waaiden die het schip van de familie voortbewogen. Daarom had hij er nooit iets tegen in te brengen. Heel waarschijnlijk was het altijd in het belang van de familie. Maar deze keer had hij zijn twijfels. Ze werd oud en de afgelopen dagen hadden ze heel vaak onenigheid gehad. Meer dan ooit. Er gingen tienduizenden peseta's door zijn handen en de vrouw riep hem ter verantwoording ...

Hij had geprobeerd haar gerust te stellen. Hij had haar beloofd dat alles goed zou aflopen en dat het mooiste cadeau voor haar feest zou zijn: als alles goed gaat, worden we heer en meester van Barcelona. Zo niet, dan hebben we veel geld verloren, maar maakt u zich geen zorgen, we gaan niet bankroet ... Maar zijn moeder nam er geen genoegen mee. Daarom schreef hij het feit dat ze hem had opgedragen die walgelijke onderhandeling te leiden eerder toe aan een zekere behoefte om hem te straffen. Maar als het de vrouw geruststelde, maakte hem dat niet uit.

Hij hield alle aandacht gericht op zijn project: de grote operatie was begonnen. Duizend draden bewogen tegelijk. En het was niet makkelijk.

Juist op de dag dat hij Joan Rovira had laten weten dat hij geen burgemeester wilde worden, begon hij te merken dat de dingen heel wat moeilijker zouden gaan dat hij had gedacht. Hij zei: "Luister, Rovira, ik heb grootse plannen voor Barcelona ..." En deze: "O, ja? Van welke strekking? Wat het ook is, ik hoop dat u mij binnenkort in vertrouwen neemt en er wat gedetailleerder over vertelt. Ik kan u zeker helpen ... Hoe dan ook, als burgemeester beoordeel je alles anders, u begrijpt me." Hij begreep het maar al te goed. "Laat ik u erop wijzen dat uw kennismaking met de politiek u en uw zaken tot voordeel zou strekken. Iedereen in Barcelona, en als ik zeg iedereen bedoel ik iedereen, zou daartoe bijdragen. Nog hebben we tijd om met de minister te praten. Nog zou u burgemeester kunnen worden ... ik herhaal het nog eens: het zou een enorme vergissing zijn om een kans als deze te laten schieten."

Maar ook Demi wist het zeker en zei dat tegen Rovira: niet nu. En al helemaal niet met een mogelijke radicale meerderheid in de gemeenteraad. We zien wel over vier of vijf jaar.

Ze onderbraken elkaar: "Mijn project ..." "Sorry, Gambús, en wordt u niet kwaad, maar wat voor project het ook is, het is te verenigen met ..." "Het is niet zomaar een project, Rovira, ik zeg u alleen maar dat het om enorme geldstromen gaat, die onmogelijk op onderpand kunnen worden geleend als er geen buitenlands kapitaal bij is betrokken en de regering haar toestemming onthoudt."

Joan Rovira dacht op volle snelheid na, telde op en trok af, paste de puzzelstukjes in elkaar ... Terwijl hij Gambús aankeek, zei hij langzaam: "Op het ogenblik vinden in onze stad, om dicht bij huis te blijven, transacties vanjewelste plaats ..." En Demi Gambús: "Ik weet waar u heen wilt. Ik kan u alleen maar zeggen: lach om het Reformaproject. Van het Eixampleproject rep ik niet omdat het meer iets van de middellange termijn is ..." Rovira kon zich niet voorstellen dat de financiële wereld van Barcelona niets van zo'n enorm project af zou weten. Maar hij kon zijn gesprekspartner, die maar bleef herhalen 'het is het moment niet', geen snipper informatie ontfutselen. "Het is het moment niet. Laten we het alstublieft hierbij laten, Rovira, ik heb eigenlijk al te veel gezegd. En ik zeg het u nog eens, er zijn vele miljoenen uit het buitenland bij betrokken. De financiële wereld van Barcelona is geen belangrijk onderdeel van het raderwerk. Ze doen op mijn voorwaarden mee of blijven aan de kant staan." En Rovira: "Maar ze vormen het hart van de stad. Het zal ze niet bevallen dat u ze aan de kant laat staan ..."

Dat had nogal dreigend geklonken.

Maar erna hadden de gemeenteraadsverkiezingen plaatsgevonden met de klinkende – en onverwachte – overwinning van de Partit Radical van Lerroux. Deze gebeurtenis bracht Joan Rovira tijdelijk tot bedaren. Maar als hij en zijn medestanders eenmaal hun wonden hadden gelikt, zouden ze het heft weer in handen willen nemen. Demi Gambús moest er vaart achter zetten.

Vandaar het gevoel dat hij zijn tijd verdeed en vandaar dat hij met tegenzin 's morgens vroeg het kantoor van Higiènics Gallifa betrad. Hij haalde zijn neus op: de weeïge stank van rottend vuilnis op de stortplaats van de firma, niet zo ver van het gebouw vandaan, vermengde zich met die van het bezinkbekken met uitwerpselen: de oorsprong van Higiènics Gallifa was verbonden met de aloude exploitatie van het leegscheppen van latrines van particulieren. In ruil voor deze service mocht de firma de inhoud als mest aan boeren verkopen. Nu was het slechts een nevenactiviteit van de onderneming die vooral uit sentimentele overwegingen werd aangehouden. Maar de stank was dezelfde, dacht Deogràcies-Miquel Gambús. En hij daar, in levenden lijve, en hij zat eraan vast. Dat was pas kinderliefde.

Hij raapte zijn moed bijeen en duwde de deur van matglas open. Een soort bode verwachtte hem al en ging hem voor naar de directiekamer. De schemering binnen dwong hem zijn ogen een beetje samen te knijpen. Het was een groot maar prettig vertrek, met behang op de muren, meer pakbonnen dan boeken op de planken, een paar portretten van heel serieuze personen en verschillende wandlampen met blauwe glasplaten, verdeeld over de ruimte. In een hoek stond een brandkast, half verborgen achter een paar gordijnen.

"Kijkt u ervan op, Gambús, dat de safe zo in het oog valt?"

Het was een retorische vraag, bij wijze van welkom. Degene die haar had gesteld was Venceslau Gallifa, die er trots op was dat hij als eerste in Barcelona huisvuil ophaalde, afvoerde en verbrandde. Het was een magere man met markante trekken, zwart haar en een bleek gezicht dat hem in de verte deed lijken op een pierrot. Hij ging verder: "In vertrouwen: hij is nep, om op het verkeerde been te zetten, de echte heb ik goed verstopt ..."

Meneer Gallifa liep tegen de vijftig en bevond zich in de kracht van zijn leven. Ze drukten elkaar de hand en hij stelde de derde persoon voor die zich in de kamer bevond: een oude man, die zijn hoed in zijn hand hield en er serieus uitzag.

"Ik heb de eer u gedeputeerde Sostres voor te stellen."

Ze knikten elkaar bij wijze van groet toe. Provinciaal gedeputeerde Sostres was door het staatsbestuur informeel als bemiddelaar afgevaardigd.

Na aan elkaar te zijn voorgesteld, was het wachten op de arbeidersdelegatie. Venceslau Gallifa had toegezegd de president-commissarissen van de twee andere vuilophaaldiensten te vertegenwoordigen in verband met de onverwachte, dwaze vuilnismannenstaking. De patroons die het vuilnis van Barcelona en aanpalende dorpen ophaalden, wisten van geen wijken. Ze hadden unaniem besloten dat als de stad moest stikken onder een berg afval, ze dan maar moest stikken. Het was een onverklaarbare staking, die alleen leek uitgeroepen om dwars te liggen. Maar de dagen waren voorbijgegaan. De nieuwe gemeenteraad met zijn radicale meerderheid kon maar geen besluit nemen en de waarnemend burgemeester verloor zijn geduld. Het huisvuil stapelde zich overal op, de ratten vierden feest, het begon warm te worden; zo kon het niet langer ...

Terwijl ze wachtten, nam Demi Gambús zijn aantekeningen over het conflict door: de eerste dagen had de gemeente de mannen van de groendienst als straatvegers ingezet, maar het conflict escaleerde. De ophalers en transporteurs van koeienvlaaien en paardenvijgen sloten zich bij de stakers aan. Barcelona telde vele koeien- en paardenstallen en liep het risico om op een goede dag wakker te worden met straten die onder de stront zaten. Ten einde raad gingen de ondernemers van de sector door met hun politiek van de harde hand en verordonneerden een totale stillegging van hun bedrijven. De gemeente zat dus zonder voertuigen om het afval af te voeren of stortplaatsen om het naartoe te brengen. Ze had geen andere keus dan particulieren te vragen of ze karren en terreinen wilden verhuren, als ze die al hadden. Barcelona sidderde bij de gedachte aan die groeiende berg afval en drek die de stad dreigde te begraven. Een specialist van de gemeente stelde voor het vuil in wagons te laden en naar de buurgemeenten te vervoeren om het daar te verbranden. Een ander om het in compacte blokken te persen en het met een metalen omhulsel eromheen in zee te storten. En te midden van dat alles stakingsposten die stakingsbrekers achternazaten. Het was een chaos.

Demi Gambús deed zijn map dicht, nog verveelder dan in het begin. Wie dit probleem zou oplossen was een held.

Er werd op de deur geklopt en de bode kwam binnen om te melden dat de overige deelnemers aan de onderhandelingen aangekomen waren. Gallifa knorde dat ze konden binnenkomen en vlijde zich in zijn mahoniehouten fauteuil.

Toen de vertegenwoordigers van de arbeiders binnenkwamen, was Demi Gambús voor de spiegel druk doende om zijn stropdas te schikken, terwijl hij in werkelijkheid van de gelegenheid gebruikmaakte om eens flink te gapen en de haren op zijn oren te inspecteren.

Venceslau Gallifa stond plechtstatig op achter zijn schrijftafel en stak zijn hand uit: “Hoe gaat het met u, meneer Barral? En met u, meneer Escorrigüela?”

Demi Gambús hoorde die naam en draaide zich onwillekeurig met een ruk om. Krijg nou wat, voor hem stond op zijn paasbest die vlerk van een Rafel Escorrigüela. Hij geloofde zijn ogen niet. Maar jawel, hij was het en hij glimlachte. Naast hem de vertegenwoordiger van de stakende arbeiders, een broekie in een donkere ribfluwelen broek en een zwart jasje, met bevende handen die een pet vasthielden. Hem ontsnapte: “Wat doe jij hier, Escorrigüela?”

“Hetzelfde als jij, ben ik bang, Demi.”

“U kent elkaar?” vroeg Venceslau Gallifa.

Demi Gambús stond perplex. Wat een ingehouden, maar continue geluksexplosie veroorzaakte in alle hersencircuits van Rafel

Escorrigüela, die op hun beurt door zijn hele lijf golven van welbehagen omlaag zonden. Voor momenten als deze was het de moeite waard af en toe in het stof te bijten. Hij kon een soort gierende, stompzinnige lachstuip die op zijn gezicht te lezen viel niet onderdrukken, alsof er een elektrische lading door hem heen ging. Hij schonk geen aandacht aan zijn vriends aanwezigheid en richtte zich tot Venceslau Gallifa: "We komen uit hetzelfde dorp, zijn samen opgegroeid en koesteren een oude vriendschap." Hij schraapte zijn keel en vervolgde met het allertreurigste gezicht dat hij kon voorwenden: "Ik hoop in alle oprechtheid dat het feit dat we elkaar van vroeger kennen geen bezwaar vormt."

"En waarom zou het dat moeten vormen?" vroeg provinciaal gedeputeerde Sostres, een vermoeid man die eruitzag als een vogel, met een haakneus in een asgrauw driehoekig gezicht, waaruit aan weerskanten twee oren als twee handvatten groeiden, alsof ze daar waren geplant. Hij had zin om aan de slag te gaan. Voor een provinciaal gedeputeerde was het maar niks om zich te moeten bezighouden met zo'n triviale zaak als een vuilnismannenstaking. Hij vervolgde: "Integendeel, misschien draagt het er wel toe bij om tot een goed akkoord te komen. Denkt u niet, meneer Barral?"

"Het is mij om het even. We moeten het toch over dezelfde dingen hebben. En het maakt totaal niet uit voor wat we moeten bespreken."

"Wijze woorden, jawel, meneer", rebbelde gedeputeerde Sostres.

Venceslau Gallifa wees naar de lege stoelen om de ovale tafel heen die het midden van zijn kantoor innam: "Maak het u gemakkelijk, bid ik u. Als u mij toestaat, neem ik het woord. Wel, in alle oprechtheid en in naam van de bedrijven die ik vertegenwoordig, moet ik beginnen met te zeggen dat we deze staking niet hebben zien aankomen. En dat we haar niet verdiend hebben. Maar ik zeg ook dat we tot een akkoord willen komen waar iedereen wel bij vaart. Wat de werknemers vanaf het begin weten. Daarom kunnen we hier en nu samen zijn."

Rafel Escorrigüela schraapte zijn keel, keek de aanwezigen aan, liet zijn blik enkele tellen langer dan noodzakelijk op Demi Gambús rusten en richtte zijn pijlen: "Daarom en vanwege de goede wil van de sociale partner die ik vertegenwoordig, meneer Gallifa."

"Uiteraard, uiteraard."

Rafel Escorrigüela was van wal gestoken. Hij ging door: "Mijne heren, de zaak is uit de hand gelopen. Daar zijn we het allemaal over eens. Laten we geen schuldigen zoeken, maar rechtvaardige, langdurige oplossingen. Ik ben er ten volle van overtuigd dat we deze zo onaangename toestand tot volle tevredenheid van beide partijen kunnen oplossen ..."

Gedeputeerde Sostres schraapte zijn keel en hoestte. Iedereen zweeg om naar hem te luisteren: "Namens het bestuur van de provincie Barcelona wil ik zeggen dat ik alleen hier ben om u aan één ding te herinneren: dat de belangen van onze stad boven die van ons onbeduidende personen gaan."

De heer Venceslau Gallifa keek hem wantrouwig aan. Rafel Escorrigüela hernam het woord: "Mijne heren, naar het mij toeschijnt, rust er op onze schouders een grote verantwoordelijkheid die we niet kunnen ontlopen en derhalve zal iedereen een beetje water bij de wijn moeten doen. Achter ons liggen een paar gebeurtenissen die nooit hadden mogen plaatsvinden ..."

Demi Gambús keek naar Escorrigüela en kon het maar niet geloven. Gedeputeerde Sostres knikkebolde en de vakbondsman zweeg. Gallifa maakte afgemeten zijn manchetknopen los, haalde zijn pochet uit zijn borstzak, asemde een keer flink tegen zijn bril en begon de glazen te poetsen. Hij bromde weer kortweg: "Als het nooit had mogen gebeuren, waarom is het dan gebeurd?"

Tegelijkertijd ging de heer Joan Rovira aan de andere kant van de stad de hoofdpoort van het herenhuis van de familie Gambús binnen. Hij werd meteen naar de eetkamer gebracht, die hij al kende. Het hele vertrek rook lekker naar geroosterd brood en koffie. Hij had zelf om het onderhoud gevraagd, maar die zonderlinge familie had geantwoord dat het alleen op dat ontijdig uur kon of helemaal niet. Het maakte niet uit. Een onderhoud om zeven uur kwam goed van pas om ten volle van de dag te kunnen profiteren.

"Goedemorgen, meneer Rovira."

Hij draaide zich om. Hij had niemand horen komen.

"Een heel goede morgen, mevrouw Gambús. Ik wilde u niet sto-

ren, ik hoop dat u niet door mijn schuld wakker bent geworden."
"Je zou kunnen zeggen van wel."
"Dat spijt me."
"Ik heb een heerlijk ontbijt laten klaarmaken."
"Dank u wel. Ik heb met uw zoon afgesproken."
"Dat weet ik. Hij is er niet. Hij bevindt zich in het kantoor van Higiènics Gallifa om te onderhandelen over beëindiging van deze zo onaangename vuilnisstaking. De gemeente heeft hem in vertrouwen gevraagd haar te vertegenwoordigen."
"Maar gistermiddag nog vroeg ik hem om een ontmoeting en kreeg ik dit positieve antwoord op mijn verzoek ..."
Hij begon in zijn zakken te graaien zonder zich uit de situatie te redden.
"Zoekt u niet meer, Rovira. Dat antwoord heb ik u gestuurd."
"U?"
"Ja. Juist omdat ik wist dat Demi er op dit uur niet zou zijn. Wat u hem te zeggen heeft, kunt u mij zeggen."
"Maar mevrouw, dwingt u me niet onhoffelijk te zijn. Ik wilde hém spreken."
"Ik dwing u tot niets, meneer Rovira. En ik begrijp uw verbazing, maar maakt u zich niet ongerust. Ik wil u alleen onder de aandacht brengen wat méér in uw belang is. Laten we ter zake komen: ik weet wie u bent, meneer Rovira. En waar u in stille uurtjes mee bezig bent."
"Wat wilt u zeggen? Waar zinspeelt u op? Normaliter twist ik niet met een dame, die bovendien mijn moeder zou kunnen zijn, maar ..."
"Wilt u dat ik u het reilen en zeilen van uw groepje samenzweerders uit de doeken doe? Een zeer hooggeplaatst iemand, iemand die zelfs u niet zult kennen, moest opperen dat het heel gunstig zou zijn om een lid van de familie Gambús in uw groepje op te nemen. En dat u geen vragen moest stellen."
Joan Rovira was zo beteuterd dat het bijna zielig was. Een van de favoriete tactieken van Miquela Gambús was iemand meteen vanaf het begin het gras voor de voeten weg te maaien. Ze drong aan: "Dat is toch zo, Rovira?"
Joan Rovira had er maar weinig tijd voor nodig om door te krijgen dat de oude dame die hij tegenover zich had alles was behalve

wat hij zich had voorgesteld: "U hebt het bijna letterlijk beschreven, mevrouw."

"Ik moet erkennen dat u me overviel: u schudt een troef uit uw mouw en belooft mijn zoon het burgemeestersambt. Gelukkig heb ik hem dit idee uit zijn hoofd kunnen praten. Op dit moment zou dat een grote vergissing zijn."

"En gelooft u dat er zich in de toekomst een betere gelegenheid zou kunnen voordoen?"

"Ja. Op dezelfde wijze dat ik mijn zoon in één richting heb overreed, zou ik hem in een andere kunnen overreden."

"Dat interesseert me."

"Dat weet ik. Laten we zeggen dat we elkaar wederzijds een dienst kunnen bewijzen."

"Ik ben een en al oor."

"Ik heb heel goede vrienden, Rovira. En heel hooggeplaatste. Ze houden me op de hoogte van de belangrijkste dingen die in mijn omgeving plaatsvinden. Maar desondanks moet ik toegeven dat me ten aanzien van Demi de laatste tijd snippers informatie ontsnappen. Ik maak me zorgen, ernstig zorgen. Het komt erop neer dat hij grote sommen geld besteedt met het excuus dat hij me met een nieuwe zaak wil verrassen. Ik neem aan dat u daar wel iets vanaf weet ..."

"Ik? Wat zou ik moeten weten van het financiële reilen en zeilen van uw zoon? Ik ben geen bankier."

"Rovira ..."

Joan Rovira nam een slok koffie, savoureerde hem, weerstond de blik van Miquela Gambús en haalde bakzeil. Een zesde zintuig zei hem dat dit het beste was om te doen: "Ja, mevrouw, dat is zo. In klinkende munt, in onroerend goed en in aandelen. Het is de laatste tijd onderwerp van gesprek. Hij heeft op grote schaal en in het geheim aankopen gedaan in het Reformagebied."

"Het Reformagebied?"

Deze keer was zíj verrast. Volgens de laatste informatie van Felip Dalmau bezocht Demi steeds weer het hoofdkwartier van de marine, lag zijn kantoor vol zeekaarten van de Catalaanse kust, bestudeerde hij verhandelingen over zeestromingen in de Middellandse Zee, had hij inlichtingen gevraagd over onderzeeboten waar de Duitsers proeven mee namen ... En dan zou hij nu in bouwterreinen beleggen? Wat voerde hij in zijn schild?

Rovira zuchtte en ging verder: "Ik herinner me bijna letterlijk wat hij me eergisteren zei: 'We zullen deze verduvelde wijk als een noot kraken en zelfs niet de doppen overlaten. Ik garandeer u dat ik, als ik al die bouwterreinen eenmaal in mijn bezit heb, ervoor zal zorgen dat ze in één jaar tijd twee keer zoveel waard zijn. En als de nieuwe gebouwen er eenmaal staan, zullen ze vijftien keer meer waard zijn.'"

Bazin Miquela glimlachte. Het was de snoeverige stijl van de familie. En hoe. Maar in Demi Gambús stak geen bouwvakker of onroerendgoedhandelaar. Het was haar duidelijk, hij kon Rovira en zijn vrienden misschien voor het lapje houden, maar haar niet. Demi bracht de wateren van de Reforma heftig in beroering zodat het bankwezen van Barcelona kwam kijken wat er aan de hand was. Op deze manier kreeg hij gedaan dat het niet een andere kant op keek. Maar waarheen? Ze kwam er nog wel achter.

"Daarom wilde u met mijn zoon praten, niet?"

"Precies. Mevrouw Miquela, u moet hem duidelijk maken dat hij niet maar in het wilde weg moet kopen. In slechts twee weken tijd heeft hij het voor elkaar gekregen dat die hongerlijders van eigenaren hun prijzen met twintig procent hebben verhoogd, terwijl ze tot nu toe bereid waren te verkopen voor slechts een fractie meer dan de habbekrats die de gemeente voor de gedwongen onteigening betaalde. Het is absurd, de beste weg is overeenstemming tussen de kopers, het is het beste voor ons allemaal ..."

Miquela Gambús sprak met Rovira af dat hij haar op de hoogte zou houden en dat zij zou proberen invloed op haar zoon uit te oefenen, zodat hij zijn manier van optreden zou matigen en zich in de toekomst aan de politiek zou wijden. En ze nam meteen afscheid van hem. Ze had genoeg gehoord, het was zo helder als glas: Demi nam iedereen botweg bij de neus. Maar ze moest te weten zien te komen waarom.

Het was of de klokken van de kathedraal het goede nieuws hadden verkondigd. Het geklingel van de belletjes van de muilezels die weer de straat waren opgegaan om de vuilniskarren te trekken kondigde het eind van de staking aan.

Als Rafel Escorrigüela stierenvechter was geweest, zou hij op de schouders van de heer Barral Higiènics Gallifa door de hoofdingang hebben verlaten. De heer Venceslau Gallifa klapte hem toe, huilde bijna van ontroering en beloofde Rafel dat hij in hoogsteigen persoon met zijn gezin bij hem thuis zou gaan dineren, dat ze in de toekomst zeker zaken zouden doen; gedeputeerde Sostres schreef discreet de naam van die zo veelbelovende jongeman op; zo'n doortastende onderhandelaar was een stevige factor om rekening mee te houden. Barral verdween heel omzichtig. En Demi Gambús, even verstomd als verbaasd, nodigde zijn vriend uit voor een heerlijk ontbijt op een fatsoenlijke plek.

Ze lieten zich naar de Plaça de Catalunya brengen. De zon scheen al fel en weerkaatste op de stoepen, in de winkel- en caféruiten, in de koperen platen bij de portiersloges, die Barcelonese artsen, ingenieurs, advocaten en notarissen bij name noemden. Ze gingen het Maison Dorée binnen, dat leeg en rustig was omdat de bureaucraten uit de buurt nog niet waren komen ontbijten. Ze gingen zitten op een kleine, gecapitonneerde sofa die voor een van de wanden van het café-restaurant stond. Het uitzicht op de Rambla de Canaletes was eersterangs. Op dat moment had een troep straatvegers net het opgehoopte vuil naast de drankkiosk opgeruimd. Demi Gambús strekte zijn armen naar boven en zijn benen onder de tafel uit. Gapend zei hij: "Rafel, ik sta paf. Ik zie dat ik je verkeerd heb beoordeeld."

"Nu ga je zeggen dat schijn bedriegt?"

"Nee dus, dat ga ik niet zeggen. Ik wilde je alleen maar namens mezelf bedanken. Het einde van de staking is ook goed voor mij. Mijn prestige schiet omhoog."

"Ik accepteer je excuus, op voorwaarde dat je me trakteert op een vorstelijk ontbijt."

"Afgesproken. En zeg eens, had je deze strategie al bij voorbaat bedacht?"

"Strategie? In feite heb ik niet meer gedaan dan de logica toepassen om me het kleine voordeel ten nutte te maken dat ik ten opzichte van het andere lid van de arbeidersdelegatie had: minimale onkosten en maximaal rendement voor beide partijen. Het is niet te geloven dat ik het nog moet uitleggen, het is geen geheim: verhoging van de productie, kostenverlaging, toename van de opbrengsten en bijgevolg salarisverhoging en vernietiging van het zaad van de sociale revolte ... Je moet erkennen dat de enige verdediging die de arbeiders hebben is zich te verenigen, in vakbonden, in partijen, wat dan ook: zich organiseren. Ik vind het logisch en normaal. Als we meer zouden doen om hen te begrijpen, zouden we onszelf meer problemen besparen."

Demi Gambús bestudeerde hem aandachtig. Rafel was euforisch. Hij leek zijn mannetje te staan en sprak bovendien in meervoud. 'We ...'

"Mijn moeder vraagt vaak naar je. Ze gelooft haar oren niet, als ik haar van vandaag vertel."

Rafel Escorrigüela glimlachte bitter: "Wees daar maar niet zo zeker van ..."

Een ober had net een dienblad vol sandwiches gebracht, besmeerd met boter en een dikke laag kaviaar. Een andere ober, in het kielzog van de eerste, bracht een fles champagne.

"Vandaag ben jij eregast."

"Wat een luxe!"

Ze klonken en begonnen hun sandwiches op te eten. Demi Gambús kon het maar niet geloven: "Telkens als Gallifa de druk opvoerde, protesteerde Barral. Wij keken naar jou, je zei hem stil te zijn en hij luisterde naar je! Barral hield zijn mond en keek naar het plafond, terwijl jij met ons tot een overeenkomst kwam!"

Rafel Escorrigüela zag op een van de zuilen midden in het café een aankondiging hangen: 'Don Josep Boronat zal vanavond om negen uur een spreekbeurt houden over het thema *Invloed van de vrouw op de sociale problemen.* Plaats: gemeenschapshuis van de Unió d'Obrers Mecànics, Carrer Tantarantana 23.' Alle monteurs kunnen de pot op en don Josep Boronat voorop. Dit was pas leven. Die zwarte bolletjes die hij opschrokte waren leven. Niets haalde het bij het genot dat hij ervoer. En helemaal op het moment dat Demi Gambús hem zei dat ze voor morgen moesten afspreken om eens in alle rust over zaken te praten: "Ik heb zoiets groots bij de hand dat jij het je niet eens kunt voorstellen."

"Probeer het maar, ik heb een groot voorstellingsvermogen."

Demi Gambús luisterde niet. Hij zei: "Ik heb mensen als jij aan mijn zijde nodig."

"Je kunt op me rekenen, Demi."

"Na vandaag heb ik geen enkel bewijs meer nodig van je capaciteiten. En opdat je ziet dat ik niet zomaar wat zeg ... Hier."

Hij haalde zijn horloge uit zijn vestzakje en gaf het hem met ketting en al.

"Demi, dat kan ik niet aannemen."

"En welzeker kan je dat. Het is een geschenk als bewijs van dankbaarheid en vertrouwen."

"Akkoord, ik neem het aan. En ik verzeker je dat het voor mij veel belangrijker is dan je denkt. Ik wil je een voorstel doen, waarom nemen we het er vanavond niet flink van? Laten we het vieren, net als vroeger. Waarom souperen we niet samen?"

"Onmogelijk."

"Demi, laat me niet lachen, voor jou is niets onmogelijk. Kom ..."

"Onmogelijk, er is nog een hangende kwestie die ik vanavond bij de kop denk te pakken."

"Nou, dan kom ik je na het avondeten halen en ..."

"Het kan verdomme niet, Rafel!"

"Het is al goed, man, het is al goed, je hoeft je niet zo op te winden ..."

"Sorry, ik leg het je een dezer dagen nog wel uit ... Het is erg belangrijk."

En uit de toon waarop hij het onderwerp kortweg afkapte, werd duidelijk dat hij het er niet meer over wilde hebben.

De reden lag voor de hand. Deogràcies-Miquel Gambús had om precies twee uur 's nachts een afspraak met Nonnita Serrallac. Het was zover.

Demi Gambús en Rafel Escorrigüela namen afscheid met de belofte elkaar de volgende dag na het middageten te ontmoeten en eens flink aan de slag te gaan.

De een ging naar huis, hij had zin om eerst een stevig uiltje te knappen en dan zijn moeder alles te vertellen. De ander bleef nog even in het Maison Dorée. Hij bestelde een tweede dienblad met dat lekkere spul, je moest de dag plukken. En terwijl hij met zijn tong zijn tanden schoonlikte, die vol zwarte puntjes zaten, piekerde hij erover wat dat belangrijks wel niet kon zijn dat zijn vriend verhinderde met hem uit te gaan en hem ongetwijfeld zo nerveus maakte.

Demi Gambús ging slapen. Hij viel om van de slaap. Hij

droomde dat zijn moeder op de dag van haar feest Rafel Escorrigüela als erfgenaam aanwees en hém op straat zette. Een heuse nachtmerrie. Hij werd wakker en had erge dorst. Hij herinnerde zich dat het vannacht de grote nacht van de weddenschap was. Hij was er helemaal niet bang voor. Hij was er zeker van dat hij zou winnen. Nonnita Serrallac was een pechvogel, tot alles bereid, wanhopig. En de ervaring had Demi Gambús geleerd dat je in zo'n geval altijd het onderspit dolf. Je was dan niet in de beste positie om te vechten. Het zou leuk worden. Hij zou zich met haar amuseren. Hij zou van haar winnen en erna zou hij wel kijken hoe hij haar kon helpen. Hij kon haar naar Alcagaire sturen om te bevallen ... En terwijl hij nadacht, keek hij in de spiegel en waste gezicht en handen in de lampetkom naast zijn bed. Een dikke haarlok die eruitzag als een vreemde kuif, liep puntig vanaf een oor omhoog. Hij keek echter naar zijn ogen. Zijn oren wilde hij al niet meer zien. Hij had een paar uur geslapen en het was niet genoeg. Hij hoorde op de deur kloppen en hij deed open. Het was een van de knechten, ongerust: "Er is een mevrouw die u wil spreken."

"Wie is het?"

"Mevrouw de weduwe Roca."

Dat vond hij vreemd. Vanaf het begin hadden ze afgesproken dat ze nooit bij elkaar over de vloer zouden komen. Daarom hadden ze in de Carrer de Fontanella een onopvallend flatje, dat dienstdeed als liefdesnest.

"Breng haar naar mijn kantoor."

Een paar tellen later geklop, de deur ging open en de weduwe Roca kwam binnen. Demi draaide zich om. Ze zag er verpletterend uit in haar transparante jurk van witzijden mousseline, licht en fijntjes, en in haar hand een parasol die bij haar gebroken witte hoed paste. Ze was fris als een roos. Ze was waarschijnlijk pas tegen de tijd van het middageten opgestaan, niet als hij die 's ochtends vroeg al, toen het nog donker was, een bijeenkomst over mest en afval had. Ze kusten elkaar zacht op de lippen.

"Wat is er, liefje?"

Ze bleef voor hem staan en keek naar de grond.

"Demi, wat we samen hebben kan niet. Ik ben het beu me altijd te moeten verstoppen."

"Nou, verstop je dan niet." Hij pakte haar bij haar middel. "Iedereen weet het toch."

"Dat weet ik wel, wat denk je, dat ik gek ben?"

Ze maakte zich een beetje van hem los en probeerde de rebelse haarlok plat te drukken. Demi profiteerde ervan door haar nog een zoen te geven, maar ze wendde haar gezicht af.

"Demi, je doet al een halfjaar met me wat je wilt, zelfs de allerlaagste dingen."

"Het lijkt je anders niet tegen te staan."

"Doe niet zo grof."

"Vergeef me."

"Het maakt me niet uit. We zijn volwassen en niemand heeft er iets mee te maken. Maar het is ook waar dat het zo niet kan doorgaan."

"Maar wat heb je toch? Vijf minuten geleden sliep ik nog. Ik ben nog niet helemaal wakker. Kom je me de les lezen?"

"Nee. Ik ben gekomen om je te vragen of je mij wilt vragen met je te trouwen."

"Kan je dat nog eens herhalen? Het is net een woordraadsel ..."

"Ik maak geen grapje, Demi, je hebt me goed gehoord."

"We hebben het er een andere keer over, als het je niet uitmaakt."

De vrouw ging zitten. Ze was verdrietig en stond op het punt in huilen uit te barsten. Maar ze hield zich flink. Ze was vastberaden hiernaartoe gekomen en dacht er niet over weg te gaan zonder af te maken wat ze begonnen was.

"Wil je het niet eens in overweging nemen, dat van het huwelijk?"

"Ik heb je al gezegd dat dit niet het geschikte moment is. Ik sta op het punt om de teugels van de familiezaken in handen te krijgen, mijn moeder gaat met pensioen en wil naar het dorp teruggaan. Laten we het zo doen: ik beloof je plechtig dat we er na de zomer over praten."

"Dat kan niet. Hou je van mij, Demi?"

"Natuurlijk."

"Laten we het er dan nu over hebben."

"Nu kan het niet, verdomme! Wat scheelt je, Merceneta? Je valt zonder waarschuwing bij me binnen ..."

"Als je er nu niet over wilt praten, hou je niet van me."

"Merceneta, voel je je wel goed?"

"Beter dan ooit. Zeg alleen maar ja of nee. Verloven we ons, Demi?"

"Later, je weet dat ik van je hou, dat ..."

"Dan is het dus uit. Ik heb een huwelijksaanzoek gekregen. Van de oude vrijer van huize Moixoni. Ik denk erover het te aanvaarden. Hij loopt al tijden achter me aan."

"Maar wat zeg je me nou? Dat is een ouwe vent! Ik kan niet geloven dat je het serieus meent."

"Geloof me maar. Het spijt me heel erg. Maar zo liggen de zaken."

"Dat je trouwt met Manel Moixoni wil niet zeggen dat jij en ik ..."

"Vaarwel. Je moet het zelf weten. O! En val een beetje dood, Demi ..."

Ze draaide zich op haar hakken om en liet hem verbouwereerd achter.

Demi Gambús keek haar enigzins onthutst na. Hij was het niet gewend dat mensen hem met zijn mond vol tanden lieten staan. Hij ging op de bank zitten. Vaarwel? Hij stond op en schreeuwde naar de deur: "Nou, de groeten! Je komt nog wel terug!"

Hij sloeg met zijn vuist op de bank en nam een strychninepil.

Hij deed een van de elektrische lampen aan en ging aan zijn grote project werken. Een paar minuten later zweefde nog altijd een zwakke herinnering aan het parfum van de weduwe door de kamer ... Hij moest met duizenden details rekening houden. Vrouwen! Werken met het buitenland ging traag, moeizaam en risicovol ... Hij concentreerde zich en dacht al niet meer aan de weduwe Roca.

Bovendien zouden de bankiers van Barcelona zich nu wel heel erg zorgen beginnen te maken en moest hij voorzichtig te werk gaan ...

Demi Gambús at zijn avondeten alleen in zijn kamer. Hij had ineens geen zin meer om met zijn moeder aan één tafel te zitten. Hij had er geen behoefte aan haar de ochtendlijke heldendaden van Rafel Escorrigüela te moeten vertellen.

Klokslag kwart over één 's nachts kleedde hij zich haastig aan en ging weg. Links onder zijn oksel het pistool; rechts in een geheim vestzakje het geld. Hij ging naar de kamer van zijn moeder. Ze was op dat tijdstip nog vaak op. Maar hij zag dat ze al sliep. Hij bekeek haar. De grote Miquela sliep.

En snel naar de Rambla. Er waren maar weinig voetgangers op pad en de weergalm van de stappen van de enkeling die er op dat tijdstip liep, ijlde deze ver vooruit. Eenmaal op de Rambla sloeg hij de Carrer Nou in. Gehaast, zonder links of rechts te kijken. Het was midden in de nacht en er reden nog steeds vuilniswagens rond. Barcelona zweette organische en anorganische resten uit. Het zou nog wel een paar dagen duren voor alles er weer schoon, opgepoetst en toonbaar bij lag. Ze moesten de verloren tijd inhalen. Demi Gambús liep helemaal alleen, in stilte. Hij vond dat de mannen en vrouwen die hij tegenkwam er opgebrand en kleurloos uitzagen. Hij dacht na. En aangezien hij nadacht, had hij niet in de gaten dat iemand hem op een beetje klungelige manier achtervolgde. Als hij zich had omgedraaid, zou hij een man hebben gezien die zich tegen de muren van de huizen in die straat drukte, iemand in de schaduw van het gebladerte van de mispelbomen die zich over de muren van particuliere tuinen bogen. Hij keek voor zich uit en dacht na: verderop, niet veel verderop, werd het lichter. Het was de Paralelo, die lichtjes, mensen, koetsen, sjezen, automobielen, trams beloofde; maar zolang hij er niet was, leek het of hij zich in een luwte bevond. Hij had een smaak in zijn mond alsof hij stof hapte. Dat had hij altijd als hij zenuwachtig was. Hij kwam uit op de Paralelo, die lawaaierig en druk was. Hij zag een bedrijvig jongetje dat het houten blad van zijn kraampje vol pinda's, kokosnoot, zonnebloempitten en zoethout opwreef. De melodie van het orgeltje van Soriano, dat flitsend en snel de *Blauwe Donau* inzette, kwam hem vanaf de overkant van de boulevard tegemoet, alsof het hem met een zoetgevooisde en tegelijkertijd autoritaire stem riep. Maar het waren afscheidsklanken. De laatste toeschouwers kwamen naar buiten. Hij bleef ineens staan. Hij wilde zien hoe de lichten in het theater uitgingen. Hij wilde het horloge uit zijn vestzak halen. Het was er niet. Hij herinnerde zich dat hij het aan die onuitstaanbare Escorrigüela had gegeven. Hij besloot Café Sevilla binnen te gaan om tot bedaren te komen. Op de wandklok was het tien over halftwee. Nog twintig minuten tot het rendez-vous. Op dat uur was er geen voorstelling, maar het was er behoorlijk vol: oude en jonge mannen, meer petten dan hoeden, niets nieuws, iedereen schreeuwde hard. Hij ging aan de bar staan, haalde zijn zilveren doosje tevoorschijn en spoelde met een slok bier een strychninepil weg. Binnen vijf minuten voelde hij een polka in het binnenste van zijn aderen. Hij had het nodig, hij werd al misselijk bij de gedachte alleen dat hij in die stomme duif moest bijten. Een zeeman naast hem spuugde een grote, bruinachtige fluim op de grond. Een van de serveersters achter de bar zag het, rilde en keek weg. Vóór hem legde een vaste klant, met de pet, de stank en de trompet van een vuilnisman, schreeuwend uit hoe ze de wil van de werkgevers hadden gebroken. Hij moest de hele dag gewerkt hebben, want hij was van top tot teen pikzwart. Hij had zojuist zijn handen gewassen, het enige deel van zijn lichaam dat wit was; tot aan zijn polsen, alsof hij handschoenen droeg. Een meisje serveerde hem een glaasje brandewijn. De bedrijfsleider zei van achter de toog: "Je zou moeten trouwen, want jullie vuilnismannen hebben een goed dagloon. Na de staking nog beter."

De aangesprokene krabde zich op zijn hoofd en antwoordde met zijn pet in zijn hand: "Nog niet."

Demi Gambús dacht: kijk eens aan, net als ik.

"Nou, binnenkort ben je een ouwe lul die niemand meer wil hebben."

Hij hield het niet meer uit en ging de straat op. Het was vijf voor twee. Naast hem tegen de muur een paar meisjes, slonzig, bloedjong, in houdingen die eerder deerniswekkend dan verleidelijk waren; een beetje verderop, voor het Arnau, waren jongetjes en meisjes aan het spelen. Zo laat nog, een troep kinderen, vuil, met gescheurde kleding, met opgedroogd snot onder hun neus en kwijlende monden. Ze vochten als hondjes, het zouden wel kinderen van revuemeisjes zijn die op straat de tijd doodsloegen, onderling vechtend, tot hun moeders klaar waren met werken.

Iemand duwde hem zonder omhaal bij de deur van het Sevilla weg. Hij werd niet boos, dat was vrij normaal. Het was de zeeman die zijn fluim op de grond had gespuugd. Hij was dronken. Hij begon de meisjes te bekijken. Hij keek eens goed. En de uitdrukking op zijn gezicht ging van verbazing naar afkeer en eindigde in minachting. Hij opende zijn mond, er kwam niets, uiteindelijk ontsnapte hem een boer en hij riep uit: "Ik begrijp het niet, zijn dit kinderen of hoeren?"

En hij ging Café Sevilla binnen om het te vragen. In een impuls stak Demi Gambús de Paralelo over. Hij liep voorbij theater Nou, waar een employé de deur sloot met een ijzeren staaf en een flinke ketting. In theater Soriano ernaast was het stil. Het was precies twee uur.

Uit zijn shagbuil haalde hij een van de sigaretten die hij 's middags had gedraaid. Hij zocht de aansteker in zijn zak, toen hij merkte dat iemand hem op zijn schouder tikte. Hij draaide zich om en zij was het, Nonnita Serrallac met haar dikke buik, die naar buiten was gekomen om hem te halen.

Ze keek naar links en naar rechts.

"Vertrouw je het nog altijd niet? Ik ben alleen gekomen, zoals we hebben afgesproken."

Ze antwoordde niet en bleef naar links en naar rechts spieden. Alles leek in orde. Ze opende een zijdeurtje en gaf hem een teken. Hij liep achter haar aan naar binnen. Het deurtje ging dicht en alles was weer stil.

Een paar tellen later stak een tweede persoon de Paralelo over en liep op de dienstingang van Soriano af. Hij bekeek de deur stilletjes. Besluiteloos wachtte hij een moment lang. Hij bevond zich in een hachelijke positie, zolang hij daar pal voor de deur stilstond. Rechts zag hij het Café de la Tranquilidad in vol bedrijf. Hij ging er zonder nadenken binnen. Als Demi ineens naar buiten kwam en ze elkaar ontmoetten, kon hij het altijd aan stom toeval toeschrijven. Waarom niet? Het was Rafel Escorrigüela, ongerust omdat hij zijn vriend voor niets was gevolgd: zoveel toestanden om uiteindelijk te ontdekken dat de grote Demi Gambús het hield met een zwangere van de Paralelo? Wat een ontgoocheling ...

Rafel Escorrigüela had ongeduldig gewacht tot de nacht gevallen was. Het was lang geleden dat hij die zo karakteristieke schittering in de ogen van Demi Gambús had gezien. Hij was echt opgewonden. Wat was hij van plan? Hij had er de hele middag op zitten broeden. Een rendez-vous? Misschien wel. En als het dat niet was, wat zou het dan wel zijn? Een geheim genootschap? Stel dat Demi vrijmetselaar was, rozenkruiser of lid van een van die vreemde broederschappen? En als het een nachtelijke bijeenkomst was om een politiek complot te organiseren? Wat voor zin had het anders om tot rond halftwee 's nachts thuis te blijven? Een afspraak zo laat 's nachts was heel vreemd. Wat het ook was, hij nam zich voor erbovenop te zitten. Kennis was macht. En Demi Gambús had de vergissing begaan tegenover hem loslippig te zijn. Toen deze dat merkte, was het al te laat. Als Demi Gambús een geheim had en dit geheim stelde iets voor, zou hij, Rafel Escorrigüela, erachter komen. De dag was fantastisch goed begonnen en had een vervolg gekregen op een manier die niet beter kon. Daarom had hij de moeite genomen om de hele avond te wachten tot Demi Gambús naar buiten kwam en was hij achter hem aan gegaan. Met een beetje geluk kon hij die prachtige dag bekronen met een fantastische nacht. Maar nee: nu kwam Gambús met die onzin aanzetten! Had die grand seigneur nu zijn zinnen gezet op zwangere vrouwen? Wat een ontgoocheling ... Was dat de grote zaak? Was dat het grote geheim? De heer Deogràcies-Miquel Gambús kende geen grenzen, dat bleek wel. Wat een smeerlap. Hoeveel zou hij dat liederlijke mens betaald hebben? Hij had geen zin om weer naar huis te gaan en kreeg een soort morbide verlangen in de wetenschap dat, terwijl hij een biertje dronk, Demi Gambús het ernaast, misschien wel aan de andere kant van de muur, met die komediante deed. Maar de verveling won het meteen. Hij legde geld op tafel, stond op en ging weg. Het was een hond die met zijn staart tussen zijn poten naar huis terugkeerde.

22

Binnen liep alles op rolletjes. De doelmatigheid van Nonnita Serrallac was volkomen, absoluut en afdoende. Ze had alles voorbereid. Ze bracht Demi Gambús naar het toneel en toonde hem de verhoging waar ze de weddenschap zouden houden. Ze stelde hem voor naar de loods achterin te gaan, waar de dieren waren. Eerst wilde hij niet, maar met een paar woorden wist ze hem over te halen. Ze zei dat ze zenuwachtig was, dat alles binnen vijf minuten klaar zou staan, maar dat het haar al met al in de tussentijd ontspande als ze hem liet zien waar de dieren waren en hoe ze het zouden doen. Ze wilde hem eigenlijk buiten hebben zodat er achteraf niet de geringste aanwijzing bestond dat hij in het theater was geweest. Eenmaal buiten rook hij een vreselijke stank, die afkomstig was van een paarse kar.

“Wat stinkt hier zo?”

“Een van de medewerkers heeft zijn kar aan de gemeente verhuurd om te helpen bij het vuil ophalen en ...”

Ze staakte haar uitleg. Terwijl ze sprak zag ze hoe Eustaqui Guillaumet hem van achteren naderde. Hij sloeg Demi Gambús met een knuppel in zijn nek. Deze ging onderuit zonder zijn bewustzijn helemaal te verliezen en greep instinctief met zijn hand naar zijn oksel om zijn pistool te trekken. Maar Eustaqui Guillaumet was sneller omdat Nonnita Serrallac hem al had verteld waar Demi Gambús zijn wapen droeg. Eustaqui sprong boven op hem en het meisje was bang dat hij misschien een van Demi’s ribben had gebroken. Hij hield hem een paar tellen in de houdgreep, lang genoeg om hem te doen inslapen met een pluk watten die met chloroform doordrenkt was. Demi Gambús spartelde een paar keer, maar moest het onderspit delven. En hij raakte van de wereld met een gezicht waar de afkeer van af te lezen viel.

Eustaqui Guillaumet kwam overeind en doorzocht hem. Hij pakte zijn pistool en stopte het in zijn eigen zak. Hij schudde hem als een ledenpop dooreen. Hij begon hem bijna opgewekt te fouilleren en had meteen beet: hij trok Demi zijn colbertje uit en aan de binnenkant van het vest sprong de stapel bankbiljetten op een bijna obscene manier in het oog. Met een mesje maakte hij een scheur in de voering. De bankbiljetten werden bijeengehouden door een papieren wikkel. Als gehypnotiseerd bekeek het meisje het allemaal van anderhalve meter afstand. Er was geen weg terug. Eustaqui overhandigde haar plechtig het geld. Ze nam het aan en hield het zonder het te tellen vast.

"Ik knevel hem en we maken dat we wegkomen, niet, bazin?"

"Ja."

Hij deed het snel en goed. Toen hij klaar was, keek hij naar het meisje en wachtte op nieuwe instructies. Ze keek hem aan en zei met een halve glimlach: "Ik denk dat we van plan veranderen."

Nonnita Serrallac had net besloten dat ze Demi Gambús niet alleen zouden beroven. "We hebben net een vis gevangen die heel veel geld waard is. Niemand kan hem met ons in verband brengen. We nemen het visje mee, houden het vers en proberen er intussen een slaatje uit te slaan. Zijn familie betaalt wat we eisen. Wat vind je ervan?"

Eustaqui Guillaumet was verwonderd en besluiteloos. Het muntje viel heel langzaam. Hij dacht: de bazin heeft het over vissen. We nemen deze vis mee. Weet ze wel dat het een grote vangst is?

"Het is een joekel van een vis, bazin, hebben we wel voldoende net om hem vast te houden?"

"Ik denk van wel."

"Nou dan, vooruit dan. U hebt het voor het zeggen."

Ze stopten een prop in zijn mond, pakten hem in een stuk zeildoek en laadden hem op de kar. Het was net of ze een mummie vervoerden. Toen hij eenmaal lag, bedekten ze hem met de mest en het vuilnis dat op de wagen lag. Niemand zou die kar vol viezigheid aanhouden. En zeker vannacht niet, nu Barcelona nog vergeven was van de stank van afval in staat van ontbinding. Ze sloten alles goed af en reden de Paralelo op. Hun voorlopige bestemming was haar woning.

Ze kon niet geloven dat alles zo makkelijk ging.

Ze legden het traject in stilte af, terwijl ze met hun volle aandacht bij hun vracht waren. Er gebeurde niets. Alleen toen ze langs het bewaakte bouwterrein vlak bij het huis van Nonnita Serrallac kwamen, begon de hond van de bewaker te snuffelen en te blaffen. De man liep met een onvriendelijk gezicht op de kar af, maar toen hij zag dat ook Nonnita Serrallac op de bok zat, glimlachte hij. Hij hief zijn hand op en groette. De hond bleef maar blaffen. Iemand stak zijn hoofd uit een raam en protesteerde.

"Wat zou hij geroken hebben?" vroeg de bewaker zich af.

"Wie zal het weten met zoveel afval, een dode kat ..." antwoordde ze.

De man maande zijn hond stil te zijn en wenste goedenacht. Ze kwamen aan en Eustaqui Guillaumet hielp Nonnita uitstappen. En hij verwonderde zich erover dat ze glimlachte. Hij wist niet dat ze op dat moment omringd was door dode vrienden en bekenden, die haar begroetten en haar moed inspraken. Omdat de doden soms zichzelf vergeten en de afgunst verliezen die hen kenmerkt.

Eustaqui Guillaumet laadde Demi Gambús op zijn schouders en begon in het donker snel naar boven te lopen. Hij floot een wijsje uit Vila-rodona dat tijdens de wijnoogst wordt gezongen en stopte pas toen hij helemaal boven was. Ter hoogte van de flat van Nonnita Serrallac voegden Tomàs en de papegaai Trinitat zich bij hem, nieuwsgierig geworden door deze ongewone inbreuk op hun routine. Eenmaal op het dakterras wierp Eustaqui Guillaumet het pak op de grond en maakte een soort ligplaats klaar in het duivenhok, waar ze hem zolang zouden opsluiten tot zijn moeder met het geld op de proppen zou komen. Geen enkel probleem. Eustaqui Guillaumet had nooit een probleem. Hij vond die vent die hij als een rollade had opgerold een klootzak, die wat dan ook verdiende dat hem vanaf nu zou overkomen. Telkens als hij dacht aan het relaas van de verkrachting rezen zijn haren hem te berge en kreeg hij zin om hem te wurgen.

Het duurde nog vijf minuten voor Nonnita Serrallac boven was. Elke trede leek wel een berg. En eenmaal op het dakterras moest ze even op de balustrade leunen om op adem te komen. In het maanlicht ademde haar verschijning, half bezweet en met warrig kapsel, van alle kanten leven uit.

Het was helemaal niet goed voor een zwangere vrouw om zich zoveel zorgen te moeten maken, dacht Eustaqui: mensen ontvoeren, de zorg hebben voor haar vriend Tomàs, die telkens gestoorder werd, haar zwangerschap zien te voldragen ... Hij voelde grote bewondering voor haar. Hij bewonderde haar zozeer dat hij niet eens verliefd op haar kon worden.

"Hier bestaat geen enkel gevaar dat iemand hem ziet", zei het meisje, moeizaam ademhalend.

Het hele gebouw stond leeg en ook de twee aanpalende, aan weerskanten. Ze waren een paar dagen geleden ontruimd: de Reforma vorderde snel. Het eerste stuk, tussen de Plaça de l'Àngel en de Passeig de Colom, was al geëffend. Het tweede stuk, tot aan de Plaça Urquinaona, was officieus net begonnen: de eerste huizen van de straten Vidal, Avellana en Tarascó werden gesloopt.

Nonnita Serrallac gaf de opdracht Gambús helemaal uit te kleden. Piemelnaakt. Om hem te vernederen en een mogelijke ontsnapping moeilijk te maken. En dat hij vastgebonden moest worden, met een prop in zijn mond: "We moeten geen enkel risico lopen."

Ze had wat tijd nodig om te bedenken hoe ze het precies zou doen. Ze liep het duivenhok uit en liep een voor een de treden af tot aan haar overloop.

Terwijl Tomàs en de papegaai toekeken, maakte Eustaqui Demi Gambús los. Nog een paar minuten en hij was dood geweest, gestikt. Het zou hem niet hebben kunnen schelen.

Beneden wachten alle doden reikhalzend en vol verwachting op hun vriendin. Ze zijn zo tevreden dat ze een moment lang meer van deze dan van de andere wereld lijken. En ze is hun voor deze geste oneindig dankbaar. Al haar kleine doden zijn vannacht tenminste solidair met haar. En ze lopen voor haar, achter haar en naast haar, terwijl ze een fanfare van doden vormen, rommeldebom, een hoempapaorkest van geesten, rommeldebom, een sardanaorkest, rommeldebom, en met Nonnita Serrallac vieren ze dat zij Gambús tenminste in het duivenhok achter slot en grendel heeft, ingepakt als een worst. Ze zijn blij voor haar en kijken haar vol verwachting aan: misschien staat ze hun voor de eerste keer toe bij haar thuis binnen te gaan ... Maar nee, alles heeft zijn grenzen en Nonnita Serrallac weet maar al te goed hoever ze kunnen gaan. Ze schudt heel grappig nee met haar wijsvinger en sluit haar deur voor hun neus.

Voor haar had deze dag behoorlijk wat opgeleverd, wat niet van Demi Gambús gezegd kon worden: ze moest aan hem denken daar in de kar, kopje-onder in een zee van stront, en onwillekeurig ontsnapte haar een volslagen idiote glimlach.

DERDE DEEL

23

De ontvoering van Demi Gambús duurde bijna anderhalve maand. In die tijd won hij aan wijsheid en verloor hij kilo's. Als gijzelaar deed hij het niet slechter of beter dan willekeurig wie in dezelfde omstandigheden: soms opgewekt, soms terneergeslagen. Hij ontsnapte niet, omdat de noodzakelijke minimale voorwaarden zich niet voordeden. En vooral omdat hij er te lang over deed om in te zien dat wat hem overkwam echt was, niet slechts een grap. Hij deed er te lang over om te reageren. Toen hij dat merkte, was het al te laat.

De dag na zijn ontvoering wekte hem het gekriebel van een zonnestraal op zijn nog gesloten ogen, een zonnestraal die door de kieren tussen een paar dikke planken binnenviel. Hij had een barstende hoofdpijn als gevolg van de klap met de knuppel en de chloroform. Bovendien stonk hij een uur in de wind naar het afval dat was gebruikt om hem onder te verbergen. Hij opende zijn ogen. Hij wist niet waar hij was. Hij lag uitgestrekt op zijn zij op een strozak die zich in een soort houten keet bevond. Hij wilde opstaan, maar kon het niet: ze hadden een prop in zijn mond gestopt en zijn handen op zijn rug gebonden en aan de muur vastgemaakt. Bovendien was hij naakt als een boreling. Er was niemand. In een eerste opwelling wilde hij gaan schreeuwen. Hij deed het. Hij schreeuwde een behoorlijke tijd lang zijn longen uit zijn lijf, maar door de prop bracht hij enkel een dof, betekenisloos geluid voort. Hij kreeg er genoeg van, want hij ademde moeilijk. Hij werd langzamerhand steeds pissiger. Het was duidelijk dat die zwangere teef zich wilde wreken. Hij zou haar van kant maken, hij zou haar opensnijden en dat klotekind dat ze droeg uit haar buik rukken en ... Wat stom om zich zo te laten beetnemen! Ze had zijn geld gepikt en nu dit grapje.

Woedend trok hij uit alle macht aan het touw en deed zich pijn. Hij schreeuwde weer: niets aan te doen. De prop bleef zitten. Hij zweeg en luisterde. Hij stonk zelf zo erg dat hij pas in tweede instantie de duivendrek om zich heen rook. Hij had er geen flauw benul van waar hij was. In een duivenhok dus, maar waar? Heel zwakjes waren stemmen en geluiden te horen, als van mensen die aan het werk zijn; ook klokgelui dat van verschillende kanten kwam, dichterbij of verderaf: ongetwijfeld een buurt met een aantal klokkentorens. Wat maakte het uit ...

Hij gaf zich opnieuw over aan het verleidelijk wegzinken in de slaap. Een poosje later werd hij weer wakker. Zijn hele lijf deed hem pijn, hij had gezwollen handen. Hij wist dat het geen nachtmerrie was en begon af te wachten. Hij bleef helemaal alleen. Hij gaapte en trok zijn knieën tot zijn borst op. De kier tussen de twee planken vóór hem was zo groot dat er een hand door kon. Zo kon hij zien hoe de zon haar baan vervolgde. En hoe ze onderging en het donker werd. Een hele dag alleen, vastgebonden en aan zijn lot overgelaten. En als dat gestoorde rotwijf hem had gepakt om hem aan zijn lot over te laten? En als ze van plan was zich te wreken door hem van hitte, honger en dorst te laten omkomen? Hij zat diep in de nesten. Hij probeerde zich los te wringen, zonder er in te slagen van houding te veranderen. Waarom kwam er niemand, al was het maar om hem een aframmeling te geven? Maar er was niemand te bekennen.

Hij viel in een bodemloze slaap. Midden in de nacht werd hij wakker en schrok zich dood: er was een man met het gezicht van een gek die hem strak aankeek. Hij begon te zuchten, te hijgen, te kronkelen in een poging diens aandacht te trekken, maar de man keek naar hem zonder ook maar een spier te vertrekken. Dat ging zo een tijdje onveranderlijk door. Zelfs in zijn ergste dromen had hij nog nooit zoiets meegemaakt. Een eeuwigheid later trok hij de conclusie dat dat individu, bewegingloos als een standbeeld, met open ogen sliep, wat hem zo bang maakte dat hij onbeheerst begon te trillen. En híj deed zijn ogen wél stijf dicht. Toen hij ze even opende, meende hij een papegaai te zien. Ervan overtuigd dat hij hallucineerde, sloot hij ze weer en beloofde zichzelf ze pas weer open te doen als ze hem ertoe dwongen. En het gekke was dat dat gezicht hem niet onbekend voorkwam. Hij had geluk en viel in slaap.

De 22ste juni was een dinsdag en op het Internationaal Concours Hippique, op de paradeplaats van het Parc de la Ciutadella, had de haute volée van Barcelona het maar over twee of drie dingen: wie de nieuwe burgemeester zou worden, het verontrustende nieuws uit Melilla en de hitte om drie uur 's middags. Wat het eerste onderwerp betreft wist niemand er het fijne van en sloot men niet uit dat de regering tegen de traditie in de burgemeester niet zou kiezen uit gezaghebbende personages uit de wereld van handel of industrie, maar een veel politiekere keus zou maken om de gemeenteraad met zijn meerderheid van lerrouxisten van nabij te kunnen controleren. De hitte was het perfecte excuus voor het elegante gezelschap om de *foyer* te bezoeken en wandelend op de *pelouse* praalden de mannen en vrouwen uit Barcelona die het zich konden permitteren met de schitterende *toilettes* van het seizoen. Mevrouwen, mejuffrouwen, gravinnen, generaalsvrouwen, baronnessen en markiezinnen: ze babbelden honderduit. Een paar jonge meisjes die halsreikend naar Maria Hemelvaart uitkeken om dan hun maatschappelijk debuut te maken, draaiden om een van de militairen heen die aan het concours meedeed, ondanks het stof onberispelijk en om door een ringetje te halen. Hij was net uit Melilla aangekomen. Ondanks zijn jonge leeftijd was hij al veteraan. Ze luisterden in vervoering naar hem en met iets van onrust in hun lijf dat ze niet konden thuisbrengen. Meneer de kapitein zei: "In Afrika leerde ik het zweten onder controle krijgen. Ik zei tegen mezelf, jongen, water is hier peperduur en je zweet (een excuus voor de uitdrukking) als een otter ... En alsof mijn organisme me had begrepen, hield ik langzaam maar zeker op met zweten. Het was een kwestie van concentratie, gelijkmatig bewegen en plotselinge ritmewijzigingen vermijden. U kunt mijn oksel besnuffelen, kijkt u maar, kijkt u maar: niet het minste spoor van een zweetplek."

En alleen al de gedachte aan de oksel en het zweet van de kapitein deed de onrust bij de meisjes groeien.

"En de moren?" vroeg een stemmetje.

"Je raakt er meteen vertrouwd mee hoe je ze moet behandelen. Als ze vanaf het begin bang voor je zijn, gehoorzamen ze je en pakt alles perfect uit. Ze begrijpen maar één taal, die van de stok. Als je ze er flink van langs geeft, worden ze bang voor je en, wat heel vreemd is, bewonderen je en houden van je."

Er niet ver vandaan bestudeerde Miquela Gambús, smetteloos en statig onder een parasol gezeten, haar omgeving. Ze was naar het Concours Hippique gekomen omdat de datum van haar feest naderde en dat verplichtte haar haar sociale leven te intensiveren. Ze was van plan in één maand tijd meer bijeenkomsten te bezoeken dan in negenenhalf jaar. Het waren nog vijf weken tot de gebeurtenis en twee of drie bekende figuren hadden hun aanwezigheid nog niet bevestigd. Als het nodig was haar invloed aan te wenden om hen te dwingen te komen, zou ze dat doen. Maar als het niet nodig was, des te beter. Daarom zat ze nu van warmte te puffen op dit stomme concours. Ze was nerveus en boos. En heel bezorgd. Ze had al bijna een week niets van haar zoon gehoord. Het was niet de eerste keer dat hij zonder iets te zeggen verdween. Jaren geleden was hij een paar weken naar Parijs ontsnapt met een van die dweilen van wijven die zo nu en dan op de Paralelo te vinden waren. Maar drie dagen later al had hij haar een telegram gestuurd dat ze zich geen zorgen moest maken. Niet zoals nu, dat hij al zes dagen zonder waarschuwing weg was en geen enkel teken van leven gaf. Eigenlijk maakte gebrek aan controle haar zenuwachtig, als ze niet wist wat er aan de hand was. Ze had Felip Dalmau opdracht gegeven hemel en aarde te bewegen, maar tot nog toe zonder resultaat. En ze herinnerde zich maar al te goed de nacht dat haar zoon verdween. Zoals hij zo vaak deed was Demi 's nachts haar kamer binnengekomen om haar een goede nachtrust te wensen en ze had gedaan of ze had geslapen om niet opnieuw de degens te hoeven kruisen. De volgende dag was hij er niet meer en was zijn bed onbeslapen.

Ze zag Felip Dalmau naderen. Zachtjes duwde hij Rafel Escorrigüela voor zich uit, die zoals altijd verschrikt keek. De arme exagent was bekaf en door de spanning had hij meer dan ooit een rattengezicht. Hij zat met de verdwijning van Demi Gambús in zijn maag, alsof het zijn schuld was. Terwijl het juist een van de weinige keren was dat hem niets te verwijten viel: mevrouw

Miquela zelf had hem naar huis gestuurd om uit te rusten. Die nacht leek er geen vuiltje aan de lucht: zij sliep, de jongeheer Gambús had zich al op zijn kamer teruggetrokken ... Wie kon voorzien dat er 's nachts van alles loos zou zijn? Maar hoezeer zijn bazin hem ook had vrijgepleit, hij had het niet uit zijn hoofd kunnen zetten. Daarom was die zoektocht voor hem een persoonlijke zaak geworden ... Hij gaf Rafel Escorrigüela een laatste duw en bracht hem voor mevrouw Miquela, die bleef zitten. De jongeman moest zich bukken en ze vroeg hem geveinsd: "Rafel, kijk me aan. Wat weet je over Demi's reilen en zeilen van de laatste tijd?"

"Niet veel. Maar ik zweer u dat het niet is omdat ik niet mijn best doe. Ik heb uw instructies naar de letter uitgevoerd, maar hij wil maar niets van me weten. Na de gebeurtenis van de vuilnisstaking was hij onder de indruk, zoals u al voorspelde. We waren samen plannen aan het maken, ik dacht dat hij me vertrouwde, hij schonk me zelfs zijn horloge. Maar het mocht niet zo zijn. Ik zweer u dat ik het geprobeerd heb. Ik ben hem hoogstpersoonlijk gaan opzoeken en zijn secretaris, een zekere Gatius, zei me dat hij er niet was en dat hij niet wist wanneer hij zou terugkomen. Mevrouw Miquela, ik zweer u ..."

"Kop dicht! En jammer niet zo, je werkt op mijn zenuwen. Dus van wat hij de laatste tijd heeft uitgespookt, weet je niets, begrijp ik?"

"Nee, maar ik heb het geprobeerd, ik beloof u dat ..."

"Ik heb je gehoord! Wanneer heb je hem voor het laatst gezien?"

"Op de laatste stakingsdag. Na de bijeenkomst gingen we het samen vieren, hij nodigde me uit om ..." Ineens ging bij Rafel Escorrigüela een lichtje op. "Is er iets gebeurd?"

De vrouw keek Felip Dalmau weifelend aan. Ze bekeek Rafel Escorrigüela met haar zwarte ogen en erkende enigszins spijtig: "Sinds die dag weet niemand meer iets van Demi. De volgende dag was hij er niet en zijn bed was onbeslapen. Ik maak me zorgen."

"Ik geloof niet dat hem iets is overkomen ..."

"Niemand heeft je om je mening gevraagd."

Ze zweeg plotseling. De trompetten schetterden om aan te kondigen dat de wedstrijden weer begonnen. Nu was het springconcours aan de beurt, waaraan burgers en militairen deelnamen.

Miquela Gambús glimlachte tegen iemand in de verte en maakte aanstalten om naar de tribune voor gezagsdragers te gaan. Alvorens weg te lopen richtte ze zich tot Rafel Escorrigüela en zei: "Ik wil dat je je ogen heel goed openhoudt. Meer dan ooit. Mijn zoon zou niet verdwijnen zonder me te laten weten waar hij is. De kleinste aanwijzing kan belangrijk zijn. Als je je iets herinnert of iets ziet, laat het Dalmau dan meteen weten. En tegenover niemand een woord over wat we net hebben besproken, begrepen?"

"Begrepen."

"En hou je beschikbaar, omdat ik je nodig kan hebben."

"Ja, mevrouw."

Meteen erna stond Miquela Gambús op en liep weg, één brok energie. Rafel Escorrigüela stond stokstijf, als aan de grond genageld, en keek Dalmau aan, die hem te verstaan gaf dat de audiëntie was afgelopen.

Eenmaal buiten het Ciutadellapark bleef Rafel Escorrigüela even staan om zich het zweet af te vegen. Zijn zakdoek was doordrenkt en zat onder het stof van zijn voorhoofd: hij had onophoudelijk gezweet. Dat effect had de oude dame op hem. Hij zou nog eens ongemerkt in zijn broek pissen. Het was allemaal erg vreemd. Waar zou Demi gebleven zijn? Hij begon ineens te beven en nog meer te zweten, met straaltjes: die nacht had hij hem bijna in het geniep in gezelschap van een zwangere vrouw theater Soriano binnen zien gaan. En het leek erop dat zijn moeder geen flauw vermoeden had. Misschien had het niets te betekenen. Of misschien wel. En als Demi met de zwangere gevlucht was? Als hij bazin Miquela de oplossing aan de hand zou doen, zouden de dingen zeker veranderen. Als hij zich zou melden en zou zeggen: "Mevrouw Miquela, maakt u zich geen zorgen meer, uw trouwe hond Rafel Escorrigüela heeft net uw probleem opgelost. Het is niet makkelijk om te zeggen, maar uw zoon Demi heeft u laten stikken en is er met een zwangere komediante vandoor."

En hij begon te lachen. Hij had vlinders in zijn buik. Hij kon zich niet inhouden.

Diezelfde nacht ging hij naar theater Soriano om er eens rond te kijken. Meteen zag hij de zwangere vrouw, die dienstdeed als bedrijfsleidster. Ze leek niet uit haar gewone doen. Besluiteloos bleef hij na de voorstelling buiten wachten. Op de Paralelo hingen altijd lummelaars tegen de muur, hij zou niet opvallen. Na een poosje kwam het meisje naar buiten in gezelschap van een vent die veel groter was dan zij en met een papegaai op zijn schouder. Hij was kapot, zijn handen trilden voortdurend, en zwanger als ze was, nam ze hem op sleeptouw. Hij zou wel haar broer zijn of een familielid. Hij volgde hen op veilige afstand. Dat viel niet mee, want ze liepen heel langzaam. Ze legden een wat ongerijmde route af, want om naar de Riera de Sant Joan te gaan liepen ze de Passeig de Colom helemaal af en erna het hele stuk over het open terrein van de Reforma, donker en gevaarlijk. En als ze hadden gemerkt dat hij hen volgde? Hij werd ineens bang en bleef staan. Maar dat leek niet zo te zijn, want het koppel nam geen enkele voorzorgsmaatregel. Alles in aanmerking genomen was het heel vervelend. Hij prentte zich het trappenhuis in zijn hoofd waar ze naar binnen gingen. En door de vlam van de lucifer te volgen die naar boven ging, kon hij vanaf de straat min of meer bepalen in welke flat ze woonden. Hij zag niets vreemds. Hij keek naar weerskanten de straat in en merkte dat het daar erg eenzaam was en dat hij er beter aan deed meteen weg te gaan.

24

De avonden en nachten van die zomer van 1909 verschilden weinig van die van voorgaande jaren. Vanaf begin april waren er geen bommen en de stad blaakte van zelfvertrouwen, had zin om zich te amuseren. Als het afkoelde, werd het gezellig druk. Bij zonsondergang kwamen hier en daar in de straten en op de pleinen Barcelonezen tevoorschijn. Ze voegden zich bij degenen die in onderhemd in hun deuropening een luchtje schepten met een waterkruik naast zich en bij degenen die dat op hun balkons deden met een schijf meloen in hun hand. In sommige straten werden spontaan bals gehouden, op eigentijdse muziek of sardanes; de cafés waren stampvol, zowel binnen als buiten; en binnenkort zouden de naburige dorpen hun patroonsfeesten beginnen. Waar had je zo'n gevarieerd, verstrooiend aanbod?

En als som der delen de vooravond van Sint-Jan. Die juninacht konden de mensen bijna niet wachten om uit te gaan. De *golondrines*, de rondvaartboten, waren voor de gelegenheid verlicht en breidden hun dienstregeling tot 's nachts uit zodat de Barcelonezen vanaf het water konden genieten van het nachtelijk uitzicht op hun stad vol kampvuren. Hetzelfde idee bracht de mede-eigenaren van de Tibidabo ertoe er een knalfeest te organiseren. Voor één peseta een hoop joligheid en vanaf de berg het schouwspel van een door vuren verlicht Barcelona. En de geruststellende gedachte dat de kabelbaan van de Tibidabo en de belangrijkste tramlijnen de hele nacht door in bedrijf waren.

Zelfs de armste der armen vermaakte zich in de Sint-Jansnacht, ook al danste hij alleen maar midden op straat op de klanken van een handorgel.

Maar niet Demi Gambús.

Omdat hij al een week in een stinkend, smerig duivenhok zat opgesloten.

De tweede dag was een herhaling geweest van de eerste, met één klein verschil: de hitte en de stank waren ondraaglijk en buiten het duivenhok waren een menselijke stem en die van een papegaai te horen. De eerste zei: "Tupinamba", "Tupinamba" en de tweede antwoordde: "Klootzak", "klootzak". Dan schold de eerste een paar minuten lang de tweede uit, die deed alsof haar neus bloedde en drie kwartier tot een heel uur lang stommetje bleef spelen. In de loop van de dag kwam het individu dat met open ogen sliep een aantal keren het duivenhok binnen. Hij nam Demi Gambús de prop uit de mond, deed alsof hij Oost-Indisch doof was voor alles wat deze tegen hem zei en dwong hem een glas water te drinken, alsof hij een kind was. Demi Gambús herinnerde zich meteen wie de man was. Zijn gezicht had te maken met dat van Nonnita Serrallac: hij was de violist die haar tijdens haar excentrieke nummer begeleidde. Hij twijfelde of de man door de klap met de viool op zijn hoofd al dan niet zijn verstand had verloren. Het kon hem niet schelen. Een andere keer zag de gevangene vanaf zijn strozak de papegaai binnenwandelen, diezelfde papegaai die hem de eerste nacht een zinsbegoocheling had geleken. Het dier kwam naar hem toe en bleef hem aankijken. Ondanks de mondprop slaagde Demi Gambús erin te zeggen: "Tu ... i ... am ... ba!"

En de papegaai antwoordde: "Tupinamba."

Het baasje van de vogel kwam witheet binnen, gaf Demi Gambús twee klappen in zijn gezicht, pakte de papegaai beet en ging naar buiten.

Tegen de avond ging de deur open en kwam een heel jonge knul binnen, een kleerkast. Hij droeg een bundel met daarin een pan. Zonder iets te zeggen liep hij direct op hem af, zette hem enigszins overeind en mepte hem ook een paar keer met de vlakke hand in zijn gezicht: "Dat is niks vergeleken met wat je te wachten staat als je je niet goed gedraagt."

De ander zei vanbuiten tegen hem: "Ik heb hem een poosje geleden ook al een stevig pak rammel gegeven."

Demi Gambús kon er niet over uit. Hij was in handen gevallen van een paar gestoorde ontvoerders.

In elk geval was hij na twee dagen in die bakoven, zonder eten, met weinig drinken, vies, bezweet en onder de pies, van plan zich goed te gedragen.

De gijzelnemer zette hem overeind, nam zijn mondprop weg en begon hem hapje voor hapje te voeren wat er in zijn pan zat, alsof hij een klein kind was. Intussen bezwoer hij hem niet te tobben, dat de ontvoering niet politiek gemotiveerd was, maar slechts om geld draaide. Dat ze verwachtten dat zijn moeder snel flink over de brug zou komen. Maar als dat zo was, waarom hielden ze hem dan als een beest vast, vies en bloot? En waar was de zwangere vrouw? Hij vroeg of de mondprop achterwege kon blijven, zei dat hij stikte en de jongen antwoordde met een glimlach dat hij het goedvond, maar dat hij als Demi begon te schreeuwen met één vuistslag zijn neusbrug zijn hersens in zou slaan en dat zijn moeder heel veel werk zou hebben om haar familie en vrienden een lijk te laten zien dat een beetje toonbaar was.

Demi Gambús was onder de indruk.

De derde en vierde dag verbeterde zijn situatie enigszins. Na te hebben aangezien hoe zijn jongste cipier een immense ijzeren ring aan de muur bevestigde, werd hij aan zijn voeten gekluisterd, zonder mondprop. Hij vrolijkte op door het gegeven dat hij niet op zo'n vernederende manier vastgeklonken zat. Lopen kon hij niet, want de ketting reikte slechts een meter ver. Maar met de boeien kon hij tenminste opstaan en zitten. En vooral op een meer natuurlijke manier op zijn veldbed gaan liggen. En als een mens zijn behoeften doen in een urinaal dat ze hem gegeven hadden. Zijn handen sloegen ze in een paar politiehandboeien. Overdag werd hij bewaakt door de gestoorde bewaker, die alleen maar met zijn papegaai praatte en af en toe zijn enige wapen liet zien: een soort circuszweep die hij in de lucht liet knallen als hij zich verveelde.

En Demi Gambús probeerde al zijn energie te sparen om aan die nachtmerrie te ontkomen. Tijdens die eindeloze uren gevangenschap zette hij zich ertoe in zijn hoofd zijn eiland te ontwerpen. Hij piekerde er bijvoorbeeld over hoe hij de verrassing tot het eind geheim zou houden. Op momenten dat hij door veertig graden hitte in het duivenhok een delirium kreeg, bedacht hij dat hij opdracht zou geven om een gigantisch zeildoek te maken dat het hele eiland zou overspannen. Op de dag van de inwijding zouden veertig sleepboten het naar zee trekken en dat wonder openbaren. Hij sloot zijn ogen en had de gewaarwording een soort openbaring te hebben meegemaakt: of men wilde of niet, er kwam een gigantische golf expansie en vooruitgang aan. En hij zou er middenin zitten, standvastig afwachtend, klaar om alles te pakken waarop hij kon jagen. Hij zou het nieuwe Barcelona maken ... Maar hij opende zijn ogen en was als een beest vastgebonden midden tussen de duivenstront en bewaakt door een stommeling die hem aframmelde als hij daar zin in had. En dan waren zijn haat en wraakzucht zo groot dat hij zijn project liet voor wat het was en zich concentreerde op het meest nabije: zich wreken.

De zesde nacht, Sint-Jansnacht, maakte de jongste bewaker hem van de muur los, zette hem overeind en bracht hem zo, met gekluisterde voeten, naar buiten. Het moest tien uur of halfelf zijn en het schijnsel van de nabije kampvuren bereikte het dakterras. Het eerste wat hij zag was het uitzicht op de dakterrassen: al die terrassen die in hun wittige grijsheid onder een zeer heldere hemel hetzelfde waren. En geen levende ziel te bekennen, behalve dan op twee meter afstand de papegaai en diens baas, die hem maar bleven aangapen alsof hij een exotisch dier was. En hij deed zonder het te merken midden op het dakterras naakt zijn gevoeg. Het maakte hem niet uit. De anderen bekeken hem onverschillig. Toen hij klaar was, liep de jongste met twee emmers water op hem af. Hij goot er een over hem leeg en boende hem met een zachte dweil van top tot teen. En hij was doodstil als een kind, vernederd, nog niet in staat te begrijpen wat er met hem gebeurde. En het vuurwerk dat af en toe de hemel boven de stad openreet, verlichtte Demi Gambús, terwijl Eustaqui Guillaumet hem de rug wreef met dezelfde heftigheid en op dezelfde manier waarmee hij de rug van de ezel afroste. Toen hij klaar was goot hij de andere emmer over hem uit. En Tomàs klapte en beiden begonnen te lachen. En het gelach van hen beiden stak de papegaai aan. En gedrieën verbraken ze die vreemde stilte.

Sint-Jansnacht, verstikkend en eenzaam daarboven op dat dakterras, waarvan de stilte alleen zo nu en dan verbroken werd door rotjes en kreten van buurtbewoners die beneden op straat rondom de kampvuren feestten.

En Demi Gambús voelde zijn woede als gebrul vanuit zijn ingewanden opborrelen: hij zou niet alleen die troep mislukkelingen aan stukjes hakken en hun resten aan de honden voeren, hij zou ook dat duivenhok opsporen, dat huis en die buurt. En hij zou het met de grond gelijkmaken, waar het ook was, koste wat het kost: hij zou het kopen en het met dynamiet de lucht in jagen.

Hij wist niet dat de betreffende buurt al lang geleden ten dode was opgeschreven.

Als altijd met Sint-Jan kreeg de Paralelo meer een gezinskarakter. Een paar uur lang vermengden ambiances zich met elkaar. De buurtbewoners van de Poble Sec, groot en klein, wandelden er. De theaters veroverden terrein op de straat en richtten gelegenheidsterrassen in die met lantaarns werden verlicht. Ze plaatsten rieten tafels en stoelen en schonken, bij hoge uitzondering, behalve alcohol ook frisdrank. De cafés deden alles om klanten te trekken, ze contracteerden zelfs muziekkorpsen, die ze op schamele podia neerpootten. Het lawaai was oorverdovend, aangezien er soms twee of drie cafés bijeen lagen, elk met zijn eigen podium en muziekkorps.

Theater Soriano deed niet voor de andere onder. Het deelde de binnenplaats met het naburige Café de la Tranquilidad. Het café bracht een schitterend handorgel in met een zeer uitgebreid assortiment liedjes: walsjes, sardanes, rigaudons, paso dobles ... De stelletjes dronken *sidral*, een soort priklimonade, en dansten. Bovendien stond Soriano bij wijze van uitzondering voor één nacht toe dat een van hun meest succesvolle seizoennummers in de openlucht werd opgevoerd. Els Meteors, supersnelle beeldhouwers, gingen voor wat fooi bij een tafel staan en boetseerden uit een blok klei in twintig minuten het hoofd van een bezoeker of een bezoekster na.

Nonnita Serrallac zat aan een van de tafels in de openlucht en dronk koude citroenlimonade. Ze glimlachte tegen Tomàs Capdebrau, die tegen het handorgel leunde. En hij glimlachte terug en groette haar door zijn arm op te heffen. De orgelman, al meer dan veertien jaar kornetdocent, kon het goed met hem vinden omdat hij zo nu en dan met zijn viool de *Blauwe Donau* speelde. En vanwege de papegaai die hij bij zich had en die publiek trok, liet hij hem soms een poosje het orgel draaien. Het meisje glimlachte, maar maakte zich in werkelijkheid veel zorgen. Ze hield Demi Gambús boven bij haar thuis gevangen, ze wist wat ze moest doen, maar ze had nooit gedacht dat het haar zo'n moeite zou kosten. Daarom had ze besloten pas op het allerlaatste moment met Demi Gambús te praten. Ze wilde niet zijn gezicht zien en door de knieën gaan.

Haar moeder aan de tafel naast haar, met de citroenschil in haar mond, gaat zomers gekleed. Dus ook de doden kleden zich op het seizoen, net als de levenden. En eerst heeft Nonnita haar niet herkend, want haar moeder zit met haar rug naar haar toe en babbelt met een andere vrouw, die Nonnita niet kent. Ze zegt tegen haar dat ze de citroen in hapjes moet opeten, met schil en al omdat het vanbinnen reinigt. Alsof dat een dode wat kan schelen. En Nonnita vraagt haar wat ze met haar gevangene moet doen. En haar moeder draait zich om en zegt ineens: "Ik peins er niet over je een idee aan de hand te doen. Je bent een misdadigster en Onze-Lieve-Heer zal je straffen. Je zult een zevendemaands kindje van niks baren." En haar moeders vriendin draait zich ook om, ze laat een mond zien die louter en alleen uit tandvlees bestaat, zonder tanden, en zegt haar: "Arme Nonnita, zoveel kopzorgen om een zevendemaands kindje te baren." En ze ziet dat het de weduwe Massini is, arm als een kerkrat, beroemd in haar buurt omdat ze een jurk heeft gejat van een kleermakerij in de Carrer Banys Nous en die meteen naar een pandjeshuis in de Carrer Mercaders heeft gebracht om te verpatsen. De politie snapte haar twintig minuten later. Ze wist de kleermaker te bewegen haar te vergeven als ze een hele tijd gratis voor hem zou naaien. Ze stierf jong aan uitputting door moeraskoorts en niemand wilde haar begraven uit angst besmet te raken. In haar terminale fase was ze broodmager, verzwakt, bleekzuchtig, lusteloos, had ze een opgezwollen gezicht en een droge, rimpelige en bruingele huid. Nonnita herinnerde het zich omdat ze haar zo gezien had vlak voor ze gekist werd. Haar moeder was de enige buurvrouw die haar durfde af te leggen op het moment dat ze de overgang maakte van deze naar de andere wereld. Misschien zijn de twee dode vrouwen daarom nu zo dik bevriend en gaan ze 's zomers uit wandelen en strijken ze op de terrassen neer. En ze bemoeien zich weer met haar: "Aborteer het, Nonnita, want als het al niet met een waanzinnige blik ter wereld komt, krijgt het toevallen en zal het een dief worden", zegt haar moeder. "En een moordenaar, want zevendemaands kinderen zijn heel heetgebakerd, Nonnita, doordat ze zo schriel zijn en weinig zaaks", zegt weduwe Massini. Nonnita bekijkt hen weer: haar moeder geeft de citroenschil aan haar vriendin en zegt dat het goed voor haar is. En de weduwe accepteert het gebodene omdat ze niet lelijk wil doen want, denkt ze weer, waartoe dient het als je eenmaal dood bent? Ze neemt het sportief op, net als het feit dat ze haar ook nu ze dood is als weduwe blijven behandelen.

En Nonnita Serrallac haalde diep adem om rustig te worden omdat ze niet wilde toestaan dat een paar armzalige doden, zelfs al was een van hen haar moeder, zo'n zenuwpees van haar zouden maken dat ze een zevendemaands kind zou baren.

Bovendien moest ze al haar kalmte bewaren om zich uit de nesten te werken waarin ze terechtgekomen was. Ze had een hele week haar neus niet laten zien. En als zij al de kriebels begon te krijgen, was er geen enkele reden om aan te nemen dat de tegenpartij niet hetzelfde overkwam.

Na twintig minuten bedacht ze dat ze de bazin van huize Gambús het nieuws over de ontvoering zou doen toekomen, samen met de losgeldeis. Op dat precieze moment bevond de vrouw zich in het Parc Güell. Daar was ze makkelijk achter gekomen, want het had in alle kranten gestaan. Als lid van het Damescomité van het Rode Kruis van Barcelona was ze een van de organisatrices van een bal om fondsen te werven voor een goed doel. Een ideale sfeer van joligheid en anonimiteit om haar het briefje te bezorgen.

Ze dronk haar citroenlimonade op en wuifde Tomàs gedag. Arme Tomàs, dacht ze. Elke dag erger. Op een dag zouden ze er niet meer op tijd bij zijn. Pasgeleden reden ze met de kar de Rambla omhoog. Ze draaiden de Carrer Porteferrissa op en terwijl Eustaqui een oud meubel ging ophalen, liet Tomàs Nonnita alleen in de kar achter en ging het kantoor van de Lliga Industrial de Flequers binnen. Ze geloofde haar ogen niet toen ze vanaf de straat zag hoe Tomàs de conciërge bij zijn lurven pakte en hem toeschreeuwde: "Werk of centen!" Ze haastte zich uit te stappen.

Ze hoorde Tomàs schreeuwen: "Of je geeft me werk of drie peseta's!" Vervolgens zag het meisje de ex-kleermaker, terwijl zijn handen erger trilden dan ooit, de conciërge bedreigen met een enorm houten namaakmes, verguld en met lovertjes, overblijfsel van het circus. En de conciërge, die met afgrijzen zei: "Ik kan u geen werk geven, want ik ben een niemendal. En ik kan u geen drie peseta's geven omdat ik ze niet heb. En als ik ze zou hebben, zou mijn gezin voorgaan. Als u een paar broodpuntjes wil ..." Tomàs brulde van nee en zette hem het nepmes op de keel. De arme conciërge viel flauw op de grond, terwijl hij over erge pijn op zijn borst klaagde. Tomàs liet hem geschrokken en beschaamd los en ging er hollend vandoor, sprong op de kar en verstopte zich onder het zeildoek, zoals hij deed als hij een probleem had. Zij en Eustaqui brachten het slachtoffer naar de eerstehulppost in de Carrer Marquès de Barberà, waar ze hem bleek als een dweil achterlieten, hij een spoedbehandeling kreeg en weer bijkwam ...

Ziedaar Tomàs Capdebrau, gevaarlijk overvaller, onverbiddelijk ontvoerder. Hij was niet eens in staat degene die hij bewaakte te herkennen. Hij merkte niet eens dat hij dezelfde persoon gegijzeld hield die hem tien jaar geleden met zijn eigen viool zijn kop had laten inslaan, terwijl ze zijn vriendin Nonnita verkrachtten. En desondanks had hij één ding wél goed begrepen: dat hij de grote verantwoordelijkheid had iemand te bewaken. En net als Eustaqui, zonder vragen te stellen.

Gedurende de hele weg naar huis blijft zowel haar moeder als haar vriendin, de weduwe Massini, haar maar opjutten. Allebei kwellen ze haar, samen staan ze sterk. Haar moeder begint weer: "Je bent een misdadigster. En je zult een zevendemaands kind baren als een pad." En de weduwe Massini houdt aan: "Zevendemaands kindjes van misdadigsters als jij hebben een slecht leven. En kort. Ze gaan meteen dood: hun huid verschrompelt, hun lichaamssappen drogen vanbinnen op en ze worden meteen oud." En haar moeder doet nog een duit in het zakje: "En als ze blijven leven, zorgen ze alleen maar voor ergernis omdat hun moeders niet godvrezend zijn." En Nonnita blijft staan en schreeuwt midden op straat: "Afgelopen!" Voor de tijd van het jaar is het veel warmer dan normaal. Ze is bezweet. De twee schimmen verstijven en ze richt zich direct tot hen: "Godvrezend?

Waar is God? Wie is God?" En de twee doden voelen zich betrapt en verdwijnen in een oogwenk.

Boven op het duivenhok wachtte Eustaqui op haar. Gelukkig, de jongen glimlachte altijd. Wat niet verhinderde dat hij de gevangene zojuist weer een paar opdoffers had verkocht. Het meisje vroeg hem zachtjes: "Waarom sla je hem?"

"Om hem zijn kop te laten houden, bazin. Vandaag kreeg hij het in zijn bol om te gaan schreeuwen."

"O ... En heb je hem pijn gedaan?"

"Nee. Nou ja, ik denk van niet."

"Ik wacht in de flat op je ..."

Ze ging als eerste naar beneden. Toen Eustaqui binnenkwam, wachtte Nonnita hem al op met een envelop in haar hand: "Zoals we hebben afgesproken heb je hier het briefje voor mevrouw Gambús en een peseta om het volksfeest in het Parc Güell binnen te komen. Eerst ga je bij het theater langs; een van de jongens van Els Meteors zal je een hemd, een kraag, een paar manchetten en een stropdas lenen. Vergeet vooral je hoed niet ..."

"Weet u het zeker, bazin? Je kunt zien dat hij van papier-maché is gemaakt ..."

"Welnee, luister naar wat ik zeg. Als je het briefje hebt overhandigd, gooi je de hoed weg en zet je je pet op. Je doet je kraag, je stropdas en je manchetten af en bewaart ze. Je doet je colbert uit en knoopt je hemd tot halverwege je borst open. Kijk heel goed uit en laat het schieten als je het niet vertrouwt."

Toen Eustaqui Guillaumet bij het theater kwam, wachtte Tomàs Capdebrau hem al op, met de kar in gereedheid en zijn papegaai. Eustaqui kleedde zich in een oogwenk om. Gekamd en goed gekleed leek hij een ander. Hij pakte de teugels van de kar en de ezel zette het op een korte, bijna lome draf. Ze gingen op in de ambiance van de Paralelo. De trams, lawaaierig, met hun aanhoudend getingel en hun bestuurders, rechtop, die energiek en precies het remwieltje lieten ronddraaien, passeerden op een haar na de stoep van Soriano, vol mensen die uitgingen om te feesten. Hij stak de Paralelo over en de kar verdween via de Ronda de Sant Pau: een paarse vlek onder het lichtschijnsel dat de spiksplinternieuwe, elektrische straatverlichting wierp. De kampvuren op de belangrijkste kruispunten verwarmden de straten en de vuurtongen kronkelden omhoog en schroeiden bijna de broekzomen van de bewoners op de eerste verdieping, die met verlichte gezichten opeengedrongen op de balkons stonden.

De papegaai zei niets, geïntimideerd als hij was door het lawaai en de knallen. Tomàs Capdebrau keek strak voor zich uit. Ineens begon hij te praten: “La Universal.”

“Wat?”

“Vijf of zes jaar geleden heb ik Bella Chelito in hoogsteigen persoon gezien. In gezelschap van een imposante mulat ging ze bij kleermakerij La Universal naar binnen, precies hier, op nummer 9. Ik bleef als een lokvogel stilzitten, terwijl ik buiten wachtte. Ze kwamen na twintig minuten naar buiten en de mulat droeg een gloednieuw beenwit zijden hemd. Het stel liep de Ronda de Sant Pau verder op en ik erachteraan. Twee minuten later merkte ik dat we hen met zijn achten of tienen volgden. Ze draaide zich om, lachte en pakte haar mulat bij de arm. Ze stopten bij hoedenwinkel La Moda, iets verderop, op de Ronda de Sant Antoni. De acht of tien waren er al vijfentwintig. Een kleine brigade onnozelaars die op de stoep stond. Ze kwamen naar buiten en Bella Chelito was mooier dan ooit. De jongen had aan zijn uitmonstering een hoed met brede rand toegevoegd, prachtig. Iemand kon zich niet inhouden en schreeuwde tegen hem: ‘Pooier!’ De mulat baande zich een weg tussen de mensen, pakte de anonieme, jaloerse bewonderaar van zijn gezelschapsdame bij zijn lurven en gaf hem een vuistslag op zijn neus, droog als een ezelstrap, waardoor hij onderuitging. Zeg maar dag met je handje en mondje dicht en hier is niets gebeurd. We begonnen allemaal te schreeuwen: ‘Leve Bella Chelito en aanhang!’ En dat was het.”

“Dat was het?”

Maar Tomàs antwoordde hem niet. In feite zei hij de rest van de nacht niets meer. Jammer, Eustaqui werd rustig als hij naar hem luisterde. Want hoewel hij niet bang was, was hij een beetje zenuwachtig. En hij maakte zich meer zorgen over Nonnita Serrallac dan over zichzelf.

Op de kruising van Balmes met Corts stopten ze om de trein naar Sarrià te laten passeren. Terwijl hij wachtte om zijn weg te kunnen vervolgen, bedacht hij dat hij een klein technisch probleem bij de hand had: wat moest hij met Tomàs Capdebrau aan, terwijl hij zijn missie uitvoerde? Hij concludeerde dat het het beste was hem in de kar te laten. Rond het Parc Güell waren er veel sjezen, karren en rijtuigen, kriskras door elkaar. Hij dwong hem achterin te gaan liggen, naast de papegaai, die met angst in het lijf bleef zwijgen. Hij dekte ze met het dekzeil toe. Als iemand het durfde optillen, zou hij Tomàs vinden die met open ogen sliep.

Hij voelde zich belachelijk met die keiharde hoed op. Terwijl hij in de rij stond, kreeg hij de indruk dat het iedereen opviel. Hij betaalde de peseta entree voor het volksfeest en eenmaal binnen dacht hij niet meer aan zijn hoed en zijn missie: alleen in Barcelona kon je een plek vinden die tegelijkertijd zo krom en zo recht was als het Parc Güell! Het was er levendig en propvol. Op het centrale plein zong zangvereniging Canigó. Ernaast wachtte het militaire orkest op zijn beurt, de pet op het been en zich met een zakdoek het zweet afvegend. Meteen zag hij mevrouw Miquela Gambús, die hij al van zien kende. Moeilijker bleek het een jongen of meisje te vinden dat te midden van dat alles aan het spelen en dansen was en het voor elkaar te krijgen dat het kind de tien cent aannam om de envelop aan die bepaalde dame in de hoofdloge te geven.

Het was het alleszins waard het gezicht van mevrouw Gambús te zien, toen ze merkte waar het briefje over ging dat het meisje haar zojuist had overhandigd. Ze opende haar ogen wagenwijd en begon om zich heen te kijken. Ze pakte het meisje beet en een kerel met rattengezicht tilde haar boven de mensenhoop uit. Maar het was die nacht onmogelijk om iemand te ontdekken. En al helemaal niet Eustaqui Guillaumet, die beschut in de hoek waar een bioscoopfilm draaide, in het halfdonker zijn stropdas, boord en manchetten had afgedaan. Zijn hart gaf hem in te wachten, zijn neiging om weg te gaan te beheersen. Hij moest zich onder de mensen mengen, dansen, doen alsof, een biertje drinken.

Mevrouw Gambús merkte meteen dat ze het kleine meisje niet kon dwingen tussen de mensen iemand te zoeken die vast en zeker al de berg aan het afrennen was in de richting van Barcelona.

Twintig minuten later, toen iedereen op het vuurwerk wachtte, trok Eustaqui Guillaumet zich onopvallend terug. Hij gooide zijn hoed weg, zette zijn pet op, knoopte zijn hemd open, rolde zijn mouwen op en hing zijn colbert over zijn arm. Er stond niemand bij de ingang. Hij liep naar buiten en stuitte ineens aan de overkant van de straat op de man met het rattengezicht en het meisje. Strategisch geplaatst hielden ze pal voor de poort iedereen in het vizier die erdoor kwam. Ze monsterden iedereen die naar buiten liep. Teruggaan zonder argwaan te wekken was niet mogelijk. Het koude zweet brak hem uit. Hij slikte iets weg en liep op hen af met zijn handen in zijn zakken en het jasje over zijn arm. Het meisje bekeek hem nauwkeurig en de man merkte het. Hij liep langs hem en hoorde de man aan het meisje vragen: "Is hij het? Is hij het?" Eustaqui voelde zijn hart in zijn keel kloppen. Maar niemand hield hem tegen. Het meisje had waarschijnlijk nee geschud. Hij moest zijn neiging onderdrukken het op een lopen te zetten en tot aan zee te blijven doorrennen.

Tomàs, de ezel en de kar waren waar hij ze drie kwartier eerder had achtergelaten. En heel tevreden begon hij de terugreis naar het theater. Hij stalde er de kar en zijn passagiers en ging naar de woning van Nonnita. Hij vertelde haar dat het alles in aanmerking genomen goed verlopen was. Zijn bazin werd echter heel boos: "Ben je het briefje gaan afgeven samen met Tomàs?"

"En de papegaai."

Ze had het niet meer. Ze ontplofte: "Heb ik je gezegd dat Tomàs met je mee moest gaan? Zeg op! Heb ik je gezegd dat je met de kar moest gaan?"

Nonnita Serrallac merkte dat haar knieën knikten. Nu zag ze het duidelijk: ze zouden het niet klaarspelen. Dat kon niet goed aflopen. Ze werden verondersteld beroepsterroristen te zijn, onmenselijke gijzelnemers, gevaarlijke misdadigers ... En nu voerde Eustaqui een van de delicaatste operaties uit in gezelschap van een gestoorde en een papegaai en ontsnapte met een paarse kar (toppunt van camouflage!), getrokken door een rachitische ezel die op zijn best net zo snel ging als iemand te voet. Dat kon op geen enkele manier goed aflopen. Ze bekeek Eustaqui, hij was beschaamd en gekwetst. Ze monterde hem op en zei hem dat hij er niet meer aan moest denken en dat hij er zich de volgende keer toe moest beperken de dingen te doen zoals zij zei.

Ze hadden in elk geval geluk gehad en de boodschap was bij haar ontvanger aangekomen. Ze sommeerde mevrouw Miquela

Gambús dat zij – en zij alleen – in zeven dagen tijd de som van vijfhonderdduizend peseta in oude biljetten bijeen moest brengen. Ze zouden weer contact opnemen om de ruil af te spreken.

25

Rafel Escorrigüela wist dat Demi Gambús ontvoerd was, omdat Felip Dalmau hem dat had verteld. Hij kon er maar niet over uit. Het was dus meer dan ooit zijn plicht zijn bazin te informeren over de zwangere van het theater, maar hij deed het niet. Het viel moeilijk te geloven dat een hoogzwangere vrouw zich met het ontvoeren van mensen bezighield ... Het leek hem het beste eerst bewijzen te verzamelen. Vooral om geen blunder te begaan. Hij had niets te verliezen. En hoe eerder hoe beter, zodat Dalmau niet hém zou gaan verdenken en controleren. Hij wilde er niet eens aan denken dat bazin Gambús te weten zou komen dat hij haar informatie had onthouden.

Hij benaderde het meisje na afloop van een voorstelling en begon haar indirect vragen te stellen die met Demi Gambús te maken hadden. Hij overviel haar volkomen. Nonnita Serrallac dacht dat ze alles onder controle had. En nu dook er ineens een onbekende kerel op die er gewiekst uitzag en vragen over Demi Gambús begon te stellen. Haar benen begonnen te trillen, maar haar stem niet. En de jongeman bleef maar aanhouden en ze bleef maar zeggen dat ze van niets wist, dat die naam haar totaal niets zei. Totdat Rafel Escorrigüela haar terzijde nam: "Demi Gambús is een vriend van me. Ik belazer u niet. Kijkt u eens ... Dit horloge heeft hij me cadeau gedaan, ziet u? Zijn naam staat erin gegraveerd. Zegt u me niet dat u het niet kent ... En hou op met doen alsof, verdomme, want ik zag u onlangs samen 's nachts het theater binnengaan! Het is mogelijk dat ik ook wil wat Demi wilde. Ik kan u veel meer betalen dan hij ..."

Nonnita Serrallac, die eerst dacht dat ze reddeloos verloren was, haalde opgelucht adem: die praatjesmaker dacht alleen maar dat ze een zwangere hoer was die haar diensten aanbood aan jongeheren met een eigenaardige smaak. Ze ontspande.

"U hebt volkomen gelijk, hij bood me een hoop geld om met hem naar bed te gaan. We deden het, ik beurde en een uur later ging hij rustig weg. En ik denk er niet over het nog eens te doen. Begrepen? Dat was een uitzondering, ik wist zijn naam niet eens, ik kon gewoon wat extra geld verdienen voor als mijn kind geboren wordt. Punt uit. Het is mijn beroep niet. U hoeft maar de straat over te steken en u vindt aan de overkant hopen meisjes die zullen doen wat u wilt."

"Hebt u hem nog eens gezien?"

"Nee. En nu opgehoepeld of ik laat u er met een schop onder uw kont uit gooien. Al naargelang het tijdstip begint de Paralelo een heel gevaarlijke plek te worden."

"Oké, oké, rustig maar, in uw toestand is het helemaal niet raadzaam je op te winden ... Ik ga al, maar misschien zien we elkaar weer ..."

"Val dood, hufter."

Zowel Demi Gambús als zijn bewakers begonnen door te krijgen dat het een zaak van lange adem kon worden en ze besloten elkaars leven wat draaglijker te maken. Zo had de gevangene voor elkaar gekregen dat zijn enkels werden omzwachteld om te voorkomen dat hij van de boeien zweren zou krijgen. In ruil gedroeg hij zich. Het kwam er in feite op neer aan een nieuwe routine te wennen. Als hij wilde kon hij van zijn veldbed opstaan en zijn benen strekken of kniebuigingen maken. Alles wat hij nodig had, moest hij aan zijn jongste bewaker vragen, omdat de ander nergens op reageerde of het moest uit jaloezie zijn dat diens papegaai zich meer voor de gevangene interesseerde dan voor hem. Vaak kwam het diertje, de onruststoker, bij Demi Gambús staan en zei helemaal uit zichzelf 'Tupinamba!'. Dan stormde de ander witheet binnen, boos omdat de vogel het niet tegen hem zei en vervolgens verkocht hij Demi, die het minste schuld had, een klap. Eigenlijk was Demi Gambús heel bang voor hem: soms, als hij lag, voelde hij iemands ogen in zijn nek. Hij draaide zich om en trof die lege priemende blik die keek zonder te zien. In de papegaai zat meer leven. En die had bijna zeker meer hersens. En dat joeg hem schrik aan.

Hij vroeg een aantal keren vergeefs of hij zijn doosje met strychninepillen kon krijgen. Het zat vast en zeker nog in het horlogezakje van zijn broek. De pillen zouden hem helpen zijn gevangenschap beter te doorstaan. Maar hij kreeg ze niet.

Op een nacht droomde hij met afschuw dat Nonnita Serrallac hem betaald wilde zetten wat hij haar negenenhalf jaar geleden had aangedaan. In zijn dromen zag hij zichzelf vastgebonden in dat duivenhok, zonder te kunnen ontsnappen, en zag hij zes groot geschapen zeelui van de havenkade die hun broek lieten zakken en op hem afkwamen met een geile glimlach op hun gezicht en de slechtste bedoelingen.

Vele nachten deed hij geen oog dicht. En hij sliep pas in als de zon begon te steken. Hij piekerde en piekerde. Hij bleef maar aan zijn project denken. Hij werkte alvast plannen uit, dacht na over situaties, mogelijke medewerkers ... Hij koesterde zelfs het plan om voor het eiland, als het eenmaal bestond, een speciale politieke en administratieve status aan te vragen. Hij bleef er maar aan denken, ondanks de verstikkende hitte en de klappen van de gestoorde die hem bewaakte omdat hij er geen moment aan twijfelde dat die nachtmerrie niet lang meer kon duren. Het was duidelijk dat hij zich had laten pakken door mensen die eerder een troepje mislukkelingen dan een bende criminelen waren: een geestelijk gestoorde met een papegaai en een onnozele kleerkast. De zwangere vrouw nog even buiten beschouwing gelaten. Het maakte ook niet uit; hij dacht na en dacht na. Hij wilde niet het idee hebben dat hij zijn tijd had verdaan. Aangezien hij geen papier of potlood had, sloeg hij alles in zijn geheugen op.

Nonnita Serrallac was erg bezorgd. Het bezoek van Rafel Escorrigüela had haar helemaal van haar stuk gebracht. Het was te toevallig dat die kerel precies de dag nadat ze het briefje aan de oude vrouw had doen toekomen was komen opdagen. Was hij van de politie? Dat geloofde ze niet. Het leek haar ook niet de handelwijze van een moeder die haar zoon wil redden.

Waar het om ging was dat die man, wie het ook was, haar met Demi Gambús in verband kon brengen. Dat kwam heel slecht uit.

Tot overmaat van ramp kwam ze hem de dag erop 's middags weer tegen, terwijl hij lachend tegen een straatlantaarn leunde die voor het theater stond.

"Wat een toeval ..."

"Zanik toch niet zo, ik heb u al gezegd dat uw voorstel me niet interesseert."

"Eigenlijk was het een leugen. Ik wilde niet betalen om met u naar bed te gaan. Ik ga voor andere dingen."

"Ik moet ook van u kotsen. En nu we elkaar de liefde hebben verklaard, kan ik nog iets voor u doen?"

"En als ik u zeg dat ik van de politie ben?"

Ze bleef stilstaan en bekeek hem van top tot teen. Ze duwde hem opzij en gaf de jongen van het kraampje met kokosnoot, pinda's en snoep een knipoog: "Bernat, deze man zegt dat hij van de politie is, wat denk je?"

De jongen bekeek hem vluchtig, maakte een verveeld gebaar naar Nonnita en ging door met het stukslaan van een kokosnoot.

"Ziet u? Als u zegt dat u van de politie bent, zou ik antwoorden dat ik u niet geloof."

Die opmerking had de gunstige uitwerking dat hij het vuur van Rafel Escorrigüela tot bedaren bracht. Het was duidelijk dat hij zich op vijandig terrein bevond en dat deze vrouw niet van het type was dat zich makkelijk liet intimideren.

"U hebt gelijk, ik ben geen politieagent. Maar ik ben wél een vriend van Demi Gambús. Ik zal eerlijk tegen u zijn: we maken ons zorgen, omdat hij verdwenen is. Hij geeft geen teken van leven."

"Dat doen rijke mensen nu eenmaal. Hij komt wel weer opdagen. En waarom valt u mij daarmee lastig?"

"Weet u nog? Ik zag u 's nachts samen het theater binnengaan. Het is alsof hij daarna van de aardbodem is verdwenen."

"En wat denkt u, dat hij alles heeft achtergelaten om met mij weg te gaan? Laat me niet lachen, man!"

"Ik denk er niets van. Ik vraag u alleen of u zich herinnert of hij iets gezegd heeft ... Ik kan u voor de informatie goed betalen. Zijn moeder lijdt er erg onder."

Nonnita Serrallac verloor haar kalmte niet en herhaalde hem precies wat ze had voorbereid: een nacht betaalde liefde. Zonder ontboezemingen of vertrouwelijkheden. En dat hij haar met rust moest laten.

De man gaf haar zijn visitekaartje en ging weg na haar verzekerd te hebben dat hij elke snipper informatie goed zou betalen. Ze rende naar huis, terwijl ze van top tot teen trilde en bijna in huilen uitbarstte.

Cleta wacht haar bij de voordeur van haar flat op en Nonnita is geneigd toe te geven. Maar uiteindelijk beheerst ze zich en nodigt haar niet uit binnen te komen. Ze praat met haar op de overloop. En ze vraagt het kind, ondanks haar tien jaar, twee vlechten, drie sproeten en vier tanden, of ze denkt dat de plek waar ze Demi Gambús vasthoudt nog wel veilig is. "Toeval bestaat niet, Cleta, en mijn hart zegt me dat het moeilijk zal zijn deze man af te schudden, die zegt dat hij een vriend van hem is. En als hij me met Demi Gambús in verband brengt, weet hij binnen de kortste keren waar ik woon. Als hij dat al niet weet ..." Cleta kijkt Nonnita aan en wil haar raad geven, maar ze zegt niets omdat ze pas tien was toen ze stierf en nauwelijks kan denken. Ze kan haar hooguit haar helende krachten aanbieden. Daarom zegt Nonnita: "Cleta, ik moet gaan slapen." En het dode meisje wordt boos. Ze snapt niet dat de levenden moeten slapen. En om twee redenen snapt ze het niet: omdat ze een dood meisje is en wil dat iedereen voor haar klaarstaat en omdat ze niet hoeft te slapen, aangezien ze dood is.

Nonnita Serrallac deed er een paar dagen over om een nieuwe schuilplaats voor Demi Gambús te vinden. Ook deze keer was het vervoer het moeilijkste. Ze plande het op dinsdag de 28ste, de vooravond van Sint-Pieter. Om het welslagen van de eerste fase van de Reforma te vieren had het stadsbestuur op de Plaça de l'Àngel een volksfeest georganiseerd met toespraken, een gigantisch kampvuur en een concert door de gemeentefanfare. Het was de ideale situatie voor het vervoer van Demi Gambús: hele volksstammen op de been, een hoop kabaal.

Toen puntje bij paaltje kwam, was de wanorde nog veel groter: diezelfde avond ontplofte er een bom in theater Principal. Het was halfnegen en terwijl iedereen naar het theater keek, kwam de hele Rambla verbouwereerd tot staan. Meteen werd bekend dat er zich geen persoonlijke ongelukken hadden voorgedaan omdat de middagvoorstelling gelukkig net een kwartier eerder afgelopen was en het theater leeg was. Het explosief, geplaatst onder stoel 52 van de eerste rij op het tweede balkon, veroorzaakte slechts lichte schade aan meubilair, tegelwerk, balustrade en plafond. Het bracht wel de gemeentelijke autoriteiten op de been, die er, gekleed om het feest van de Reforma bij te wonen, samen met politie en brandweer meteen op afkwamen.

Ze waren nog niet van de schrik bekomen of er ontplofte een tweede bom. Het was halfelf en theater Soriano zat stampvol. De bom ontplofte in de gang van het eerste balkon, boven aan de laatste traparm van het nieuwe deel van het theater. Er zat een groot gat in de muur, maar ook nu waren er geen doden, alleen een paar lichtgewonden. De explosie veroorzaakte paniek en verwarring. De mensen renden naar buiten en bleven daar in afwachting van men wist niet goed wat staan. Een paar minuten later stroomde de Paralelo vol. Het was net of alles ineens stilstond. Publiek en artiesten van andere theaters stroomden voor Soriano samen en begonnen spontaan te klappen. Na een paar minuten verschenen de gebroeders Soriano, van top tot teen onder het gips. De heer Ricardo Soriano liet door dezelfde luidspreker waarmee de voorstelling werd aangekondigd weten dat er geen onherstelbare schade was. Er werd nog harder geklapt.

Voor Nonnita Serrallac was het duidelijk dat dit het geschikte moment was. Maar tegelijkertijd kon zij onmogelijk weggaan en het theater in deze omstandigheden achterlaten. Het zou vreemd en verdacht zijn geweest. Ze gaf Eustaqui Guillaumet een teken en liet hem weten dat hij het in zijn eentje moest doen, dat zij niet weg kon, dat het voor iedereen het beste was.

“Maak je maar geen zorgen dat ze naar je vragen; ik zal zeggen dat je gewond bent geraakt en dat we je hebben weggebracht om je te laten verzorgen.”

Dankbaar voor het in hem gestelde vertrouwen, beloofde hij dat hij het kippetje met alle zorg zou inpakken en dat hij Demi Gambús naar het nieuwe nestje zou brengen dat ze voor hem hadden uitgekozen.

“En neem deze keer vooral Tomàs niet mee.”

“Bazin, zet me niet voor schut ...”

“Eustaqui ...”

En ze had zichzelf niet meer in de hand en wierp zich aan zijn hals en begon te huilen. Want ze was erg geschrokken van de bom. Dit was geen manier om een kind op de wereld te zetten. Want ze was maar blijven trillen en was ineens bang geworden. Een tranenzee, een paar snikken die haar leken te verstikken. De mensen die over straat liepen bleven staan en deden ontroerd hun zegje over het schouwspel, in de veronderstelling dat Nonnita huilde vanwege de bom.

Het duurde nog een minuut voor ze met huilen kon ophouden. Ze had een paar keer gesnoten, haar neus was rood en ze schaamde zich. Ze kon hem niet eens gedag zeggen.

Op een trottoir brachten verplegers flauwgevallen vrouwen bij, anderen zorgden voor een paar jonge kerels die bij het naar buiten gaan onder de voet waren gelopen. De brandweer stutte het gebouw. Nieuwsgierigen keken toe en deden een duit in het zakje. De autoriteiten kwamen met meer brandweermannen en tientallen agenten van theater Principal af. Niemand had aandacht voor een paarse kar die kalmpjes vanaf de hoek wegreed en op de Paralelo invoegde in de richting van de Douane en Columbus.

Eustaqui stopte voor de deur en klom als de gesmeerde bliksem omhoog naar het duivenhok. Demi Gambús schrok: "Kom je nu weer mijn rug schrobben, net als pasgeleden?"

"Nee, we maken dat we wegkomen."

En voor de gevangene begreep wat er gebeurde, sliep hij al als gevolg van de watten met chloroform op neus en mond. Hij raakte vrijwel meteen buiten westen.

En bijna met plezier knevelde Eustaqui Guillaumet hem weer als de eerste keer en bond hem vast: een perfecte rollade. Hij controleerde een keer of Demi goed ademde, pakte diens kleren, hoed, schoenen et cetera en stopte alles in een tas. Het doosje strychninepillen gleed uit het horlogezakje van de gekreukte broek en viel op de grond. Het schoot open en alle pillen rolden over de grond. Eustaqui Guillaumet weifelde even, maar raapte ze op. De bazin had gezegd dat álles moest worden meegenomen. En alles was alles. Hij raapte de pillen een voor een op, stopte ze terug in het doosje en deed dit in de tas. Meteen daarop wikkelde hij Demi Gambús in het zeildoek alsof hij een pakje was, een vloerkleed, en laadde hem op zijn rug. Met zijn vrije hand pakte hij de tas met de persoonlijke bezittingen van de gijzelaar en verliet het duivenhok.

Een van de strychninepillen bleef eenzaam en alleen op de grond achter.

26

Tussen de monding van de bergbeek Horta in het oosten en die van de snelstromende Bogatell in het westen, ingeklemd tussen het strand en de spoorweg naar Frankrijk via Mataró lag de Pekingbuurt, die zo heette omdat zijn eerste bewoners oosterlingen waren geweest. Hij bestond uit de meest armoedige, vieze en ongezonde krotten van Barcelona: midden tussen stilstaand afvalwater stonden constructies van riet en stukken hout, blikken, kistjes, karton, lompen et cetera. De bewoners, paupers en straatarme mensen, woonden met hun dieren in krotten die pas werden schoongemaakt als stank en uitwasemingen het leven onmogelijk maakten. Het was een permanent dorp, hoewel het zich vaak vernieuwde: van tijd tot tijd maakte een storm de nederzetting met de grond gelijk en trokken mensen weg. Of ze werden ziek en gingen dood. Ze waren zo arm dat ze zelfs niet het geluk hadden van de naburige krotbewoners uit de Llacunazone, die in de beschutting van de muren van het Oude Kerkhof leefden en die als ze doodgingen slechts een paar meter verplaatst hoefden te worden.

In een van die krotten, een honderdtal meters verwijderd van de rest, op het zandstrand zelf, werd Deogràcies-Miquel Gambús gehuisvest. Eigenlijk was de kwalificatie 'krot' zeer ver bezijden de waarheid. Vergeleken met het precaire karakter van de bouwsels eromheen was het een paleis. Het was deel van een voertuig dat tot halverwege de wielen in het zand was verzonken. De wagen was een grote huifkar zoals circuslui en zigeuners gebruiken om in te wonen. Met een deur, ramen en zelfs een kleine opening voor de rook. Maar de voorste helft ontbrak omdat die prooi van de vlammen was geworden. Zodat de vroegere deur altijd gesloten was om als muur dienst te doen en je via het kapotte deel binnenkwam door een stuk canvas opzij te schuiven. De kar was van een zwerver van de Paralelo, een gelegenheidsgauwdief die Josepet heette en luisterde naar de bijnaam het Vogelmannetje, omdat hij een neus had als een kaarsensnuiter. Maanden geleden had hij die aangebrande ruïne met kaarten gewonnen van een zigeuner met een lang gezicht en een huid met de kleur van azijn. Josepet, het Vogelmannetje, moest een ingrijpend besluit nemen: zijn zwerversleven, zijn vrijheid inruilen voor een zittend leven (wat zijn waardigheid als vagebond zou veranderen in de laag-bij-degrondse status van een pauper). Maar uiteindelijk vatte hij het op als een vingerwijzing van het lot en vroeg hij Nonnita Serrallac hem kar en muilezel te lenen om het prul te vervoeren. Ze bevestigden het stuk huifwagen aan de paarse kar en dankzij de twee goede wielen die het nog had, konden ze het naar het Pekingstrand vervoeren, het in het zand neerpoten en in de openlucht een paar sardines roosteren om het te vieren. En nu vroeg Nonnita Serrallac of hij haar zijn wagen alsjeblieft wilde verkopen! Josepet, het Vogelmannetje, nam het aanbod meteen en zonder al te veel vragen te stellen aan. Nonnita zei hem geheimzinnig: "Geloof me, Josepet, pak je biezen. Met het geld dat ik je heb gegeven, kun je gaan waarheen je wilt."

"Het is veel geld. Ik weet niet waar je het vandaan hebt of waarom je het krot van me hebt gekocht. Zeker niet om er te gaan wonen. In deze buurt kent niemand jullie. En je hebt iets groots bij de hand. Wat het ook is, ik blijf bij jullie, een paar dagen tenminste. De mensen uit de buurt zullen er meer gerust op zijn als ze jullie bij mij zien. Dan wekt het geen achterdocht. Alles voor dezelfde prijs. En vertel je me nu verdomme wat je bij de hand hebt?"

Nonnita Serrallac kon nog wel dringend een medestander gebruiken: "Ik leer een klootzak een lesje", was alle uitleg die ze hem gaf. En Josepet, het Vogelmannetje, had er genoeg aan, hij was te vertrouwen.

De bundel met Demi Gambús kwam er midden in de nacht aan, wat niet voorkwam dat de hele krottenwijk het merkte. Maar ze hechtten er geen belang aan omdat het Josepet betrof en dezelfde kar maanden eerder zijn huis had getransporteerd. En als iemand ze ondervroeg zouden ze hoe dan ook zeggen dat ze absoluut niets hadden gezien of gehoord.

De behandeling die de ingepakte van de kant van Eustaqui Guillaumet ten deel viel, had tot gevolg dat lijf en ziel van de gijzelaar op het punt stonden om van elkaar gescheiden aan te komen. Gelukkig gebeurde dat niet.

Toen Deogràcies-Miquel Gambús midden in de nacht wakker werd, kreeg hij een paniekaanval. Net als de eerste dag wachtte hij liever een poosje voor hij zijn ogen opendeed. Was hij gek aan het worden of was hij net wakker geworden van een trein pal naast hem? En toen het geluid van de trein was weggestorven, hoorde hij nabij het ruisen van de zee. Bovendien was de stank van het duivenhok vervangen door een anderssoortige gore lucht: iets zuurs, iets smerigs. Hij merkte dat zijn voetboeien aan een ketting zaten die hem verbond met een ijzeren ring aan de muur. En hij droeg handboeien om zijn polsen. Wat dat betreft niets nieuws. Hij deed zijn ogen open en keek in het half tandeloze gezicht van iemand met een carnavalsneus, die zijn vieze, volle krulbaard krabde met de zeer lange, inktzwarte nagel van zijn linkerpink. De man glimlachte en dat maakte het nog erger. Afijn, nog een monster erbij, wat maakte het uit. Het leek erop dat die bende over een monstergalerij beschikte waar geen eind aan kwam. Demi Gambús deed liever weer zijn ogen dicht en draaide hem in zijn hoek de rug toe. En nergens aan denken, vooral nergens aan denken.

Felip Dalmau was erg trots op zijn geheime flatje. In de vestibule een directe telefoonverbinding met huize Gambús. En een hutkoffer met zijn wapenarsenaal: steekwapens, vuurwapens et cetera, die zoiets als zijn gereedschap waren. In zijn slaapkamer stonden behalve zijn bed een spiegel en een kast met schone kleren. In de eetkamer had hij een buffet, een vitrine, een massief houten tafel, vier stoelen en twee schilderijen met jachtscènes laten plaatsen. En op uitdrukkelijke wens van zijn bazin in de erker ook een behoorlijk grote, half verwelkte kamerplant naast een secretaire en in een hoek een leunstoel die met rood fluweel was bekleed.

Hij probeerde een uitmuntend gastheer te zijn. Hij wilde dat mevrouw zich thuis voelde als ze voor overleg in zijn flat hadden afgesproken. Hij vereerde haar bijna. Toen hij voor de familie Gambús begon te werken, zat hij beroepsmatig aan de grond. Kort daarvoor was hij uit de geheime dienst ontslagen, de baan die hij altijd had geambieerd, en had hij weer straatdienst moeten doen, derderangs diefjes vangen. De oorzaak was constructieve kritiek op het systeem om vacatures op te vullen. Vanaf het begin wierf de Spaanse geheime dienst nieuwe agenten uit familie- en vriendenkring. Als gevolg van drie doden door de bom in de Carrer de Ferran in november van het jaar 1904 gaf Madrid toestemming om de staf in Barcelona uit te breiden. Maar het probleem deed zich voor dat er op dat moment geen betrouwbare kandidaten waren. Het is moeilijk je een advertentie in de kranten voor te stellen die gegadigden oproept voor de functie van geheim agent, maar zo ging het. Felip Dalmau gaf een beetje ironisch commentaar op die methode en al na een paar dagen hadden ze hem de deur gewezen.

Op een dag ontving hij een uitnodiging om met een oude dame te praten. Ze wist alles over hem, waar hij woonde, hoe hij leefde, zijn gezin, alles. Ze liet hem met honingzoete stem weten dat ze hem heel goed van dienst kon zijn. Hij antwoordde haar beleefd maar beslist dat ze zich in zijn persoon had vergist: hij nam geen smeergeld aan. De vrouw antwoordde zeer beminnelijk dat ze graag van doen had met principiële mensen. En voegde eraan toe: "Het is alleen spijtig dat de huidige samenleving hen ongelukkigerwijs zo nu en dan op een zijspoor rangeert. Uzelf bent er een voorbeeld van: een goede kracht die op de meest oneerlijke manier op een zijspoor is gerangeerd."

Zo kwam het dat Felip Dalmau van de ene op de andere dag de laatste vijftien jaar van zijn leven uitwiste. Op bevel van zijn nieuwe bazin bleef hij een tijdlang zijn rol als politieagent vervullen, een soort geheim agent van de familie. Nu had hij alweer een paar maanden geleden zijn uniform aan de wilgen gehangen en besteedde hij zijn tijd alleen maar aan zaken van de familie Gambús.

Hij had mevrouw Gambús net koude koffie geserveerd. Naast haar zat Rafel Escorrigüela, zonder iets te zeggen. Met Felip Dalmau erbij waren dit de enige drie mensen die van de ontvoering van Demi Gambús op de hoogte waren. Het ultimatum was al vijf dagen verlopen en de ontvoerders lieten niets van zich horen. En

Miquela Gambús maakte zich grote zorgen. Ze had het geld bijeen, maar niemand eiste het op. Het was de meest perfecte verdwijning uit de ontvoeringsgeschiedenis. Niemand wist iets. Daarom stond ze op het punt de heer Joan Rovira te ontvangen. Ze had hem gevraagd haar incognito in de flat van Dalmau te ontmoeten om hem om hulp en raad te vragen.

Er werd beneden op straat geklopt: twee kloppen en nog een roffel. Het was voor Dalmau. Hij liep de overloop op en trok aan het touw om de deur open te doen. Meteen erop hoorde hij het gehijg van bezoek dat de trap opliep. Escorrigüela zou hem ontvangen en Felip Dalmau verstopte zich in de kamer ernaast, vanwaar hij het gesprek goed kon volgen.

De heer Rovira kwam met een ernstig gezicht binnen: men had hem gezegd dat een heel belangrijke, delicate kwestie zijn aanwezigheid vereiste. En men ontbood hem bijna in het geniep op een heel vreemde, armzalige plek. Na zich naar behoren te hebben verontschuldigd en hem Rafel Escorrigüela te hebben voorgesteld, zette Miquela Gambús voor hem de feiten op een rijtje en overhandigde hem het briefje van de ontvoerders.

Joan Rovira stond heel verbaasd. Hij zette zijn bril op zijn neus en las het briefje een paar keer.

"Wat vindt u ervan?" vroeg de vrouw ietwat ongeduldig. Ze was er de persoon niet naar het prettig te vinden toe te geven dat ze hulp nodig had.

"Ik snap het niet. Ik zeg niet dat het briefje nep is, maar het lijkt veel dreigender dan het in werkelijkheid is. Denkt u dat iemand een slechte grap met u wil uithalen?"

"Is dat alles wat u te binnen schiet? Een slechte grap? In godsnaam Rovira, van mijn zoon ontbreekt al meer dan twee weken elk spoor!"

"Het spijt me."

"Kijkt u eens, ik kan u verzekeren dat ik u niet zou hebben lastiggevallen als ik ook maar had gedacht dat het de brief van een geesteszieke was of van een vriend met een enigszins overdreven gevoel voor humor. Wij Gambús hebben veel ervaring in de omgang met mensen. En we verdoen onze tijd niet. Deze brief is serieus en maakt in elk geval zoveel duidelijk: mijn zoon is verdwenen en ik weet niets van hem. Al mijn medewerkers werken eraan" – en ze maakte een hoofdbeweging naar Rafel Escorrigüela, die dit met een hoofdknik bevestigde – "maar de tijd gaat voorbij en we komen geen stap verder. En ik wil er niet de politie bij halen omdat ik haar niet vertrouw. Ik wil geen enkel risico lopen. Daarmee zeg ik dat ik alle waarde hecht aan dit stukje papier. Ik blijf niet werkeloos toezien in de gedachte dat het een slechte grap betreft om dan later bericht te krijgen dat mijn zoon in stukjes gesneden achter een hoop puin van de Reforma is opgedoken."

"Akkoord, akkoord. Laten we er eens heel serieus naar kijken. Uw zoon is sociaal en beroepsmatig een man met veel succes. Is er iemand die hem zozeer benijdt dat hij denkt de samenleving een dienst te bewijzen door hem uit de weg te ruimen?"

"Wij Gambús hebben altijd vijanden gehad. De zakenwereld brengt met zich mee dat je vrienden en vijanden maakt. Dat hoef ik u niet te vertellen ... Eerlijk gezegd is me niemand in het bijzonder te binnen geschoten."

"Het motief kan ondanks de geldeis politiek zijn. Of je nu wilt of niet, de ontvoering van Demi Gambús is eerder een aanval op de heersende klasse van ons land dan de wens een bepaalde politieke groep te schaden."

"Ik wijs uw hypothese niet van de hand, maar er kunnen andere zijn. Zoals u bijvoorbeeld weet is Demi betrokken bij een serie transacties die, voor zover ik kan nagaan, kunnen botsen met zeer machtige belangen ..."

"Mevrouw Gambús, u kwetst me. En op het gevaar af impertinent te zijn veroorloof ik het mij u te corrigeren. In Barcelona doen we zaken, we ontvoeren niet lukraak mensen om ze uit de weg te ruimen. En al helemaal niet als we tot dezelfde club behoren. Het leven is erg lang en u weet wat er wordt gezegd: de ene dienst is de andere waard. Staat u mij toe te persisteren: ik zie een politiek motief. De stad is weer in beroering en kruipt in haar schulp. In Barcelona worden overal bommen gelegd, in het wilde weg, zonder onderscheid, om bang te maken. In theater Principal, waar de rijken verondersteld worden heen te gaan, en in Soriano, midden op de Paralelo, waar de armen heen gaan en waarvan wordt gedacht dat de radicalen van Lerroux het er voor het zeggen hebben. Ze worden ook gelegd in de winkelstraten van de kleine burgerij en midden in de Carrer Sant Pau, waar slechts armoede heerst. Gisteren nog, weer een bom in de toiletten van de biljartzaal van Café Espanyol. Het ontbreekt er nog maar aan dat ze naar willekeurig welke krottenwijk gaan. De criminelen hebben genoeg aan een vuurpijl die over is van Sint-Jan ... Of zelfs dat niet, een lucifer is genoeg! En nu de ontvoering van uw zoon. Dat kan geen toeval zijn, mevrouw Gambús. Het spijt me, maar voor mij is het glashelder. Ik herhaal: men wil hoe dan ook de samenleving ontwrichten. Het zou me niet verbazen als dit het begin is van een serie ontvoeringen om de leidende klasse af te persen. Wat zou een van deze anarchistische groepen er niet voor overhebben om uw zoon in haar macht te hebben? Een goede manier van financiering om door te kunnen gaan met het plegen van bomaanslagen ..."

"Genoeg, Rovira, om godswil! Ik bid u de zaak van alle kanten te willen bekijken."

Joan Rovira was even stil. Hij dacht diep na. Het dilemma was heel eenvoudig: zou hij het gesprek afbreken en de erfgenaam Gambús op eigen houtje zoeken? Hij besloot te wachten om meer te weten te komen. Hij zei: "Eerlijk gezegd spijt het me dat u niet bereid bent het politieke motief te accepteren. Ik geloof dat u zich vergist. Maar omdat ik u van harte wil helpen, beginnen we het onderzoek met als uitgangspunt dat het motief louter geldelijk gewin is."

"Dank u wel, Rovira. Ik kan maar moeilijk geloven dat mijn zoon zich in de val heeft laten lokken ... Afijn, als u erin slaagt hem heelhuids terug te bezorgen en de schuldigen aanwijst, beloof ik dat ik het u zal lonen. Bijvoorbeeld door mijn zoon ervan te overtuigen zich meer bij uw politieke groep te engageren."

"Dat zou u echt doen?"

"Ik zeg niet zomaar iets."

"Nou, ik vind het fijn dat te horen. En als u mij nu toestaat, gaan we aan het werk. Ik heb op elk moment uw volledige medewerking nodig. Als het geen geesteszieke is of een grappenmaker, is het een ernstige zaak. Mensen ontvoeren niet voor de lol of uiten zomaar doodsbedreigingen. We komen wel achter de motieven. Om te beginnen zou u mij alle details van het leven van uw zoon moeten vertellen, van a tot z. Het is bijna zeker dat we een aanwijzing zullen vinden om het raadsel te ontcijferen ..."

"Je kunt zeggen dat de heer Rafel Escorrigüela hem als laatste heeft gezien. Wilt u hem spreken?"

Joan Rovira praatte en praatte. En telkens meer had Miquela Gambús het idee dat het hem even goed in zijn kraam te pas zou komen als haar zoon het er levend af zou brengen, ze hem dood zouden teruggeven of hem helemaal nooit zouden teruggeven. Hoe meer ze hem hoorde praten, hoe meer het haar speet dat ze hem die gunst had gevraagd. Waarom had Demi zich laten pakken? Het antwoord op die vraag was de oplossing van het raadsel. En bovendien zou ze hem een gunst verschuldigd zijn, of Rovira Demi zou vinden of niet. Iets wat bij mensen van die soort altijd gevaarlijk was. Nu meer dan ooit herinnerde ze zich een zin die haar vader haar vaak had voorgehouden: "Miquelona, het is het beste dat je vijand je vergissingen overschat en meer nog dat je vrienden je deugden onderschatten."

Zonder het te merken liep Nonnita Serrallac met grote passen over straat. Ze raakte haar angst maar niet kwijt. Angst voor de levenden en niet voor de doden (hoewel dezen haar al naargelang de dag vreselijk op haar zenuwen werkten). Ze moest uitvissen hoe haar volgende stap eruit zou zien, waarin ze de oude mevrouw Gambús zou laten weten hoe en wanneer ze wilde beuren. Maar ze kon de moed niet opbrengen, ze wist niet hoe ze het moest aanpakken. Tot overmaat van ramp had Eustaqui Guillaumet de dag ervoor Josepet, het Vogelmannetje, naar haar toe gestuurd om haar te vertellen dat Demi Gambús had geweigerd om te eten. Al drie dagen dronk hij alleen maar water en hij zei dat hij doorging tot hij stierf. Nonnita moest een strategie ontwikkelen om uit de sores te raken. Ze besloot Demi Gambús te vertellen dat de zaak in een stroomversnelling kwam en dat het nodig was zijn familie een teken van leven te sturen. Ze gaven hem potlood en papier. En een krant van de dag. Ze lieten hem de berichten noemen om te bewijzen dat hij leefde en hij stelde een briefje op dat ze hem goed behandelden en hoopte dat ze hem weldra zouden vrijlaten. Ze had geluk, het werkte. Demi Gambús ging weer eten, maar ze was uitgeput en moest een paar dagen het bed houden.

Ze kon niet meer. Ze moest uitrusten, maar het was duidelijk dat ze zich die luxe niet kon permitteren.

Bovendien waren er dagen dat de buurt haar op de zenuwen

werkte. Als ze de straat opging, trof ze alleen maar doden of plekken en dingen die er nu nog wel waren, maar er binnenkort niet meer zouden zijn. Zoals de winkel die op de Plaça de l'Oli gedroogde pasta verkocht, die in het zicht van passanten met de hand werd gemaakt: vermicelli, macaroni, canneloni et cetera. Of de sigarettenwinkel in de Carrer de Gràcia Amat, die behalve tabak en postzegels ansichtkaarten verkocht, plakplaatjes en, als de zwager van de eigenaar uit Calaf was gekomen, rieten manden.

Ze begon in de richting van de tramhalte te lopen. Ze stikte van de drukkende hitte. Het had de hele dag gemiezerd: die Barcelonese zomerregen die niet verfrist en alleen maar de luchtvochtigheid doet toenemen. Ze bedacht onder het lopen dat met het verglijden van de tijd de kansen om te worden gepakt toenamen. Des te meer in die dagen: er bleven maar bommen ontploffen, in Marokko begon de oorlog weer, de mensen protesteerden ... en Barcelona was vol militairen en politieagenten.

Ineens is het net of ze engelen hoort zingen. En ze merkt ze op, daar ter plekke, naast haar. En midden op de dag! Waar ze ook waren, ze hebben zich gehaast om haar te ontmoeten. De zingende tweeling Tarrida komt op haar af. En ze zingen. Vandaag is het anders: ze zingen zoals ze nooit eerder gedaan hebben, ter ere van Nonnita Serrallac. En haar kan het niet schelen dat het pas halfnegen 's avonds is en er nog veel mensen op straat zijn die haar bekijken. De tweeling rolt als nachtegalen en vandaag glimlachen ze voor het eerst naar haar en met hun witte handjes beduiden ze dat ze dichterbij moet komen.

Ze zijn twaalf jaar, wees en heel arm. In de wijk kent iedereen ze als de zingende tweeling uit de Carrer Malla en ze zingen uit liefhebberij. Men zegt dat ze al toen ze nog heel klein waren naar de Santa-Martakerk gingen om er misdienaar te worden, alleen maar zodat de pastoor hen zou laten zingen. De oom bij wie ze wonen is begonnen hen bij doopplechtigheden en bruiloften in te zetten. En op privéfeesten van de rijken. Ze hebben een groot repertoire dat volksliedjes omvat, zarzuela en zelfs een paar stukken gewijde muziek. Omdat hun oom ook nog eens aanbiedt die feestelijke gelegenheden voor maar een habbekrats te animeren en op te vrolijken, worden ze overal uitgenodigd. Het geld stelt niet veel voor, maar hoe dan ook, de zingende tweeling smikkelt zoveel als ze kunnen (als het er is vooral bloedworst met spekjes; aangezien ze wees zijn, tweeling, arm, ziekelijk en scrofuleus in aanleg, zijn ze alle twee even verzot op bloedworst met spekjes) en ze gaan met volle buik weer naar huis. Hoe dan ook, als ze op een deftig privéfeest moeten zingen, koopt hun oom, voor ze erheen gaan, bloedworst met spekjes en dwingt ze alles met een paar stevige sneden brood op te eten. Hij wil niet dat de tweeling stiekem sandwiches begint te pikken, want de rijken hebben hun kuren en net als ze op de meest idiote manier met geld kunnen smijten, kunnen ze heel boos worden als een armzalig tweelingpaar zomaar een sandwich pikt, die in feite niet meer dan een paar cent kost. Nonnita herinnert het zich maar al te goed. In de buurt is de zingende tweeling beroemd en mensen kopen plakken en plakken bloedworst met spekjes alleen maar om ze midden op straat te horen zingen.

Op een dag hoorde ze iemand zeggen: "De zingende tweeling uit de Carrer Malla is dood, de arme zielen. Van zoveel zingen zijn ze van binnenuit verteerd, scrofuleusjes, scrofuleusjes." En ze hebben deze wereld verlaten, maar zijn niet weg uit de herinnering van Nonnita Serrallac.

Ze bleef stilstaan en keek om zich heen. Ze ijlde. Ze zag zichzelf in de etalage van de grafstenenwinkel. Die weerkaatste het beeld van een meisje dat aan een reusachtige buik vastzat. Af en toe leek het of haar zwangere buik een eigen leven leidde. De grafstenenwinkel had al een sluitingsdatum. Ze schonken de stenen als het ware weg. Het was een kwestie van dagen en het pikhouweel zou de winkel doen verdwijnen. Evenals La Neotàfia, een begrafenisondernemer op de Plaça de Jonqueres, gespecialiseerd in lijkentransport. Ze kondigden grote kortingen op begrafenismateriaal aan, want de Reforma had hen al met een rood kruis gemerkt. Ze dacht: het is voordelig om in de Sant-Perebuurt dood te gaan, La Neotàfia houdt uitverkoop ...

Ze stapte in de tram die van de Plaça de Palau naar Arenes ging. Hij stopte ongeveer ter hoogte van Soriano. De mensen gingen voor haar opzij, stonden op om haar te laten zitten, dames boden haar zakdoeken aan die met eau de cologne waren besprenkeld ... De zon ging al bijna onder, de hemel was bewolkt en het miezerde. En ineens zag ze tussen de Montjuïc en de zee de prachtige regenboog, met alle kleuren die de halve cirkel vormden. Het was ongewoon en iedereen boven in de tram viel stil. En een secondelang was die tram een uniek en speciaal iets. Als het schepsel dat ze droeg op de wereld kwam en ze uit de sores raakte, zou ze het op een dag, over een paar jaar vertellen.

Ze zat tot haar nek in de knoei. Ze had de mensen die haar het meest na stonden bij de zaak betrokken. Als het niet lukte, was de gevangenis nog het minste kwaad. Ze was onverantwoord bezig, maar er bestond maar één vaste, reële en tastbare zekerheid: ze kon niet meer terug, Ze hield iemand gegijzeld. Ze kon alleen maar doorgaan.

Meteen toen ze bij het theater was aangekomen, begon ze het briefje met betaalinstructies op te stellen.

27

Rafel Escorrigüela zag het naaistertje met lichte tred aan komen lopen. Haar figuurtje dat telkens dichterbij kwam, gaf koelte aan de hitte van de Plaça de l'Àngel, die benauwd was vanwege het stof van de Reforma. Ze leek een meisje van vijftien jaar. Ze was hoe dan ook niet veel ouder. Ze droeg een rode rok en een enigszins afgedragen roze blouse. En daaroverheen een hemelsblauw schort met witte strepen. En zwarte kousen en schoenen. Hij wachtte op haar in Café del Suís. Wat had dat meisje, dat ze hem zo enorm vertederde? Ze zagen elkaar heel weinig. Het arme kind moest wel denken dat hij een geheime missie had of zoiets.

"Telkens als ik u zie, denk ik altijd dat het de laatste keer is", zei ze.

"Zeg dat nou niet. Ik wil u vergenoegd zien. Bestel wat u wilt."

Ondanks de hitte bestelde ze warme chocola. Rafel Escorrigüela zag hoe ze de kattentong naar haar mond bracht en hoe haar snorretje onder het schitterend zwart kwam te zitten. En hij stond verbaasd van zichzelf omdat hij een soort oppervlakkige, ongegronde genegenheid voelde, die hij maar niet begreep.

"En hoe gaat het op het werk?"

"Goed. Vandaag hebben we een vreselijke dag gehad", antwoordde ze met een heel guitig gezicht. "Ik moest een onuitstaanbaar kind, een kind van goeden huize, een markiesje, een communiepakje passen. 'Is de lengte zo goed, mevrouw?' vroeg ik zijn moeder. En ze zei ja en toen ging het joch er betweterig tegenin. En ik trok maar met krijt strepen op zijn broek en veegde ze uit. En u zult het niet geloven, maar uiteindelijk heeft de moeder naar haar zoon van tien geluisterd!"

Het meisje zweeg plotseling. Haar vriend zat heel ergens anders met zijn gedachten: "Ik verveel u, hè, Rafel?"

"Nee, nee, hoe komt u erbij ... Ik heb zorgen die me niet loslaten ... U hebt geluk, u weet wanneer u begint te werken en wanneer u ophoudt. Ik niet. Ik heb u gevraagd om voor het vijfuurtje hier af te spreken omdat ik in deze buurt een paar zakenbezoeken moest afleggen."

"Mag ik vragen wat voor zaken?"

"Dat is geen geheim: wat ziet u om zich heen? Ruimte en puin. En panden die binnenkort worden gesloopt. Dat dus: huizen, terreinen kopen en verkopen ... Kapitaal trekt kapitaal aan. En deze zone is volop in ontwikkeling ... Sopt u vooral, schaamt u zich niet ..."

Het meisje had gemerkt dat Rafel Escorrigüela zijn rechterhand niet uit zijn zak nam, maar zei er niets over. Het viel hem zelf niet op. Hij pakte zijn glas ijskoud bier met zijn linkerhand en raakte met zijn rechterhand dwangmatig telkens opnieuw een heel klein voorwerp aan dat hij in zijn zak droeg; klein, maar waardevol: het was een pil, een strychninepil.

Hij keek het naaistertje weer aan. Ze was echt knap. In haar ogen, tot nu toe alleen maar gewend aan de kleine problemen van haar leven van alledag, ried hij toekomstige wilskracht. Hij stelde zich haar voor terwijl ze met snelle steekjes de zoom van een jurk of wat dan ook naaide, alsof ze met veel steekjes aan haar toekomst borduurde en zichzelf afvroeg waarom de heilige Lucia haar gebeden had verhoord en haar een potentiële verloofde als hij had bezorgd.

Hij nam een slok bier. Bier hielp hem nadenken. Rafel Escorrigüela was er de persoon niet naar om zich snel gewonnen te geven. En hij liet zich vaak door zijn intuïtie leiden. En zijn hart gaf hem in dat de oplossing van het raadsel van Gambús via de zwangere vrouw van de Paralelo liep. Diezelfde middag, toen hij zich ervan had verzekerd dat het meisje theater Soriano was binnengegaan, ging hij op een holletje bij haar thuis langs.

De hitte was ondraaglijk en er was niemand op straat. De balkons stonden open. Vele waren met een wit gordijn afgeschermd, dat als een zeil bolde en slap viel. Hij was bang dat iemand naar hem zou roepen, in dit soort buurten kende iedereen elkaar, maar niemand had iets tegen hem gezegd. Het portaal stond open. Het temperatuurverschil had hem bijna kippenvel bezorgd. En heel voorzichtig ging hij naar boven. Als er een bewoner zou opdagen, had hij al een goede smoes klaar: hij was een gemeenteambtenaar die een routine-inspectie hield. Het gebouw leek leeg, je kon een speld horen vallen. Eenmaal op de bovenste verdieping aangekomen had het hem weinig moeite gekost het slot te forceren. De plek waar Nonnita Serrallac woonde vond hij net een uitdragerij: spullen die overal vandaan kwamen. Hij had alles doorzocht op zoek naar welke aanwijzing dan ook die hem kon helpen, het kleinst mogelijke bewijs dat erop duidde dat Demi Gambús er was geweest. Het was de bovenste flat en de hitte werd hem te veel. En Rafel Escorrigüela, die telkens zenuwachtiger werd, haalde hem zonder het te merken overhoop. In zijn razernij gooide hij alles op de grond. Ze bracht hem er zelfs toe het matras met een keukenmes open te snijden. Helemaal niets. Uiteindelijk was hij bijna werktuigelijk naar het terras boven gegaan. Hij herinnerde zich de lichtexplosie nadat hij de deur had geopend en die hem bijna achteruit had doen deinzen. Terwijl hij op de balustrade leunde, had niets speciaal zijn aandacht getrokken: daken, terrassen, de half voltooide koepel van de kathedraal, klokkentorens en duivenhokken, veel duivenhokken. Hij wist eigenlijk niet waarom hij er naar binnen was gegaan. Misschien dat er iets niet klopte. Misschien stond er iets niet op zijn plaats: resten vers stro op de grond in een verlaten duivenhok? Dat was niet normaal. Het was ook weer niet iets om je erg over te verbazen. Gehurkt had hij tussen de roestige spijkers die het houten bouwsel overeind hielden een gloednieuwe ijzeren ring gezien die aan de muur vastzat. En plotseling had hij gemerkt dat de stank in die ruimte eerder van menselijke uitwerpselen dan van duivenpoep afkomstig was. En toen, terwijl hij nog in dat lege duivenhok gehurkt zat, had hij het in de voeg tussen twee vloertegels gezien. In eerste instantie had het een wit steentje geleken, vlak bij de deur. Hij was erop afgelopen en had het gepakt. Een pil. Waar deed het hem aan denken? In een fractie van een seconde vielen de puzzelstukjes in elkaar. Het was een strychninepil! Zo'n verdomde strychninepil, precies dezelfde als die welke de jongeheer Demi Gambús gebruikte! In Barcelona waren er waarschijnlijk bijna geen mensen die ze gebruikten.

Zenuwachtig had hij hem in zijn zakdoek geknoopt en was hij naar Suís gelopen, daar vlakbij, terwijl hij nog van opwinding over zijn hele lijf trilde.

In deze staat van ontreddering had hij het naaistertje ontmoet. Ze had het gemerkt en bleef daarom maar kletsen. En hij was niet in staat om naar haar te luisteren en bovendien kon hij het pilletje dat hij in zijn zak droeg maar niet loslaten. Toen de eerste opwinding eenmaal gezakt was, maakte een gevoel van euforie zich van hem meester: hij had het bewijs dat die zwangere hoer Demi Gambús in elk geval in dat duivenhok had vastgehouden!

Het meisje had haar chocolade opgelepeld en depte haar lippen bevallig met haar naaistervingertjes. Ze vertelde hem juist dat haar vader een van de bekendste kleermakers van de Sant-Perebuurt was geweest. Hij vond het prima dat ze babbelde, het hield háár bezig en híj kon nadenken.

"U had hem moeten zien met zijn pet, 's zomers gekleed in een mouwloos jasje en in de winter met een overjas aan en een deken over zijn benen. En met een bril met inlegwerk op het puntje van zijn neus. Met twee rieten stoeltjes, het ene om op te zitten en het andere voor zich om er zijn werktuig op te leggen en de materialen die hij nodig had. O, en met een kussen in zijn rug. Hij installeerde zich in een groot portiek van de Carrer Sant Pere Més Alt en profiteerde van het daglicht om te naaien, zoveel als hij kon. In het portiek wikkelde hij zijn zaken af: hij nam bestellingen aan, leverde ze af ..."

"Llucieta!"

Ze schrok door zijn onderbreking: "Zeg eens ..."

"Ik denk dat ik u mee uit dansen neem, zodat u trek krijgt in avondeten."

"Echt?"

"Dat kan ik u op een briefje geven."

Nonnita Serrallac kwam helemaal uitgelaten thuis. Ze zag duidelijk hoe ze de ruil van Demi Gambús tegen geld moest aanpakken. Ze hoefde het alleen maar op te schrijven en aan zijn moeder te laten weten. Onderweg was ze op maar één overledene gestuit. Duidelijk niet een van de vervelendste soort. Het was de kolenboer van huis Simó, verpletterd onder een vracht kolen die op hem gevallen was omdat hij een van de kolenkisten waarin hij ze bewaarde niet goed had verankerd. Nonnita had hem in het voorbijgaan voor ezel uitgemaakt omdat hij op die manier om het leven was gekomen. En de kolenboer was maar blijven herhalen dat willekeurig wie een onoplettendheid kon overkomen. En dat hij er zwaar genoeg voor had geboet, aangezien hij in de kracht van zijn leven naar de andere wereld was gegaan. Dommekracht dan toch wel, had ze gezegd, terwijl ze zich er vrolijk over maakte, en bovendien met een vuil gezicht ... En de kolenboer had tegen haar gezegd dat willekeurig wie een onoplettendheid kon overkomen. Ze bekte terug dat háár dat niet zou overkomen op het moment dat ze Gambús zou verkopen. En de kolenboer, tandeloos, vuil, had eenvoudigweg geantwoord: "Dat weet ik." Soms gaven de doden goede raad. Maar niet al te vaak. Eerder het tegendeel: ze leiden behoorlijk af, dacht ze. En daar had ze meteen spijt van. Sommige doden waren veel beleefder dan levenden. Maar ze merkte dat dit net zo'n stomme gedachte was als van iemand die zegt: "Er zijn dieren die meer verstand hebben dan hun baasjes."

Toen ze haar voordeur wilde openen, merkte ze dat deze geforceerd was. Ze ging naar binnen, stak de petroleumlamp aan en zag dat haar woning overhoop was gehaald.

Nonnita Serrallac hoefde er niet lang over na te denken om te raden wat er was gebeurd. Dit was niet door een gelegenheidsdief gedaan. En ze viel helemaal stil en kromp ineen, niet in staat om te reageren, terwijl de tranen over haar wangen biggelden. Ze bleef een hele dag zonder iets te doen in die overhoopgehaalde flat, bang bij het idee alleen al de straat op te moeten. Ze was bang dat degene die haar woning had vernield zou terugkomen en haar helemaal af zou maken.

Een paar keer was ze tot aan de overloop gekomen, maar het stond er vol doden die haar vroegen of ze wilde dat ze binnenkwamen om haar gezelschap te houden. En ze had nee tegen hen gezegd, dat ze liever bij hen buiten bleef. En zo had ze gezelschap en stond ze tegelijkertijd op de uitkijk: als iemand het portiek binnenkwam, zou ze hem de trap horen opkomen. Omdat ze er zeker van was dat ze haar zouden komen halen. Ze zou daar ter plekke van de aframmeling een miskraam krijgen. Ze zouden haar blijven aframmelen, zelfs nadat ze al had verklapt waar ze Demi Gambús vasthield.

Op de overloop dus, gezeten op de traptreden, luisterde ze naar de onbenulligheden van de doden.

Een die ze niet kent, met een vollemaansgezicht, duwt de anderen opzij en vertelt haar dat de plek waar hij rust, op de Montjuïc, ideaal is. Dat de berg vanaf zijn grafnis zachtjes afdaalt tot aan zee, net zoals wanneer een moeder haar hand over het hoofd van haar kind laat gaan. En dat zijn dodenstraat vol bomen staat, meer dan hij om zich heen had toen hij leefde. Bovendien is hij op de sociale ladder gestegen. Om hem heen liggen doden van hoge komaf en grote verdiensten. En hij zegt: "Niet veraf staat een gloednieuw pantheon, als een kasteeltoren. Het blinkt en schittert van het marmer. Ik weet niet wie er ligt, maar vanwege al dat marmer zal het wel een belangrijk iemand zijn, lid van een oude familie." En Nonnita antwoordt met zwaar hoofd dat het wel een arts of uitvinder zal zijn. Of een vooraanstaand man uit de stad. Dat Barcelona een stad is die een heel hoog percentage vooraanstaande mannen voortbrengt en een van hen moet wel die van het pantheon als een toren zijn. En dat hij er nog maar vele jaren mag liggen. En de dode zegt: "Jaren? Ja, vele. Eigenlijk, de rest van mijn dood." En ze wordt er moe van met die dode te praten die zo rustig, redelijk, conformistisch en vrijwillig naamloos is.

Want ze bleef zich maar zorgen maken. Ze dacht: als ze dan toch moeten komen, laat ze dan maar meteen komen. Ze zweette. Ze was niet in staat op te staan. Met haar hoofd tegen de trapleuning viel ze in slaap.

Tegen de avond werd ze wakker. Ze stond op en ging naar binnen. Het was haar alles om het even. Ze deed de deur voor de neus van de doden dicht, die op de overloop bleven. Eigenlijk vooral vanwege het lef van dit gebaar. Want in de eerste plaats was het slot verbroken en in de tweede pleegt een gesloten deur in het algemeen geen serieus beletsel te vormen voor een dode die wat voorstelt.

Ze bleef zich behoorlijk beroerd voelen, at een beetje en gaf over. Toen hoorde ze dat er op de deur werd geklopt en ze schrok. Waarom klopten ze als de deur openstond? Misschien waren het de overledenen die zich verveelden en op haar afkwamen om haar te pesten. De dag zou komen dat ze er geen erg in had en ze met hen zou meegaan. Ze bleef roerloos staan.

Ze bleven maar kloppen. Ze hoorde hoe het scharnier piepte en iemand binnenkwam. Goed, het moment was aangebroken. Wie het ook was, ze kon in elk geval niet verhinderen dat hij binnenkwam.

In de kamer hoorde ze passen die dichterbij kwamen. Haar hart ging als een razende tekeer. Ze sloot haar ogen en pakte haar buik vast.

Ineens de gedragen, diepe stem van Eustaqui Guillaumet: "Voelt u zich niet goed, bazin? In het theater heeft iedereen naar u gevraagd."

Ze zou nooit gezegd hebben dat zijn aanwezigheid haar zo blij had kunnen maken. Ze zei verdrietig: "Eustaqui, kijk eens wat ze met mijn flat hebben gedaan ..."

De jongen pakte haar beet en liet haar zitten. Hij bracht een glas water en liet haar drinken.

Hij raakte haar voorhoofd aan: "Volgens mij hebt u een beetje koorts."

"Dat stelt niets voor, iets van zwangere vrouwen. Luister ..."

Ze kon maar niet tot bedaren komen. Ze haalde haar neus op en sprak met horten en stoten: "Je moet oppassen dat ze je niet volgen. Je moet heel erg oppassen. Iemand vermoedt dat we hem hebben, dat van vandaag is geen toeval. Duizend ogen houden ons vanaf nu in de gaten ..."

Hij bracht haar naar de veranda, zodat ze een luchtje kon scheppen. En in stilte bleef hij maar vochtige doeken op haar voorhoofd leggen. De aanwezigheid van de jongen kalmeerde haar. Eustaqui bezat dat vermogen.

"Ontroerend."

Ze werden overvallen door de stem achter hen. Ze hadden hem niet horen binnenkomen. Het was Rafel Escorrigüela, met een tandenstoker in zijn mond, gekleed als een heer, met dure linnen kleren, handschoenen en een wandelstok.

Hij vervolgde glimlachend, terwijl hij Eustaqui Guillaumet aanwees: "Wie is dat, de vader van de kleine?"

Eens te meer onderschatte Rafel Escorrigüela het psychologisch effect van zijn optreden als stoere bink. Hij werkte mensen wier kracht hij niet kende op de zenuwen en dan overkwam hem wat nu gebeurde: Eustaqui die opstond, op hem afliep en hem zonder een woord te zeggen een knietje in zijn kruis gaf. Hij smakte rood aangelopen en buiten adem tegen de grond. Meteen erop spuugde Eustaqui hem in zijn gezicht en zei onaangedaan: "Nee, meneer. Ik ben niet de vader van de kleine."

In de ogen van Rafel Escorrigüela stond de meest belachelijke verwondering te lezen. Hij kon gewoonweg niet geloven dat iemand die als hij gekleed ging op die manier kon worden vernederd door iemand die gekleed ging als Eustaqui Guillaumet. Sinds hij als nieuwe rijke door het leven ging, was hij gaan geloven dat een duur colbert een soort harnas was, een schutting als die in de arena stonden, waarachter hij zich kon verschuilen. En nu bevuilden de vuile tegels van dat huis zijn witte linnen broek. Maar als goed overlevingsspecialist bewaarde Rafel Escorrigüela de wrok tegen die reus voor het geschikte moment. Hij kwam pas overeind toen hij weer enigszins normaal kon ademhalen. Hij klopte zijn knieën af, veegde de fluim weg en zette een glimlach op die ironisch bedoeld was. Hij kuchte en zei: "Ik wil niet vechten."

"Dat leek er net ook niet op", zei ze heel serieus. "Je valt me al een paar dagen lastig. Je komt zonder kloppen als een dief mijn huis binnen. Waarom zou ik je vertrouwen? Ik heb veel zin om Eustaqui te zeggen dat hij je moet beetpakken, je een aframmeling moet geven en het raam uit moet gooien."

Het vooruitzicht leek Rafel Escorrigüela allesbehalve aanlokkelijk.

"Sorry, sorry als ik je beledigd heb. Ik ben gekomen om over zaken te praten, niet om klappen te krijgen."

"Zaken? Wat voor zaken? Heb jij mijn woning kapotgemaakt?"

"Nee", loog hij.

"Ik geloof er niets van. Wat wil je?"

"Je hebt iets waar ik belangstelling voor heb."

"Ik weet niet waar je het over hebt."

Terwijl hij tot bedaren kwam, hield Rafel Eustaqui in de gaten. Hij stak zijn hand in zijn zak en voelde de strychninepil. Hij wilde hem tevoorschijn halen, maar deed het niet.

"Ik ben er zeker van dat Demi Gambús hier is geweest en dat jij weet waar hij is. Ik koop hem van je."

"Je herhaalt jezelf en verveelt me. Bovendien voel ik me helemaal niet lekker. Ik wil dat je de vernieling betaalt die je hebt aangericht en dat je weggaat."

"Je bent gek."

"O ja?"

Eustaqui kwam op hem af, gaf hem zo'n klap dat zijn gezicht ervan omsloeg en duwde hem op een stoel neer. Meteen erna scheurde hij hem bijna het colbert van het lijf, doorzocht de jaszakken, vond de portefeuille en doorzocht hem: "Hij heeft acht peseta en zestig cent, bazin."

"Dat is beter dan niks." En tegen Rafel: "Dat van de flat vergeef ik je niet. De volgende keer snijdt Eustaqui je open en gooit je in een van die groeven van de Reforma ..."

Rafel Escorrigüela beefde. Hij achtte haar er goed toe in staat. In zijn diepste binnenste zocht hij kracht en bulkte: "Jullie zetten je leven op het spel. De familie Gambús is niet zomaar een familie."

"Sodemieter op, stuk stront. Nu kan je nog lopend naar beneden. Binnen de minuut vlieg je door het trappengat. Eustaqui!"

"Oké, ik ga al, maar bedenk wel: met mij onderhandelen is makkelijker dan met de familie Gambús."

"Wegwezen!"

"Denk erover na. Je weet waar je me kan vinden."

"Eruit!"

Eustaqui Guillaumet volgde Rafel Escorrigüela om er zeker van te zijn dat hij wegging. Toen hij terugkwam, trof hij Nonnita Serrallac staande en nog steeds trillend aan. Ze wachtte hem op met een briefje in haar hand: "Hier, dit is het bericht voor de familie Gambús. Nu kunnen we echt niet langer wachten. Deze klootzak zal alles doen mislukken. In een wip hebben we de politie en de familie op ons dak. We moeten het geld pakken en ertussenuit knijpen voor ze ons snappen."

Er was zo weinig ruimte in de halve huifkar dat er nauwelijks iemand anders in paste als het uur van slapengaan was aangebroken en de gijzelaar zich uitstrekte. Het gevolg was dat een bewaker altijd op het strand onder de blote hemel moest slapen. Dat toonde duidelijk aan welke toestand er binnen in het optrekje heerste. Zodat Nonnita Serrallac een deel van het geld van de Gambús uitgaf aan de koop van een zeildoeks scherm om een aanbouw te maken. Ze verlengden de bestaande ruimte met een extra kamer: een tent die op een rare manier verbonden was met de rest van het voertuig. Hij was van alle gemakken voorzien: een tafel, twee stoelen, een petroleumkacheltje en op de grond twee veldbedden om te slapen.

Ze hielden Demi Gambús vast in een permanent halfdonker. De voormalige deur en het enige venster van het halve voertuig waren uit voorzorg zowel overdag als 's nachts met doeken afgeschermd. In die omstandigheden begon de schuilplaats midden in de zomer pas tegen de avond draaglijk te worden. En het bleef ongezond warm in de ruimte, hoewel het van alle kanten doorwaaide.

Het begin van zijn gevangenschap was Demi Gambús doorgekomen door aan zijn zaakjes te denken, zijn toekomstige projecten, hoe hij wraak zou nemen. Nu deed hij zelfs dat al dagen niet meer. Van lezen werd hij meteen moe en hij rolde zich liever op zijn veldbed op en sloot zijn ogen. Hij mocht nu tenminste zijn onderbroek aanhouden.

's Nachts was de stilte compleet; ze werd slechts 's morgens heel vroeg verbroken door een haan die stipt de komst van de nieuwe dag aankondigde. En altijd, vlakbij, het ruisen van de zee. Zo nu en dan het geraas van de trein. Ook geluiden die de wind aandroeg: menselijke stemmen, van buurtbewoners die vlakbij langskwamen, of scheepshoorns in de verte. Of een hond die aansloeg in een van de krotten in de buurt omdat hij midden in de nacht een muis had zien bewegen. Of de gestoorde die tegen zijn papegaai riep: "Zeg eens 'Tupinamba', verdomme!" En de papegaai onthield alleen het tweede deel: "Verdomme! Verdomme!"

Op een dag werd hij 's morgens vroeg wakker van wat op vuurwerk leek. Een van zijn bewakers, die met de haakneus, liet hem weten: "Schrikt u niet. Het zijn soldaten die hier vlakbij op het Camp de la Bota schietoefeningen houden."

Die sukkel had net verklapt waar ze hem verborgen hielden en had het niet gemerkt. Maar wat kon het hém eigenlijk schelen: hij zat helemaal stuk. Hij had alle gevoel voor tijd verloren. Hij wist niet of ze hem nu drie weken, een maand of anderhalve maand gevangen hielden. Hoe meer tijd er voorbijging, des te somberder was hij. En fantaseren over zijn eiland midden in zee bood al minder soelaas dan in het begin. De laatste tijd vermaakte hij zich door zich voor te stellen hoe groepen kooplui, zelfstandigen, kleine en grootindustriëlen, advocaten, bankiers en renteniers, artsen, verzekeraars, architecten en ingenieurs, ambtenaren, zelfs academici, onderling ruziemaakten om zich in zijn zeestad te mogen vestigen. Of hij stelde zich voor dat hij de bouw van een zeer hoog huizenblok leidde, van het soort dat Amerikanen wolkenkrabbers noemen, met luxe woningen voor de hoge burgerij van Barcelona, die dan op haar reizen naar Madrid kon zeggen: "Op het ogenblik bouwen we in Barcelona net als in Chicago en Buffalo ..."

Maar nu zelfs dat niet meer. De toekomst liet hem koud. Zijn grootste zorg was het heden. En om precies te zijn, vooral te voorkomen dat die klotepapegaai naar hem toe kwam. De laatste oorvijg van zijn bewaker had hem een paar uur aan één oor doof gemaakt. Het was heel vreemd. Demi Gambús had zich laten meeslepen door een soort fatalisme dat voor iemand als hij ongewoon was. Meer dan eens had hij tegen zichzelf gezegd dat hij vóór alles de plicht had te proberen te ontsnappen. Maar dan keek hij naar zijn bewakers en zag een gestoorde, een cipier met een haakneus of een debiele reus en ging zijn zin wel over om het tegen hen op te nemen, omdat hij zich doodschaamde. Zijn familietrots maakte hem slaaf van de esthetiek: hij kon maar niet geloven dat een troep schelmen op het randje van wat je geestelijk gezond kon noemen over zijn leven beschikte. En al helemaal niet dat de aanwezigheid van een papegaai een extra bezoeking betekende. Daarom was het enige wat hij wilde dat zijn moeder verdorie een keer zou betalen! Maar aan de andere kant was het duidelijk dat ze dat niet deed. Waarom niet? Welk probleem was er? En de kwelling werd erger naarmate de tijd voortschreed en hij niet wist waar hij zich aan vast kon klampen om een gedachte kwijt te raken die sinds een paar dagen door zijn hoofd spookte: dat hij in levensgevaar verkeerde.

Voor Demi Gambús waren de nachtelijke uren de prettigste. Zoals eerder in het duivenhok brachten zijn ontvoerders hem af en toe een paar minuten in de buitenlucht, niet al te lang. Hij ademde een poosje de zeelucht in, liep met zijn handen op zijn rug gebonden en zijn voeten in de boeien tot aan de waterkant. In de verte, rechts, onderscheidde hij de lichten van Barcelona en zijn haven. Soms zag hij op een honderdtal meters, bij de krotten, een vuurtje. Dan kon hij met zijn kont in de golven zijn behoefte doen of zich met zeewater wassen. Alles in maximaal tien minuten. Het hing in feite van de bewaker af. De dagen dat hem de gestoorde te beurt viel, hielp er geen moedertjelief aan. De man ging bij de ingang van het halve voertuig zitten en bewoog niet tot ze hem aflosten. Hij zei niets. Hij leek doofstom. Demi wist dat hij dat niet was, maar de man deed of hij niet bestond. Van de zwangere vrouw geen spoor. Een enkele keer sprak hij met de jongste, de spierbundel. Niet veel: drie, vier zinnen. Hij was niet ouder dan vijfentwintig, maar had de aard van een volwassene, verstandig en bedaard, redelijk, maar onverbiddelijk. Overdag was hij er meestal niet. Hij kwam 's nachts heel laat. Hij begroette hem altijd. Hij kwam met een brandende kaars naar hem toe en bracht hem een oude krant of zomaar een boek dat hij op straat gevonden had. Met hem kwam elke dag hoop binnen omdat hij de enige was die vanbuiten kwam, de enige die hem nieuwe informatie kon verschaffen.

Een van die avonden waagde Demi Gambús het erop. Hij was terneergeslagen, bleef maar vrezen dat zijn leven in gevaar was. En bovendien was hij erin geslaagd die vrees te rationaliseren: binnenkort zouden zijn gijzelnemers ook moe worden. Het moment zou aanbreken dat het hun beter zou uitkomen hem te vermoorden dan in leven te houden. Dat liet hij zich ontvallen tegenover de jonge bewaker, terwijl ze alleen bij de zee waren, vlak bij de golven. Het overviel de jongen zo dat hij zich ineens omdraaide en zijn gevangene bij zijn lurven pakte. Demi Gambús sloot zijn ogen, terwijl de ander hem dooreenschudde. Hij dacht dat hij hem weer zou slaan. Maar nee. Hij liet hem los en zei rustig: "Ik ben geen moordenaar."

Demi Gambús keek naar de donkere horizon. Zo donker als zijn stem toen hij doorging met praten, een stem die uit het diepste van zijn lichaam opborrelde, met in gelijke delen resonanties van Miquel Gambús I, Die van de koning, Miquel Gambús II, de Rijke Stinkerd, en Miquela Pannenlikster Gambús. Een dodenstem: "Je bent geen moordenaar, maar zult er een worden. En weet je waarom? Omdat je het niet zult kunnen vermijden mij te vermoorden. De reden is simpel: ik heb ontdekt wie je bent. Het heeft me een paar dagen gekost, maar ineens zijn me de schellen van de ogen gevallen. Hier heb ik veel tijd om na te denken. Heel veel tijd. En nu ben ik er zeker van: jij staat bij de deur van theater Soriano, jij bent degene die met de luidspreker roept om mensen over te halen binnen te komen. Luister daarom goed naar me: als ik vrijkom, zal ik je vinden, waar je je ook verstopt, dat zweer ik je. En als ik je vind, zal ik je afmaken. Ik zal je als een worm verdelgen, nadat ik je heb aangedaan wat een mens een ander ook maar kan aandoen. En als ik je uit de weg heb geruimd, zal ik het leven van de mensen om je heen onmogelijk maken: dat van je familie, vrienden, zelfs je dieren. En als ik ook maar enigszins kan, zal ik ze doodmaken. Mijn wraak zal alles treffen wat ook maar met jou in aanraking is geweest. En als ik ooit kinderen krijg, zal ik ze de wet van deze wraak inprenten zodat ze jouw kinderen vervolgen, opjagen en naar de andere wereld helpen. Dus moet je wel moordenaar worden als je ook maar een greintje medegevoel hebt. Omdat je alleen maar door mij dood te maken kan verhinderen wat ik je net heb voorspeld."

De ander keek hem als versteend aan. Dat had hij niet verwacht. Hij zei geen woord. Hij was zo onder de indruk dat hij hem in stilte overeind hielp en weer opsloot.

Uitgestrekt in het donker liet Demi Gambús zich meeslepen door zijn paniek. Hij lag de hele nacht wakker en verwachtte dat de bewaker binnenkwam en hem naar het water zeulde. Hij zou zijn kop in zee houden, zoals met pasgeboren poesjes en hondjes werd gedaan, en zou hem verzuipen. En hij werd telkens zwakker ... Hij had moeten proberen hem om te kopen. Hij hoorde de trein die langskwam, het moest een goederentrein zijn, lang en beladen ... Hij geeuwde wanhopig, met open ogen en zijn handen onder zijn achterhoofd. Hij hoorde hoe zijn bewakers sliepen. Alle drie. Ze sliepen zelden tegelijk. Hij had slaap en was bang.

De volgende dag doorkruiste Eustaqui Guillaumet Barcelona meer dan ooit met een klein hartje, terwijl hij nog ondersteboven was van de ontboezeming van Demi Gambús. Voor het eerst had hij gemerkt dat het geen spel was. En dat hij zijn leven riskeerde. Tot nu toe had hij zich heel erg veilig gevoeld, voor mensen als

Demi Gambús en voor beroeringen van de maatschappij in het algemeen.

Op de Rambla werd een demonstratie tegen de oorlog in Melilla gehouden. Er waren vele jonge vrouwen met hun kinderen. Ze legden hem uit dat de regering meende dat het beter was reservisten te sturen om tegen de moren te vechten, dan onervaren rekruten, ze waren immers al getraind. Vandaar de vrouwen: er waren reservisten die twee, drie jaar geleden hun dienstplicht hadden beëindigd en zich nu ontslagen waanden van militaire verplichtingen. Ze waren getrouwd, hadden kleine kinderen, een baan ... En nu moesten ze alles achterlaten om oorlog te voeren.

De bereden politie vertoonde zich en het kwam tot schermutselingen. De mensen renden de Carrer Tallers in met de agenten op hun hielen. Een jonge demonstrant probeerde te ontkomen aan de benen van een steigerend paard. Hij beschermde zichzelf met zijn armen. Hij had een rebelse pony die over zijn ogen viel. Als hij het beu werd die met zijn hand opzij te schuiven, blies hij hem omhoog. Eustaqui hoorde duidelijk drie of vier schoten. "Het gaat niet goed als de politie schiet op vrouwen met kinderen in hun armen", zei hij tegen zichzelf. Maar hem lieten ze eens te meer met rust.

Het waren roerige dagen. Pas nog was hij dwars door een andere grote demonstratie gereden, die helemaal uit mensen bestond die ordelijk marcheerden, aangevoerd door een huurauto die was versierd met de banieren van de organisatoren. Eustaqui vroeg hun of ze protesteerden tegen de oorlog in Afrika en een van de deelnemers antwoordde verontwaardigd van niet, dat ze patriotten waren, dat ze tegen het stierenvechten protesteerden, dat het een schande was dat in de twintigste eeuw dat soort slachtpartijen nog bestonden, vernederend voor wie ze uitvoerde en voor wie ernaar keek ...

In Barcelona had hij dus nog steeds redenen te over om zich te verwonderen: de stad handelde ondoordacht, was in beroering en stond op haar kop. Bij het minste of geringste schreeuwden de mensen moord en brand. Sommigen protesteerden omdat de regering jongemannen wegvoerde om te doden; anderen maakten zich meer zorgen over stieren ... En daarbij nog de bommen. Maar toch, ondanks alles leek het er bijna op of de stad er lak aan had.

De Paralelo was een goed voorbeeld. Eustaqui had met eigen ogen gezien hoe een hele groep nieuwsgierigen in de rij had gestaan om in de gemeentelijke toiletten voor theater Nou af te dalen. Ze wilden de plek zien waar de laatste bom was ontdekt die in de stad was geplaatst, voor ze ontplofte. Of, nog dichterbij, de bomaanslag bij Soriano: een halfuur na de ontploffing liepen de stoepen weer vol, de schermen die in vliegende haast waren ingepakt, werden weer ontvouwen, de klanten van de etablissementen met verversingen en drankjes gingen weer onder de pergola's in de openlucht zitten, de cafés en bierhallen begonnen weer vol te raken met het rumoer van klanten die niet konden wachten om de laatste gebeurtenissen te becommentariëren ... Het was zomer en in de zomer had iedereen het naar zijn zin. Dat hield Eustaqui Guillaumet in zijn ban.

Daarom was het nu, nog geen halfuur na de politiecharge, niet vreemd dat de kinderen alweer bij de ingang van de Boqueria gingen spelen. Net als andere keren keek Eustaqui naar hen. Vanwege de warmte trof hij er vaak groepen jongens en meisjes die tot diep in de nacht aan het spelen waren. Na politie en demonstrant te hebben gespeeld, begonnen ze op dat moment Rifoorlogje te spelen. Er was een kapitein bij, een woeste moor uit Kabylië en voor de meisjes een vrouwenafdeling van vrijwilligsters van het Rode Kruis. Met rieten sabels en karabijnen van essenhout speelden de kinderen, onder het uiten van kreten en klanknabootsingen, de hele oorlogsmachinerie na: vanaf het afscheid van de soldaten op de havenkade, met huilende familieleden en al, tot de kapitein-generaal die een plechtige redevoering afstak voor het expeditieleger; daarna de aankomst in Melilla en tot slot de gevechten tussen moren en Spaanse manschappen. Het waren straatkinderen tussen acht en twaalf jaar. Eustaqui Guillaumet wachtte even. Hij liep op ze af. Hij koos een jongen uit die zich leek te vervelen omdat ze hem heel snel gedood hadden. Hij gaf hem tien cent, legde hem uit dat hij op de deur van huize Gambús moest kloppen, de envelop op de grond moest leggen en op een holletje terug moest komen.

"Als je het goed doet, verdien je nog eens tien cent."

Hij volgde hem op afstand om na te gaan of hij uitvoerde wat hij hem had opgedragen. Vanuit de halfschaduw van een portiek zag hij hoe de jongen klopte met de elegante deurklopper van goudkleurig messing, hoe hij de envelop tegen de deur zette en hoe hij er rennend vandoor ging om de overige tien cent te beuren. Het hoeft geen betoog dat Eustaqui Guillaumet er al niet meer was. Zo leert hij dat hij grote mensen nooit moet vertrouwen, dacht hij, terwijl hij naar het theater terugkeerde. Hij dacht ook dat het eind van dat alles heel snelletjes, snelletjes dichterbij kwam.

28

De oceaanstomer *Ciudad de Cádiz* van scheepvaartmaatschappij Transmediterránea, ter beschikking gesteld door de grootmoedige gemaal van de markiezin van Comillas, voer langzaam weg. Aan dek speelde de muziekkapel van het bataljon het volkslied, dat als gevolg van de warmtenevel op een vreemde manier werd vervormd. Het was halfvier en de zon brandde fel.

Intussen hield de politie op de havenkade nauwkeurig een oogje in het zeil. Ze wilde niet dat zich de voorvallen van andere dagen zouden herhalen, met een menigte die de ingescheepte soldaten opstookte hun wapens in het water te gooien. Twee dagen eerder had de politie zelfs tijdens een andere troepeninscheping waarschuwingsschoten moeten lossen en had uiteindelijk vele mensen opgepakt.

De meeuwen wiekten over de mensenmassa die zich had verzameld om de soldaatjes uit te zwaaien. De fotografen pakten hun driepoten bijeen nadat ze de laatste herinneringskiekjes hadden gemaakt; de zakkenrollers inspecteerden hun buit, nadat ze de laatste horloges van buitenlandse correspondenten hadden gerold; de familieleden van de soldaten keken op de havenkade, vlak bij het water, voor het laatst naar de horizon voor ze weer stilletjes op huis aan gingen.

Onder een verzengende zon voer de *Ciudad de Cádiz* langzaam en rustig de haven uit. De muziekkapel deed er al het zwijgen toe. Een groepje soldaten, klein als speelgoed, zwaaide nog naar de havenkade, terwijl ze tegen de scheepsreling aan stuurboord leunden. Een vaandrig en zijn ordonnans keken vanonder een dekzeil naar de meeuwen ...

“Ik heb zin om naar Marokko terug te gaan”, riep de vaandrig uit. “Wist je dat in Melilla de zon je hoofd kapotmaakt als je een uur lang op wacht hebt gestaan? Dan sijpelen de hersens door je lichaamsopeningen naar buiten: door je oren en neus. Je merkt het niet. Als je merkt dat je een beetje hoofdpijn hebt, is het al te laat.”

De soldaat, die de schrik echt te pakken had, keek zijn superieur ongelovig aan. Ze kruisten een heel elegante schoenerbrik die de haven binnenliep. Hij voerde de vlag van Oostenrijk-Hongarije en bewoog zich met volle zeilen voort, indrukwekkend, schitterend. Een zeeman zwaaide met zijn armen en de soldaten zwaaiden terug. Ze voeren ook voorbij een stoomschip dat aangemeerd lag om gerepareerd te worden: het was blauw en dikbuikig en had een paar grote felrode schoorstenen. Een aantal mannen werkte aan dek. Ze stopten even, droogden hun zweet, hielden hun handen boven hun ogen en toen een soldaat hen groette, maakten ze een gebaar dat hij kon doodvallen en met de duim naar beneden gaven ze hem te verstaan wat hun te wachten stond.

De soldaten gingen onder het dekzeil zitten en zetten een lied in.

Vanuit de havenkantoren van scheepvaartmaatschappij Transmediterránea volgde een talrijke afvaardiging van dames van de aristocratie en de haute volée van Barcelona het schip met hun theaterkijkers, terwijl ze glaasjes gekoelde citroenlimonade dronken. Ze waren allemaal tevreden omdat ze hun dagdoel hadden behaald: ondanks de boycot van beroepsprovocateurs medaillons van Onze-Lieve-Vrouw van Guadalupe overhandigen aan de troepen die scheep gingen naar Melilla. En niet alleen dat, ze hadden ook scapulieren uitgedeeld en metalen sigarettenkokers. Niet aan iedereen, dat spreekt vanzelf, het was een symbolische daad.

Mevrouw de markiezin van Castellflorite voerde de zware damesafvaardiging aan. Met het liefdadigheidswerk haalden ze geld op voor gezinnen die armlastig achterbleven, doordat getrouwde reservisten die huisvader waren ten oorlog trokken. En onder de dames was mevrouw Miquela Gambús, die sociaal steeds actiever werd, nadrukkelijk aanwezig. Nu echter vooral om één reden: de aandacht afleiden van de intense woede die de stupide ontvoering van haar zoon bij haar teweegbracht. Ze begreep er helemaal niets van en dat bracht haar tot razernij. Het leek erop dat de ontvoerders haar gek wilden maken. Het moesten wel keiharde criminelen zijn. Misschien was het de leeftijd, maar ze stond op het punt toe te geven dat ze nog nooit in haar leven zo'n stomme situatie had meegemaakt, waarin ze de gang van zaken niet onder controle had en de tegenpartij bovendien de draak met haar stak: ze stuurde zelfs kinderen op haar af!

De markiezin van Castellflorite, een en al menslievendheid, haar vingers vol ringetjes, haar hals vol snoertjes en haar borst vol broches onderbrak haar plotseling: "Onze jongens gaan weg met het moreel hoog ... Het was zo emotioneel toen de kapitein-generaal en zijn gevolg aan boord gingen om ... Voelt u zich niet goed, donya Miquela? Drinkt u iets meer citroenlimonade, want de zon is vandaag moordend ..."

Miquela Gambús deed wat ze zei, opdat de markiezin haar mond maar zou houden en haar met haar gedachten alleen zou laten. Met woorden spelend die haar gemoedstoestand goed leken te omschrijven, voelde ze zich ontredderd, maar in het geheel niet reddeloos. Ze wachtte geduldig haar kans af, als een leeuwin die achter de struiken klaarligt om een zebra te bespringen. Maar de ontvoerders waren aalglad en wantrouwig. Dagen eerder hadden ze haar de instructies doen toekomen met de wijze waarop het losgeld moest worden betaald: de volgende avond moest zij en niemand anders, helemaal alleen, om tien uur een tas met vijfhonderdduizend peseta plaatsen in een oude, halfvergane schuit op het strand van de kuststreek bij Sants, vlak bij de guanofabriek. Ze zou ervoor zorgen dat Felip Dalmau en zijn mannen er al zes uur van tevoren waren, verstopt, op de loer: in de fabriek, op de weg, zelfs in een boot op zee, terwijl ze deden of ze vissers waren. Op het afgesproken tijdstip voerde ze naar de letter de opdrachten van de ontvoerders uit: ze liet de leren tas met geld op de aangewezen plek achter en ging weg. Een halfuur lang gebeurde er niets. Misschien waren het weinig punctuele ontvoerders. Of waren ze wantrouwig. Een uur later verscheen op een paar honderd meter van de schuit een zigeunerfamilie met een paard. Ze begonnen het dier met zeewater te wassen, terwijl hun kinderen in het zand speelden. Het was in het holst van de nacht en bij het licht van een petroleumlampje kon je alleen vage silhouetten zien. Felip Dalmau liet al zijn mensen de kleinste beweging van de zigeuners in de gaten houden. Waarom gingen ze op zo'n tijdstip een paard wassen? Maar niets. Ze kwamen zelfs niet in de buurt van de schuit. Ze legden een deken vol gaten over het dier en gingen rustig weg. Drie uur later was er nog niemand gekomen. Miquila Gambús ging zelf de tas met geld halen en gaf het bevel de operatie af te breken.

Het geüniformeerde personeel van Transmediterránea sloofde zich uit om het dames naar de zin te maken. In de kantoren was het erg warm. Miquela Gambús nam nog een slokje citroenlimonade. De zaak bleef maar door haar hoofd spoken: de ontvoerders zouden zich weer opnieuw moeten melden, ze waren geen rook, ze bestonden echt. En als ze dat deden, zouden ze haar niet ontkomen.

Ze had het wel gehad met de markiezin van Castellflorite en al die stomme wijven. Het was nog maar twee dagen geleden dat, als de politie niet was gekomen, het gepeupel ze daar ter plekke gelyncht zou hebben, toen ze die stomme medaillonnetjes aan de troepen aan het uitdelen waren. Vreemd dat ze dat niet zagen: de mensen waren erg boos. Ze dronk haar citroenlimonade op en keek door haar theaterkijker. In de warmtenevel kon je de *Ciudad de Cádiz* bijna niet meer zien.

Aan dek zaten de vaandrig en zijn ordonnans nog steeds in de schaduw van het zeildoek. De soldaat haalde een voorwerp uit zijn zak en keek er stiekem naar. Maar de vaandrig zag het: "Vertrouw je het scapulier dat de dames je hebben geschonken niet?"

"Iedereen zegt dat ze onheil brengen, alsof ze de dood oproepen."

"In Melilla hoef je hem niet te roepen, daar komt hij helemaal uit zichzelf. De oorlog in Afrika is moeilijk te begrijpen. Hij is vreemd, net als de moren. Ze doen hun naam van vals en wreed alle eer aan. Ze snijden hun vijanden de kop af, steken hem op een staak en houden hem vanaf hun stellingen in de hoogte, zodat we hem zien ..."

De ordonnans voelde een scheut angst vanuit zijn maag opstijgen en kreeg zin om te huilen. Maar hij beheerste zich, want soldaten huilen niet. Aan boegzijde was een groep rekruten te horen die nog zong. Ze zagen hoe de stad langzamerhand in de verte verzonk: de schepen die voor anker lagen, de vissersboten, de pakhuizen op de havenkade ... Hij hield zijn hand boven zijn ogen en wees naar de kust: “Kijk, vaandrig, het kasteel van Montjuïc!”

De oceaanstomer voer naar open zee. Het lied van de soldaten vervloog op de wind tot het wegstierf.

29

Nonnita Serrallac had een obsessie: er voor eens en altijd een punt achter zetten. Waarom? Omdat ze niet meer kon. Door haar zwangerschap en die hitte had ze al moeite genoeg om na te denken en haar ogen goed de kost te geven, wat toch haar fundamentele rol was in die waardeloze troep bandieten. Ze was tot een besluit gekomen: ze zou een deal sluiten met die Escorrigüela. Ze zou Demi Gambús aan hem uitleveren en dat hij maar met hem deed wat hij wilde. Als ze even kon, zou ze hem wat geld afhandig maken. En zo niet, dan maakte het ook niet uit. Om deze reden blies ze het ophalen van het geld af. Dat stuk strand onder aan de Montjuïc was ideaal: breed en afgelegen. Bovendien had ze berekend dat de maan niet zou schijnen. Op het strand zou het hartstikke donker zijn. Maar toen het erop aankwam, werd ze bang, gaf haar hart haar in dat het niet goed zou aflopen. En ze zag ervan af. Zoals ze het gepland had, waren er drie geschikte mensen nodig om de operatie af te wikkelen. Van hen kon zij er een zijn, had ze ingeschat. Uitgerekend zij, die op sommige dagen al moeite had om een paar meter te lopen. Ze lachte om niet te hoeven huilen.

En ze opent haar huisdeur om een beetje lucht te krijgen en staat oog in oog met duizend doden. En ze begaat de fout om haar hart bij hen te luchten. Maar als ze het merkt, is het al te laat. De doden raken opgewonden als aapjes, springen op en neer op de overloop. En ze botsen niet tegen elkaar omdat ze dood zijn en doden hebben geen lichaam. Gevleid hebben ze het lef een vergadering te beleggen en over de kwestie te stemmen! De kapper uit de Carrer Tarongeta, die aangewezen is als woordvoerder, deelt haar met zijn houten ei in zijn hand namens de groep overledenen mee dat ze in meerderheid vinden dat zij de slechtste organisator van ontvoeringen is uit de hele misdaadgeschiedenis. En dat ze er goed aan doet ermee te kappen. Klotilde, die niet wil dat Nonnita Serrallac als zij eindigt, zegt: "Zet er voor eens en altijd een punt achter, Nonnita, hang niet de dwaas uit. Anders zul je uiteindelijk afgeranseld worden, verkracht, verdronken en als een klipvis met je kop naar beneden worden opgehangen." Nonnita Serrallac schrikt en roept uit: "Wat betekent dat? Jullie zijn een stelletje zwartkijkers. Wat kan je anders van een dode verwachten dan dat hij een zwartkijker is? Maar dat ik jullie begrijp, doet niets af aan het feit dat jullie mening klote is." Zo zonder blikken of blozen zegt ze hun dat. En de doden staan zo perplex en zijn zo beledigd dat ze een paar tellen helemaal doorzichtig worden. En ze gaat weer naar binnen, sluit haar deur en weet zeker dat de doden het gelijk helemaal aan hun kant hebben.

Ze wachtte op Eustaqui om het hem te vertellen. Ze had de indruk dat iemand de trap opkwam.

Ze doet de deur open en het is Severí, de dode met de sjaal die altijd half af is. Hij zegt: "Als overledene ben ik net zo weinig doortastend als toen ik leefde; ik ben te laat gekomen op de vergadering van de doden. Wat hebben ze besloten?" En Nonnita zegt dat ze niets hebben besloten, dat je ook niet anders kan verwachten van doden die de buurt en de stad waarin ze leefden maar niet van zich kunnen afschudden, zelfs als ze overleden zijn. En Severí, met zijn sjaal en breinaalden, staat besluiteloos aan de grond genageld, aangezien hij een dode zonder persoonlijkheid is. Nonnita Serrallac zegt hem: "Trek je niets van de andere doden aan." Maar hij antwoordt dat de eeuwigheid erg lang duurt en moeilijk is om door te komen. En hij laat haar zijn sjaal zien. Pas nog was hij groen en nu is hij geel, wat maakt het ook uit. En hij komt weer met het oude liedje, dat het hem niet uitmaakt dat zijn naam niet op zijn grafnis gebeiteld staat, dat het hem wél erg spijt dat hij naar de andere wereld moest gaan en er zijn moeder niet kon vinden.

En Nonnita Serrallac denkt dat ze uiteindelijk misschien wel gek aan het worden is. En ze rent de trap af om Eustaqui op straat op te wachten. Maar in het portiek stuit ze op een vrouw met een zwarte hoofddoek. Deze zit op een rieten stoel en haar gezicht komt Nonnita vagelijk bekend voor. De vrouw kijkt bedroefd, grijpt Nonnita bij haar rok om haar tegen te houden. Ze zegt dat een zoon van haar, die Nonnita nog heeft gekend toen hij nog klein was en van hot naar her door de buurt rende, ten oorlog is getrokken. "Ken ik hem?" vraagt Nonnita Serrallac verbaasd. "Ja, jij. Hij maakt deel uit van een van de bataljons die vandaag zijn scheep gegaan." En ze voegt eraan toe dat ze niet huilt omdat ze al geen tranen meer heeft. "Elke dag als de kranten uitkomen, pak ik er een, zet mijn bril op en lees, gezeten in het portiek, de oorlogsberichten, hardop omdat het de enige manier is waarop ik kan lezen." En Nonnita ziet hoe er tranen over haar wangen biggelen, terwijl ze koppig doorgaat met de zeer moeilijke klus die lezen voor haar is, en ze bedenkt dat het een leugen is dat deze vrouw geen tranen meer heeft, maar ze zegt niets, omdat het beter is dat ze huilt en jammert. En ze wil de oude vrouw troosten, maar stopt plotseling, omdat ze ziet dat de vrouw een dertig jaar oude krant in haar handen vasthoudt, die het over een andere oorlog heeft. En het moet maar eens afgelopen zijn met zich weer eens door een dode te laten bedotten. Wat zijn ze toch egoïstisch, altijd maar weer uit alle macht proberen om de aandacht van de levenden te trekken! Wat een gebrek aan fatsoen!

En waarom kwam Eustaqui maar niet? Wat was er die dag toch aan de hand? Was het de dag van de doden? Zonder het te merken rende ze de Riera de Sant Joan af. Kon ze niet eens twee passen zetten zonder tegen een dode op te botsen? Maar in werkelijkheid botste ze tegen de mensen op. Eustaqui Guillaumet kwam de Carreró del Sant Crist uit, zoals altijd kalm en met een glimlach. Ze botsten bijna tegen elkaar op. Het meisje stortte zich op hem en omhelsde hem. Ze huilde niet, ze was van slag. Ze gingen de Santa-Martakerk binnen, die daar vlakbij lag. Hij dacht dat de koelte binnen haar goed zou doen. Hij liet haar zitten. Nonnita Serrallac moest vijf minuten in stilte op een bank zitten om weer tot rust te komen. Ze zei zachtjes: "We moeten die hufter van pasgeleden opzoeken. We zullen het op een akkoordje moeten gooien. Dat bevalt mij net zomin als jou. Maar je moet me geloven: wij alleen zullen het niet tot een goed eind kunnen brengen. Bovendien zul je me bij iets anders moeten helpen ... Die kerel kent mijn flat. Het is er niet meer veilig. Ik moet er weg. Hoe eerder, hoe beter."

"Wat u zegt, bazin."

"Bedankt ... Ga Escorrigüela opzoeken en maak een afspraak met hem voor vanavond in het theater, als de voorstelling afgelopen is. Hier heb je zijn adres."

Eustaqui ging de boodschap bezorgen en zij besloot nog even in de Santa-Martakerk te blijven.

En naast haar verschijnt ineens Severí, kalm en sereen. Met zijn sjaal en zijn breinaalden. Hij breit stilletjes, een en al concentratie. Waarvoor Nonnita hem erg dankbaar is. Je hebt doden en doden, denkt ze.

"Heb je me niets te zeggen, meisje?"

"Hè? Nee, nee ..."

Het was de pastoor, die haar bezorgd aankeek. Ze ging door met hardop denken en merkte het niet.

Ze liet hem met zijn mond vol tanden staan en rende naar buiten.

Eustaqui kwam twee uur later met zijn kar terug. Escorrigüela was zonder zich te bedenken op de afspraak ingegaan.

"En wat zei hij?" vroeg ze hem.

"Niets, bazin. Hij glimlachte alleen maar", antwoordde hij en hij trok een vies gezicht.

En Nonnita Serrallac merkte dat Eustaqui wel diens nek had willen breken. En ze probeerde hem zo veel mogelijk af te leiden, zoals je bij kinderen doet: "Tomàs wacht boven op ons. We zijn zover."

Want ze verlieten de buurt en snel handelen was het eerste gebod. Ze gingen naar boven en pakten samen een paar spullen in. Toen alles klaarstond, zei Nonnita hun vast naar beneden te gaan, dat ze haar flat nog wilde controleren. In werkelijkheid wilde ze van haar doden afscheid nemen. Ze verliet haar buurt en wist niet wanneer ze er terug zou komen. Ze lachte stilletjes: misschien heel binnenkort om hen gezelschap te houden, maar op gelijke voet ...

Ze doet de deur van haar flat open en wacht binnen. En in een ommezien komen de doden er onzeker en timide voor het eerst naar binnen, omdat ze hen uitnodigt dat te doen. In een vloek en een zucht zijn ze allemaal binnen. En ze passen er allemaal in omdat ze niet zoveel plaats innemen als een levende, want ze zijn etherisch. Het is berekend: op de plaats van één levende kun je een paar middelgrote doden kwijt. Ze deelt hun zo hartelijk mogelijk mee dat ze hen moet verlaten. Maar toch zijn ze verontwaardigd. De kapper uit de Carrer Tarongeta slokt openlijk zijn ei op en draait haar zijn rug toe; Klotilde kijkt haar heel boos aan, de zingende tweeling schudt nee met hun gezichtjes. De kolenboer vraagt of ze misschien door Castellfollit de Riubregós komt, waar zijn vrouw begraven ligt, dat hij voor haar een boodschap wil meegeven. Nonnita zegt hem in principe van niet. En de dode trekt een gezicht en gaat naar buiten, terwijl hij zegt dat niemand hem een gunst heeft bewezen toen hij leefde en dat ze misschien nu hij dood is iets meer consideratie zouden kunnen hebben. Ze zijn allemaal heel boos en Nonnita merkt het omdat ze een soort gelatineachtig aura verspreiden. "In feite zijn ze jaloers", zegt ze. "Jaloers waarop?" vraagt Severí, die net met zijn sjaal is opgedoken. "Als je dood bent, heeft je verplaatsen weinig effect op je." En hij bevestigt: "Als je dood bent, is er in feite in het algemeen maar weinig wat je raakt." En Nonnita denkt dat ze haar nog het meest benijden om de mogelijkheid iets nieuws mee te maken. In het land van de overledenen zijn alle dagen te veel van hetzelfde en de arme doden vervelen zich stierlijk.

Aangezien ze geen tijd te verliezen heeft, neemt ze afscheid en gaat weg. Het is haar opgevallen dat haar ouders er niet zijn.

Tomàs had alleen zijn oude kleermakerskoffertje meegenomen. Ze hadden afgesproken dat Nonnita háár spullen provisorisch zou opslaan in de schuilplaats op het Pekingstrand. Eustaqui zou hetzelfde doen in de nachtopvang van de Carrer del Cid, waar hij zich, met medeweten van zijn vriend Ferran, wilde verbergen als alles achter de rug was. Ze gingen op de kar zitten en reden weg. Bij het portiek ertegenover stonden in de ingang en op de stoep vier stijlstoelen, een spiegellijst die met goud was versierd en de erbij horende consoletafel. Alles aan elkaar gebonden met een touw en voorzien van een bord met de tekst: LOUIS XV-MEUBELS, TE KOOP VANWEGE DE REFORMA. LAAGGEPRIJSD. Het meisje vond het allemaal maar jammer: over vier dagen werd dat allemaal afgebroken, maar ze dacht niet dat ze er zou zijn om het te zien. Ze kwamen langs de kaarsenwinkel vlak bij de Plaça de l'Àngel. Die vond ze mooi omdat de winkelbediendes er katoenen blouses droegen. Toen ze er op een dag was binnengegaan om een kaars te kopen, had de kaarsenmaker haar met een zuur gezicht verteld dat zijn huis net buiten de Reforma viel, dat de afbraak precies ophield bij het pand ernaast.

Ze zei tegen zichzelf: "Kom, snel, slechts zolang als het duurt om met je vingers te knippen, dingen die er nu nog zijn en weldra niet meer, het eerste wat me te binnen schiet: de taveerne in de Carrer Avellana, waar je behalve wijn uit Gandesa ook kan krijgen wat ze Bulgaarse melk of yoghurt noemen ..."

Dingen die er nu nog waren en weldra niet meer.

Over het brede vlakke terrein dat brandschoon was overgebleven na de inhuldiging van het eerste deel van de Gran Via A reden ze in de richting van de zee. Op de grond bakenden gipsen lijnen en staken met nummers de nieuwe percelen af. Nu waren er alleen nog maar getekende straten. Op een paar lege percelen echter was al onkruid opgeschoten en in een paar hoeken lagen nog resten afval: van die nutteloze spullen die je nooit weggooit, maar die schaamteloos aan het daglicht komen als ze je huis afbreken. En die bovendien muf ruiken.

Voor ze de Avinguda de Colom opreden, zag Nonnita Serrallac een groot bord met de tekst: OP DIT PERCEEL ZAL DE BANC HISPANO-COLONIAL HAAR NIEUWE HOOFDKANTOOR OPRICHTEN. VERWACHTE OPLEVERING: 1913.

Voor Nonnita Serrallac maakte Barcelona geen pas op de plaats. Dat was duidelijk. Waar zou ze in het jaar 1913 zijn?

Terwijl hij voor zich uit bleef kijken zei Eustaqui plotseling: "Gambús heeft me gezegd dat het beter is dat ik hem vermoord omdat hij mij anders zou vermoorden, als hij de ontvoering overleeft. Denkt u dat hij dat echt meent?"

Een kluwen gevoelens roerde zich in haar hart. En die jonge vrouw die nooit glimlachte, glimlachte hem met haar ogen toe, maar niet met haar mond. En ze pakte hem zo stevig bij zijn arm vast dat de ezel ervan bleef stilstaan. En ze zei hem: ja, mensen als Gambús voeren hun dreigementen altijd uit. En verder dat alles op punt van springen stond, de ene of de andere kant uit: "We zullen moeten maken dat we wegkomen, broertje. Heel snel en heel ver."

"Zullen we samen weggaan, bazin?"

"Dat zou ik best zien zitten, maar het is niet handig. We kunnen ons beter ieder voor zich uit de voeten maken."

Hij liet de zweep opnieuw knallen en ze reden door naar het theater. Die gedachte stond hem helemaal niet aan.

30

Rafel Escorrigüela wachtte voor hetzelfde theaterdeurtje dat Deogràcies-Miquel Gambús had opgeslokt. Precies op het afgesproken tijdstip ging het open en het meisje verscheen. Ze kwam bij hem staan en fluisterde: "We gaan naar hiernaast, naar Café de la Tranquilidad. Zodat u zich meer op uw gemak voelt."

"Akkoord."

Het café zat stampvol. Het terras liep over van mensen en ondanks de drukkende benauwdheid paste er binnen niemand meer bij. De piano speelde een paso doble. De muziek leek getemperd te worden door de rook in de ruimte, die de enorme ventilatoren aan het plafond, die als een horloge moesten worden opgewonden, niet afdoende konden ventileren. Iedereen groette Nonnita, je kon niet zeggen dat het neutraal terrein was. Het meisje vroeg de eigenaar of er een rustig plekje was waar ze konden praten. Hij ging hun zelf voor naar achter in het etablissement, naast de bar. Hij joeg de stamgasten uiteen of ze vliegen waren. Hij schreeuwde: "Zien jullie niet dat ze zwanger is?"

Hij bracht hen naar een soort aparte ruimte, met een sofa in L-vorm, ideaal voor paartjes die intimiteit en de ruimte wilden. Er stonden een tafeltje en een stoel. Nonnita Serrallac ging zitten, in haar toestand vond ze dat prettiger. Rafel Escorrigüela bleef staan. Een kelner zette twee glazen muntlikeur met vergruisd ijs op tafel, zei dat het een attentie van het huis was en verdween. Nonnita Serrallac nam haar glas, nipte even en begon te praten, zonder hem aan te kijken.

"Ik ben heel moe, ik wil met jou onderhandelen en niet met de familie. Ik doe Demi Gambús aan je over."

Het was de eerste keer dat ze expliciet haar betrokkenheid bij de gebeurtenissen toegaf. Escorrigüela glimlachte: "Voor hoeveel?"

"Voor de helft van het losgeld."

"Ben je gek? Dat is een enorme som geld. Ik ben niet rijk. Dat heb ik niet."

"Nou, ik heb geen zin om te pingelen, aan jou de keus."

"Waar is hij?"

"Laat me niet lachen. Mijn leven is geen stuiver waard als ik je dat vertel."

"Jouw leven is op dit moment ook geen stuiver waard."

"Dat ben ik niet met je eens. De moeder van Gambús is nerveus. En boos. En alleen ik weet waar haar zoon is. Bovendien ben ik niet inhalig. Dus als je naar me wilt luisteren, goed. Indien niet, dan ben ik in staat het heerschap op te pakken en gratis aan mevrouw terug te bezorgen."

Rafel Escorrigüela proefde van zijn muntlikeur met ijs. Hij dacht na over wat beter in zijn kraam te pas zou komen. Hij was zich ervan bewust dat hij alleen al door het simpele feit dat hij hier met deze vrouw praatte zonder dat mevrouw Gambús het wist op het randje van verraad balanceerde.

"En aangenomen dat ik het geld bijeen krijg, hoe zouden we het dan doen, aangezien je alles weet?"

"Hoe? Op de meest eenvoudige manier: jij betaalt me en ik geef je Gambús."

"Ik weet een andere manier: jij brengt me naar de plek waar Gambús is en dan geef ik je het geld."

"Ik ben bang dat je me nog iets zou geven."

"Wat zal ik zeggen, je bent een heel pienter meisje ..."

"Ik ben alleen maar een zwangere vrouw die op het punt staat te bevallen. Ik heb geen vrienden of kennissen die me kunnen helpen."

"Hou maar op, ik moet er nog van huilen."

"Ik geef je twee dagen. Ik wil van deze last af. Een mens is geen kat die je verborgen in een zak van hot naar her kan slepen ... en ik ben er zeker van dat het jou wel zal lukken. Zoek een geldschieter die je operatie financiert. Of leen het geld. Je zult Gambús aan zijn moeder kunnen doorverkopen voor de prijs die je wilt. Een prima deal."

"Het is riskant."

"Tot nu toe heb je al veel risico genomen. Een beetje meer kan er nog wel bij." Ze vestigde haar ogen op Escorrigüela en zei heel langzaam: "Je hebt me niet gevraagd of Gambús leeft of dood is, of het goed of slecht met hem gaat ..."

Hij keek haar aan, lachte ironisch en antwoordde: "Ja, natuurlijk, je hebt gelijk: leeft hij of is hij dood?"

"Hij leeft."

"Dat vind ik fijn. Maar ik pieker er niet over je ook maar één rotcent te geven tot ik zeker weet dat je me niet bedondert. Je praat alleen maar, je levert geen bewijzen. Ik weet nog steeds niet of je Demi Gambús wel echt hebt."

Ze keek hem aan en zei: "Eén moment."

En ze verdween tussen de mensen. Ze was binnen drie minuten terug: "We brengen je naar de plek waar we Gambús vasthouden. Als je hem hebt gezien, maken we een afspraak over de overhandiging van het geld. We doen de ruil en zullen elkaar nooit meer zien."

"Ik zie het niet zitten. En als jullie op het idee komen ook mij te gijzelen?"

"Jou? Waarom zouden we dat doen? Wie wil jou hebben? Het zou ons beter uitkomen je een kogel door je kop te jagen en er met dit geld vandoor te gaan. Maar dat doen we niet. Het is het niet waard ons nog dieper in de nesten te steken. En al helemaal niet voor iemand als jij. We gaan er nu heen."

Rafel Escorrigüela beviel die opmerking absoluut niet. Hij klemde zijn kaken opeen en mompelde: "Nu?"

"Ja. Nu of nooit. Begrepen?"

"Begrepen."

Ze gingen naar de achterkant van Soriano. Eustaqui Guillaumet dook uit het schemerdonker op. Hij stond klaar met zijn kar. Hij liep op hen af en blinddoekte Escorrigüela. Meteen erop kreeg deze te horen dat hij op het laadvlak van de kar moest gaan liggen en dat hij de hele tijd toegedekt zou zijn.

Het traject naar de Pekingbuurt verliep rustig, hoewel de kar volgeladen was: met Escorrigüela en vier doden, de enigen die het hadden aangedurfd hun gebied te verlaten: de moeder van Nonnita, de weduwe Massini, Cleta en Severí met zijn sjaal.

Nonnita, die op de bok zit, draait zich om en ziet hen, stilletjes en bangelijk. Ze zeggen niets, ze vermoeden dat er iets groots te gebeuren staat. En het meisje zegt ook niets, omdat ze niet wil dat Eustaqui haar hoort, zoals onlangs, en begint te geloven dat ze van de hele toestand gek begint te worden. Ze heeft nog nooit doden gezien die zo bang waren. Haar moeder en weduwe Massini ontwijken haar blik, want ze zijn niet alleen bang voor haar, maar schamen zich ook voor haar omdat ze een misdadigster is en een slechte dochter. Cleta en Severí zitten heel stilletjes naast elkaar. Misschien zijn ze bang voor het donker, ook al zijn ze dood. Hoe hebben ze hen te pakken gekregen? Welke fout hebben ze begaan? Wat zouden ze hebben kunnen doen om de dingen te voorkomen die hun zijn overkomen?

Eindelijk kwamen ze aan. Ze lieten Rafel Escorrigüela uitstappen, deden wasbolletjes in zijn oren zodat hij de zee niet kon horen en zo, met de blinddoek de hele tijd om, laadde Eustaqui hem op zijn rug en droeg hem door het zand naar de schuilplaats. Tomàs had hen horen naderen en liep ze met een lamp buiten tegemoet. Ook Josepet was er.

Het meisje bleef buiten, terwijl de anderen de tentruimte binnengingen die aan het verbrande voertuig vastzat. Haar obsessie was het geweest om Deogràcies-Miquel Gambús telkens opnieuw te naaien en te naaien. En het leek haar te lukken: als het meezat, kon ze hem als een stuk stront doorverkopen.

“Ik wil niet dat hij me kan zien”, fluisterde Escorrigüela tegen Eustaqui Guillaumet.

Deze haalde zijn schouders op. Tomàs, Josepet en de papegaai bekeken het allemaal in stilte. Eustaqui zette Escorrigüela op een houten vlonder op de grond neer, zodat deze het zand niet onder zijn voeten kon voelen. Alsof hij een blinde leidde, bracht Josepet hem naar het zeildoek dat de scheiding tussen de twee delen afsloot. Escorrigüela bedankte hem en terwijl Josepet “graag gedaan” zei, maakte deze van de gelegenheid gebruik om diens horloge uit het vestzakje te stelen: Josepet was een vagebond, maar vond het immoreel om goede kansen te laten liggen. Escorrigüela merkte het niet omdat Eustaqui op dat moment de blinddoek voor één oog weghaalde. Hij plaatste Rafel Escorrigüela in de goede richting zodat deze een paar seconden naar binnen kon kijken. Deze was onder de indruk. Dat individu dat hij bij het schijnsel van de olielamp zag, dat naakt en geboeid sliep, leek niet op Demi Gambús: met verwarde haren, een baard, kleurloos. Hij was acht of tien kilo kwijt en had korsten over zijn hele lijf. Maar hij was het ongetwijfeld. Hij draaide zich plotseling om en Escorrigüela kon zijn ogen zien, levendig als die van zijn moeder, die gedurende één tel op het zeildoek waren gericht. Hij sloot ze meteen weer en ging weer liggen.

Escorrigüela had er genoeg aan. Hij gaf een teken en Eustaqui bedekte zijn oog weer en leidde hem naar buiten. Nonnita Serrallac wachtte naast de kar op hem.

"Ik verwacht je overmorgen 's avonds om acht uur met het geld bij de deur van het theater. Je wilde bewijs. Nu heb je het. Overmorgen, om acht uur. Als je niet komt, weet ik dat de deal je niet interesseert."

Rafel Escorrigüela was te aangedaan om te antwoorden. Hij knikte bevestigend.

Ze legden hem weer achter op de kar, dekten hem opnieuw toe en reden terug naar het theater.

Achter het tentscherm bekeek Josepet het gepikte horloge bij het schijnsel van de petroleumlamp. Het was van goede kwaliteit, massief, het leek van goud. Zoals te verwachten viel stond er op de achterkant een naam gegraveerd. Geen probleem, wie het ook was, van diegene was het niet meer.

Rafel Escorrigüela kon de hele nacht niet slapen. Hij merkte pas de volgende dag dat zijn horloge weg was. Maar hij stond er nog geen twee minuten bij stil, hij had gewichtiger problemen: welke weg moest hij kiezen? Hij kon proberen Miquela Gambús te bedriegen door haar te doen geloven dat de ontvoerders hem als bemiddelaar hadden gekozen. Hij ontving het geld, gaf de helft aan de zwangere, hield de andere helft zelf, bevrijdde Demi Gambús en werd de held van de dag. Het klonk erg goed. Hij kon zich al voorstellen hoe mevrouw Miquela hem bedankte en hem haar eeuwige erkentelijkheid liet blijken door hem een ereplaats aan te bieden onder de hoogst verantwoordelijken binnen de organisatie van de familie. En Demi Gambús, die nog het bed moest houden om van de lange maand gevangenschap te herstellen en die aanhoudend om zijn aanwezigheid vroeg, slechts hem om zich heen wilde hebben om hem bijna in een bloedbroeder te veranderen. En hijzelf, waardig en ernstig, terwijl hij zei dat hij alleen maar had gedaan wat zijn loyaliteit hem had ingegeven. En dat hij erg dankbaar was voor al die hernieuwde blijken van vertrouwen, maar ... Maar hij moest zijn weg vervolgen (met het geld op zak, natuurlijk, dat zouden ze niet te weten komen). En beiden, moeder en zoon, die hem smeekten niet te gaan en ...

Ja, het klonk echt heel goed. Bezwaren? Er was er maar één en dat was heel groot: zowel mevrouw Miquela als Dalmau was heel geslepen.

En meteen stelde hij zich de tegenovergestelde situatie voor: dat hij zich niet wist te redden, dat hij ze niet kon bedriegen en ze zijn manoeuvre ontdekten om hun het geld te ontfutselen. Hij kreeg er kippenvel van. Toen snapte hij de twijfels van de zwangere. Het was niet zo gemakkelijk. Er was geen plek ter wereld waar je aan de wraak van de Gambús kon ontkomen. Hij moest realistisch zijn. Misschien moest hij tevreden zijn met het gevoel een poosje over het leven van Demi Gambús te hebben kunnen beschikken.

Bovendien, wie kon er behalve diens moeder belang bij hebben hem vrij te kopen? Een vijand? Ja, natuurlijk. Maar wie? Of misschien een vriend die de familie maar wat graag een wederdienst wilde bewijzen ... Ja, maar waar vond hij hem? Het ontbrak hem aan informatie.

Ineens kreeg hij een ingeving. Hij herinnerde zich een commentaar dat hij een paar dagen geleden had opgevangen. Hij hoorde hoe bazin Miquela zich bij Dalmau over Joan Rovira had beklaagd. Ze zei dat deze, sinds ze elkaar hadden gesproken, niets tegen haar had gezegd, dat het erop leek of hij rustig in zijn winkel bleef zitten tot de kwestie zich vanzelf oploste. Rovira was steenrijk! En het was duidelijk dat hij wilde profiteren van de vriendschap van de Gambús ... Hij kon hem met veel omzichtigheid verleiden. Misschien had hij er belangstelling voor die troef in handen te krijgen. Hij verloor er niets bij. Rafel Escorrigüela leefde op. Hij leefde zo erg op dat hij de straat op ging en fluitend en neuriënd in de zon naar La Portorriqueña wandelde. Hij was er binnen twintig minuten. Hij trof er een onverwacht avondpartijtje. Grote borden bedekten de eerbiedwaardige winkelpui: EEUW-

FEEST VAN LA PORTORRIQUEÑA, 1809-1909: OPRUIMING TEGEN KOSTPRIJS! DAMES EN HEREN, WE GOOIEN HET GELD OVER DE BALK: HOGE KWALITEIT VOOR EEN BELACHELIJKE PRIJS.

In de winkel hadden ze de grote stukken stof van een paar toonbanken weggehaald en waren er dienbladen met aardappeltortilla verschenen.

Joan Rovira stond op een kleine verhoging en ging een redevoering afsteken. Het publiek, dat uit klanten en nieuwsgierigen bestond, had meer oog voor de toonbanken dan voor de redenaar. De medewerkers van het etablissement droegen een gloednieuw gala-uniform, vervaardigd in de eigen ateliers van de winkel. Er werd tot stilte gemaand en meneer Joan Rovira schraapte zijn keel: "Dames en heren, beste mensen, het is me een grote eer om met u, klanten, medewerkers en vrienden uit de buurt, dit bescheiden tussendoortje te nuttigen om een beetje meer cachet en vreugde te geven aan de viering van de eerste honderd jaar van La Portorriqueña. De viering van dit eeuwfeest is een mijlpaal die maar weinig firma's bereiken. Maar La Portorriqueña is er door de inzet van vier generaties in geslaagd. In 1809 was onze stad dynamisch als altijd, maar ingesnoerd door haar muren; ze was industrieel en commercieel, maar op haar hoede door de staat van oorlog tegen de Fransman en ze wachtte op betere tijden. Het was in die zo moeilijke tijd dat Joan Rovira i Perelló onze onderneming oprichtte. La Portorriqueña heeft honderd jaar overleefd door uit te gaan van twee vooronderstellingen: kleren zijn altijd nodig. En als ze niet die van thuis willen, willen ze die van buitenaf.

Vandaag de dag is Barcelona een grote stad. En wij allen, rijk en arm, ondernemers en arbeiders, moeten gekleed gaan, we kunnen niet naakt rondlopen. En hier verschijnen wij ten tonele: door de arbeidersklasse te kleden, door de middenstand te kleden, door de ondernemer te kleden, door de advocaat te kleden, door de staatsman te kleden, door de aristocratie te kleden, door iedereen te kleden!"

De afsluiting werd met applaus begroet. Meneer Joan Rovira was tevreden. En ook Rafel Escorrigüela, die bedacht dat die samenloop van omstandigheden hem zou helpen zijn voornemens uit te voeren.

Hij liep op hem af met een glaasje wijn in de hand.

"Ik feliciteer u van harte ..."

"Hartelijk dank, mijn vriend. En hoe gaat het met mevrouw Miquela?"

"Elke dag slechter. Als er niet snel een oplossing komt, weet ik niet wat er kan gebeuren."

Joan Rovira liet zijn stem heel theatraal zakken: "Ik werk eraan, ik werk eraan, gelooft u me. Maar op dit moment ..." Hij zweeg, hief zijn glas bij wijze van groet naar een onbestemd deel van de winkel en maakte met zijn vrije hand een cirkelbeweging die de hele zaak omvatte: "Wat vindt u ervan? Je wordt niet elke dag honderd jaar, hè? Ik waardeer het zeer dat u bent gekomen, maar het had niet gehoeven. Vandaag was het slechts een intiem feestje voor werknemers en klanten. De volgende week wordt er een groot officieel verjaardagsbanket gehouden in restaurant Set Portes, waarvoor u zich bij dezen uitgenodigd mag beschouwen."

"Heel aardig van u, maar het was toeval. Ik kwam u voor iets anders opzoeken, een zeer urgente zaak."

"Laat u mij niet schrikken."

"Kunnen we elkaar onder vier ogen spreken, meneer Rovira?"

"Nu?"

"Het is een kwestie van leven en dood. Wat ik u te zeggen heb, neemt niet meer dan tien minuten in beslag. Ik weet dat het geen manier is om me aan te dienen, maar ik denk dat de ernst van het feit dat me hierheen voert het billijkt."

"Heeft het iets met de ontvoering te maken?"

"Ja."

"Gaat u met mij mee."

Hij liet hem een soort wachtkamertje binnengaan met achterin een deur die toegang gaf tot zijn privékantoor.

"Gaat u zitten, jongmens, gaat u zitten ... En praat in vertrouwen. Een persoonlijk vriend van mevrouw Gambús is mijn vriend. Vooral als het iemand betreft die zo belangrijk is: als ik me goed herinner, bent u een van de weinigen die op de hoogte zijn van de verschrikkelijke toestand die deze familie doormaakt, niet?"

"Ja. En nu hebben zich veranderingen voorgedaan. Veranderingen waarvan alleen ík op de hoogte ben. En als het u gelegen komt, zullen we er beiden vanaf weten."

"Wilt u zeggen dat het nieuws is dat mevrouw Gambús beter niet ter ore kan komen?"

"Precies."

"Is die arme Demi Gambús soms iets ergs overkomen?"

"Nee, nee, dat is het gelukkig niet ... nog niet."

"Dan begrijp ik het niet. Wat kan met de ontvoering te maken hebben dat ik moet weten en dat de moeder van de ontvoerde niet mag weten?"

"Als u mij toestaat, zal ik het u uitleggen. De reden is van het allergrootste belang. Waar zal ik beginnen ... Laten we zeggen dat ik er dankzij een eigen hoeveelheid speurwerk in ben geslaagd een optimaal communicatiekanaal te openen met de ontvoerders. Een kanaal dat natuurlijk alleen ik heb. Niemand anders dan u hebt er op het ogenblik weet van. Als ik zou willen, zou Demi Gambús morgen vrij kunnen zijn."

"Nou, voor de dag ermee. Ik begrijp niet wat u voorstelt."

"Maakt u zich geen zorgen, ik ben er vrijwel zeker van dat u het zult begrijpen, als u me een paar minuutjes geeft. U en ik willen het beste voor Barcelona, is het niet zo?"

"Barcelona? Maar wat heeft dat ermee te maken?"

"Ja of nee?"

"Jazeker, maar ik zie niet ..."

"Kijkt u eens, precies vandaag zou ik me bij huize Gambús kunnen melden, mevrouw haar zoon Demi op een dienblaadje kunnen presenteren en met de eer gaan strijken. Ik zou er louter en alleen de persoonlijke erkentelijkheid van de familie mee winnen. Een erkentelijkheid die ik al heb, u herinnert zich dat ik al vóór de ontvoering een vriend van de familie Gambús was. Dus de doorwerking naar buiten van deze hele verdraaide zaak zou nihil zijn: er is niets gezegd, er is niets uitgelekt, dus is er niets gebeurd. Kijkt u eens, Rovira, u en ik weten dat niemand Demi meer kan behoeden voor de zure appel waar hij doorheen moet bijten. Het zal hem zijn hele leven bijblijven. Ik heb bedacht dat zijn offer tenminste ergens toe kan dienen. Daarom bied ik u de mogelijkheid degene te zijn die hem aan zijn familie terugbezorgt."

"Ik? Waarom?"

Joan Rovira had het in een fractie van een seconde begrepen. Maar eerst zouden ze nog een poosje komedie spelen door als de kat om de hete brij heen te draaien: "Het is hartstikke duidelijk. Het sociale en politieke rendement dat u en uw politieke groepering eruit kunnen halen is maximaal. En indirect profiteert de hele stad daarvan. Denkt u zich eens in: we spelen de kranten morgen anoniem het bericht toe dat Demi Gambús, advocaat en groot zakenman, ontvoerd is; dat dit niets minder is dan het begin van een poging tot destabilisering van de kant van de groep die u het meest ergert: radicalen, syndicalisten ... Er komt onder de burgerij zo'n heibel van dat het zelfs in Madrid vervelende gevolgen heeft. En op het moment dat u het beste uitkomt, laat u Demi Gambús vrij. Spectaculair. En de arme Demi, die een lijdensweg heeft moeten gaan, wordt verheven tot nieuwe publieke figuur, die uitermate geschikt is voor welke politieke onderneming dan ook, waarmee men hem kan belasten. Zo simpel zit de zaak in elkaar. Maar ik zou vooral niet willen dat u denkt dat ik een cynicus ben of een onmens. Ik heb eenvoudigweg koel leren redeneren en onderken dat algemeen belang soms voor privébelang gaat. En dat voor Demi, die ik al mijn hele leven ken en van wie ik weet dat hij een harde kerel is, een paar dagen gevangenschap meer niet uitmaken.

Als u dit echter te machiavellistisch vindt, geven we elkaar de hand, feliciteer ik u opnieuw met het eeuwfeest van La Portorriqueña en ga ik weg via dezelfde deur waarlangs ik gekomen ben. Ik wil op geen enkele manier verkeerd begrepen worden. Vriendschap is een van de waarden die ik in mijn leven met een hoofdletter schrijf ..."

De uiteenzetting van Escorrigüela mocht exemplarisch worden genoemd, dacht Rovira. Een geschikte kerel. Hij moest voortaan rekening met hem houden. Goed, het was tijd om ter zake te komen: "En dat alles doet u alleen maar voor Barcelona?"

"Rovira, kerel, we zijn zakenmensen. Natuurlijk doe ik het voor Barcelona, voor de zedelijke en politieke wedergeboorte van onze stad. Maar opgepast, het toeval legt u de mogelijkheid in handen haar bestemming te wijzigen. Waarom geen geldelijke compensatie? Ik heb al bereikt dat ze het losgeld met de helft verlagen, iets wat ze in huize Gambús op het moment niet weten. En de Gambús zwemmen in het geld. Ze hebben veel meer dan u zich kunt voorstellen. Het gaat erom deze helft die ik heb bedongen en die ik jammer genoeg niet bezit, voor te schieten. De overeenkomst is goed: als ze het losgeld betalen, wint u twee keer zoveel geld en de roem."

"En hoeveel zou deze operatie bedragen?"

"Kijkt u eens, de ontvoerders hebben de familie Gambús vijfhonderdduizend peseta gevraagd. U kunt het navragen."

"Een half miljoen? Een enorm bedrag ..."

"Zo meteen heb ik de helft nodig om de ontvoerders te betalen. Als we Demi eenmaal hebben en diens moeder het losgeld heeft betaald, zou het het billijkst zijn de andere helft tussen u en mij te verdelen. Voor mij tien procent vooruit. En het moet voor morgenavond zijn."

"U maakt zeker een grapje?"

"Het hangt niet van mij af. Het zijn de voorwaarden van de ontvoerders."

"Hoe weet ik dat het te vertrouwen is?"

"Dat heb ik de ontvoerders ook gevraagd."

"En wat hebben ze u geantwoord?"

"Niets. Dat ik het risico moet nemen. Ik zeg u hetzelfde."

"Maar weet u zeker dat ze u niet bedriegen?"

"Heel zeker. Ik heb bewijzen."

"Bent u zich ervan bewust dat wat u mij vraagt een misdaad is?"

"Soms moet je een kleine misstap begaan om een grote deugd te beoefenen."

Joan Rovira zweeg. Aan de andere kant van de deur bruiste de wereld van kleren en kledingstukken van La Portorriqueña midden in de zomeruitverkoop.

"Geeft u mij een paar minuten. Daar staat de likeurkelder. Neemt u gerust een glaasje. Ik ben meteen terug."

Hij ging zijn kantoor binnen. Rafel Escorrigüela hoorde hoe hij een telefonische verbinding aanvroeg. Blijkbaar behoorden Rovira en zijn gesprekspartner tot de weinige fortuinlijke Barcelonezen die een privétoestel hadden. Hij ging bij de deur staan om te proberen het gesprek af te luisteren, maar hoorde het niet goed. Hij liep terug naar de sofa, ging zitten en nam een slokje zoete wijn, terwijl hij een document bekeek dat aan de muur hing:

Het heeft de stad Barcelona op 25 juli 1809 behaagd om don Joan Rovira i Perelló en donya Mariana Gall i Peris, zijn toekomstige echtgenote, toe te staan een vennootschap op te richten voor het in bedrijf nemen van een negotie van fabricage, distributie en verkoop van breiwaren onder de handelsnaam La Portorriqueña.

Hij glimlachte ironisch: dat huwelijksverdrag etterde liefde. Hij nam nog een slokje en maakte zich op om te wachten. Het duurde maar vijf minuten. Rovira kwam met een ernstig gezicht zijn kantoor uit, keek hem aan en zei: "Morgen zult u hier het geld krijgen. Om klokslag drie uur."

En ze schudden elkaar de hand als om de afspraak te bezegelen.

Rafel Escorrigüela kon er maar niet over uit, liep de winkel vol dames door, die de koopwaar aan een nadere inspectie onderwierpen, nadat ze de aardappeltortilla hadden opgegeten. Maar dat zag Rafel Escorrigüela niet, het was of hij op wolken liep of op de toppen van zijn tenen, als een ballerina. Hij was er zeker van de best mogelijke slag te hebben geslagen, zijn spel in aanmerking genomen. Rovira moest zijn nek uitsteken. Demi Gambús zou hém niet eens zien. Hij was slechts intermediair. En dát betekende pas geld. Als alles eenmaal was afgelopen, zou hij een paar dagen wachten en dan heel ver weggaan ... In zijn sas verliet hij La Portorriqueña.

Hij dacht erover om het naaistertje uit te nodigen om te souperen en te dansen, maar deed het uiteindelijk niet, hij was te opgewonden.

De volgende dag stond Rafel Escorrigüela om klokslag drie weer voor de nu gesloten deuren van La Portorriqueña. Hij had besloten er met de koets heen te rijden, hoewel de afstand niet overdreven groot was. Hij kon geen risico lopen: de stad was als een bom die op het punt staat te ontploffen. Ondanks de censuur wist men uit de buitenlandse pers dat er in Marokko hevig werd gevochten en dat er vele doden vielen. In Barcelona waren er opstootjes en demonstraties en de politie was het beu aanhoudingen te verrichten. De gouverneur had samenscholing op de openbare weg verboden. Het antwoord van de meest extreme elementen was het uitroepen van een algemene staking voor aanstaande maandag, 26 juli. Diezelfde zaterdag beraadslaagden Solidaritat Obrera, Partit Radical en Esquerra Catalana er met de syndicalisten over of ze zich al dan niet bij de staking zouden aansluiten. Daar hield Rafel Escorrigüela zich echter nauwelijks mee bezig, aangezien hij zichzelf al in zijn gouden ballingschap in Parijs zag.

De zon brandde en aangezien hij snel zweette, vond hij het niet prettig om midden op straat aan de hitte bloot te staan. Hij hoorde hoe binnen een grendel werd teruggeschoven en de deur ging meteen open. De heer Rovira verscheen en liet hem binnen.

La Portorriqueña met zijn volle schappen, lege toonbanken en aangeklede paspoppen leek een kathedraal zonder gelovigen. Rovira overhandigde Escorrigüela een behoorlijk omvangrijke bundel. Deze nam hem aan, maakte de knopen los en spreidde de biljetten over de toonbank uit. Rovira trok een vies gezicht. Het was obsceen: bankbiljetten boven op zijn handelsaltaar! Een zenuwachtige Escorrigüela riep zachtjes uit: “Het is niet alles!”

“De ene helft nu, de andere als de waar wordt geleverd. Of dat of niets. Het is te veel geld. En beklaagt u zich niet, uw tien procent is er.”

Het was vernederend: hij had net de indruk gekregen dat Rovira hem behandelde als een gelegenheidsdief.

“Maar de ontvoerders zullen er geen genoegen mee nemen.”

“Stelt u hun dezelfde transactie voor. Ze zullen er zeker op ingaan.”

Escorrigüela was daar niet zo zeker van. Maar hij moest het proberen.

“Laten we het hopen. Ik vraag u alleen een paar gunsten.”

“Zeg op. Ik beloof niets.”

“Ik vraag u me niet te laten achtervolgen. Ik heb alles onder controle. We zouden er allemaal bij verliezen.”

Rovira dacht een paar tellen na.

“Akkoord. Als u probeert me te bedriegen, zou het geld dat ik u zojuist heb gegeven u niet baten. In de andere wereld is het geen betaalmiddel.”

Rafel Escorrigüela voelde een rilling over zijn rug lopen.

“U hoeft me niet te bedreigen, ik weet wat er voor mij op het spel staat. De tweede gunst die ik u vraag is dat u het pas over achtenveertig uur bekendmaakt. Het is de tijd die ik nodig heb om er als de bliksem vandoor te gaan als de familie Gambús ook maar het kleinste vermoeden heeft over mijn handelwijze.”

Rovira liet zachtjes een hand gaan over een baan mousseline, fijn als zijde, die op de toonbank lag. Hij draaide zich om en zei: "Ik kan u er maar vierentwintig geven. Als ik het goed begrepen heb, weten we de komende nacht waar Demi Gambús zich bevindt en hebben we hem in onze macht. Is dat zo?"

"Ja."

"Morgen is het zondag, dat heeft nauwelijks zin. Maar maandag wel. Bovendien is het mogelijk de ontvoeringsaffaire van Gambús te gebruiken om de algemene staking te breken. Ik geef u mijn woord dat ik als ik met de familie de oplossing van de kwestie bespreek uw naam nooit te berde zal brengen. Maar vanaf vannacht kan ik u niet meer dan vierentwintig uur garanderen."

Veel tijd gaf hem dat niet, maar misschien zou hij er genoeg aan hebben. Hij zou wel moeten! De volgende dag, op zijn laatst maandag, zou alles voorbij zijn. En dan maken dat hij wegkwam! Deze keer zouden ze hem niet te pakken krijgen. Hij was behoorlijk in zijn sas.

Misschien was hij dat niet geweest als hij links van zich het gezicht had gezien dat zojuist plotseling was blijven staan. Het was Felip Dalmau, half verborgen achter een van de platanen van de rondweg. Hij vroeg zich af waarom Rafel Escorrigüela de winkel van Joan Rovira verliet met een bundel, zonder dat hij of bazin Miquela daar weet van had. En hij geloofde niet dat Escorrigüela erheen was gegaan om er zomerse dameskleding te kopen. Hij zag hem in een wachtende koets stappen en wegrijden.

Thuis verborg Rafel Escorrigüela zijn geld in een porseleinen paraplubak die hij in de vestibule had laten neerzetten. Onderin zat een geheim compartiment: je draaide de paraplubak om en aan de onderkant bevond zich een deurtje met een slot. Het was een soort bijzondere spaarpot.

De rest van de dag wachtte hij tot het tijd werd om in actie te komen. Hij ging in zijn hoofd telkens opnieuw al zijn stappen na en vond geen fout. Als het niet goed ging, zou Rovira doorslaan, daar was hij zeker van, maar niets wees in zijn richting. Hij moest zich ertoe beperken alles te ontkennen. Het woord van Rovira tegen het zijne. Of beter nog, de marge van vierentwintig uur gebruiken om er als een haas vandoor te gaan.

De uren kropen voorbij. Het was weer de vooravond van een

feestdag, die van Santiago.

Hij was tevreden. Alleen al met het deel dat hem toeviel, had hij genoeg. Hij dacht er geen moment aan Rovira te bedriegen. Hij twijfelde er niet aan dat diens groepering, die geheimzinnige personen die hij moest bellen om toestemming te vragen, het hem zouden vergeven.

De ogen van bazin Miquela lichtten op. Eindelijk had een onverwacht stuk op dat bewegingloze bord zich bewogen. Dagen en dagen in afwachting dat iemand zou bewegen, dat iemand ook maar de minste beweging zou maken. Omdat ze hem zou vangen, als hij het deed. En dan zou ze zich op hem storten. Haar grootvader zei het al: soms moet je de dieren nadoen. Rustig op de loer liggen. Vaak, zoals in dit geval, viel het wachten lang en was het verschrikkelijk. Maar vroeg of laat kwam het moment waarop je niet meer tegen windmolens vocht, waarop het doel materie werd. Dan was het alleen maar een kwestie van je klauwen erin slaan. Hoe de vijand zich ook verzette, je liet je prooi niet meer los.

Er had zich een onverwachte, plotselinge beweging voorgedaan: Rafel Escorrigüela bij Rovira thuis.

Daarom had ze Joan Rovira met hernieuwde energie een geschreven bericht gestuurd. Ze vroeg hem, alstublieft, of hij, als hij nieuws had, het op papier aan haar bode meegaf. Zoals verwacht was het antwoord negatief: niets nieuws, geen contact met wie dan ook. Heel vreemd.

De volgende dag, zondag 25 juli, zou haar pensioneringsfeest plaatsvinden. Ze had er geen moment aan gedacht het te annuleren. Met een beetje geluk zou zelfs haar zoon Deogràcies-Miquel aanwezig zijn.

Toen het tijd was, nam Rafel Escorrigüela de koets om naar het theater te gaan. Plotseling merkte hij dat de koetsier van altijd er niet was: "En Peret?"

"Hij is ziek. Ik ben zijn zwager. Hij heeft me gevraagd hem te vervangen, als het u niet uitmaakt. Ik ben ook beroepskoetsier. Ik heb voor de markies d'Alella gewerkt en ..."

"Goed, goed ... Laten we een beetje rondrijden. Later vertel ik u wel waar we heen gaan."

In de stad hing een vreemde sfeer: om demonstraties te voorkomen waren de hoofdstraten door paardenpatrouilles van het veiligheidskorps bezet. Het ministerie van Binnenlandse Zaken had de perscensuur aangescherpt en telefoongesprekken verboden om tendentieuze propagandacampagnes over de situatie in Melilla te voorkomen. Op bevel van de gouverneur was het verboden op de openbare weg groepen van meer dan drie personen te vormen. Wat de mensen deden was drie aan drie op een rij achter elkaar lopen en zo gingen ze feestzalen, lokaliteiten in de openlucht en theaters binnen. De vooravond van Santiago werd dat jaar ergens binnen gehouden of nergens.

Hij ging op tijd weg om zich ervan te kunnen vergewissen dat hij niet werd geschaduwd. Hij gaf de koetsier bevel een paar rondjes door Barcelona te rijden om mogelijke achtervolgers af te schudden. Toen hij er zeker van was dat ze hem niet volgden, gaf hij bevel naar theater Soriano te rijden.

Alles tevergeefs. Miquela Gambús had haar prooi goed vast en zou hem niet meer loslaten.

De Paralelo bood een vreemde aanblik, bijna fantasmagorisch: alle lichten ontstoken, alle parafernalia van een zomerse zaterdagavond in vol bedrijf, maar niemand op straat. Tegelijkertijd waren de cafés bomvol en iedereen praatte met verhitte gemoederen over de ophanden zijnde algemene staking.

Hij draaide rondjes met de koets tot hij klokslag acht uur voor theater Soriano stilhield, waar hij zich opmaakte om te wachten.

Aan de overkant van de stoep, half gecamoufleerd met bloes en pet, liet het knaagdierengezicht van Felip Dalmau zich geen detail ontgaan.

Nonnita Serrallac opende het deurtje en riep naar Rafel Escorrigüela. Hij hoorde haar, gaf de koetsier bevel op hem te wachten en zonder zich te bedenken stapte hij uit de koets met een bundel die hij tegen zijn borst drukte en ging de donkere ruimte binnen.

Dat moment, dat zo snel voorbij was, liet in het fotografisch geheugen van Felip Dalmau slechts één beeld achter: een zwangere buik en een bundel, mogelijk dezelfde die hij 's middags had gezien.

In het theater stak Nonnita Serrallac een petroleumlamp aan. Ze bevonden zich in een zeer lawaaierig vertrek, waar de kaartjesverkoopster zich gewoonlijk omkleedde. Er was een deurtje dat op het theater uitkwam. Je hoorde de kreten en het applaus van het publiek dat op dat moment de voorstelling bijwoonde.

Het meisje wierp een vluchtige blik op het geld.

Rafel Escorrigüela glimlachte, het was de herhaling van een scène die hij een paar uur eerder zelf had meegemaakt.

"Het is niet alles, wat betekent dat?"

"Denk je dat ik gek ben?" Rafel Escorrigüela had zijn lesje snel geleerd. "Dit is maar de helft. De andere helft als je me Demi Gambús uitlevert."

Het meisje twijfelde niet. Het was de helft van de helft en desondanks was het een hoeveelheid die respect afdwong: "De uitwisseling vindt morgen plaats."

"Morgen? Waarom?"

"Slechts een voorzorgsmaatregel."

"Waar en hoe laat?"

"Maak je geen zorgen, we willen het deel van het losgeld dat ontbreekt niet mislopen. Ik beloof je dat het een snelle en behoedzame uitwisseling zal worden. We houden ons aan ons woord. Het enige wat je hoeft te doen is rustig thuis afwachten. We nemen contact met je op. Tegen de avond."

"Maar ..."

"Tot ziens."

Rafel Escorrigüela verliet het theater een beetje ontstemd. Hij was er niet in geslaagd de betekenis van de houding van het meisje te duiden. Binnen doken Eustaqui en Josepet uit de schaduwen op. Nonnita had ze achter de hand gehouden voor het geval Escorrigüela raar uit de hoek zou komen. Ze maakten de kar klaar om naar de Pekingbuurt te gaan.

Escorrigüela stapte in de koets en bleef maar nadenken. Hij moest Rovira waarschuwen. Hem laten weten dat alles goed verliep en dat hij de andere helft van het geld de volgende dag klaar moest hebben. Hij gaf bevel naar La Portorriqueña te rijden. De koetsier keek verstolen naar de andere kant van de straat. Felip Dalmau knikte bevestigend. Hij knikte terug en de koets begon te rijden.

Felip Dalmau dacht na over de volgende stap die hij moest zetten. Escorrigüela was al een poos geleden weggereden. Het was mogelijk het theater binnen te glippen om te zien wat hij er aantrof ... Ineens begonnen er mensen naar buiten te komen. De avondvoorstelling was afgelopen. Een aantal agenten lette erop dat ze geen groepen groter dan drie personen zouden vormen. Felip Dalmau bleef het deurtje in de gaten houden, maar het was moeilijk om het tussen die massa mensen te zien. Tien minuten later al hing er een doodse stilte. Er gebeurde niets. Wat moest hij doen? Toen ging het deurtje open en verscheen de zwangere. Ze keek naar links en naar rechts als om zich ervan te vergewissen dat er niemand stond die er verdacht uitzag en ging het theater weer in. Felip Dalmau was een en al aandacht. Op dat moment zag hij op de hoek een paarse kar naar buiten komen, voortbewogen door de enorm vermoeide gang van een muilezel. Op de bok Eustaqui Guillaumet en naast hem de zwangere vrouw met het engelengezicht. Op haar schoot droeg ze de bundel die Escorrigüela haar had gegeven. Op de laadbak een type met een groteske neus. Hij gaf ze een beetje voorsprong en ging achter hen aan. Het was niet moeilijk om ze te volgen: het was de meest afgebeulde ezel van Barcelona en Felip Dalmau blaakte van gezondheid.

Van de zenuwen kon Nonnita Serrallac bijna niet ademen. Ze paste zich aan het schokken van de kar aan. De affaire naderde haar ontknoping. De nacht ervoor had ze het voor het eerst aangedurfd om met Demi Gambús te praten. Hij lag met zijn rug naar haar toe. In het flakkerende licht van de lamp leek hij wel dood. Hij bewoog niet. Het was net of hij niet ademhaalde. Ze bekeek hem en merkte dat ze zich helemaal geen overwinnaar voelde. Er was bijna anderhalve maand voorbij en ze was doodop. En nu ze het gevoel had dat het eind van de tunnel in zicht kwam, wilde ze er alleen maar uit, wilde ze zich er alleen maar uit redden.

Ze pakte een bezem en porde hem alsof ze een dier porde, tot hij wakker werd. Hij draaide zich om en leek helemaal niet verbaasd.

"Kijk aan, eindelijk heb je je verwaardigd je gast te bezoeken ..."

"Het is geen beleefdheidsbezoek."

"Dat dacht ik al. Kom je me soms afmaken? Als wraak voor de gebeurtenissen van tien jaar geleden, dat lijkt me een beetje overdreven ..."

"De voorstelling is afgelopen. We maken je toonbaar en geven je aan je moeder terug. Morgenavond hebben we het geld en laten we je gaan."

"Ja, net als die andere keer. Laten jullie me nu ook een pagina van de krant van de dag overschrijven? Jullie zijn een stel geestelijk gestoorde sadisten die ..."

"De onderhandelingen zijn afgelopen. Het gaat nu van een leien dakje."

"Je bent zeker wel tevreden?"

"Ja."

Het meisje keek naar Demi Gambús, die zo aan de grond zat. Ze wist niet hoe ze moest weggaan. Ze zei: "Voor jou zal dit over twee weken niet meer zijn dan een slechte herinnering. Mijn problemen lost het op. Die van mij en van mijn kind ..."

"Val dood. En bid dat je je goed kan verstoppen. Want als het waar is dat ik vrijkom, zullen ik en al mijn nakomelingen van nu af aan ..."

"Ja, ja, ja, dat verhaal ken ik al ..."

"Ik bezorg je een miskraam en eet je foetus als avondeten."

Toen pas hief hij zijn ogen op en keek haar met zowel haat als minachting aan.

Ze ging onverhoeds naar buiten. Ze kon die aanblik niet meer verdragen. Ze ging uitwaaien op het strand. Zoveel dagen en op het uur van de waarheid had ze niet geweten wat ze hem moest zeggen.

De kar reed de Passeig de Colom helemaal af en passeerde lang en breed de Plaça Palau en het treinstation. Op dit punt begon Felip Dalmau te merken dat die rachitische ezel sterker was dan hij leek. Ze draafden aan de lage kant om het Ciutadellapark heen en namen de oude weg naar het kerkhof, met rechts de spoorlijn naar Mataró.

Demi Gambús liet de laatste uren van zijn gevangenschap over zich heen komen. De gestoorde had hem net een emmer water gebracht, verschillende spullen voor de lichaamsverzorging en een handdoek. Ook zijn kleren, schoenen en alles wat ze hem de eerste dag hadden afgenomen. Het leek er dus echt van te komen. Maar voor het geval dat, wilde hij zich niet al te veel illusies maken. Zijn bewaker haalde een stuk huishoudzeep uit de verpakking. Hij had ook een washandje en een handdoek. Hij deed zijn handboeien af. Demi Gambús was zo zwak dat hij hem nauwelijks angst inboezemde. Pasgeleden had Demi geprobeerd zich te verzetten. Hij had de gestoorde van achteren beetgepakt en hem de ketting van zijn handboeien om zijn hals geslagen. Hij probeerde hem te wurgen, terwijl hij buiten zichzelf schreeuwde: "Ik wil geen klipvis meer, ik ben die kloteharingen helemaal zat!" Demi kreeg een elleboog in zijn maagstreek en de opstand was afgelopen: hij was buiten adem op de grond gevallen en de ander was hem in zijn zij blijven schoppen. Als die met de grote neus niet was gekomen, dan zou hij hem verwond hebben. "Wat gebeurt hier?" vroeg deze. En de gestoorde antwoordde, zonder ook maar een spier te vertrekken: "Hij vindt het menu niet lekker."

Nu herinnerde Demi Gambús het zich en zonder het te merken begon hij te lachen.

"Wat is er voor het avondeten? Zeg niks, verras me ..."

Tomàs keek hem gespannen aan, zonder een spier te vertrekken. De papegaai was dichterbij gekomen, een en al nieuwsgierigheid. De jongen lachte bij de gedachte aan dat moment van rebellie en lachte om het heden, om het opperste raffinement waar dat stuk zeep voor stond, het washandje ... en het zoute water. Hij vroeg Tomàs Capdebrau hem nog eens een strychninepil te geven.

"Kom, je ziet toch dat het lukt. Ik ga weg. Dit is afgelopen. Kom, man, geef me mijn pillen, die helpen me een beetje op te peppen ..."

Tomàs twijfelde. Uiteindelijk doorzocht hij de broekzakken van Gambús, pakte het pillendoosje en nam er één pil uit. Hij legde het doosje op de grond en gaf hem de pil. Demi Gambús pakte hem die gretig uit handen. Voor het eerst in anderhalve maand voelde hij zich min of meer opgewekt. Misschien liet die troep schooiers hem na alles toch gaan. Hij zag de papegaai en riep hem uitdagend toe. Hij betwijfelde of de gestoorde hem een laatste klap zou verkopen nu hij op het punt stond vrij te komen: "Trinitat, lieverd, schoonheid, kom ..."

Tomàs Capdebrau zei hem zijn bek te houden, zoals altijd als hij de papegaai aansprak. Maar Demi Gambús kon er geen weerstand aan bieden: "Kijk toch eens wat je baasje aardig is, hij heeft me een pilletje gegeven ..."

Capdebrau ontstak in woede. Hij kon het maar niet verdragen dat de gevangene met zijn papegaai flikflooide. Hij was bovendien jaloerser dan ooit omdat het diertje naar Demi luisterde. Hij keek Gambús met een van haat vertrokken gezicht aan, die eens te meer bang van hem werd.

"Sorry, man ... Niet boos worden, ik wilde alleen maar afscheid van hem nemen. Hij heeft me veel gezelschap gehouden ... Zie je wel? Hier, ik was me al ..."

Hij hield het washandje in het zoute water en maakte zijn hele lichaam nat. Meteen erop begon hij zich in te zepen. Tomàs Capdebrau verloor hem niet uit het oog, alsof hij bang was dat hij hem op het laatste moment een streek kon leveren.

Noch hij, noch Demi Gambús merkte dat de papegaai Trinitat, onvermoeibaar nieuwsgierig, met zijn bek het doosje strychninepillen heen en weer schudde dat op de grond lag. Ze moesten voor hem wel op een beetje aparte zonnebloempitten lijken. Hij bekeek ze, liep eromheen, pikte ernaar. Hij had nog nooit zulke grote, ronde zaadjes gezien. Hij pakte er een, haalde hem uit het doosje, liet hem op de grond vallen en begon hem met zijn bek klein te maken en de afgebroken stukjes op te eten.

Intussen schrobde Demi Gambús met hernieuwde euforie, vanwege zijn nabije vrijlating en het effect van de strychnine, zijn huid zo hard dat het leek of hij haar wilde afschuren. Ofschoon de plek nauwelijks werd verlicht door de petroleumlamp die aan de muur hing, dacht hij erover een spiegeltje en een pincet te vragen om de haren op zijn oren uit te trekken; hij dacht erover pen en papier te vragen om zijn plannen op te schrijven; hij dacht erover ...

Ze ontdekten het allebei tegelijkertijd: de papegaai Trinitat lag verstijfd op de grond, met de pootjes omhoog dood te wezen. Zelfs het prachtige, bonte verenkleed leek zijn intensiteit en schittering te hebben verloren. Ernaast maakten het open doosje en de half verorberde pil duidelijk wat er was gebeurd. Tomàs Capdebrau stond als aan de grond genageld. Hij raapte het dier behoedzaam op en streek met zijn hand over het kopje, als een moeder bij haar kind deed. De papegaai was meer dan dood. Demi Gambús bekeek hem zonder zijn mond open te durven doen. En de oudkleermaker, wiens handen de laatste tijd niet meer trilden, maar die zijn zin voor realiteit kwijtraakte, begon ineens te huilen en te janken, liet zijn tranen de vrije loop. Hij huilde, terwijl hij het dode dier streelde. Demi Gambús bekeek de scène ongelovig. Dat ontbrak er nog maar aan, dat hij dit moest aanzien. Als hij het zou vertellen, zou niemand hem geloven. Een gestoorde die huilde om een papegaai! Hij zei: "Het was een heel aardig dier."

Hij had deze woorden nog niet gesproken of Tomàs draaide zich om en legde de dode papegaai heel behoedzaam op de grond. Hij keek afwisselend naar de pillen en Demi Gambús. Hij liep op hem af. Demi merkte dat zijn hart van angst sneller begon te slaan. Omdat hij in de ogen van Tomàs Capdebrau, die hem aankeek, zijn eigen dood zag. De grootste stupiditeit stond op het punt te gebeuren en hij kon er niets tegen doen. Hij jammerde, hij smeekte. Gedurende een ogenblik, een tiende van een seconde zag hij stom genoeg weer een beeld voor zich van toen hij klein was. In die tijd, zowel in Alcagaire als in het begin in Barcelona, had hij zonder het te merken zijn autoriteit zien groeien. Altijd zonder stemverheffing. Met minimaal optreden en lichte gebaren. En het werkte. Jazeker, en of het werkte! Hij hoefde alleen maar de houding en de manier van kijken van zijn grootvader na te bootsen die op zijn moeder waren overgegaan. Het was als tovenarij: iedereen doodstil, in de houding en met de staart tussen de benen ...

En hij had geen tijd om meer na te denken of het uit te schreeuwen, omdat Tomàs Capdebrau, die hem in zijn verstandsverbijstering in anderhalve maand tijd niet had herkend, hem met twee handen bij zijn keel greep en hem begon te wurgen. En de ander, krachteloos als een vogeltje, verzette zich zoveel als hij kon. Dus nauwelijks. Blind van woede kneep Tomàs Capdebrau zijn slachtoffer zo hard de keel dicht dat diens nek al gebroken was voordat diens adem stokte. Ineens begon het vreselijk te stinken. Het lichaam van Demi Gambús was leeggestroomd. Maar Tomàs Capdebrau bleef diens nek maar dichtknijpen zonder te merken dat hij al dood was. Hij schudde hem als een ledenpop dooreen. Uiteindelijk liet hij Demi Gambús los en deze viel boven op de vuile strozak. Hij lag half en half tussen zijn eigen uitwerpselen.

Dalmau sjokte hijgend achter de kar aan. Hij was hem een aantal keren bijna uit het oog verloren. De nacht was behoorlijk donker en hij kon hem ternauwernood volgen, dankzij het lantaarntje dat ze hadden aangestoken. Ze kwamen in de Llacuna aan en reden door. Eindelijk stopten ze in de Pekingbuurt. Het was midden in de nacht en de krotten leken in alle rust verzonken. Iedereen sliep. Alleen de honden waren wakker geworden toen de kar voorbijkwam. Maar omdat ze de geur herkenden, blaften ze niet.

Ze stopten en stapten uit. Josepet begon naast de kar te roken. Eustaqui gaf de muilezel peulen van de johannesbroodboom en fluisterde iets in zijn oor.

Nonnita Serrallac wist precies wat ze moest doen: afzien van de tweede helft van het losgeld, in ruil voor meer garanties om te ontsnappen. Ze zouden de gevangene onberispelijk, schoon en toonbaar achterlaten en zouden er als een haas vandoor gaan. Escorrigüela verwachtte pas de volgende avond bericht te krijgen. Als ze eenmaal ver weg waren, zouden ze de familie laten weten waar ze Demi Gambús konden vinden. En onderling kwamen ze er wel uit. Ervan overtuigd dat ze de situatie in de hand had, liep ze vastberaden naar het strand. Als alles goed ging, zouden ze morgen ver weg zijn.

Ze ging onder het zeildoek door en de stank die in haar neus drong, deed haar achteruitdeinzen. Ze wist niet wat er gaande was. Er was niets te horen. Ze schoof het gordijn opzij dat het vertrek van de gevangene afscheidde en keek in de dode ogen van Demi Gambús, die haar recht aankeken. Aan diens zijde zat Tomàs met de dode papegaai in zijn handen die hij met een spons schoonmaakte.

"Tomàs, wat is er gebeurd?" vroeg ze.

Hij wees naar de papegaai.

"Trinitat is door zijn schuld dood. En hij is door mijn schuld dood."

De ogen van Josepet, die achter haar binnen was gekomen, leken wel uit hun kassen te puilen, zo ver sperde hij ze open. Hij begon te jammeren: "Nu zijn we goed nat! Nu zijn we goed nat!"

Met een gil snoerde Nonnita Serrallac hem de mond. Ze ging naar buiten en waarschuwde Eustaqui. Ze betaalden Josepet wat ze overeengekomen waren en zeiden hem er als een haas vandoor te gaan als hij in leven en gezond wilde blijven om al dat geld te kunnen uitgeven. In minder dan vijf minuten had hij alles bijeengepakt. Alsof het stront was, pakte hij het horloge dat hij van Escorrigüela had gepikt bij het uiteinde van de ketting. Hij had ontdekt dat de naam die erin was gegraveerd die van de ongelukkige was die zojuist ter plekke het hoekje was omgegaan. Hij liep op de dode af en gooide het boven op hem. Hij wilde niets van een dode die op zo'n manier gestorven was. Het ongeluk zou hem anders zijn hele leven achtervolgen. Een minuut later restte er van Josepet en zijn neus slechts een herinnering. Hij ging met zo'n vaart de kant van Sant Adrià op dat hij niet eens merkte dat hij bijna op Felip Dalmau was gebotst, die zich heel dicht bij de kar had verborgen. En minuut later zag de ex-politieman bij het beetje maanlicht de zwangere en de jongeman met een zekere haast uit het duister van het strand opduiken, terwijl ze vier bundels droegen. Voor het eerst kon hij de vrouw van dichterbij zien. Het was dezelfde zwangere die hij een paar maanden geleden in Café Sevilla met Demi Gambús had zien praten. Er dook een man op die ouder was en in één hand een koffertje droeg en in de andere een omwikkeld pakje, alsof het een kostbaar voorwerp betrof. Hij en de zwangere gingen achter in de kar zitten. De jongen liet de zweep knallen en ze waren in een oogwenk in het duister verdwenen. Het was erg vreemd: waarom hadden ze zo'n haast?

Deze keer volgde hij hen echter niet. Hij wachtte tot hij ze uit het oog verloren had, stond op en volgde hun spoor in het zand. Ineens ontdekte hij midden op het strand dat zonderlinge karkas dat uitliep in een tent. Het politiebrein van Felip Dalmau begon te werken. Was het mogelijk dat Demi Gambús in dat hol opgesloten zat? Ja. Was het waarschijnlijk? Dat wist hij niet zeker. Als hij zich vergiste, kon hem dat duur te staan komen. Hij wist niet hoeveel mensen er daarbinnen konden zitten. Hij resumeerde: tien minuten geleden was die met de grote neus weggegaan, nu dit drietal, allemaal met een zekere haast: in dat hol konden niet meer zoveel mensen zijn. Met een beetje geluk was er maar één persoon als bewaker achtergebleven. Op zijn hoogst twee.

Het was mogelijk er dichterbij te komen zonder gezien te worden. Hij besloot nog even te wachten. Er was geen licht te zien. Misschien sliepen de bewakers ... Hij pakte zijn mes en begon voorzichtig door het zand te tijgeren. Hij was niet bang om te vechten. En het verrassingseffect was in zijn voordeel. Terwijl hij op elk mogelijk geluid lette, kroop hij tot bij de ingang van de aanbouw. Er was niets te horen. Hij bleef staan, verwachtte de rustige ademhaling te horen van iemand die sliep, maar van daarbinnen kwam geen enkel geluid. Wel hing er een verschrikkelijke stank. Heel voorzichtig, helemaal tegen de grond gedrukt, gespannen, met het mes in zijn hand, lichtte hij een hoekje van het zeildoek op dat de aanbouw afdekte en stak zijn hoofd eronderdoor. Als iemand hem had gehoord en hem opwachtte, was dit dé gelegenheid hem een klap te geven. Er gebeurde niets. En toen zijn ogen eenmaal aan het donker gewend waren, zag hij dat er niemand was. Achter in de aanbouw sloot een gordijn de toegang tot het voertuig af. Hij stond heel langzaam op. Achter dat gordijn was niets te horen, er was alleen die afschuwelijke stank, die steeds erger werd.

En hij deed het; als Demi Gambús daar was, zou hij hem er vandaan halen, koste wat het kost: hij sprong erop af en schoof het zeildoek opzij, bereid om zijn mes te steken in wie het ook maar was. Er sliep iemand en hij wierp zich boven op hem. Toen hij hem bij de keel had gegrepen, merkte hij pas dat hij geen tegenstand bood en al behoorlijk koud was.

Hij stak een lucifer aan. En natuurlijk was Demi Gambús er. Moederziel alleen en zo dood als een pier. Op zijn borst lag zijn horloge, dat als blijk van minachting op een nonchalante manier boven op hem was gegooid.

31

Nadat hij Rovira over de stand van zaken had geïnformeerd en met hem had afgesproken dat ze tot de volgende dag zouden wachten of de ontvoerders de afspraak nakwamen, ging Rafel Escorrigüela naar bed. Hij zette zijn wekker en viel bijna meteen in slaap. Alles ging van een leien dakje.

Hij droomde dat het in de bergen hard onweerde. Hij werd wakker. Het was geen onweer, er werd bij hem op de deur geklopt. Hij keek op zijn wekker: hij gaf pas halftien aan. Hij schoot in zijn ochtendjas en ging opendoen. De heldere zomerzon viel in stroken door de luiken van het balkon. Hij hoorde een stem op de overloop: "Maak open, Escorrigüela, ik ben het, Dalmau."

Aan diens stem te horen leek Dalmau niet anders dan anders. Het was ondenkbaar dat ze iets hadden ontdekt. En als het een list was om hem de deur te laten openen?

"Wat wilt u?"

"Maak verdomme open, mevrouw Miquela wil met u praten. Het is dringend ... Schiet in godsnaam op, de bazin heeft het druk vandaag en ze houdt er niet van tijd te verliezen. U weet hoe ze dan wordt ..."

Die man had de eigenschap hem de kriebels te bezorgen. Rafel Escorrigüela had bijna de moed verloren. Maar iemand met slechte bedoelingen kon zich gewoonweg niet op die manier aandienen. Hij opende de deur en de ander duwde hem hard naar binnen. Hij droeg geen pistool of steekwapen in zijn hand, noch leek het erop dat hij hem in elkaar wilde slaan.

"Sliep u nog?"

"Ja."

"Nou, vooruit, kleed u aan."

"Nu?" De ander antwoordde niet. "Is er nog nieuws?" vroeg hij Dalmau, terwijl hij zijn broek aantrok.

Zijn slaperige, bezorgde gezicht deed hem ouder en lelijker lijken. Zijn handen trilden en hij vond zijn broekspijp niet. Felip Dalmau nam ruim tien seconden voor hij zei: "Nieuws? Ik heb geen idee. En schiet op."

Rafel Escorrigüela dacht aan de beloften van die voorbije dagen. Mevrouw Miquela had hem beloofd dat ze zijn medewerking in deze zo pijnlijke zaak zwaar zou laten meewegen. Dat was het. Het kon niets anders zijn. Dat was ondenkbaar.

Ze stopten hem in een van de koetsen van de familie. Ze legden het hele traject zwijgend af. Miquela Gambús wachtte in hoogsteigen persoon bij het portiek.

"Het spijt me dat ik je op deze manier heb laten halen, Rafel, maar ik moet een belangrijke zaak met je bespreken."

"Heeft het met Demi te maken?"

"Ja en nee. Het duurt allemaal te lang en ik denk dat we van strategie moeten veranderen. Ik heb een galadiner georganiseerd en heb het heel druk. Wacht op me in het kantoor van mijn zoon, doe een dutje. Of ontbijt en lees de krant. En zo gauw ik een halfuurtje vrij heb, kom ik en praten we."

"Wat u zegt, mevrouw Miquela."

"Afgesproken dus."

Miquela Gambús had al het binnenpersoneel van het huis bijeengeroepen en had Felip Dalmau aan hen voorgesteld. Ze had hun meegedeeld: "Luister goed, elke opdracht die hij vandaag geeft, de hele dag door, is als een opdracht van mij."

Zij en Dalmau hadden het feest tot in de puntjes verzorgd. De veiligheidsmaatregelen functioneerden perfect. Het was geen open huis, er zouden ongeveer veertig officiële gasten zijn. Dat maakte de bewaking makkelijker: leden van de geheime politie hielden vanaf een etmaal voor de festiviteit de mensen op straat in de gaten. Om geen achterdocht te wekken losten ze elkaar elk anderhalf uur af. Gelet op de chaos die er dezer dagen in de stad heerste, trok de aanwezigheid van politie nauwelijks de aandacht. Dan waren er nog de bewakers die Miquela Gambús had ingehuurd, die iedereen die het terrein op of af ging in het oog hielden, ieders naam opschreven en waakten over elk denkbaar veiligheidsaspect. Bij een bezoek van de koning of van de premier had er geen beter toezicht kunnen zijn. En de waarheid was dat hoewel de monarch zelf er niet zou zijn, een paar van zijn representanten van de allerhoogste rang wél acte de présence zouden geven, zoals de markiezen van Comillas, d'Alella en Castellflorite, evenals het hertogelijk paar van Sotomayor. Ook straalden in al hun glorie genodigden als de nieuwe burgemeester van de stad, de gouverneur en de militair gouverneur, de rector van de universiteit, een generaal van de generale staf, de procureur-generaal en de afgevaardigde van het ministerie van Financiën. En niet te vergeten andere persoonlijkheden uit de politieke, bancaire, commerciële, industriële en culturele wereld van Barcelona. De kapitein-generaal en meneer de kardinaal, bisschop van Barcelona, hadden zich laten verontschuldigen. Alleen de tweede deed er voor de gastvrouw toe. Ze glimlachte, terwijl ze aan de bisschop dacht. Het moment kwam dichterbij om symbolisch een van de open wonden te dichten die ze al heel lang in haar hart droeg.

Tegen de middag begonnen de verschillende voorname gasten volgens plan aan te komen. De zon op straat vulde de brede toegang voor rijtuigen met een intens licht en als ze op de zwerm donkerpaarse druppels van de kroonluchter viel, veroorzaakte ze duizend lichtpaarse weerkaatsingen. De genodigden werden door Miquela Gambús persoonlijk ontvangen aan de voet van de staatsietrap, die bedekt was met een grijs tapijt dat met verzilverde messing stangen aan de treden was bevestigd. Ze zag er geraffineerd en gedistingeerd uit, in halve rouw gekleed, voorbeeld van elegantie en symbool van rijkdom. Haar zeer blanke huid vormde een ideale achtergrond voor het schitterende donkerpaars van de amethisten in haar oorhangers, het diepblauw van haar onyxen halssnoer en de zwarte parel die een van haar ringen bekroonde. Niemand had haar ooit zo zien schitteren. Ze gaf haar genodigden over aan de zorg van het hoofd van de huishouding, die de meest aanzienlijken naar een aparte salon begeleidde, zodat ze geriefelijk konden wachten, en de rest meteen in de grote eetzaal huisvestte. Onderweg kreeg het huis een telkens spectaculairder aanzien: aan de muren zwarte wandtapijten met grijze zomen. Op de gangvloeren een exclusieve donkerpaarse mat. In de salons bleken de prachtige Turkse tapijten bedekt met doorzichtig zwart tule. Ook de voorwerpen hadden een donker aanzicht: stoelen, tafeltjes, beelden, klokken, paraplubakken hadden allemaal hun overeenkomstige doodswade dankzij lila sluiers, blauwachtig gaas, donkere zijde, zwarte rouwfloers ... Van een paar elektrische lampen waren zelfs de peertjes donkerpaars geverfd. De genodigden bleven zich verbazen: dat huis was in de rouw, dat was duidelijk. Maar niemand wist er het fijne van en de eigenaresse was niet van plan het geheim te ontsluieren. Daarom lag het voor de hand dat er absoluut géén donkere dameskleding te zien was. Integendeel, de dames schitterden in hun lichtgekleurde zomerjurken, waarvan de kwaliteit niet onderdeed voor die van de kleding van de gastvrouw, en ze toonden een ware stortvloed aan verbeeldingskracht, fantasie en rijkdom volgens de laatste mode uit Parijs. De japonnen van Paul Poiret, van lichte stof en met een hoge taille, bevrijdden de vrouwen van hun korset en gaven de bijeenkomst een enigszins oriëntaalse, exotische ambiance.

Miquela Gambús telde nog even na: behalve de bisschop en de kapitein-generaal ontving ze in haar huis de belangrijkste personen uit de stad op elk mogelijk terrein: politiek, militair, industrieel, cultureel ...

Rafel Escorrigüela wachtte behoorlijk lang. Alles leek normaal. Iedereen was vriendelijk en beleefd tegen hem, maar in zijn hart voelde hij een diepe, onverklaarbare beklemming, waarschijnlijk een restant van de klap die hij de nacht ervoor te verwerken had gekregen. Hij had gedroomd over de laatste keer dat hij Demi Gambús had gezien, in de boeien en halfnaakt ... Maar hij was toch ook tevreden. De bazin was behoorlijk duidelijk geweest. Zoals te verwachten viel zou de oude vrouw hem een nieuwe verantwoordelijke functie willen geven. Perfect. Hij stelde zich met wat dan ook tevreden om tijd te winnen en zich uit de voeten te maken. De minuten gingen voorbij en hij verveelde zich. Hij bewoog zijn hoofd een beetje heen en weer om een vlieg te verjagen die om hem heen zoemde. De zwangere had hem verzekerd dat ze Demi Gambús pas tegen de avond aan hem zouden uitleveren, hij had dus tijd ...

Hij strekte zich op de sofa uit en sliep tot tegen elf uur. Korte tijd later hoorde hij een rijtuig aankomen. Hij keek door het venster. Ondanks de felle zon kon hij zien hoe het naar binnen reed na toestemming van een van de nieuwe portiers die bij de ingang stonden. Wat een voorzorgsmaatregelen ... Hij verliet de kamer om een beetje zijn benen te strekken. De gangen waren vol personeel dat hij eerst ook niet had gezien: kelners, dienstmeiden ... Te horen was hoe meubels werden verschoven en iemand opdrachten gaf. Het was heus een groot galadiner ... en hem had die oude tang niet uitgenodigd. Hij wilde naar de hoofdingang beneden gaan om er rond te snuffelen. Hij stond perplex: aan het eind van de gang versperden meer onbekende bewakers hem de weg. Op de terugweg naar het kantoor trof hij Felip Dalmau in een van de gangen. Hij groette hem en Dalmau beantwoordde de groet met een knaagdierengrimas die hem de haren te berge deed rijzen: "Escorrigüela, waarom gedraagt u zich niet? Is u niet gezegd te wachten?"

"Wat betekent deze drukte? Tjonge, het etentje van de bazin mag er zijn ..."

"Gaat u naar het kantoor terug", zei Dalmau met een ondoorgrondelijke blik.

Het bestond niet dat ze iets hadden ontdekt. Hij had de slag van zijn leven geslagen. Hij had alles voorbereid: hij dacht erover meteen de volgende dag te maken dat hij wegkwam. Deze keer had hij wél geld. Veel geld. Hij zou de trein pakken en pas in Parijs uitstappen. Hij voelde zich goed, dapper; hij had een geheim: de trouwe hond vrat zijn baas op.

De genodigden werden volgens een zeer strikte tafelschikking aan de grote tafel midden in de eetzaal geplaatst. De vrouw des huizes, minzamer dan ooit, bracht maar geen doden ter sprake, zodat uit beleefdheid niemand vragen stelde over de rouwpraal van het huis. De genodigden ontspanden zich meteen en begonnen commentaar te leveren op wat overduidelijk een bewijs van extravagantie van de gastvrouw was, die misschien begon te verkindsen. Men miste de aanwezigheid van Deogràcies-Miquel Gambús, maar aangezien niemand er iets over zei en men iemand die ernaar durfde vragen antwoordde dat hij heel dringend op zakenreis had moeten gaan, werd de kwestie naar een hoffelijk tweede plan verwezen en ging men meteen op koetjes en kalfjes over. Een verstolen vrolijkheid maakte zich van het vertrek meester: uit het niets verscheen een muziektrio en het begon in een hoek discreet en op een geluidssterkte die niet stoorde heel moderne ritmes en liedjes te spelen, inclusief stukjes uit zarzuela's. Iedereen was verrukt en verbaasd: mauve tafellakens, zwarte servetten ... Maar niemand leek bedroefd. Zodat de dames en hun cavaliers zich begonnen te concentreren op wat zich liet aanzien als het eetfestijn van het jaar.

Het menu dat door de huisbedienden werd opgediend was hetzelfde dat de koning anderhalf jaar eerder was aangeboden, toen hij de stad had bezocht: consommé Princesa of crèmesoep Martigny, besproeid met sherry uit 1812. Filet van gevogelte à la Rachel of runderlapjes Wagram, besproeid met Marquès de Riscal. Gebraden kapoenen uit Le Mans met artisjokken en sauce hollandaise en salade, besproeid met Pommard uit 1892. Als dessert ijstaart à la catalane, besproeid met Cordon Rouge Champagne en fruitcocktail, besproeid met malagawijn. Voorafgaand aan dat alles, bij wijze van aperitief, canapés met kaviaar, besproeid met Roederer Champagne.

Het illustere gezelschap begon in de stemming te komen. En te midden van allen ging mevrouw Miquela Gambús tijdens het aperitief uitgelaten en met een vreemde schittering in haar ogen van het ene groepje naar het andere, zowel naar degenen die zaten als naar de gasten die stonden. Het was het laatste grote openbare optreden van haar leven.

Op elke plaats aan tafel, die ondanks de donkere kleuren overal schitterde, wisselden de wijn- en aperitiefglazen met de champagneglazen. Op acht à tien witte dienbladen vierden gevarieerde canapés triomfen. Ondanks de bommen, ondanks de oproep tot een algemene staking, ondanks de antimilitaristische opstootjes, ondanks de gevoelige politieke situatie had de sfeer iets van het begin van de vakantie.

Niemand had gemerkt dat de gastvrouw discreet was weggegaan.

Rafel Escorrigüela lag languit op de sofa. Men had hem een dienblad met eten en drinken gebracht, maar hij raakte het niet aan. Hij had geen honger. Alleen een glas wijn om zich te verfrissen. Hij deed de deur weer open: het komen en gaan van personeel ging door. Er ging nog een uur voorbij. Hij bleef maar nadenken. Het was heel warm. Hij had allerlei stemmingen: van euforie tot neerslachtigheid. Als ze iets hadden ontdekt, zouden ze hem niet op zo'n manier vasthouden, dat was duidelijk.

Hij had net zijn tanden in een stuk ham gezet, toen hij de deur hoorde opengaan. Uit de verte kwam lieflijke muziek binnen. Hij draaide zich om en stond verstomd. Het was bazin Miquela, helemaal in het zwart, van top tot teen. Niet zozeer stemmig als wel afschrikwekkend.

Achter Miquela Gambús stond Felip Dalmau, op zijn hoede. Door de zenuwen kon Rafel Escorrigüela alleen maar "hallo" zeggen en hij spuugde kruimels brood met ham uit. Miquela Gambús liep tot bij het tafeltje en Dalmau bleef bij de deur staan. Hij probeerde weer rustig te worden, hij had een perfect alibi, ze konden hem niets maken.

Maar pech voor hem, zo zou het niet lopen.

"Ga zitten, Rafel", zei ze, terwijl haar ogen de sofa aanwezen.

Hij gehoorzaamde meteen. En het was net of wat hij erna te horen kreeg niets met hem te maken had. Zelfs zozeer dat hij haar niet begreep: "Ik heb je een paar uur opgesloten in deze kamer die vol staat met herinneringen aan mijn zoon. Ik dacht dat het je zou helpen nadenken en je er tenminste toe zou brengen vergeving te vragen ..."

"Waarvoor vergeving?"

"Zie je wel? Je blijft je maar vergissen. Je vergist je telkens weer. Zal ik je een verhaal vertellen? Tegen oktober 1899 regende het in het dorp Alcagaire dagenlang zo hard als men het nog nooit had zien regenen. De oude brug was ingestort en de verbinding tussen de twee rivieroevers was verbroken. Op de linkeroever, naar de berg toe, bij de klif die loodrecht boven de rivier staat, had een aardverschuiving een gezin meegesleurd dat niet had kunnen schuilen. Ze belandden allemaal in het water op een kind van twee of drie jaar na dat op een uitstekend stuk rots was terechtgekomen. Mijn vader, burgemeester en beschermer van het dorp, besloot dat dat kind moest worden gered. En punt. Het bleef maar regenen, de rivier bleef maar stijgen en de dichtstbijzijnde brug was heel ver weg. Toen de storm een beetje afzwakte, werd de toestand duidelijker en was het kind, dat armen en benen bewoog om de aandacht te trekken, aan de overkant zichtbaar. Mijn vader, in zijn officiële burgemeesterstenue, met staf en al, beval de pont klaar te maken en er touw en materiaal op te leggen dat nodig is om langs een bergwand af te dalen. Het was een veerpont zoals er op de rivier zoveel zijn, je kent ze wel: een laadvlak met relingen boven op twee aken en een kabel die als stuur dienstdoet. Het was een kwestie van minuten voordat het water het onmogelijk zou maken om over te steken. Toen deed mijn vader een oproep: hij bood vijftig zilveren peseta voor twee waaghalzen die het aandurfden over te steken om het jongetje te redden. Het zou in- en intriest zijn als het kind dood moest gaan, maar de kracht van het water was geweldig. In plaats van twee waaghalzen vroeg hij eigenlijk twee mensen die onbezonnen waren of twee zelfmoordenaars: als de rivier hen niet meesleurde, zouden ze naar beneden storten als ze zich lieten zakken om de jongen te halen. Niemand meldde zich. De angst om dood te gaan won het van de angst voor de baas. Evarist, jouw vader, meer vriend dan ondergeschikte, zag de teleurstelling op mijn vaders gezicht, stapte naar voren en zei dat hij bereid was om het te proberen. Mijn vader liep op hem af en omhelsde hem. En toen, in die stortregen, zei hij dat hij duidelijk zag waar die naam Alcagaire vandaan kwam, van 'dorp van kakkebroeken'. En hij liet schreeuwend weten dat hijzelf de tweede vrijwilliger was, dat hij er niet over dacht zijn vriend in de steek te laten. Ik kon er maar niet over uit: hij was al negenenzestig jaar! Afijn, hij was op geen enkele manier van zijn idee af te brengen. Hij en je vader gooiden de trossen los en het veer dreef naar het midden van de rivier. Het bleef maar stortregenen. Ze hadden geen schijn van kans. De kracht van het water trok de kabel meteen strak. Stukken hout en verzopen beesten dreven stroomafwaarts. Twee keer sloegen ze bijna om, het water spoelde over hen heen ... Maar ze bereikten de overkant! We zagen zelfs hoe ze aan wal stapten vlak voor een golf water het veer stroomafwaarts meesleurde. We zagen ze de klif beklimmen en hoe ze recht boven de plek uitkwamen waar het jongetje zich bevond. We zagen met open mond hoe ze het koord aan een boom vastmaakten en het lieten zakken tot waar het kind was. Het leek een wonder. Je vader pakte het touw stevig vast en wilde zich laten zakken. Hoewel het nog vroeg in de middag was, werd het plotseling donker en verdween de andere rivieroever uit het zicht. Het geluid van de rivier en van het vallende water was oorverdovend, maar de mensen wachtten doodstil in de regen. Uiteindelijk trokken de zwarte wolken weg en ging de storm liggen. Iedereen, ik voorop, strekte zijn hals en tuurde: de boom was er niet meer noch het touw, de klif noch je vader, het kind noch mijn vader, helemaal niets. Een tweede aardverschuiving had alles meegesleurd. We maakten ons geen illusies. Mijn vader werd drie dagen later stroomafwaarts gevonden, in zijn verstijfde hand omklemde hij nog de gemeentestaf. Het duurde iets langer eer we jouw vader vonden, hij zat nog aan het touw vast. Het kind kwam niet eens boven water. En het verhaal is uit. Twee stompzinnige sterfgevallen, maar met een zekere adel" – ze keek Rafel Escorrigüela met ijskoude ogen aan – "niet zoals die van mijn zoon, ook stompzinnig, maar schandelijk. Rafel Escorrigüela, je hebt mijn zoon laten vermoorden en hem aan Rovira doorverkocht alsof hij derderangs vlees was."

Hij was niet in staat te antwoorden: dood? Maar wat zei dat vreselijke mens toch? Waarom was alles altijd een raadsel? Als waar was wat die oude vrouw zei, zou hij onterecht boeten voor de dood van Demi Gambús. Zijn laatste uur had geslagen.

Op rustige toon sprak bazin Miquela verder: "Ik vier dat ik met pensioen ga. Demi zal er niet zijn, ik hoef je niet te vertellen waarom niet. Het is jammer. Een heel leven wachten op zo'n moment en je ziet het ... Meteen morgen ga ik naar Alcagaire terug en trek alle deuren goed achter mij dicht; ik hou niet van tocht."

Ze maakte een handgebaar en Felip Dalmau liep op haar toe en gaf haar een voorwerp, het horloge van Demi Gambús. Met een onverschillig gebaar liet ze het vlak bij Rafel Escorrigüela's gezicht aan de ketting bungelen. Als een pendel, net alsof ze hem wilde hypnotiseren. En ze ging verder, rustig en verschrikkelijk: "Wil je je horloge niet terughebben? Mijn zoon heeft het je geschonken en je laat het op de vreemdste plekken rondslingeren ... Of wilde je het hem op een ietwat opvallende manier teruggeven ...? Wat ben je een ongelooflijke klootzak ..."

Rafel Escorrigüela was doodsbang omdat hij er niets van begreep. Miquela Gambús ging verder: "Het kan me niet schelen of mijn zoon door jouw hand of die van een ander is gestorven. Het is me om het even. Het was jouw plicht hem te beschermen. Of ons te waarschuwen zodat wíj hem konden beschermen. Daarvoor heb ik je aangenomen. En je hebt verzaakt. En meer nog: je hebt onze overeenkomst bespot en mij heb je verraden."

"Alstublieft, alstublieft, alstublieft, mevrouw Miquela ... Dood mij niet. Ik kan het u uitleggen. Het is allemaal de schuld van Rovira ..."

Miquela Gambús gaf een seintje aan Felip Dalmau, die doelbewust op Rafel Escorrigüela af liep, hem overeind trok en hem met zijn handpalm en de rug van zijn hand twee klappen gaf. Escorrigüela hield op met huilen en veegde het straaltje bloed weg dat uit zijn mond liep.

"Gedraag je als een man, Rafel. En bedenk, jij kent de familie: als ik je dood wilde hebben, zou ik je nu geen tekst en uitleg staan te geven met al mijn gasten beneden aan het diner. Je zou aan het eind van de havenkade staan met een steen aan je voeten. Ik ben niet van plan je te doden, Rafel Escorrigüela, tenminste niet nu. En de reden is je vader, die dood is door toedoen van de mijne. Daarom heb ik je de eerste keer je leven geschonken en doe ik het nu weer. Ik wil niet dat jouw moeder de naam van de Gambús alleen maar in haar mond neemt om hem te vervloeken. Zoveel geluk verdien je niet: jouw leven voor dat van je vader. Let wel, ik denk erover je te bestraffen. Omdat je een slecht geheugen hebt en een slechte inborst, zul je naar Alcagaire terugkeren en je zult er blijven tot je doodgaat. Je hebt de vrijheid om te gaan wonen waar je wilt en te doen wat je wilt, maar je mag het dorp niet uit. En als je het probeert, zul je op de meest laaghartige, verschrikkelijke manier sterven. Omdat van nu af iedere inwoner van Alcagaire toestemming zal hebben je achterna te zitten, je als een rat op te jagen en je te villen. Ik zal een mooie premie uitloven, een beloning die elke dag die voorbijgaat stijgt. Dit zal mijn straf zijn, wachten tot je wanhoopt en je jezelf verhangt aan een van de balken van je huis. Je gaat er nu meteen heen. Vaarwel, Rafel."

En ze maakte rechtsomkeert. Dalmau pakte Rafel Escorrigüela bij de arm, trok hem overeind en hield hem vast omdat diens benen hem in de steek lieten. Hij vergezelde hem naar de hoofdingang waar een koets klaarstond. Hij duwde hem erin en door het raampje zei hij met een sinistere glimlach gedag. De koets reed van het huis weg. Toen pas merkte Rafel Escorrigüela dat hij niet alleen reisde. Een jongen die een rustig type leek, groette hem en legde hem uit dat hij hem zou vergezellen om er zeker van te zijn dat hij heelhuids in het dorp zou aankomen. Hij begon weer te huilen, was er zeker van dat degene naast hem de opdracht had hem op de meest gruwelijke manier te vermoorden. Hij zou nooit levend in Alcagaire aankomen om van zijn moeder afscheid te kunnen nemen.

Maar zo ging het niet. Miquela Gambús had het hem duidelijk gezegd: zijn leven voor dat van zijn vader. Toch was Rafel Escorrigüela de hele tijd, elk van de uiterst lange uren dat de reis naar Alcagaire duurde, bang dat ze van het ene op het andere moment zijn keel zouden afsnijden en hem door het venster zouden smijten. Dat maakte deel uit van de straf en de bazin had daar al op gerekend.

Het werd al dag toen hij in het dorp aankwam. Het rijtuig stopte voor het huis van zijn moeder. Toen Rafel Escorrigüela haar zag, schoot zijn gemoed vol.

Op dat moment sneed de huurmoordenaar inderdaad zijn keel af en gooide hem door het venster naar buiten.

In de eetzaal heerste een opperbeste stemming. Tevreden ging Miquela Gambús weer zitten. Het trio voerde op dat moment een selectie rustige, klassieke melodieën uit en de disgenoten die aan het eerste gerecht waren begonnen, verdroegen zo goed en zo kwaad als het ging in lijdzaamheid en met een paar druppels wijn de hitte van eind juli. De lucht circuleerde dankzij grote elektrische ventilatoren die aan het plafond hingen, een van de laatste grote progressies bij de toepassing van elektriciteit.

Een van de genodigden, een kamerlid van de conservatieve partij, kwam van het toilet terug onder begeleiding van een bediende, die hem onder het lopen in een elegant linnen colbert hielp. Hij knoopte het dicht, ging zitten en zette onverwacht een enorme keel op: “Zoals ik u eerder zei dat die knuppel van een bediende mijn colbert zou kreuken, zo wordt het tijd dat de monarchistische partijen hun krachten weer bundelen en een sterke man benoemen. Het is een schande!”

"U kunt uw ogen niet voor de realiteit sluiten", antwoordde de heer die tegenover hem zat, decaan van het college van apothekers. Kijkt u eens naar de straat. Kijkt u eens naar deze mensenmassa ..."

"Naar welke mensenmassa? Moeten we op de laatste verkiezingen afgaan, meneer?"

"Ik neem aan van wel."

"Nou, waar waren ze op het moment dat er gestemd moest worden? Ze kunnen niet eens op hun eigen kameraden stemmen. Omdat het ze in de grond van de zaak eigenlijk goed uitkomt om zich geknecht en vertrapt te voelen. Zo kunnen ze harder schreeuwen, het enige wat ze kunnen: in hun partijlokaal samenkomen en een keel opzetten. In plaats van te werken, zoals eerzame, fatsoenlijke mensen."

"Ik geloof niet dat werk hun enige streven is ..."

"Het is te merken dat u apotheker bent en het in uw belang is met iedereen op goede voet te staan. Houdt ú zich maar bezig met het maken van geniale samenstellingen. Maar houdt u zich wel bij uw leest, anders zouden ze u weleens kunnen schroeien met dat knalvuurwerk dat ze leggen. Al dit anarchistische gewauwel kan niemand een rad voor ogen draaien."

Iets verderop sprak een jonge kolonel, adjudant van de generale staf, over de oorlog in Marokko. Hij was groot, had ronde trekken en droeg een korte puntbaard. Het gala-uniform met zijn medailles en strepen zat hem als gegoten. De inheemse bevolking van de Rif duidde hij aan met 'dat volk', dat deed hij onbewust. Hij verkocht zonder een greintje schaamte een klaarblijkelijke, doorzichtige leugen: "De operaties zijn snel verlopen en sinds twee weken hebben zich geen belangrijke incidenten voorgedaan. De vreemde ambities van een aantal agitatoren in de Rif lijken grotesk, aangezien dat volk zich nooit van Spanje zal afscheiden na het lesje dat het heeft gekregen."

Naast hem herinnerde zich de vrouw van de onderdirecteur van de Banc Hispano-Colonial, opgewonden door het feit dat ze aanzat bij zo'n belangrijk diner, hoe ze de jonge kolonel had betrapt toen hij zijn snor gladstreek voor de spiegel bij de ingang van de eetzaal. Het licht schitterde zilverachtig in zijn laarzen en dat was de vrouw opgevallen. Haar man onderbrak de uiteenzetting van

de militair: "Pardon, jongeman, maar heb ik reden te veronderstellen dat u gala-uniform draagt?"
"Ja, meneer."
"Klein of groot gala?"
"Klein."
"En waarom hoort daar geen riem bij? Ik vind dat afbreuk doen aan het uniform."
De kolonel, van zijn stuk gebracht, antwoordde dat hij geen flauw idee had, dat hij zich ertoe beperkte het kledingreglement te volgen. De bankier, tevreden dat hij die jongeman die zo bij zijn vrouw in de smaak leek te vallen een beetje van de wijs had gebracht, knikte bevestigend en wendde zich tot zijn linkerzijde. Hij begon naar de rector van de universiteit te luisteren, die zijn tevredenheid uitte over de recente bestuursmaatregel om de speelzalen en taveernes in de Carrer Tallers, die op alle uren van de dag vol studenten zaten, te verbieden.
De nieuwe burgemeester van Barcelona, de heer Coll i Pujol, verklaarde aan de markies d'Alella een van zijn prioriteiten om het leven van de behoeftigen in Barcelona te verbeteren: meer gratis toiletten inrichten.
De aristocraat wendde zich afwezig naar zijn vrouw. Hij had er enigszins de pest over in dat hij zo'n extravagant diner moest bijwonen, terwijl hij als vicepresident van de pas opgerichte Aero-Club de Catalunya veel meer te zoeken had op het diner van de raad van bestuur. Heel verveeld zei hij: "Heb je het gehoord? Meneer de burgemeester richt toiletten in ..."
Zijn vrouw bekeek de burgemeester, terwijl ze een en al glimlach was en riep uit: "Wat merkwaardig, toiletten ..."
En terwijl ze deed of ze applaudisseerde, richtte ze haar blik op de gouverneur die, aangezien hij haar niet had gehoord en niet wist waar het over ging, deed alsof hij zeer aandachtig een passage beluisterde van het stuk dat het trio op dat moment uitvoerde.
Felip Dalmau kwam onopvallend het vertrek binnen en liep op zijn bazin af. Ze zag hem, keek op de wandklok, knikte instemmend en de man ging weer weg.

Een poosje later keek Felip Dalmau vanuit het raam van zijn flat naar de straat. Hij wachtte erop dat ze hem kwamen halen. Hij dacht: goed, akkoord, ik zal tot het eind van mijn dagen een rattengezicht hebben. Maar in dit geval komt het me tenminste van pas ... En met zijn handen streek hij de soutane glad die hij had aangetrokken. Des te beter als dat gezicht ertoe bijdroeg dat hij meer op een pastoor leek. In elk geval benadrukte het de onopvallendheid van zijn uiterlijke verschijning. Bovendien wist hij hoe hij de soutane moest dragen. Soutanes zijn als uniformen, afhankelijk van hoe je ze draagt, sorteren ze meer of minder effect.

Toen hij voor mevrouw Miquela begon te werken, dacht hij aanvankelijk dat hij dat niet aan zou kunnen. Gelukkig wist zij van wanten. Ze bracht maar één ding onder zijn aandacht: "In een wereld van vossen moet je aan de kant van de winnaars staan, Dalmau, want de tijd en de jaren vliegen voorbij ..."

Nu mocht hij zichzelf een rustig en vrij gelukkig mens noemen.

Er werd zachtjes op de deur geklopt. Hij keek op zijn horloge, liep alles nog even na en ging naar buiten. Bij de deuropening wachtte een rijtuig op hem met de treeplank uitgeklapt. Bovenop, naast de koetsier, zat een van de mannen van de bazin. Hij steeg in en maakte het zich gemakkelijk. Hij zette zijn baret, die zo goed paste, recht en gaf bevel weg te rijden. Met die baret op zijn hoofd hoefde hij zich tenminste geen tonsuur aan te meten.

In de eetzaal deden de disgenoten de gebraden kapoenen alle eer aan. De flessen Marquès Riscal en Pommard '92 vlogen erdoorheen. De kelners wachtten met een servet over hun arm, aangestuurd door een maître die voor de gelegenheid was ingehuurd. En een walsmelodie krulde zich tussen het aroma van gebraden vlees en het gerinkel van messen, vorken, glazen en coupes door.

De gouverneur, don Ángel Ossorio, de hoogste burgerautoriteit in de zaal, converseerde in alle vertrouwelijkheid met de gastvrouw omdat hem vanuit Madrid was ingefluisterd dat die vrouw niet enig maar ál zijn respect verdiende. En dat hij in geen twintig jaar de diensten zou kunnen bewijzen die zij het vaderland had bewezen. En punt.

"Het is betreurenswaardig, waarde mevrouw Gambús, dat de gevestigde Spaanse partijen zich op het moment ten opzichte van Catalonië in een heuse staat van verwarring bevinden. Het is een echte janboel: je hebt de autonomiekwestie, decentralisatie, Solidaritat, bommen, terreur, patriottisme. Nu zult u mij meteen zeggen: mensen willen niet ten oorlog trekken ..."

"Ik maak me juist heel erg zorgen over het bommenprobleem."

"En u doet er heel goed aan zich daarover zorgen te maken. In Spanje zijn we niet in staat op te treden als in de Verenigde Staten van Amerika. Het is heel simpel: daar vragen ze de immigranten die net zijn aangekomen: 'Bent u anarchist?' Als ze ja zeggen, antwoorden ze: 'Dan kunt u geen Amerikaans staatsburger worden. Afgewezen.' Aan de binnenlandse anarchisten vragen de autoriteiten helemaal niets, die krijgen een schop onder hun gat. Onmiddellijke deportatie heel ver weg. Dat ze maar revolutie gaan maken bij de pinguïns in Antarctica. Zonder angst voor moordzuchtige represailles of dat de intellectuelen en de pers de regering ervan beschuldigen dat ze reactionair is."

De heer Ossorio ontstak ineens in vuur en vlam: "De anarchisten zijn wilden. Hun ideeën veroorzaken alleen maar criminaliteit. Daarom staan ze buiten de wet. Ze sluiten zichzelf buiten het algemene recht. Het zijn vuile moordenaars tegen wie je alle buitengewone repressiemaatregelen moet nemen ... Kijkt u eens wat er vier jaar geleden in Rusland is gebeurd: arbeidersmassa's die de straat bezetten en het hoofd van de tsaar eisten ..."

"Wat denkt u dat er morgen zal gebeuren met de algemene staking?"

"Niets. Een storm in een glas water. Strovuur. Helemaal niets, dat kan ik u op een briefje geven. Als poging om de Staat te destabiliseren is het al mislukt voordat het is begonnen ..."

"Ik ben oud en een beetje bijgelovig, weet u. En ik herinner me mijn vader, Miquel Gambús, een groot liefhebber van statistiek, die me liet zien dat grote heibel, en vergeef me mijn woordkeus, altijd in de zomer losbarst. Het lijkt erop dat we het van tijd tot tijd op de heupen krijgen en we de zomer plezieriger willen maken met opstootjes, staatsgrepen, vonnissen en terechtstellingen ..."

"Welnu, mevrouw, maakt u zich maar geen zorgen, ik kan u verzekeren dat er in Barcelona morgen, 26 juli 1909, niets zal gebeuren."

Een genodigde die op een fret leek stond op. Hij bleef maar glimlachen en links en rechts begroetingen uitspugen, alsof het een bruiloft betrof en hij de vader van de bruid was. Aan zijn vinger droeg hij een ring met een enorme diamant waaraan een kleine gouden tijgerkop hing met twee robijnen als ogen. Hij was een belangrijk zakenman in de stad, met commerciële belangen op Cuba, import en export. Sinds kort smokkelde hij oorlogstuig. Via de Canarische eilanden en Tanger verkocht hij wapens aan de opstandelingen in de Rif. Op dit moment zat al zijn kapitaal in een pakketboot die op Las Palmas voer, tot de nok toe gevuld met kisten vol Hotchkinsprojectielen. Hij probeerde er niet aan te denken, maar kon niet anders. Daarom dronk hij iets te veel champagne. Hij merkte dat zijn tafelbuurvrouw, de markiezin van Castellflorite, haar ogen op zijn ring gericht hield. Ze was verontwaardigd. Ze had besloten op een luxueuze maar discrete manier met juwelen behangen naar het diner van haar vriendin te gaan. Het gaf geen pas de gastvrouw af te troeven. De kwaliteit van de edelstenen die ze droeg ging die van lapis lazuli niet te boven. En nu was mevrouw Gambús getooid als een koningin en pronkte die laaghartige handelaar met dat beestachtige juweel. Ze trok aan de mouw van het colbert van haar man en zei: "Heb je die ring gezien? De drager zal wel uit Madrid komen, wij Catalanen zijn niet zo pronkerig ..."

"Hij praat anders wel Catalaans."

"En wat dan nog?"

Naast hem bleef het Marokkaanse thema maar voer geven aan een allerlevendigste discussie: "Maar welke markt denkt u te vinden in een achterlijk land waar de mensen geen onderbroek dragen?" vroeg de hertog van Sotomayor met duidelijke tegenzin.

Hij richtte zich tot een disgenoot met een lange witte baard, die in contrast stond met de kracht van diens argumenten en de onrust van diens bewegingen. Het was de vertegenwoordiger van de Catalaanse werkgevers: "Meneer de hertog, ik zou kunnen tegenwerpen dat de industrie in Catalonië niet alleen van onderbroeken leeft. Maar textiel is de basis van onze regio en we hebben alle recht om de moren onderbroeken te verkopen. Meer nog, ik heb er alle vertrouwen in dat de Rifbewoners aan dit kledingstuk zullen wennen. Er is me zelfs verteld dat onlangs in Melilla een moors bevelhebber zijn neus heeft laten zien, een en al arrogantie in zijn witte cape boven op zijn trotse strijdros. Om duidelijk te maken dat hij de beschaving en haar vooruitgang een warm hart toedraagt, droeg hij voor iedereen zichtbaar een prachtige onderbroek ... Als de verkoop van deze kledingstukken in de stad Nador mag worden gevestigd, zal de aangeboren elegantie van de Maghreb zich op fantasievolle wijze op de uitmonstering kunnen uitleven. Of waarom niet, in de vermenging? Kunt u zich er een voorstelling van maken? Als basis folkloristische, exotische kleding, met de witte cape. En de onderbroek goed zichtbaar."

"Zeg dan maar dag met je handje tegen de poëzie!"

"Nee, pardon, meneer de hertog: de ene poëzie verdwijnt en de andere verschijnt. Beschaving hoeft niet met poëzie op gespannen voet te staan."

"Dus zelfs de onderbroeken van onze moren zullen worden gepoëtiseerd, niet?"

"Inderdaad ..."

"Hoeveel hebt u er op voorraad, zegt u?"

"Achttienduizend, meneer de hertog, à twee peseta per stuk." En hij voegde er zachtjes aan toe: "Het spreekt vanzelf dat u de gebruikelijke tien procent krijgt ..."

"Afgesproken. Ik zal doen wat ik kan. En praat u nu niet meer over geld, want we droegen net nog het woord 'poëzie' op de lippen ..."

Op het kruispunt van de Carrer Bergara en de Carrer Balmes stapte Felip Dalmau uit het rijtuig en liep tot aan een portiek van de Ronda de la Universitat. De tenen van zijn te witte voeten staken uit zijn sandalen. Eind juli was er op dat uur niemand op straat. En hij verkleed als pastoor ... Wat kon het leven een wendingen nemen! Hij zette zijn baret recht, ging het portiek binnen dat hij zocht en liep de trap op tot de eerste verdieping. Hij klopte op de deur en wachtte heel rustig af. Meneer Joan Rovira deed in eigen persoon en met een zekere afkeer op zijn gezicht open. Diezelfde ochtend nog had hij van mevrouw Gambús twee berichten gehad, waarin ze hem vroeg of hij nog nieuws over haar zoon had. Hij dacht dat het nu alweer om hetzelfde ging. Maar nee. Hij trof de eenvoud van een gesteven soutane aan die toebehoorde aan een pastoor met het gezicht van een knaagdier. Felip Dalmau legde hem uit dat het aartsbisdom hem had gestuurd om hem te halen voor een uiterst geheime, uiterst vertrouwelijke missie. Beneden wachtte een verdekt opgestelde koets om hen naar het kantoor van meneer de bisschop te brengen.

"Meneer de gouverneur zal er ook zijn", voegde hij eraan toe.

Rovira was stomverbaasd. De Kerk en de Staat, zij aan zij. En ze hadden hém nodig!

"Weet u waar de vergadering over gaat, eerwaarde?"

"Dat weet ik niet, meneer Rovira. Mij is alleen gezegd dat het een kwestie van leven en dood betreft. Ik kan hier niet zonder u weggaan."

Ieder ander zou wantrouwig zijn geworden, maar niet de heer Joan Rovira. Hij was immers onmisbaar. Hij zou een vertrouwensman bellen om zich te ontfermen over de kwestie met Rafel Escorrigüela. Als het zo uitkwam kon hij er ook de gouverneur even over spreken.

"Een ogenblik, alstublieft. Wacht u in de hal ..."

"Dat hoeft niet, dank u wel, ik wacht liever hier buiten."

"Zoals u wilt, meneer pastoor."

Dalmau hoorde dat hij opbelde.

Meneer Rovira trok zijn colbert aan, legde zijn vrouw uit dat er een urgente kwestie was en verliet zijn appartement, met de pastoor in zijn kielzog. Eenmaal in het portiek moesten ze een tel wachten tot het rijtuig verscheen. Ze stegen snel in en gingen er in draf vandoor, de raampjes afgeschermd door gordijnen.

Aan tafel viel onverwacht een moment stilte. De musici veranderden van partituur. En te horen was de ongelegen verzuchting van een van de disgenoten die zei: "Zoals het complete onzin zou zijn te zeggen dat een dorre boom vrucht draagt, zo is het een ongehoorde misvatting te stellen dat de lekenschool goede burgers aflevert!"

Ineens klonk het geroezemoes weer en smoorde de opmerking. Drie dames stonden op om samen naar het toilet te gaan: een donkerharige van vijftig jaar met korte tanden en een beginnende snor kon haar lachen niet houden en lachte met de lippen op elkaar. Ze droeg een zalmkleurige jurk en liep de zaal uit terwijl ze inhaakte bij een jong meisje in het roze, met kastanjebruin sluik haar; achteraan kwam een corpulente vrouw met een sierkam en een zwartfluwelen lint om haar hals. Alle drie waren ze actieve leden van de Conferències de sant Vicenç de Paül en door kleine donaties en andere indirecte bijdragen legden ze zich er volhardend op toe om het aantal buitenechtelijke relaties die welig tierden in de arme wijken van Barcelona te doen verminderen. In zijde gekleed en op glimmende lakschoenen schreden ze ruisend de zaal uit, voorafgegaan door een van de dienstmeisjes.

De handelaar met de diamant en de tijgerkop aan zijn vinger asemde een beetje op zijn ring en begon hem met zijn servet op te wrijven, terwijl hij apathisch de dames nakeek die in de gang verdwenen. Hij was even misselijk geworden van de mengeling van reukwaters. Hij draaide zich bruusk om en vroeg champagne. De bediende vulde zijn glas bij en hij, tevreden en een beetje aangeschoten, zette het aan zijn lippen en smakte. Hij vroeg de bediende dichterbij te komen: "Heel goed. Buitengewoon. Ik feliciteer u. Ik ben net uit Duitsland aangekomen en ... Bent u ooit in Duitsland geweest?"

"Nee, meneer."

"Ik zou zeggen van wel. In Duitsland voelt de bediende in het café, de ober in het restaurant zich niet door zijn beroep vernederd als het woord tot hem wordt gericht. Hij wil zelfs laten zien dat hij het goed kan. Deze beroepseer is aan te bevelen. Ik heb die in u gezien en daarom feliciteer ik u opnieuw. En twijfelt u er niet aan dat ik het de vrouw des huizes ter kennis zal brengen."

"Zeer vriendelijk van u, meneer."

De bediende trok zich terug, terwijl hij nadacht. Hij was een jonge radicaal uit de glasindustrie die net zijn werk was kwijtgeraakt en nu als kelner werkte. Hij had een rebelse pony die over zijn ogen viel. Als hij het beu werd hem opzij te schuiven, blies hij hem omhoog. Hem was de ring van de genodigde niet ontgaan. De volgende dag zou er een revolutionaire algemene staking zijn. Misschien zouden ze elkaar in een andere situatie weer ontmoeten ...

Hoewel de lucht circuleerde, was deze bij vlagen bedompt en maakte soezerig dankzij de champagnedampen, het damesparfum, het reukwater van de heren en de rook van de eerste havanna's van het natafelen. De ijstaart was in een mum van tijd op.

Een gedistingeerde oudere man stroopte met alle zorg het bandje van zijn havanna af, alsof hij een ring afdeed. Het was een man met een rood gezicht, vergeeld haar en een puntneus, die sprak met een faustisch-joviale tongval. Hij droeg een gouden dasspeld die helemaal niet pronkerig was, maar die je onmogelijk over het hoofd kon zien. Hij bekeek zonder enige gêne de ring aan de vinger van zijn buurman. Hij vroeg hem: "Het is een tijgerkop, niet?"

"Jawel, meneer, massief goud. Met als ogen twee robijnen."

"Proficiat, waar hebt u hem laten maken?"

"Als ik het u zeg, gelooft u het niet."

"Probeer het maar, amice, probeer het maar ..."

Joan Rovira was ontstemd. Waar kende hij het gezicht van die pastoor van? Het was een speciaal gezicht, als van een rat. Hij zat recht tegenover hem. Ondanks het schokken van de koets bestudeerde hij hem om te zien of hij hem herkende, maar hij slaagde er maar niet in. De priester maakte de knopen in het midden van zijn soutane los en stak er zijn linkerhand in. Hij haalde hem er weer uit met een verzegelde envelop, die hij Rovira overhandigde: "Meneer de bisschop heeft mij opgedragen u dit te overhandigen voor we aankomen."

Joan Rovira strekte vol vertrouwen zijn hand uit om de envelop te pakken. Ongetwijfeld vertrouwelijke instructies. Maar ineens merkte hij dat de pastoor in plaats van hem de envelop te geven zijn hand stevig beetpakte en hem naar zich toe trok, alsof hij hem wilde omhelzen.

"Wat heeft dit te betekenen?"

"Namens mevrouw Gambús."

Dalmau deed het zo behoedzaam alsof hij de dikte van het vet van een ham probeerde vast te stellen. Terwijl hij het lichaam van Rovira met zijn linkerhand tegen zich aandrukte, doorstak hij diens hart met het mes dat hij in zijn rechterhand had. Rovira schreeuwde niet eens. Dalmau duwde het mes tot aan het heft naar binnen en draaide het tot drie keer toe woest in de wond rond.

Rovira was dood. Meteen erop duwde hij hem van zich af en liet hem tegen de zitting hangen, met ogen die van verrassing uitpuilden. Dalmau bedacht dat hij zo'n snelle, schone, plotselinge dood voor zichzelf wenste, terwijl hij probeerde het wapen uit hem te trekken. Bij de tweede poging lukte het. Hij droogde het bloed op het mes aan de broek van de dode en stopte het in zijn zak. Vervolgens bevestigde hij met een veiligheidsspeld een briefje op diens borst, waarin een van de groepen die de algemene staking hadden uitgeroepen de daad opeiste.

Ze reden met het voertuig tot aan de Paralelo en gooiden Rovira op een van de open terreinen voor de deur van een clandestien slachthuis waar oude paarden werden afgemaakt. Twee slagers uit de Carrer Arc del Teatre kochten het vlees en een vrouw distribueerde het. Ze zouden dit kadaver vannacht wel vinden. Aangezien Rovira in een beetje vreemde, onnatuurlijke houding was terechtgekomen, nam Felip Dalmau de tijd om uit te stappen, hem goed neer te leggen en hem weer de schoen aan te doen die hij had verloren.

Een legioen dienstmeisjes was er druk mee koffie en likeur te serveren en een nieuwe invasie van geuren verspreidde zich door de eetzaal.

De militair gouverneur stond op om een toost uit te brengen, weer een die zich voegde bij de drie of vier die tot dan toe waren uitgebracht: “Ik maak van de door onze beminnelijke gastvrouw geboden gelegenheid gebruik om eens te meer ons glas te heffen en te herinneren aan de woorden van onze kapitein-generaal De Santiago, die vandaag afwezig is, staande aan de voet van zijn kanon: ‘Europa heeft ons de eervolle missie toevertrouwd om in de woeste landen van de Rif een weg te banen voor de beschaving. En we moeten haar vervullen.’ Leve de koning, leve Spanje!”

Iedereen antwoordde enthousiast met een paar ‘levens’.

De dames vonden het veel grappiger en opwindender dan ze hadden verwacht.

Felip Dalmau verscheen, met een schoon hemd en glimmende schoenen. Hij fluisterde bazin Miquela iets in haar oor, die de ogen ophief en een soort van glimlach toonde.

Dalmau ging weer naar buiten en zij nestelde zich tevreden in haar stoel. Ze ging met haar handen door haar haren, ze waren vochtig van het zweet. De musici waren even gestopt om naar de danszaal te gaan, die naast de eetzaal lag. Een ober had enorme ruzie met een fles champagne. Toen de kurk knalde, schrok de vrouw met de sierkam in haar haarwrong en liet een nerveuze gil horen. Ze kon alleen maar aan bommen denken en de knal van een champagnekurk maakte haar van streek, hoewel het een speciale partij was van het merk Irroy uit Reims. Naast haar bleef een arts, secretaris van de Acadèmia d'Higiene de Catalunya, er maar bij haar op hameren dat vrouwenkleding, vooral in de zomer, niet meer dan tweeënhalve kilo mocht wegen en het korset uitgebannen moest worden. Hij werd onderbroken door meneer de gouverneur die, omdat hij niet onder wilde doen voor de militair gouverneur, opstond en nog een toost uitbracht, deze keer op de vrouw des huizes. Men toostte en klapte. Miquela Gambús antwoordde dat ze zich erg gevleid voelde, dat ze die vriendelijke blijken van waardering nooit zou vergeten en dat in het dorp Alcagaire de la Roca de deur altijd voor hen openstond. Er werd geglimlacht en er klonk meer applaus, aan het eind waarvan de gastvrouw aankondigde dat de balzaal ter beschikking stond waar gebak, cognac, chartreuse, benedictine, anijslikeur, meer champagne, meer koffie en alles wat men maar wenste werd geserveerd. En ze was nog niet uitgesproken of de muziek klonk weer. De genodigden stonden op en gingen in opperste harmonie paarsgewijs, in groepjes of individueel naar de balzaal. Het luxueuze, grote vertrek met versierde consoles en de bijbehorende spiegels met sierlijsten erboven bood net als de eetzaal een zowel schitterende als doodse aanblik. Stoelen, sofa's en tafeltjes tegen de muren lieten de immense centrale ruimte vrij om te dansen. De musici in een hoek speelden mazurka's. Al naargelang de muziekstijl luisterden of dansten de gasten. Of ze zaten en gaven commentaar. Er werd zelfs een klein concert geïmproviseerd toen de musici aanboden om een bewerking van het *Forellenkwintet* van Schubert te spelen. De bedienden zetten de stoelen klaar en er werd langdurig voor de uitvoering geklapt.

Een dienstmeisje overhandigde een briefje aan de vrouw des huizes, die het las, verscheurde en aan het meisje teruggaf. Miquela Gambús vertrouwde de gasten die het dichtste bij waren toe dat ze een beetje moe was en dat ze zich een paar minuten terugtrok om uit te rusten. Net als de vorige keren viel het ook nu niet op dat ze de zaal verliet.

Ze liep naar de trap en daalde af tot in de kelders van het huis, het koudste deel, de oude wijnkelder. Daar, onder het licht van een petroleumlamp, boven op een tafel, lag een lichaam dat met een laken was toegedekt. Ernaast stond een grote, gezette man, die heel zwaar ademde. Hij zuchtte en zijn borst zwol zo op dat de knopen bijna van zijn vest sprongen. Het was Diumenge Jordà, doodgraver, balsemer en preparateur van Alcagaire. Hij drukte de vrouw de hand en knikte tegen haar. Miquela Gambús merkte het nauwelijks. Haar blik was als vastgenageld aan dat laken. Ze haalde uit haar mouw een kanten zakdoekje en snoot er haar neus een beetje mee. Ze begon te praten, maar haar stem brak. Ze stopte haar zakdoekje weg, schraapte haar keel en zei op ernstige toon: "Bedankt dat je gekomen bent, Diumenge. Het is vijf uur, het is niet te geloven dat je twaalf uur geleden nog in Alcagaire was ..."

"Sjees en trein, mevrouw Miquela. Ze hebben me het telegram bezorgd en om halfzes vloog ik al naar het station. Ik heb geluk gehad met de aansluiting. Ik ben net aangekomen."

"Je hebt me geholpen toen mijn vader stierf. Nu wil ik dat je me weer helpt."

Ze tilde het laken op en het lichaam van Demi Gambús verscheen, naakt, gans en gaaf, met zijn haren en baard gekamd, kalm en sereen. De twee paarse vlekken die de grote vingers van Tomàs Capdebrau hadden achtergelaten, waren midden op de keel te zien.

"Gecondoleerd, mevrouw Miquela ..."

"Dankjewel. Hier staan al mijn mensen tot je beschikking. Vraag wat je wilt en lever goed werk af, zoals altijd. Als je klaar bent, zorg je voor het transport naar Alcagaire. Ik zal er op je wachten."

"Dat zal ik doen, mevrouw Miquela. Hij zal er als een engel uitzien, dat beloof ik u."

Een kwartier later al, nadat ze haar weelderige kleed had uitgetrokken en haar parels had afgedaan, liep ze haar kamer uit en ging naar beneden naar de hoofdingang. Vanaf de patio bij de ingang was het jolijt te horen dat uit de zaal daarboven kwam. Ze stapte in een van haar koetsen en reed weg.

Degenen die er het meeste aardigheid in hadden, dansten de hele middag door op dat vrij macabere feest. Telkens als er genodigden weggingen, verontschuldigde Felip Dalmau zich namens zijn gastvrouw. Hij liet weten dat ze zich vanwege een hevige migraineaanval had moeten terugtrekken om uit te rusten en dat het haar erg speet dat ze niet persoonlijk afscheid kon nemen.

De laatste genodigde verliet het huis om zeven uur. En na hem Felip Dalmau.

Hij had ook haast.

32

Die zondag, 25 juli 1909, liep de Italiaanse schoenerbrik *Ida*, afkomstig uit Cagliari, 's morgens vroeg de haven van Barcelona binnen. Het was een lijnschip met gestileerde contouren en heldere én gedekte kleuren, met in zijn laadruim 145 ton houtskool. Het lag met alle zeilen ingenomen aan de havenkade afgemeerd, klaar om met berusting het lossen te ondergaan dat de sjouwers met tegenzin uitvoerden, aangezien het de vooravond was van een algemene staking.

Vanuit haar schuilplaats kon Nonnita Serrallac de brik door een raam zien liggen. Met zijn drie vlaggetjes die in de wind wapperden, vond ze het de mooiste boot van de wereld omdat hij háár weg naar vrijheid was, van haar én van Tomàs Capdebrau.

De dood van Demi Gambús had alles in een stroomversnelling gebracht. Een aantal uren geleden hadden ze in alle haast afscheid moeten nemen van Eustaqui. Zoals de laatste tijd wel vaker was voorgekomen, merkte ze dat haar gevoelens voor hem heel diep waren. Gevoelens van vertrouwen en dankbaarheid. En telkens als zijn totale betrokkenheid bij de zaak bleek, borrelde onwillekeurig haar genegenheid op. En hij wist dat. En hij wist ook dat hij voor Nonnita Serrallac nooit meer zou zijn dan een broertje. Desondanks kon hij het niet nalaten haar de vraag opnieuw te stellen. Hij had het gevoel dat zijn werk niet af was: "Zeker weten dat het niet beter is als we samen weggaan, bazin?"

"Ik heb je gezegd van niet. We zouden makkelijker te herkennen zijn."

De jongen vond dat een zwangere, een gestoorde en een dode papegaai ook makkelijk te herkennen waren.

Ze omhelsden elkaar stevig.

"Ik denk dat ik deze keer niet naar u luister, bazin."

Ze keek hem aan en glimlachte. Ze haalde haar hand door zijn haar en zei nadrukkelijk: "Dat doe je wel. Ik wil er zeker van zijn dat als het slecht afloopt, tenminste een van ons in orde is. Je verstopt je een paar dagen in de nachtopvang en zo gauw je kunt, ga je ervandoor naar huis, ga je terug naar Vila-rodona ..."

"Via Cádiz?"

"Wat?"

"Op die manier ben ik naar Barcelona gekomen en het is de enige manier die ik weet om weer naar huis te gaan ..."

Nonnita glimlachte en ze beloofde hem dat ze later, misschien over een jaar of twee, drie, al het mogelijke zouden doen om elkaar weer te ontmoeten. Hij ging echter maar niet weg en het meisje moest van alles beloven: dat ze hem in Vila-rodona zou opzoeken, dat ze een zaak zouden opzetten ...

Ze omhelsden elkaar en zo gingen ze uiteen.

Tegen de avond van die zondag zou Escorrigüela merken dat niemand hem de gevangene kwam overhandigen. Hij zou het opvatten als bedrog en rechtstreeks naar het theater gaan om hen te zoeken. Hij zou er met een kwade kop binnenstormen en de arme gebroeders Soriano zouden niet weten wat te antwoorden. Hij zou hemel en aarde bewegen in zijn zoektocht naar Demi Gambús. Het was mogelijk dat Escorrigüela zich een of ander detail herinnerde dat hem naar het Pekingstrand zou brengen. Des te beter. Een dode Demi Gambús was beter dan niets, vooral voor de geheimzinnige kapitalist die het geld had betaald.

In elk geval was Nonnita Serrallac zich ervan bewust dat ze alleen maar die paar uur wachten en verwarring als marge hadden om te proberen zo veel mogelijk afstand te scheppen tussen hen en hun toekomstige achtervolgers.

Ze had het vluchtplan al dagen klaarliggen. Zondag 25 juli was ideaal omdat die Italiaanse boot, de *Ida*, 's morgens vroeg aankwam en diezelfde nacht na het lossen naar Marseille doorvoer. Met de nachtwaker van de handelsfirma die de *Ida* ontving, had ze afgesproken dat hij hen tot het donker werd in het havenkantoor zou verbergen. Dan zou hij hen naar de visserskade vergezellen waar een vissersboot ze naar de havenuitgang zou brengen, waar het schip op hen wachtte. Ze zouden als een soort luxe verstekelingen worden behandeld. Ze hadden zich ook legaal kunnen inschepen door voor hun passage te betalen. Ze hadden het zelfs illegaal kunnen doen, midden op de dag, mits ze slechts een beetje uitkeken. Het was de Italianen om het even, als ze maar betaald kregen. Maar Nonnita vertrouwde niets of niemand. Ze wilde geen enkel spoor achterlaten. Ze zei dat het voor die prijs gebeurde zoals zíj het wilde of er was geen deal. En aangezien zowel de nachtwaker als de visser als de kapitein van de *Ida* er een goed slaatje uit dacht te slaan, maakte niemand ook maar een enkel bezwaar. Alvorens terug te keren naar Cagliari moest de boot in Marseille kleurstoffen en aniline laden. Daar zou hij zijn menselijke vracht achterlaten. Nonnita Serrallac dacht erover zich daar te vestigen, totdat haar kind ter wereld was gekomen. Daarna zou ze wel zien.

Er was niemand in de kantoren van de firma. Het was een gewone zondag eind juli die noodde tot liggen en zich niet bewegen. Nonnita Serrallac en Tomàs Capdebrau zaten verstopt in het magazijn, omringd door touwen, lantaarns, katrollen, ankers, netten, kisten ... Met behulp van een kruik koel water, attentie van de bewaker, verstreken de uren langzaam en kalmpjes. De kans dat ze uiteindelijk niet aan boord zouden gaan was klein, maar bestond wel: de oude bewaker zou hen ongetwijfeld verraden als iemand hem meer geld zou bieden. De man heette Joaquim en iedereen op de havenkade wist hoe hij was. Daarom was Nonnita Serrallac twee dagen eerder zonder vooraankondiging opgedoken. Ze had hem zonder omhaal verteld dat ze zondagmiddag met een vriend zou komen, dat ze stiekem aan boord van de *Ida* wilden scheep gaan en ze degene die hen zolang verborg goed zou betalen. De oude man had zijn keel geschraapt en haar glimlachend gevraagd: “Hoe goed?” En zij: “Tweehonderdvijftig peseta. Daarvoor verbergt diegene ons zolang als nodig is en onderhandelt met de Italiaanse kapitein. De prijs voor de boot apart.” De ogen van de oude man waren van emotie gaan schitteren.

De dood van Gambús had hen gedwongen zich al ’s morgens vroeg te melden. Met een extra fooi van vijfentwintig peseta kon alles geregeld worden.

En nu wachtten ze af. Zij twee in het magazijn, terwijl ze doodgingen van de hitte, en in het vertrek ernaast, dat eigenlijk het kantoor van de firma was, de bewaker, die zat te roken.

Nonnita keek naar Tomàs, die zich aan zijn koffer vastklemde, het enige wat hij bij zich had. Hij wist op dat moment niet wat er gebeurde, terwijl hij daar tussen de hamers, muurduimen en pikhouwelen zat, alsof ook hij een werktuig was. De stilte van die ruimte was vol van de oorverdovende geluiden die die voorwerpen veroorzaakten als ze werden gebruikt. Door het venster woei een uiterst penetrante lucht naar binnen.

De bewaker kwam een poosje bij hen zitten. Hij vertelde hun dat ze bezig waren de *Congo* te lossen, een Belgisch stoomschip met chemische producten voor de firma Cros: kleurstoffen, aniline, sulfiden, silicium ...

"Een baal supersulfaat is gebarsten en ze moesten maken dat ze wegkwamen. Vandaar de stank. U ziet er slecht uit, juffrouw."

"Dat dankt je de koekoek."

Ze stond op het punt om over te geven. En als ze overgaf zou ze door de weeën vast en zeker een miskraam krijgen.

De oude man stak zijn sigaret weer aan, die was uitgegaan, en bood Nonnita de krant aan.

"Alstublieft, dat verzet de zinnen. Hij is van gisteren. Ik pak de kranten die de klanten weggooien. Dus over de algemene staking geen woord."

Nonnita Serrallac weigerde. Haar hoofd stond niet naar kranten. Ze zweette en ze merkte dat de huid van haar buik gespannen was en glom als die van een timbaal. Gelukkig begon het na een poosje wat te waaien en blies de wind de stank weg.

Tegen de middag ging de bewaker zijn ronde doen en kwam terug met de boodschap dat de havenwerkers hadden geweigerd het ruim van de *Ida* te lossen, dat vol houtskool lag. Nonnita beet op haar lippen. Problemen. De oude man wierp zijn peuk op de grond en trapte hem met zijn schoen uit. Hij vertelde: "De kapitein weet niet wat hij moet doen. Hij heeft laten weten dat hij tot morgenvroeg op het lossen zal wachten. En zo niet dan vertrekt hij toch naar Marseille, met houtskool en al. Hij zegt dat hij het daar ook tegen een goede prijs kan verkopen. Hij heeft me opgedragen u te laten weten dat u zich geen zorgen moet maken, dat het plan staat en dat u vannacht absoluut zeker aan boord kunt gaan. In plaats van 's nachts het anker te lichten, doen ze dat morgenvroeg."

Problemen. Nonnita had niet eens genoeg puf om te antwoorden. Ze zuchtte en ging op een baal jute zitten. Ze moest zich geen zorgen maken ... En wat wist hij. Pas als ze op volle zee waren, zou ze zich geen zorgen meer maken!

Ze keek een poosje naar het glimmende leren koffertje van Tomàs Capdebrau. Hij had er het kadaver van zijn dode papegaai in gestopt. Ze had het hem op geen enkele manier kunnen ontfutselen. Met die hitte moest het dier al half verrot zijn. Tomàs herinnerde zich niets. Niet van de dood van Demi Gambús en nog minder van de dood van zijn papegaai. Hij dacht dat de papegaai van ouderdom was gestorven, terwijl deze net op het punt had gestaan om de reclameboodschap van Tupinamba-koffie helemaal van buiten te kennen. Nonnita wist van hem gedaan te krijgen dat hij beloofde dat ze de vogel in zee zouden gooien, als ze eenmaal waren scheep gegaan.

Het brein van Nonnita Serrallac was een inerte, hete en weke massa. Ze leunde met haar hoofd tegen de schouder van Tomàs Capdebrau en viel in slaap. Toen ze wakker werd, was de oude man schijven meloen aan het eten die hij in een emmer koud water had gelegd om te koelen. Naast hem was ook Tomàs aan het eten, terwijl zijn hand ontzettend trilde.

"Hij is goed", zei de oude man.

"Maar niet rijp", zei Tomàs.

"Maar hij is goed", antwoordde de oude man.

"Maar hij is niet rijp", hield Tomàs vol.

De bewaker keek hem aan of hij soms ruzie zocht. Hij zag dat dat niet zo was. Hij gaf geen antwoord. Rustig kauwend bedacht hij: wat die idioot ook zegt, dit is een goede meloen. Hij glimlachte en bedacht dat hij er hoe dan ook geen ruzie om zou maken: Tomàs was klant en de klant heeft altijd gelijk. Hij wilde de peseta's van Nonnita Serrallac omdat hij oud en bang was. Want hij wist dat dezer dagen in Barcelona oud zijn een van de ergste dingen was die je kon overkomen.

De avond viel en het begon af te koelen. Ze zaten in het donker, rustig en stil. Nonnita schatte dat het ongeveer kwart voor elf of elf uur moest zijn. In zijn woede haalde Rafel nu waarschijnijk de hele stad overhoop.

De bewaker kwam binnen en fluisterde: "Ik kom zo meteen terug ... En maakt u zich geen zorgen, alles zal goed komen."

Hij droeg een sigaret achter zijn oor en draaide een tweede. Het was weer eens tijd voor zijn ronde. Hij pakte de lantaarn en opende de deur. Er kwam een verkoelend briesje binnen. Hij ging naar buiten en sloot goed af. Alvorens in het donker te verdwijnen, stak hij de sigaret aan die hij net had gedraaid en meteen erop de lantaarn.

Nonnita stond op om uit het raam te kijken. Ze volgde de twee lichtpuntjes die de manier van lopen van de oude man verrieden: boven, het brandende puntje van zijn sigaret, onderaan de kleine flakkerende vlam van de lantaarn, die hij in zijn hand hield. In feite was het meer om gezien te worden dan om te zien: hij kende de route vanbuiten. Hij bleef staan. Een stel agenten van de Guardia Civil had net voor hem halt gehouden. Nonnita dacht dat ze verloren was. Ze waren haar aan het zoeken. Maar nee: de drie mannen begonnen te lachen, babbelden even en vervolgden hun respectieve rondes. Alles werd stil. Ze keek naar boven. Door het venster viel nu de nevelachtige weerkaatsing van een van de lantaarns in de haven naar binnen. Het was net een gordijntje dat haar belette de hemel te zien en haar bovendien het piekeren bespaarde. Ze wilde alleen maar dat de uren verstreken, dat ze aan boord kon gaan en dat ze haar heel ver zouden wegbrengen. Ze ging weer zitten. Als ze niet snel scheep gingen, zou ze misschien écht gek worden.

De oude man kwam met goed nieuws terug: hij had net te horen gekregen dat de kapitein van de *Ida* zijn houtskool telegrafisch in Marseille had verkocht. Dat hij meteen het anker wilde lichten, maar dat hij vanwege de formaliteiten nog een paar uur nodig had.

"Over anderhalf uur zal ik u brengen ..."

"Bedankt", zei ze.

Het was midden in de nacht. De zondag liep op zijn eind en Barcelona trok zich in zijn schulp terug. En bleef overgeleverd aan het witachtige schijnsel van de elektrische lampen en het geelachtige van de gaslampen. De zondag ging voorbij en er zou een nieuwe week beginnen in die stad die zo buiten zichzelf was, de beste en de slechtste ter wereld.

Barcelona was de som van het verleden dat al niet meer bestond en van de toekomst die nog moest komen. En Nonnita Serrallac ging weg, terwijl ze onder herinneringen gebukt ging.

En aangezien ze vond dat ze te veel nadacht, stond ze op, dronk een beetje water uit de kruik, strekte haar armen uit en geeuwde. Ze kreeg slaap van de zenuwen. Naast haar sliep Tomàs Capdebrau al een poosje met open ogen en zijn handen om het koffertje geklemd.

Ze ging weer op de baal jute liggen en sliep in.

Ze werd midden in een nachtmerrie wakker: licht dat in haar ogen scheen, verblindde haar. Ze wist niet of ze nog droomde.

Toen verdween het licht en verscheen de echte nachtmerrie, een stokoude vrouw met in haar hand een petroleumlamp bekeek haar. Ze hoorde achter zich een kalme stem die zei: "Carmeta, je kan gaan ..."

De oude vrouw draaide zich om en ging sloffend naar buiten. De flikkeringen van de verblinding verdwenen en daar verscheen zij, Miquela Gambús.

In het begin wist Nonnita Serrallac niet wie ze was, maar toen ze erachter kwam, werd ze slap als een vaatdoek. Ze keek om zich heen, Tomàs Capdebrau was er niet.

De vrouw stond voor haar en bekeek haar van top tot teen. Achter haar Felip Dalmau, rustig en op zijn hoede.

Nonnita boog haar hoofd en bleef naar de grond kijken, eerder bedroefd dan geïntimideerd. Als een ter dood veroordeelde die op de bijlslag van zijn beul wacht. Haar weerstand was allang gebroken. Ze begon stil maar aanhoudend te snikken. Steeds harder. Met de hemel al binnen handbereik, liep alles toch nog in de soep. Het was te verwachten. Het was overduidelijk dat zij en mensen als zij nergens recht op hadden. Tenminste niet op iets nieuws. De oude vrouw zou haar doden, haar, Tomàs en het kind dat ze in haar buik droeg. En daar zou ze goed aan doen, omdat zij haar zoon hadden vermoord. Het eind van verhalen stond van tevoren vast. En iemand als zij kon het niet veranderen.

De kalme toon van de vrouw verraste haar: "Niet huilen. Alsjeblieft." Ze overhandigde haar een zakdoek met de geborduurde initialen M.G. "Rustig maar ... Rustig maar ... Ik wil dat je naar me luistert en dat gaat zo niet. Wees maar niet bang. Dat is niet goed in jouw toestand. Eigenlijk begrijp ik niet hoe je na alles wat er is gebeurd, de dag van vandaag heelhuids hebt bereikt."

Nonnita Serrallac snikte nog hartgrondig na, zoals kinderen doen. Miquela Gambús wachtte tot ze zou ophouden, maar aangezien Nonnita dat niet deed, sprak ze verder: "Genoeg! Je hoeft niet bang te zijn, ik ben niet van plan je iets aan te doen."

"En Tomàs?"

"Je vriend? Hij is hiernaast, heel rustig, en eet koude soep die Carmeta voor hem heeft klaargemaakt. Voor degene die je in Barcelona hebt achtergelaten, ben ik niet verantwoordelijk, hij redt zich wel. Als hem iets overkomt, is het niet door mijn schuld. Dit is Felip Dalmau, secretaris en vriend."

Nonnita Serrallac bewoog onverwachts, wat een onmiddellijke reactie van Felip Dalmau teweegbracht, er altijd op verdacht zijn bazin te verdedigen. Nonnita vatte het op als een aanval. Ze trok haar hoofd in en bedekte het met haar handen, terwijl ze begon te jammeren. Waarom kletste die oude vrouw zoveel? Waarom maakten ze er niet voor eens en altijd een eind aan?

"Felip, wacht buiten op me."

De droge, autoritaire toon werd gevolgd door stappen van de man, die wegging en de deur sloot.

"Zie je? We zijn alleen, wij twee, alleen jij en ik ... Denk je dat we als twee volwassenen kunnen praten? Ik heb niet de hele dag en ik zeg het je klip en klaar, je toekomst hangt af van je opstelling nu ... Dus praten we of praten we niet?"

Het meisje verhief haar blik beetje bij beetje en knikte van ja. Hun blikken troffen elkaar. Ze probeerde iets te zeggen, maar Miquela Gambús legde haar met een gebaar het zwijgen op. En ze vervolgde op een afgemeten, allesbehalve agressieve toon: "Ik weet alles. Vanaf het begin. Ik weet dat mijn zoon dood is en dat ik er niets aan kan doen. Ik weet dat jij hem bedrogen hebt ..."

Van dichtbij leken de rimpels in het gezicht van de oude vrouw veel dieper.

"Maar ..."

"Je hoeft je niet uit te sloven, dat is de moeite niet. Mijn zoon ging vaak naar de Paralelo, hij heeft me dat zelf verteld. Ik veronderstel dat hij jou wel tegen het lijf moest lopen. Het een volgde uit het ander en ik kan me voorstellen dat jullie iets met elkaar kregen ... De eerste keer dat je bij mij thuis langskwam, was ik al bang dat er iets speelde. Carmeta is oud en daarom zo scherpzinnig als een schaduw die alles in de gaten heeft. Ze wist niet hoe snel ze het me moest vertellen: 'Er is een straatmeid gekomen om de jongeheer Demi te spreken. Ze zegt dat ze zwanger is.' Je ging in rook op en ik kon alleen maar wachten. Mijn zoon in de gaten laten houden en wachten. En je kwam maanden later weer terug, met al een behoorlijk dikke buik. Het was duidelijk wat je wilde. En het was ook duidelijk wat Demi je antwoordde. Felip Dalmau zag jullie op een dag samen in een café op de Paralelo, hij hoorde dat je mijn zoon een voorstel wilde doen ... Ik veronderstel dat hij het weer heeft afgewezen. Ik was verbaasd. Dat is een Gambús niet waardig. En ten langen leste neem je wanhopig het gewaagde besluit hem te ontvoeren. Demi had veel slechte kanten, maar hij was geen sukkel. Ik veronderstel dat hij je wilde helpen en met geld op zak en vol van vertrouwen naar je toe ging. Een onbekende had hem niet kunnen verrassen ... Ik begrijp je woede toen je merkte dat mijn zoon niet in staat was zijn verantwoordelijkheid te nemen voor wat hij had gedaan ..."

Wat hij had gedaan? Nonnita Serrallac verhief haar hoofd weer beetje bij beetje. Het begon haar te dagen. En wat het teweegbracht was zo absurd dat ze het onmogelijk kon geloven. Mevrouw echter vervolgde: "Ja, ja, kijk me maar niet zo aan. Je dacht: deze zoon van een rijke ontaarde moeder maakt me zwanger, zet me te schande, wil er niets van weten, hij krijgt zijn streken nog wel thuis. Ongetwijfeld ben je een vrouw uit één stuk, dapper en durf je risico's te nemen. Maar je bent niet al te slim. Want gelet op je middelen en de groep die je vergezelde had je geen schijn van kans om het er goed van af te brengen. Op enig moment bega je een fout. En jij hebt er veel begaan. Eigenlijk leef je nog omdat je het immense geluk hebt dat je zwanger bent. Maar net zo goed als ik niet geaarzeld zou hebben om je zonder pardon af te maken, zeg ik je ook dat je nu van mij niets te vrezen hebt ... als je je best doet en niet lastig bent. Jij interesseert me helemaal niet. Ik zou je met één vinger kunnen vermorzelen, als een mier. Maar ik zal het niet doen als je mij er niet toe dwingt omdat het duidelijk is dat mijn enige kind dood is en jij mijn kleinkind draagt."

"Uw kleinkind ..."

"We gaan naar het dorp en ik stel je voor als de weduwe van Demi. En als het kind wordt geboren, vieren we zeven dagen en nachten feest. En als jij je weet te gedragen, zal het je voortaan nooit aan wat dan ook ontbreken. Hou jezelf niet voor de gek: ik zal het je nooit vergeven. Ik zal geen enkele dag van mijn leven vergeten dat mijn zoon door jouw schuld dood is. Pas daarom goed op je tellen: jij woont bij mij en we zullen deze kleine Gambús die je onder je hart draagt zien opgroeien zodat hij tenminste een moeder heeft, aangezien hij geen vader zal hebben. Ik zal je in de gaten houden en als je geen problemen veroorzaakt, zul je als een koningin leven. Maar vergeet niet, bij het minste of geringste maak ik je van kant. Ik heb liever dat mijn kleinzoon bij zijn moeder opgroeit, maar als dat niet kan, pech gehad. Pech voor jou, dat mag duidelijk zijn. Als mijn kleinzoon of -dochter al wat groter is, kun je gaan waarheen je wilt. Let wel, helemaal in je eentje. Is dat duidelijk? Je bent een slimme meid en ik weet dat je doet wat goed voor je is. En wie weet, misschien vind je je plek nog wel tussen ons ... Als je je bewust bent van wat goed voor je is en vooral wat goed is voor je kind, zul je hem als een Gambús laten opgroeien. Wat heb je?"

En Nonnita Serrallac begon vanuit haar maag te lachen. Een brutale lach, voluit, primitief. Een niet binnen te houden schaterlach vanwege die absurditeit: '... je zult leven als een koningin ...' En ja, ze wilde leven als een koningin. Ze huilde niet van het lachen omdat ze al haar tranen al verspild had aan de angst. Ineens keek Miquela Gambús haar weer strak aan.

"Nu hoeven we nog maar één ding op te helderen: wie heeft mijn zoon vermoord?"

Weer stond Nonnita op het punt in de afgrond te storten. Haar schoot het meest stupide, onwaarschijnlijke antwoord te binnen. In haar toestand kon ze geen ander verzinnen: "Wij niet. Ik zweer het u."

Miquela Gambús bleef onbewogen. Ze antwoordde: "Dat weet ik. Jullie hadden geen reden om het te doen. Ik ben er zeker van dat je, als je de dood van Demi had kunnen voorkomen, het zou hebben gedaan ... Bovendien weet ik al wie het gedaan heeft."

"O, ja?"

“Waarschijnlijk iemand die door Rovira is gestuurd. Of misschien door die ellendeling van een Escorrigüela. Hij is er de man niet naar om toestanden tot het eind toe uit te zitten ... Ik heb mij er al mee belast.”

Ze stopte, ineens was haar stem begonnen te trillen. Ze was gewend haar gevoelens te verbergen. Maar het was maar een ogenblik. Ze keek Nonnita aan. Ze was weer woedend: “Hij had het lef het horloge dat mijn zoon zelf hem cadeau had gedaan boven op hem te gooien ... Dalmau volgde jullie. Hij zag jullie aankomen en er een paar minuten later als de duvel vandoor gaan. Het is duidelijk dat alles al gebeurd was. Binnen was er alleen deze vriend van jou, die je vergezelt, die niet alles op een rijtje heeft. Hij had maar weinig kunnen doen tegen een goed getrainde huurmoordenaar ...” Ze liet een paar seconden voorbijgaan en werd rustig. Ze zuchtte diep: “Wij Gambús zijn een beetje een bijzondere familie, dat zul je nog wel merken. We verrichten grootse dingen en tegelijkertijd zijn we in staat tot de meest zinloze sterfgevallen, zoals die van mijn zoon. Of zoals die van mijn vader. Kom mee, heb je honger?”

“Een beetje ...”

“Carmeta, maak het avondeten voor juffrouw Nonnita klaar!”

Ze kwamen in het kantoor uit. Het was bijna dag. Tomàs lachte en at koude soep. Dalmau zat ontspannen in een hoek en keek naar buiten. Meneer Joaquim, de bewaker, had zich uit de voeten gemaakt. Een paar minuten geleden had Nonnita Serrallac nog in levensgevaar verkeerd. En nu gaf een van degenen die haar konden vermoorden haar een snee brood met tomaat en omelet.

“Zit je gemakkelijk?” vroeg de oude Miquela haar.

En zij, gezeten met een servet op haar zwangere buik, zei met een klein stemmetje: “Ja.”

En ze merkte dat ze het van geluk een beetje in haar broek deed. En dat het haar om het even zou zijn als die man met het rattengezicht haar zou vermoorden als ze dat kantoor zou verlaten. Zo hoorde ze in een wolk de stem van de oude vrouw die zei: “Ik heb orders gegeven dat alles moet klaarstaan voor als we aankomen. Eerst is er nog de begrafenis. En daarna is het enige wat telt jouw kind, mijn kleinkind.”

Ze zweeg een paar tellen en wees naar Tomàs: “Wat je vriend

betreft, we zullen de beste dokters voor hem zoeken. Als hij herstelt, goed, zo niet, dan zullen we ervoor zorgen dat hij rustig en fatsoenlijk kan leven tot aan zijn dood."

Nonnita Serrallac depte haar mond met het servet, keek haar aan, glimlachte naar haar en bedankte haar. Een paar seconden later vroeg ze: "Hoe moet ik u noemen?"

"Alles wat je wilt, behalve 'moeder'."

En ze vertelde haar dat ze hoe dan ook op de *Ida* zouden inschepen, die haar koers zou verleggen en hen naar de rede van Hospitalet de l'Infant zou brengen. Daar zou een koets van de familie op hen wachten om hen naar Alcagaire te vervoeren.

En zo ging het. Een moment later klopte iemand op de deur. Het waren twee donkere, gespierde zeelui. Felip Dalmau ging opendoen. In het schijnsel van de lamp in het kantoor kon Nonnita lezen wat er op hun borst geborduurd stond: IDA. Ze spraken Italiaans. De klank van die taal deed haar opschrikken: en zo dacht ze voor het laatst aan de vader van haar kind. Arme Emidio, waar zou hij zijn? Ze wist zeker waar zij en haar toekomst zouden liggen. En dat ze een lot uit de loterij had: tot ziens, Emidio.

En ze keek toe hoe de twee jongens haar hele bagage oppakten en wegdroegen.

"Hoe laat is het, Felip?"

"Halfacht, mevrouw Miquela ..."

"Een goed moment om te vertrekken. Laten we gaan!"

De hele groep kwam in beweging. De bazin beval en commandeerde. En zo, te voet, zonder angst, kwamen ze bij de loopplank van de boot. Bij het aanbreken van de dag was de lucht die van zee kwam fris en zoutachtig. Een officier kwam naar beneden om hen te ontvangen en nodigde hen uit naar boven te komen. En Nonnita was de eerste die de loopplank besteeg, flink doorlopend, zich vasthoudend aan het touwwant, terwijl ze in de maat armen en benen bewoog, eerst links, dan weer rechts.

Het was al dag en ze stond bijna versteld van de aanblik van de haven. Er was een oceaanstomer die waarschijnlijk meer troepen moest innemen, pontons aan de kade om het laden te vergemakkelijken, vissersboten, sleepboten, feloeken, aken vol zakken, silhouetten van mensen die ineens begonnen te lopen. De vochtigheid van de havenkade vermengde zich met de stank van petroleum en schimmel.

Nonnita bekeek dat alles of ze er al niet meer was.

Ze kreeg een hut helemaal voor haar alleen. Ze bekeek hem van top tot teen. De patrijspoort had een gouden omlijsting. Erdoorheen kon je de grijze vierkantige huizen zien die het dichtst bij op de kade stonden. Ze staken tegen de achtergrond af, als afgetekend tegen de hemel, als geschilderd op een romantisch schilderij ...

Het leek allemaal niet echt. Binnen twee dagen had ze de oude vrouw er wel van weten te overtuigen dat zij voor haar kleinkind de beste aller moeders en voor haar de beste aller schoondochters was. Later zag ze wel weer.

Ineens begon het schip te bewegen, getrokken door een sleepboot die niet staakte. Nonnita Serrallac ging naar buiten en rende naar dek. Tegen de reling aangedrukt, met de wind in haar gezicht en de blik op de stad gericht, was het net of ze een groep mensen zag, klein, heel klein, in de verte, die de armen bewogen, alsof ze gedag wuifden. Ze glimlachte. Waarom niet, ze stelde zich voor dat die groep, naar alle waarschijnlijkheid een piket van protesterende stakers, er voor haar was. Het was onmogelijk, maar het idee beviel haar. Of het waren Eustaqui en een paar vrienden die gekomen waren om als verrassing afscheid te nemen ... Wat maakte het uit, ze zwaaide terug. Uit nieuwsgierigheid vroeg ze de officier of hij haar even diens verrekijker wilde lenen. Ze stelde in op de groep: “Natuurlijk, wie zouden het anders kunnen zijn?”

Het zijn haar geliefde doden, in een rij opgesteld op de grens van hun buurt, alsof ze een imaginaire lijn niet durven oversteken, aan de rand van de open wond die het open terrein van de toekomstige Via Laietana is. Zij zijn het die haar groeten en uitzwaaien. Met de verrekijker kan ze hen bijna een voor een onderscheiden: vooraan haar ouders, ontroostbaar omdat iemand al dagen geleden de dwergpalm heeft ontworteld en ze nu geen schuilplaats meer hebben. En ze wuift haar moeder gedag die hapjes van een citroen neemt, met schil en al, omdat ze zegt dat dat vanbinnen reinigt. En haar vader die op zijn driepotige kruk zit. Hij rookt zijn sigaartje met de gebruikelijke bedachtzaamheid en Nonnita vraagt hem hardop, met de weerschijn van de zon in haar ogen, te stoppen met roken omdat zijn snor geel wordt van de rook. En haar vader herhaalt uit de verte dat ze zich voor eens en altijd in haar hoofd moet prenten dat dat gele niet van het roken komt, maar van de dood. En beiden wensen haar geluk toe daar waar ze heen gaat. De kolenboer van Can Simó met het vuile gezicht, die zegt dat hij haast heeft: de eeuwige tegenstrijdigheid, je kunt niet dood zijn en haast hebben. En de zingende tweeling uit de Carrer Malla die als twee vogeltjes kwinkeleren. En hoewel Nonnita niet kan horen wat ze zingen, is ze hun dankbaar omdat ze weet dat ze voor háár zingen. Jaume, de kapper uit de Carrer Tarongeta, gedraagt zich weer als een vriend en laat haar zien hoe hij zijn houten ei in zijn mond kan laten dansen. En de bouwvakker uit Murcia, met zijn zakje pinda's, schoon en opgepoetst, tevreden omdat hij zich eindelijk, ook al is hij dan dood, een echte Barcelonees mag noemen. En dat hij daar tussen de anderen staat, is het beste bewijs. En Severí Blauet, die bij wijze van afscheidsgroet vrolijk zijn sjaal laat fladderen die half af is. Naast hem staat Klotilde, knap, jong en wild, die zich in zee verdronken heeft omdat haar aan land de woede verstikte; ze lacht droefjes omdat ze niet wil dat Nonnita weggaat. En ze ziet ook Cleta, de touwschoenenverkoopster uit de Carrer Tapineria, die naar haar buik wijst en haar nog eens zegt dat ze zich geen zorgen moet maken, dat als het kind dat ze draagt koorts mocht krijgen, ze het zal genezen omdat ze op kerstdag geboren is en krachten heeft. En de weduwe Massini ontbreekt niet, met haar door moeraskoorts geschonden gezicht, die zelfs dood haar vriendschappen onderhoudt. En ze zegt haar dat ze met gerust hart moet weggaan en dat ze geen zevendemaands kindje zal baren, dat weet ze zeker. En die onbekende dode met het vollemaansgezicht die zich, egoïstisch als hij is, een weg baant tussen de doden om haar te vertellen dat de plek waar hij rust, op de Montjuïc, ideaal is en dat ze het aanstonds zal zien als ze er met haar schip langs vaart. En Nonnita moet haar kaken stevig op elkaar klemmen omdat ze geëmotioneerd raakt en niet wil dat ze haar zien huilen.

En terwijl ze zich verwijdert, worden de gezichten van haar geliefde doden steeds kleiner. En de beelden van de stad die ze verlaat vermengen zich met die ze achter haar ogen heeft en worden in haar geheugen gebrand.

Ineens klonk de stem van Miquela Gambús: "Ik heb je veel dingen over ons verteld. En heb jij mij niets te vertellen wat ik moet weten?"

Ze twijfelde voor ze antwoordde. Maar ze deed het: "Ik praat met de doden. Niet met iedereen. Alleen met die uit mijn eigen buurt. Dat was tenminste tot nu toe zo. Maar aangezien ze over twee dagen al geen buurt meer zullen hebben, komen ze misschien op het idee om mij te bezoeken."

Miquela Gambús nam een paar tellen alvorens te reageren. Ze had niet de indruk dat het meisje een grapje maakte of simpel was.

"Laat ze maar komen, laat ze maar komen. Hoe meer zielen, hoe meer vreugd. Ik heb me altijd meer zorgen gemaakt over de levenden."

Vanaf het dek van de *Ida* zag je heel klein, langzaam en vierkant de trams die over de Avinguda de Colom reden: de verte vervaagde de contouren. Ze had bijna het idee dat je het knarsen van de wielen over de rails kon horen. Ineens was er in de buurt van de Rambla een grote explosie te horen, gevolgd door een aantal kleinere. Ook het geluid van schoten dat aan kwam waaien, als vuurwerk. Het meisje keek weer met haar verrekijker. Ze zag overal mensen roepen en schieten. Ze zag hun vertrokken gezichten. Een groep had net een tram omgegooid. Het meest opgewonden was een jongen met een rebelse pony die over zijn ogen viel. Als hij het beu was hem opzij te schuiven, blies hij hem omhoog. Nonnita zag hoe hij ineens stopte en achteroverviel. De jongen had net, te laat, ontdekt dat jong zijn en partijlid van de Partit Radical je niet immuun maakte voor kogels. Hij bleef op de grond liggen. Tegelijkertijd begonnen dikke rookkolommen zich in de hemel boven de stad te verheffen.

"Wat is er aan de hand? Er zijn explosies en rookwolken, ze hebben een tram omgegooid, ze maken mensen dood ..."

Miquela Gambús herinnerde zich hoe ze zich een paar dagen eerder midden in de nacht in hoogsteigen persoon bij de piaristen van Sant Antoni had aangediend. Ze huurde voor veel geld voor haar diner alle zwarte en paarse stoffen die ze hadden, inclusief wandtapijten, vloerkleden en draperieën. De geestelijke die bevreemd de deur voor hen opendeed, begreep er niets van. En ze drong aan: "Ik heb ze niet langer dan een etmaal nodig. Bovendien, wat maakt het ook uit, voor de tijd die jullie nog rest ..." Wat wilt u zeggen, mevrouw Gambús?" vroeg de pastoor haar, slaperig en verrast. En zij: "Niets, niets, let er maar niet op ..." Met de stoffen al op twee karren geladen, had ze hem het geld voor de huur ervan in zijn hand gestopt en met droge, snijdende stem gezegd: "Kijkt u eens, in ruil voor de dienst die u mij zojuist heeft bewezen, zal ik u een goede raad geven: gaat u een dag of drie op vakantie, naar verluidt is dat goed voor de gezondheid ..." En hij: "Wilt u zeggen op vakantie?" Miquela Gambús monsterde hem van top tot teen en zei: "Op vakantie of wat u ook wil, maar neem mijn woorden ter harte." De pastoor had het geld in zijn zak gestopt, haar bedankt, gezegd dat de familie Gambús een van zijn grootste weldoeners was en was weer gaan slapen.

Een kleine golfslag maakte dat Miquela Gambús zich aan de reling moest vastgrijpen. Er woei een frisse westenwind, de hemel was helder. De blik van Nonnita verraste haar. Ze was haar helemaal vergeten. Haar gezicht ontspande en ze zei tegen Nonnita: "Je vraagt me naar de rookwolken en de schoten?"

"Ja."

"Ik kan je alleen maar zeggen dat het er morgen nog meer zijn."

"En hoe weet u dat?"

"Dat geeft mijn hart me in", antwoordde ze op eerder spottende dan sinistere toon.

Het water bewoog zachtjes, alsof de schoenerbrik met zijn vlijmscherpe boeg door zachte boter sneed.

Miquela Gambús verliet Barcelona met een gerust hart. Nu kon ze tenminste met opgeheven hoofd naar de hel gaan om haar vader te ontmoeten. Het wachten was de moeite waard geweest. Ze dacht aan haar dode zoon, aan haar kleinkind dat geboren zou worden, ze glimlachte een beetje. Ze leek jonger ...

Ze wees onverschillig naar de stad en voegde eraan toe: "Ooit zul je naar Barcelona terugkeren ... En weet je wat Nonnita?"

"Wat, mevrouw Miquela?"

"Nou, het zal er nog zijn."

Barcelona, januari 1998-juni 2000

Dankbetuigingen

Voor mijn vriend Jordi Català. Vanwege zijn kennis over het thema, vanwege zijn landkaarten, vanwege zijn grafieken en, vooral, vanwege de gedeelde passie voor onze stad.

Voor Josep M. Huertas Clavería, vanwege zijn vriendschap en leiding.

Dankzij hen – en dankzij de hemerotheek van *La Vanguardia* – ging deze roman onder het allerbeste gesternte van start.

Ook voor Q.M., indien nodig, met excuses, vanwege het huldeblijk zonder toestemming. Hij geniet van de beste der werelden en dat betekent voor mij geluk.